YMDRIN AG

ISELDER ÔL-ENEDIGOL
Â MEDDWL TOSTURIOL

MICHELLE CREE

atebol

Y fersiwn Saesneg:

Cyhoeddwyd ym Mhrydain yn 2015 gan Robinson sy'n rhan o Little, Brown Book Group,
Carmelite House, 50 Victoria Embankment, London EC4Y 0DZ
Hawlfraint © Michelle Cree, 2015
Mae hawl foesol yr awdur wedi ei datgan.

Y fersiwn Cymraeg:

Cyhoeddwyd yn y Gymraeg yn 2020 gan Atebol Cyfyngedig, Adeiladau'r Fagwyr,
Llanfihangel Genau'r Glyn, Aberystwyth, Ceredigion SY24 5AQ

Addaswyd gan Testun Cyf.
Dyluniwyd gan Owain Hammonds
Hawlfraint © Atebol Cyfyngedig 2020

Nodyn pwysig

Ni fwriedir i'r llyfr hwn gymryd lle cyngor neu driniaeth feddygol. Dylai unrhyw un sydd â
chyflwr sy'n gofyn am sylw meddygol ymgynghori ag ymarferydd meddygol cymwys neu
therapydd addas.

Dymuna'r cyhoeddwr gydnabod cymorth ariannol Cyngor Llyfrau Cymru.

ISBN: 978-1913245108

www.atebol-siop.com

I Jacob, Thomas a Freya

Cynnwys

Rhestr o ffigurau a thablau

Ffigurau

Tablau

Rhagair

Rydyn ni wedi deall erioed bod tosturi yn bwysig iawn ar gyfer ein lles. Os ydyn ni dan straen neu'n ofidus, mae bob amser yn well cael pobl garedig, gymwynasgar a chefnogol o'n cwmpas yn hytrach na phobl feirniadol, anghefnogol neu rai heb ddiddordeb ynom ni. Fodd bynnag, nid y synnwyr cyffredin hwn yn unig sy'n tanlinellu gwerth caredigrwydd a thosturi, oherwydd mae datblygiadau diweddar mewn astudiaethau gwyddonol ar dosturi a charedigrwydd wedi datblygu ein dealltwriaeth o'r modd y mae'r rhinweddau hyn mewn gwirionedd yn dylanwadu arnom ac yn ein helpu mewn pob math o ffyrdd corfforol a meddyliol. Eto, er gwaetha'r hen ddoethineb synhwyrol hwn a gwybodaeth fodern, rydyn ni'n byw mewn oes lle mae bod yn dosturiol tuag atom ein hunain ac eraill yn anodd. Mae ein byd yn un o geisio mantais gystadleuol, yn un o gyflawniad ac awydd, yn un o gymharu ag eraill sydd o bosib yn gwneud yn well na ni, yn fyd o anfodlonrwydd, hunan-siom a'r tueddiad i fod yn hunanfeirniadol (a hynny'n llym iawn ar adegau). Mae ymchwil bellach wedi dangos bod amgylcheddau o'r fath mewn gwirionedd yn ein gwneud yn fwy anhapus, a bod afiechyd meddwl ar gynnydd, yn enwedig ymhlith pobl iau.

Gall geni a magu babi fod yn amser o brofi cryn dipyn o straen, ac yn gyfnod lle mae angen cymaint ag y gallwn ei gael o gefnogaeth a thosturi gan eraill. Tan yn gymharol ddiweddar, ystyriwyd genedigaeth yn 'fusnes i fenywod', lle'r oedd menywod yn cael cymorth menywod yn unig yn ystod yr enedigaeth, yn cael eu trin fel pobl arbennig ac yn cael cefnogaeth lawn gan eu perthnasau benywaidd am rai wythnosau wedi hynny. Bellach, mae'n arferol cael cymorth gan ddynion yn ystod yr enedigaeth ac mae menywod yn aml yn gadael yr ysbyty yn fuan heb fawr o gefnogaeth. Yn sicr cyn oes meddygaeth fodern, roedd genedigaeth yn broses anodd, oherwydd anawsterau wrth lywio'r llwybr geni dynol. A dweud y gwir, i fenywod mae rhoi genedigaeth yn fwy peryglus a chymhleth nag ydyw i unrhyw brimat arall. Mae meddygaeth fodern yn helpu ar adegau anodd, ond gallwn hefyd orfeddyginiaethu a chredu y gellir goresgyn pob anhawster drwy weithdrefnau meddygol, tabledi a moddion. Y gwir yw fod rhoi sylw i anghenion emosiynol y fam yn gwbl ganolog.

Felly mae'n bwysig cydnabod weithiau, heb feio ein hunain, nad yw'r gefnogaeth angenrheidiol ddelfrydol ar gael. Pan fyddwn ni'n cael trafferth, mae angen i ni gydnabod hynny, heb unrhyw gywilydd, a holi am gymorth ymwelwyr iechyd neu ffrindiau. Fodd bynnag, mae problem arall y mae'n rhaid i ni gadw llygad amdani, sef ein bod yn byw mewn cymdeithas sy'n feirniadol iawn ac y gallwn ddisgyn i'r fagl o feirniadu ein hunain yn hallt.

Mae ymchwil yn awgrymu bod menywod â mwy o anawsterau emosiynol yn aml yn hunanfeirniadol iawn, gan gredu nad ydyn nhw'n ddigon da mewn rhyw ffordd, neu'n ei chael hi'n anodd bondio â'u babi neu fod ag unrhyw deimladau tuag ato. Gall hyn ddigwydd yn hawdd, yn anffodus. Mae'n rhan o hanfod cymdeithas y Gorllewin i werthu rhithiau a delfrydau am y fam a'r babi hapus yn chwarae gyda'i gilydd byth a hefyd ac yn llawen. Y gwir yw y gall pethau fod yn anoddach na hynny. Felly, yn y llyfr rhagorol hwn ar ymagweddau tosturiol at faterion sy'n gysylltiedig â chael babi, mae Michelle Cree yn ein helpu i ddeall sut gallwn sicrhau bod tosturi yn ganolog i'n hymddygiad. Mae hi'n archwilio'r materion cymhleth sy'n ymwneud â genedigaeth, y newidiadau corfforol sy'n digwydd a all arwain at newidiadau yn ein hwyliau neu orbryder diangen, a sut gallan nhw weithiau fygu teimladau cariadus. Bydd hefyd yn archwilio sut gallwn ni, a hynny'n gwbl ddi-fai, fynd ar goll mewn cylchoedd o hunanfeirniadaeth. Yn bwysicaf oll, mae hi'n dangos sut i estyn am gymorth os bydd ei angen arnom drwy ddelio â'r hyn allai fod yn ffynonellau o gywilydd i ni, a dysgu sut i drin ein hunain yn fwy doeth a charedig.

Weithiau, gellir meddwl am dosturi fel rhywbeth braidd yn ddisylwedd neu wan – ffordd o anghofio'r hyn sy'n ein gwarchod a pheidio â thrio'n ddigon caled. Mae hwn yn gamgymeriad mawr, oherwydd y gwrthwyneb sy'n wir: mae tosturi yn gofyn i ni fod yn agored i'n teimladau poenus ac yn oddefgar ohonyn nhw, ac wynebu ein hanawsterau a'n hemosiynau anodd. Nid troi cefn ar anawsterau emosiynol neu anghysur yw tosturi, na cheisio cael gwared arnyn nhw. Nid opsiwn hawdd ydyw. Yn hytrach, tosturi yw sail y dewrder, y gonestrwydd a'r ymrwymiad i wneud yr hyn allwn ni i ddysgu ymdopi â rhai o'n hanawsterau a'u goresgyn. Mae'n ein galluogi i wneud pethau i ni'n hunain, a drosom ein hunain, sy'n ein helpu i ffynnu ac i ofalu amdanom ein hunain – nid fel gorchymyn neu ofyniad, ond i'n galluogi i fyw ein bywydau yn llawnach ac yn fwy bodlon.

Yn y llyfr hwn, daw Michelle â blynyddoedd lawer o brofiad fel seicolegydd clinigol, yn gweithio gyda mamau a darpar famau – rhai ag anawsterau iechyd meddwl sylweddol iawn. Mae hi hefyd yn dod â chyfoeth o brofiad o weithio gyda therapi sy'n canolbwyntio ar dosturi dros nifer o flynyddoedd. Mae hi'n rhannu ei phrofiad fel hyfforddwr cenedlaethol mewn dulliau tosturi yn y maes hwn. Yn y llyfr hwn, mae hi'n amlinellu model o dosturi sy'n ceisio ysgogi a meithrin eich hyder fel y gallwch chi ymgysylltu ag unrhyw anawsterau a allai fod gennych. Bydd Michelle yn eich tywys drwy ddatblygu cymhellion tosturiol, sylw tosturiol, teimladau tosturiol, meddwl tosturiol ac ymddygiad tosturiol. Bydd yn dangos i chi sut i ddod yn fwy ystyriol, sylwgar ac ymwybodol o'r hyn sy'n digwydd i chi, yn hytrach na chael eich cario ymaith gan don o deimladau a all weithiau deimlo'n llethol.

Byddwch yn archwilio pŵer posib gweithio'n uniongyrchol gyda'ch corff drwy anadlu mewn ffordd benodol sy'n helpu i dawelu a chanolbwyntio'r corff. Byddwch yn ymarfer datblygu llais caredig ynoch eich hun a defnyddio osgo a mynegiant wyneb i ysgogi systemau a'ch ymennydd. Byddwch hefyd yn dysgu gwerth datblygu rhai mathau o ddelweddau sy'n canolbwyntio ar dosturi, ffyrdd tosturiol o feddwl ac ymddwyn. Wrth gyflwyno'r awydd i ddod â mwy o dosturi i'r byd ac i'n bywydau, yna gallai fod yn ddefnyddiol gweld bod llwyddiant neu ddiffyg llwyddiant hynny yn llai pwysig nag atgoffa'n hunain mai dyna yw ein bwriad. Yr hyn sy'n bwysig yw cydnabod gwerth ceisio bod yn fwy tosturiol ac yna rhoi cynnig arni. Yn aml iawn, mae'n anodd cyflawni'r hyn a fwriadwn (mae'n hawdd iawn bod yn siomedig, yn orbryderus, yn rhwystredig neu'n ofidus – neu'n syml iawn, anghofio'n bwriad i fod yn dosturiol) ond mae'r bwriad gwreiddiol hwnnw'n helpu i'n tywys. Drwy ddod yn fwy tosturiol, gallwn ddod yn llai beirniadol a chanolbwyntio mwy ar yr hyn rydyn ni'n ceisio ei wneud, yn hytrach na beirniadu ein hunain am yr hyn na wnaethom neu na allwn ei wneud. Gydag amrywiaeth o syniadau yn ymwneud â delweddaeth dosturiol, byddwch yn darganfod y gall ffocws eich tosturi fod yn weledol neu'n glywedol (e.e. dychmygu llais tosturiol yn siarad â chi pan fydd arnoch angen hynny), a gall hyd yn oed cyffwrdd neu arogli fod o gymorth i'n galluogi i gysylltu â'n teimladau a'n dyheadau tosturiol mewnol.

Mae llawer o bobl yn dioddef yn dawel ac yn y dirgel gyda phob math o ofnau, pryderon ac emosiynau anodd yr adeg hon. Mae gan rai gywilydd, mae rhai'n ddig gyda nhw eu hunain, mae eraill yn ofnus neu'n orbryderus, ac eto gall eraill deimlo'n lluddedig neu'n farw y tu mewn. Yn anffodus, gall teimlo cywilydd am y pethau hyn ein hatal rhag eu cydnabod yn agored, ac arwain at feio ein hunain. Ond os ydyn ni'n hytrach yn gweld yr anawsterau hyn fel rhan o beth all ddigwydd i fenywod, byddwn yn teimlo'n llai o gywilydd, ac yn fwy tebygol o estyn am gymorth. Beth bynnag rydych chi'n ei deimlo, beth bynnag rydych chi'n ei feddwl neu pa ffantasïau bynnag sydd gennych chi, cofiwch fod menywod eraill ar ryw adeg dros y canrifoedd (miliynau ohonyn nhw, mae'n debyg) wedi eu cael nhw hefyd – felly, er y gall fod yn boenus, dydych chi ddim ar eich pen eich hun. Drwy agor eich calon i dosturi tuag at eich anawsterau, gallwch gymryd y camau cyntaf tuag at ddelio â nhw mewn ffordd newydd. Bydd fy nymuniadau tosturiol yn gwmni i chi ar eich taith a dwi'n mawr obeithio y bydd y llyfr hwn yn rhoi'r help sydd ei angen arnoch chi.

Yr Athro Paul Gilbert PhD FBPsS OBE

Rhagfyr 2014

Nodyn gan yr awdur

Ar ôl blynyddoedd lawer yn gweithio mewn gwasanaethau iechyd meddwl i oedolion, cefais y fraint o gael y cyfle i weithio yng Ngwasanaeth Iechyd Meddwl Amenedigol (*Perinatal*) The Beeches. Cefais fy ysgogi i symud ar ôl gweithio gyda nifer o fenywod a ddywedodd fod eu hanawsterau wedi dechrau ar ôl cael babi. Roedd rhai wedi bod yn cael trafferth ers blynyddoedd lawer, gydag un ddynes bron yn drigain oed ac yn dal i ddioddef iselder, a ddechreuodd ar ôl genedigaeth ei babi cyntaf pan oedd yn ugain oed. I rai, roedd eu trafferthion yn gysylltiedig â materion yn ymwneud â bondio â'u babi, ac roedd yn dal i effeithio ar eu perthynas â'u plant, a oedd bellach yn oedolion. Dagrau pethau oedd y gallai eu bywydau nhw, a bywydau eu plant, fod wedi bod yn dra gwahanol, mae'n debyg, pe baen nhw wedi derbyn cymorth yn nyddiau cynnar bod yn famau newydd.

Fel llawer o wasanaethau iechyd meddwl amenedigol eraill ledled y wlad, mae The Beeches yn darparu cymorth i fenywod sydd mewn perygl o ddatblygu neu'n dioddef o salwch meddwl difrifol sy'n gysylltiedig mewn rhyw ffordd â bod yn feichiog, rhoi genedigaeth neu fagu babi. Mae'r gwasanaeth yn gweithio gyda menywod o ddechrau eu beichiogrwydd (neu cyn hynny, os oes risg uchel o salwch), nes bydd y babi yn flwydd oed, os oes angen. Mae yno uned fechan chwe gwely i gleifion mewnol, lle gall mamau ddod gyda'u babi os oes angen help mwy dwys arnyn nhw. Mae yno hefyd dîm sy'n gweithio gyda menywod sy'n sâl ond nad oes angen iddyn nhw fod yn yr uned i gleifion mewnol.

Mae'r gwasanaeth yn gweithio gydag eraill sy'n cefnogi menywod beichiog ac ôl-enedigol; yn wir, sylw gan ymwelydd iechyd wnaeth fy symbylu i fwrw iddi go iawn i ysgrifennu'r llyfr hwn, a fu'n chwyrlïo yn fy meddwl ac ar ddarnau o bapur ers blynyddoedd lawer. Dywedodd ei bod wedi dechrau swydd newydd mewn ardal a oedd yn cynnwys stad dai gymharol gefnog. Treuliai ei dyddiau yn ymweld â menywod yn eu cartrefi a gweld yr un darlun dro ar ôl tro; ym mhob tŷ, roedd menyw ar ei phen ei hun gyda'i babi. Sylweddolodd fod menywod ar hyd a lled y stad yn straffaglu ar eu pennau eu hunain am oriau lawer bob dydd, ond pan oedden nhw'n mynd allan gyda'u babi, roedden nhw'n gwisgo 'mwgwd', ac yn rhoi'r argraff bod popeth yn iawn. Yn aml, roedden nhw'n mynegi cywilydd oherwydd eu bod yn methu ymdopi pan oedd pawb arall i'w weld yn ymdopi cystal. Fel y gwelwn yn ddiweddarach, dydyn ni ddim wedi esblygu i fagu plant ar ein pennau ein hunain, felly mae'n ddealladwy pa mor anhygoel o anodd y gall hyn fod. Ac eto, mae menywod wedi ymlâdd yn aml yn ysgwyddo baich y bai eu hunain.

Dwi'n gobeithio rhoi sylw i'r drasiedi hon yn y llyfr hwn: mae cael babi yn gymhleth, yn cael ei effeithio gan lawer o ffactorau y tu hwnt i'n dylanwad ni, ond eto mae cynifer o fenywod yn beio'u hunain neu'n teimlo eu bod ar fai. Gall hyn rwystro menywod rhag chwilio am gymorth, gan eu hatal nid yn unig rhag ceisio'r gefnogaeth sydd ei hangen yn ystod y blynyddoedd cynnar pwysig hyn, ond hefyd rhag profi llawenydd bod yn fam a blodeuo fel mamau. Byddai symudiad bychan iawn ar ddechrau'r daith yn arwain at gyrraedd lle gwahanol iawn flynyddoedd lawer i lawr y lôn. Dyma nod y llyfr hwn: helpu menywod i symud, hyd yn oed y mymryn lleiaf, i beidio â theimlo cywilydd a beio'u hunain a chanfod ffyrdd a fydd yn eu helpu i fynd drwy gyfnodau anodd, a thrwy fod yn dosturiol tuag atyn nhw'u hunain ddechrau ffynnu go iawn.

Cyflwyniad

Mae gen i fabi newydd ond dydw i ddim yn teimlo fel ro'n i wedi gobeithio

Lle bynnag rydyn ni'n troi, caiff magu babi ei bortreadu fel digwyddiad llawen, gyda lluniau a hysbysebion teledu o fabanod hapus a mamau cariadus. Wrth gwrs, mae'n wir fod hapusrwydd ac anwyldeb yn rhan o gael plant, ond beth os nad dyma ein profiad ni? Efallai y bydd y cariad a'r anwyldeb disgwyliedig yn cael eu disodli gan deimladau o banig ac ofn wrth ofalu am y bywyd ifanc newydd hwn. Efallai ein bod wedi blino'n lân ar ôl yr enedigaeth ac yn ei chael hi'n anodd gwella wrth ofalu am fabi newydd yr un pryd. Efallai y bydd bywyd fel petai wedi colli'i lawenydd a'i liw. Efallai y byddwn yn teimlo'n llawn gorbryder a dicter; neu'n teimlo dim byd o gwbl, fel pe na bai'r babi yn perthyn i ni.

Yn anffodus, er nad yw'r teimladau hyn yn anghyffredin, gall deimlo mai ni yn unig sy'n eu profi. Mae'r profiadau hyn nid yn unig yn gallu gwneud i ni deimlo'n unig, ond gallwn hefyd deimlo cywilydd ein bod ni'n teimlo fel hyn, gan gredu ei fod yn golygu bod rhywbeth o'i le neu'n ddrwg amdanon ni. Efallai y byddwn yn ceisio ymddwyn fel y credwn y mae mamau newydd eraill yn ei wneud, yn treulio ein dyddiau'n ceisio gofalu am y babi a gwneud ein gorau i gadw rhyw fath o drefn ar y tŷ. Ond yn ein calonnau, mae'r profiad yn gwneud i ni deimlo mor siomedig. Efallai y byddwn yn ceisio osgoi teimladau annymunol fel cywilydd, gorbryder, rhwystredigaeth neu ddicter, drwy gadw'n brysur neu adael i eraill ofalu am y babi cymaint ag sy'n bosib. Ond po fwyaf y cuddiwn ein profiadau, mwyaf ar wahân ac ar ein pen ein hun y gallwn deimlo. Po fwyaf y teimlwn felly, anoddaf yw hi i rannu ein hofnau a dod o hyd i ffordd o'u deall a'u rheoli.

Mae llawer o fenywod sydd wedi profi'r anawsterau hyn wedi cael cymorth i ddod o hyd i ffyrdd o ymdopi a gweithio'n dosturiol gyda'u siomedigaethau a'u teimladau annymunol drwy ddefnyddio'r dull meddwl tosturiol. Ysgrifennwyd y llyfr hwn i helpu'r nifer fawr o fenywod sy'n cael babi ond nad ydyn nhw'n profi'r llawenydd a'r hapusrwydd disgwyliedig; yn lle hynny, maen nhw'n profi siom, ofn, gorbryder, iselder a hunanamheuaeth.

Felly beth allwn ni ei wneud?

Yn gyntaf, mae'n help i wybod nad yw profi teimladau anodd a digroeso yn anarferol yn ystod cyfnod beichiogrwydd a chael babi newydd. Yn ddieithriad, mae hefyd yn helpu i ddeall pam rydyn ni'n cael teimladau o'r fath, i ganfod pam rydyn ni'n teimlo'n wahanol i'r ffordd *rydyn ni'n meddwl* fod pobl eraill yn teimlo, ac o ble mae'r teimladau hyn yn dod.

Er mwyn ein helpu ni, rydyn ni am fynd ar drywydd esblygiad yr ymennydd dynol a gweld sut gall teimladau o'r fath godi *heb fod unrhyw fai arnon ni*. Yn ail, wedi i ni leihau'r teimladau o gywilydd a beio ein hunain, byddwn yn edrych ar sut gallwn ddechrau meddwl am yr hyn a fyddai o gymorth, yn enwedig gwerth bod yn gefnogol ac yn gyfeillgar tuag aton ni'n hunain. Dyma yw tosturi, a meithrin math o dosturi gofalgar yw pwrpas y llyfr hwn.

Yn aml, mae camsyniad ynglŷn â'r term 'tosturi'; mae'n bosib i ni deimlo ei fod yn ymwneud â bod yn neis, o bosib ychydig yn feddal a diddim. A dweud y gwir, mae tosturi yn wahanol iawn i hynny.

Rydyn ni'n meddu ar ddoethineb greddfol ynghylch pa mor bwysig a defnyddiol yw tosturi yn ein bywydau, yn enwedig ar adegau o anhawster a dioddefaint. Dychmygwch berson caredig a hael sy'n mynd drwy gyfnod anodd. Efallai eu bod wedi colli eu swydd, wedi mynd i ddyled, neu'n cael ysgariad. Pa fath o gymorth fyddai ei angen arnyn nhw gan eu ffrindiau? Yn gyntaf, efallai y bydd angen i'w ffrindiau estyn llaw tuag atyn nhw a'u helpu gyda'u dioddefaint: gwrando arnyn nhw, efallai, bod yn sensitif i'w teimladau, gallu goddef eu teimladau. Mae hyn yn helpu'r unigolyn i deimlo y gall siarad â'i ffrindiau, a gwybod y byddan nhw'n ceisio dangos empathi a chydymdeimlad. Dyma'r hyn a elwir yn sgiliau neu seicolegau cyntaf tosturi: bod yn agored i'r awydd i fod o gymorth.

Felly, ymhell o fod yn 'feddal a diddim', er mwyn bod yn dosturiol mae angen i ni fynd i'r afael â'r hyn sy'n anodd. Rydyn ni'n deall hyn yn reddfol: cyn i unrhyw un fynd ati i geisio ein helpu, mae angen iddyn nhw gymryd yr amser i wir ddeall natur ein brwydr yn gyntaf.

Yn ail, gan ddychwelyd at yr enghraifft uchod, gallai ffrindiau geisio helpu drwy wneud pethau; helpu'r person i chwilio am swydd arall efallai, neu fynd gydag ef i'r swyddfa Cyngor ar Bopeth am gyngor ar reoli dyled, neu ei wahodd draw am sgwrs. Un peth maen nhw'n debygol o'i wneud yw eu *hannog* i wynebu'r anawsterau, oherwydd bod angen iddyn nhw eu hwynebu. O weithredu fel ffrindiau tosturiol, maen nhw'n annhebygol o gynghori eu cyfaill i ddechrau osgoi pethau: 'O, mae cael swydd yn llawer rhy anodd. Paid â thrafferthu,' neu 'Paid ag agor unrhyw amlenni sy'n edrych yn swyddogol, dyna fydda i'n ei wneud pan dwi mewn dyled,' neu 'Mi fydd yr ysgariad 'ma yn llawer rhy boenus i ti, felly paid â bwrw 'mlaen ag e. Canolbwyntia ar rywbeth arall. Mwynha wydraid o win a thrio anghofio pob dim.' Nage wir. Yn aml, tosturi sydd ei angen arnon ni i ddatblygu'r dewrder angenrheidiol i wynebu'r pethau sy'n peri anhawster. Pan feddyliwn ni am y peth yn nhermau ein bod ni'n tosturio tuag at ein hanwyliaid, mae'n dod yn weddol amlwg, ond mae derbyn tosturi yr un fath. Os ydyn ni'n agored i dosturi tuag atom ein hunain, gall ein helpu i wynebu pethau anodd drwy ddefnyddio ffyrdd newydd i'n helpu i ymdopi.

Mae'r dull meddwl tosturiol yn cyfuno dealltwriaeth o'r modd y mae ein meddwl yn gallu achosi anawsterau i ni ond hefyd yn cynnig datrysiad pwerus i ni ar ffurf ymwybyddiaeth ofalgar a thosturi. Mae'n dysgu ffyrdd o ysgogi'r rhan o'r ymennydd sy'n gysylltiedig â charedigrwydd, cynhesrwydd, tosturi a diogelwch. Mae'r rhan hon o'r ymennydd yn allweddol wrth ein cefnogi drwy ein dioddefaint, ac wrth dawelu'r rhan o'r ymennydd sy'n gwneud i ni deimlo'n orbryderus, yn ddig, yn drist ac, yn y pen draw, yn isel ein hysbryd.

Nod y llyfr hwn yw ein helpu i ddatblygu sgiliau, cam wrth gam, a allai wneud gwahaniaeth pellgyrhaeddol i'r ffordd rydyn ni'n gweld ein hunain, ein babi ac eraill o'n cwmpas.

Sut i ddefnyddio'r llyfr hwn: Tri Cham y Dull Meddwl Tosturiol

Cam Un: Deall ein meddwl dynol: pam rydyn ni'n ei chael yn anodd

Cam Dau: Datblygu ein meddwl tosturiol

Cam Tri: Dod â'n meddwl tosturiol i'n brwydrau

Rydyn ni'n tueddu i feio ein hunain am agweddau arnom ein hunain na wnaethon ni eu creu neu nad oedd gennym ni unrhyw reolaeth drostyn nhw; agweddau a gafodd eu llunio a'u siapio ar ein cyfer gan esblygiad a gan brofiadau na ddewiswyd gennym ni. Yn anffodus, mae esblygiad a phrofiadau wedi ein galluogi i allu beirniadu, cywilyddio a beio ein hunain. Fel y gwelwn maes o law, gall ymwneud â'n hunain yn y modd hwn gael effaith hynod broblematig arnon ni, yn cynnwys gwneud i ni deimlo'n anobeithiol, yn israddol, wedi'n datgysylltu oddi wrth eraill, ac yn fwy tebygol o ddioddef iselder a gorbryder. Mae hefyd yn ein llesteirio yn hytrach na'n hybu ni i dyfu, i ffynnu, a symud tuag at y person rydyn ni wir eisiau bod.

Fodd bynnag, mae esblygiad wedi ein llunio i ymateb i garedigrwydd a thosturi, nid yn unig gan eraill, ond gennym ni ein hunain hefyd, ac mae hynny'n siapio ein meddwl a'n ffisioleg mewn ffyrdd hynod ddefnyddiol. Pan fyddwn yn sylwi ar ymdeimlad fod eraill (a ni ein hunain, yn bwysig iawn) yn ymateb i ni gyda'r bwriad o'n helpu, ein hannog a'n cefnogi, rydyn ni'n teimlo'n dawelach, ac yn llai gorbryderus a blin; rydyn ni hefyd yn teimlo'n fwy ewyllysgar, ac yn fwy abl i dyfu a ffynnu.

Mae **Cam Un** felly'n ymwneud â deall pam rydyn ni'n cael trafferthion; cydnabod nad ein bai ni yw'r trafferthion hynny. Dyma ddechrau newid safbwynt, o agwedd hunanfeirniadol i agwedd fwy derbyniol, ac yn y pen draw, i agwedd fwy tosturiol. Ar yr olwg gyntaf, mae Cam Un yn ymwneud â chael gafael ar ffeithiau a gwybodaeth yn unig, ond mae'n fwy na hynny; mae'n sylfaen i Gam Dau. Mewn geiriau eraill, er y gall Cam Dau ymddangos fel y 'driniaeth', mae Cam Un mewn gwirionedd yn rhan sylfaenol o'r 'driniaeth'. Hebddo, byddwn yn mynd i'r afael â'r ymarferion yng Ngham Dau heb y nodweddion sy'n angenrheidiol i'w grymuso.

Mewn gwirionedd, mae **Cam Dau** yn ymwneud ag adeiladu ein meddwl tosturiol, drwy ei baratoi ac yna ei gryfhau drwy amryw o wahanol ffyrdd, yn cynnwys sut rydyn ni'n dal ein corff, ffyrdd penodol o anadlu, sut rydyn ni'n canolbwyntio ein sylw, ffyrdd o feddwl ac ymddwyn, a'r ddelweddaeth benodol y gallwn ei chreu yn ein meddwl.

Mae **Cam Tri** yn ymwneud â dod â'r meddwl tosturiol parod a chryfach i herio'r brwydrau a'r dioddefaint a nodwyd yng Ngham Un, y rhai rydyn ni bellach yn deall nad ni sydd ar fai amdanyn nhw. Dyma pryd fyddwn ni'n rhoi ein meddwl tosturiol ar waith o ddifrif. Mae egwyddorion Cam Tri yn debyg i'r ffordd y bydden ni'n mynd i'r afael ag ofn neu ffobia. Er enghraifft, os ydyn ni'n helpu rhywun sydd ag ofn mynd allan o'r tŷ, mae'n bosib y byddem yn dechrau drwy eu hannog i sefyll yn y cyntedd gyda'r drws ar agor. Byddem yn aros nes eu bod yn teimlo wedi ymlacio cyn eu helpu gyda'r cam nesaf: symud i riniog y drws, efallai. Rydyn ni felly yn eu helpu i gysylltu eu hofn (mynd allan) â theimlad o ymlacio. Yng Ngham Tri, rydyn ni'n cysylltu hanfod ein brwydr – gorbryder, iselder, hunanfeirniadaeth neu anawsterau bondio, efallai – â thosturi yn hytrach nag ymlacio. Felly, yn hytrach nag ychwanegu ofn neu feirniadaeth at ein brwydrau, rydyn ni'n ychwanegu ymdeimlad o gael cymorth, cefnogaeth ac anogaeth: ymdeimlad o ymgysylltiad neu 'fod gyda' ein hunain. Y nod yma yw nid yn unig i dawelu neu gael gwared ar ein trafferthion (er y gall ein meddwl tosturiol wneud hynny'n dda iawn) ond hefyd i ddod o hyd i ffyrdd mwy defnyddiol o symud drwy ein hanawsterau.

Darllenwch ychydig, yna rhowch gynnig ar un o'r ymarferion: 'Rhaglen ymarfer' ddeuddeg wythnos ar gyfer datblygu ein meddwl tosturiol

Pan fyddwn ni'n isel ein hysbryd neu'n bryderus, gall fod yn anodd iawn canolbwyntio digon i ddarllen llawer o gwbl, heb sôn am pan fyddwn ni'n ceisio gofalu am fabi hefyd. Yng nghefn y llyfr hwn mae canllaw o'r enw 'Rhaglen ymarfer ddeuddeg wythnos ar gyfer datblygu ein meddwl tosturiol'. Mae'n cynnig ffordd o gyflwyno ymarferion o Gam Dau wrth i chi ddarllen Cam Un. Mae rhoi cynnig ar yr ymarferion yn bywiogi'r ddealltwriaeth o Gam Un, a pho fwyaf o Gam Un fyddwch chi'n ei ddarllen, mwyaf grymus fydd yr ymarferion. Awgrymaf gymysgu darllen ychydig o Gam Un â rhoi cynnig ar un o'r ymarferion. Mae'r 'rhaglen ymarfer' yn awgrymu trefn i roi cynnig ar yr ymarferion.

Ar ôl i chi orffen darllen y llyfr, mae'n werth ailedrych ar yr ymarferion y rhoddoch chi gynnig arnyn nhw'n gynharach, gan eich bod yn debygol o'u profi mewn ffordd wahanol. Wrth gwrs, mae'n bosib y byddai'n well gennych ddarllen Cam Un yn gyntaf ac yna roi cynnig ar yr ymarferion. Mae hynny'n gweithio'n dda hefyd. Yr hyn sy'n allweddol yw dod o hyd i'r ffordd fwyaf buddiol i chi.

Nodyn ar dybiaethau a wnaed yn y llyfr

Er hwylustod wrth ysgrifennu, tybir mai prif ofalwr y babi yw mam fiolegol y babi, a bod ei phartner yn wrywaidd. Wrth gwrs, gall teuluoedd fod yn strwythurau cymhleth. Er enghraifft, gall y prif ofalwr fod yn fam, tad, nain neu daid, modryb, rhiant mabwysiadol neu ofalwr maeth. Mae'n bosib mai gofalwr unigol sydd yna, neu un a gefnogir gan bartner o'r un rhyw neu o ryw gwahanol. Efallai fod y fam wedi beichiogi drwy roddwr sberm. Fodd bynnag, gall trafferthion wrth ofalu am fabi newydd – fel siom, diymadferthedd, iselder ôl-enedigol, gorbryder ac anawsterau bondio – ddigwydd i unrhyw un sy'n gofalu am fabi newydd, a gall pawb ddefnyddio'r egwyddorion a ddisgrifir yn y llyfr hwn.

Yn aml, defnyddir y termau 'bondio' ac 'ymlyniad' fel geiriau cyfystyr. Yn y llyfr hwn, mae'r rhain wedi'u gwahanu er mwyn gwahaniaethu rhwng y gwahanol brosesau; defnyddiwyd 'bondio' i ddynodi'r broses lle mae'r fam yn cysylltu â'i phlentyn, ac 'ymlyniad' i ddynodi cysylltiad y plentyn â'r fam (neu bobl eraill).

Nodyn ar yr enghreifftiau achos a ddefnyddir yn y llyfr

Cyfuno profiadau pobl go iawn a newid enwau a manylion yn ddigonol i sicrhau eu bod yn anhysbys – dyna yw hanfod yr enghreifftiau a ddefnyddir yma.

Nodyn ar geisio cymorth ychwanegol

Bydd y llyfr hwn yn canolbwyntio ar sut rydyn ni'n teimlo ac yn ymdopi â bywyd ar ôl cael babi newydd. Dydy e ddim yn canolbwyntio ar ddarparu diagnosis penodol, fel iselder, gan mai'r ffordd orau o wneud hyn yw wyneb yn wyneb â rhywun sydd wedi'i hyfforddi i roi diagnosis, fel eich meddyg teulu. Gall diagnosis fod yn ddefnyddiol oherwydd ei fod yn helpu pobl i gydnabod y posibilrwydd fod rhywbeth yn digwydd iddyn nhw ac y gallan nhw gael help ar gyfer eu trafferthion. Bydd y rhan fwyaf o feddygon teulu ac ymwelwyr iechyd yn gyfarwydd â'r newidiadau mewn hwyliau ac emosiynau sy'n gysylltiedig â genedigaeth ac a oes angen cymorth ychwanegol ai peidio. Os ydych chi'n meddwl y gallech chi fod yn dioddef o rywbeth fel iselder neu orbryder, y peth pwysicaf yw estyn allan at eraill, a thrafod eich teimladau heb gywilydd gyda'ch meddyg teulu neu'ch ymwelydd iechyd. Fel y gwelwch drwy'r llyfr hwn, dydy teimladau o iselder, gorbryder, cau i lawr ac ati, yn ystod beichiogrwydd ac ar ôl cael babi, ddim yn anghyffredin o gwbl.

CAM UN

Deall ein meddwl dynol:
Pam rydyn ni'n ei chael yn anodd

1 'Popeth yn mynd yn iawn?': Deall y dylanwadau ar ein profiad o gael babi

Gall fod pob math o resymau pam ein bod yn agored i brofi trafferthion o gwmpas adeg genedigaeth newydd. Er enghraifft, mae'n bosib i ni deimlo'n ansicr ynghylch a oedden ni am gael babi ai peidio, a oedd y beichiogrwydd wedi'i gynllunio ai peidio, efallai fod gennym bryderon ariannol neu bryderon am ein swydd, neu efallai nad oedden ni'n teimlo ein bod yn cael cefnogaeth. Efallai ein bod yn byw yn bell oddi wrth deulu a ffrindiau oherwydd gwaith. Efallai fod ein plentyndod ein hunain yn anodd neu'n anhapus a bod hynny'n dal i gael effaith, yn enwedig nawr fod gennym ni fabi. Gwelwn hefyd y gall yr ymennydd achosi peth wmbreth o drafferthion adeg beichiogrwydd a chael babi. Mae pob math o resymau pam y gallen ni fod yn profi trafferthion, ond nid ein bai ni ydyn nhw.

Fel y gwelwn ni drwy'r llyfr hwn, mae cysylltiad anorfod rhwng ein meddwl a'n corff. Mae ein meddyliau'n effeithio ar ein corff, a'n corff yn effeithio ar ein meddyliau. Un o swyddogaethau ein hemosiynau yw rhoi ymateb corfforol i'n meddyliau. Ond wrth gwrs, nid dim ond yr hyn sy'n digwydd y tu mewn i'n corff sy'n effeithio arnon ni, ond hefyd yr hyn y mae'r meddwl a'r corff yn ei ganfod yn ein hamgylchedd; yn y bôn, ydyn ni'n teimlo'n ddiogel neu'n anniogel? Felly, os ydyn ni'n teimlo ein bod yn cael cefnogaeth a gofal gan y rhai o'n cwmpas, er enghraifft, yna gallwn deimlo'n dawel ein byd. Ar y llaw arall, os nad oes gennym lawer o gefnogaeth neu os yw pobl o'n cwmpas yn ein beirniadu, yna gallwn deimlo'n orbryderus, yn ddig neu'n drist. Pan fyddwn yn beichiogi, mae newidiadau enfawr yn digwydd y tu mewn i ni; nid yn unig newidiadau yn ein hormonau a strwythur corfforol ein corff, ond person arall cyfan yn tyfu y tu mewn i ni! Yn ogystal, rydyn ni'n dod yn arbennig o sensitif i'n hamgylchiadau byw a'r bobl o'n cwmpas. Dydy hi'n ddim syndod fod hyn oll yn gallu effeithio cymaint ar ein hwyliau a'n hemosiynau.

Gadewch i ni felly edrych ar rai o'r newidiadau sy'n digwydd yn ystod beichiogrwydd, genedigaeth ac yn y cyfnod fel mam newydd, a'u heffaith bosib ar sut rydyn ni'n teimlo. Dydy'r hyn sy'n dilyn ddim yn rhestr gaeth o bell ffordd, ond yn hytrach yn ddarlun sy'n dangos pa mor gymhleth ac unigol yw ein profiadau o feichiogrwydd, genedigaeth a bod yn fam newydd, ac nad oes y fath beth â phrofiadau 'cywir' neu 'anghywir'.

Beichiogrwydd

O eiliad y beichiogi, mae newidiadau mawr yn digwydd yn llawer o hormonau ein cyrff, gan gynnwys progesteron, oestrogen, prolactin ac ocsitosin. Mae'r hormonau hyn yn paratoi'r corff ar gyfer y beichiogrwydd, ac yn ddiweddarach ar gyfer genedigaeth a chynhyrchu llaeth. Mae lefelau'r hormonau hyn yn newid yn gymharol gyson drwy gydol beichiogrwydd ond yna'n newid yn ddramatig ac yn gyflym unwaith y bydd y babi yn cael ei eni. I rai menywod mae'r hormonau hyn yn creu ymdeimlad o les a thawelwch yn ystod beichiogrwydd, ond i eraill, mae'r newidiadau yn eu lefelau yn creu cynnwrf emosiynol gwirioneddol. Gall y cynnwrf hwn ein hatgoffa o'n teimladau yn yr ychydig ddyddiau cyn neu ar ôl y mislif (y cyfeirir atynt yn aml fel PMT – tyndra cyn mislif neu dyndra ar ôl mislif), felly efallai y byddwn yn symud yn gyflym rhwng teimladau o orbryder, tymer flin a bod yn ddagreuol. Mae rhai menywod yn sôn am deimladau dwys o ddicter sy'n aros drwy gydol y beichiogrwydd. Fel arfer, oherwydd bod yr hormonau'n newid eto ar ôl i'r babi gael ei eni, mae hyn yn datrys ei hunan, ond dydy e ddim yn newid y ffaith fod beichiogrwydd yn gallu bod yn gyfnod anodd iawn i rai menywod.

Yn ogystal â newidiadau mewn hormonau, mae'n rhaid i'r corff ei hun newid i addasu i'r person bach arall hwn sy'n tyfu y tu mewn i ni. Mae siâp y corff yn newid mewn sawl ffordd. Er eu bod yn anochel, gall y newidiadau hyn ddigwydd mor gyflym ac mewn ffyrdd mor annisgwyl fel ei bod yn anodd i ni addasu iddyn nhw. Mae'n bosib na fydd ein hesgidiau yn ffitio mwyach hyd yn oed! Mae'r hormon beichiogrwydd, sy'n galluogi'r pelfis i lacio ac agor wrth esgor, yn effeithio ar holl gyhyrau'r corff, gan gynnwys y rhai yn y traed. Oherwydd na ellir cyfeirio'r hormon yn benodol i'r pelfis a'i fod yn effeithio ar yr holl gorff, gall wneud i'r corff cyfan fynd yn lletach ac yn fwy llac. Mae hynny'n achosi newidiadau yn siâp y corff na fyddem o bosib yn eu rhag-weld, fel cefn, brest a thraed lletach. Mae hefyd yn achosi poenau newydd a rhyfedd. Mae'r newid yn siâp eu corff yn peri gofid i rai menywod, felly gall beichiogrwydd fod yn boendod go iawn. Gall 'chwydd' y babi fod yn weladwy iawn, wrth gwrs, gan ddenu llawer o sylw gan bobl eraill, heb sôn am awydd i'w gyffwrdd. Bydd rhai'n croesawu'r sylw cynyddol a'r cyffyrddiadau, ond i eraill, mae'n teimlo'n hynod o anghyfforddus.

A beth am gael rhywun arall yn tyfu y tu mewn i ni? O'i ystyried o ddifrif, gall hyn ymddangos fel y profiad rhyfeddaf. Oni bai ein bod ni wedi bod yn feichiog o'r blaen, allwn ni ddim gwybod sut byddwn ni'n ymateb i'r profiad rhyfeddol hwn. Gall deimlo'n arbennig a rhyfeddol ond gall hefyd deimlo'n chwithig. Mae rhai menywod wedi ei ddisgrifio fel teimlad o gael estron neu barasit yn tyfu y tu mewn iddyn nhw. I ryw raddau, dydy hynny ddim yn rhy bell o'r gwir; dydy'r babi ddim yn rhan lawn o'n corff, felly mae'n rhaid i'n corff newid er mwyn ei atal rhag gwrthod y babi fel y byddai'n gwrthod unrhyw 'gorff estron' arall. Mae'r babi hefyd yn cymryd beth sydd ei angen arno i dyfu oddi arnon ni, hyd yn oed os yw hynny'n golygu disbyddu calsiwm o'n hesgyrn. Yr hyn sy'n allweddol yma yw ein bod yn derbyn ac yn deall ein hymatebion gwahanol yn hytrach na phryderu ynglŷn â theimlo'n chwithig.

Weithiau, mae beichiogrwydd yn sbarduno atgofion o brofiadau cynharach yn ein corff, gan arwain at deimlad o anesmwythyd, gorbryder neu hyd yn oed ffieidd-dod. O bryd i'w gilydd, mae'r teimladau hyn yn ei gwneud hi'n anodd cael ymdeimlad o gysylltiad â'r babi yn ystod beichiogrwydd. Gall eu trafod gyda bydwraig, ymwelydd iechyd neu hyd yn oed ar fforwm ar-lein fel Mam Cymru (https://mamcymru.wales/cy), Netmums (www.netmums.com) neu Mumsnet (www.mumsnet.com) fod o gymorth mawr, gan fod llawer o bobl eraill yn profi'r teimladau hyn, ond dydyn nhw ddim yn cael eu rhannu'n aml pan fydd menywod yn trafod eu beichiogrwydd. Gall hyn roi'r argraff bod y teimladau hyn yn anghywir, yn anarferol neu'n gywilyddus mewn rhyw ffordd, pan nad yw hynny'n wir o gwbl.

Ar ben hyn i gyd, gall anghysur arwain at broblemau cysgu yn ystod cyfnod diweddarach beichiogrwydd. Mae hynny'n creu ymdeimlad cyffredinol o flinder, sydd ynddo'i hun, wrth gwrs, yn aml yn tanseilio ein gallu i deimlo y gallwn ymdopi.

Geni

Mae'r broses eni ei hun yn arbennig o fanwl gywir mewn bodau dynol. Er bod rhai mamau'n cael genedigaethau hawdd, dydy hynny ddim yn wir i bob mam. A dweud y gwir, mae ffactor esblygiadol sy'n gallu cyfrannu at brofiadau genedigaeth anodd.[1] Primatiaid sydd wedi esblygu i sefyll ar ddwy goes yn hytrach na symud o gwmpas ar eu pedwar yw bodau dynol. Rhoddodd y newid hwn o bedair i ddwy goes nifer o fanteision esblygiadol mawr i ni; er enghraifft, y gallu i weld yn llawer pellach a bod â dwy law yn rhydd ar gyfer defnyddio offer a chasglu bwyd.

Ond credir bod y symudiad hwn i sefyll yn dalsyth wedi effeithio'n sylweddol ar ffurf y llwybr geni benywaidd; symudodd y pelfis ymlaen ychydig a chulhaodd y llwybr geni ychydig – a'r un pryd, roedd pen babi dynol yn tyfu wrth esblygu. Canlyniadau'r siapio biolegol hwn yw mai bodau dynol sy'n profi'r genedigaethau anoddaf o'r holl brimatiaid.

Yn ystod y geni, babanod dynol hefyd yw'r unig brimatiaid sy'n gorfod dilyn patrwm cylchdroi penodol er mwyn ffitio drwy'r pelfis. Mae hyn yn golygu bod y babi yn wynebu 'tuag yn ôl', i gyfeiriad gwahanol i'r fam, gan wneud esgor yn anodd i fenyw ar ei phen ei hun. Genedigaeth ddynol yw'r unig enedigaeth yn nheyrnas yr anifeiliaid sy'n gofyn am gydweithrediad rhwng y fam ac eraill i gynyddu'r siawns o esgor yn llwyddiannus. Tra bo primatiaid eraill am gael llonydd ar gyfer geni, mae bodau dynol yn ceisio cymorth.

Yn hanesyddol, mae'r sawl sy'n cynorthwyo gyda'r enedigaeth bob amser wedi bod yn fenyw brofiadol a dibynadwy, fel mam neu fodryb y ddarpar fam. Ni fyddai dyn byth yn cyflawni'r dasg. Byddai'r fenyw hon yn bresenoldeb tawel na fyddai'n gweithredu nes bod ei hangen. Mae'r math penodol hwn o bresenoldeb yn cael ei grynhoi gan y term 'y fydwraig sy'n gwau',[2] sy'n cyfeirio at fydwraig a fyddai'n eistedd mewn cornel yn gwau'n dawel. Y syniad yw y byddai'n bwyllog, yn dawel ac yn canolbwyntio ar ei gwau, gan gadw golwg yn unig ar y fam sy'n esgor, arwydd o ffydd y gall y fenyw eni babi heb neb yn sefyll uwch ei phen. Roedd hyn oherwydd bod yn well gan fenywod sy'n esgor, fel y mwyafrif o anifeiliaid, roi genedigaeth lle maen nhw'n teimlo'n ddiogel ond heb neb yn eu gwylio. Dyna sy'n cynnig yr amodau gorau i ymennydd y fam gynhyrchu'r hormonau angenrheidiol ar gyfer geni.

Mae pobl yn gwylio, yn siarad â nhw, yn gofyn cwestiynau, clywed sŵn a gweld goleuadau llachar, a theimlo'n anniogel i gyd yn diffodd yr hormonau ac yn arafu neu'n atal y broses eni. Os ydyn ni'n teimlo'n anniogel o gwbl, yna mae ein corff yn cynhyrchu hormonau fel adrenalin yn lle hynny, sy'n paratoi ar gyfer 'ymladd neu ffoi' yn hytrach na genedigaeth. Dyma pam y bydd y broses esgor yn aml yn arafu neu hyd yn oed yn stopio pan ddaw menyw i'r ysbyty, oherwydd ei fod yn lle anghyfarwydd. Dyna pam mae staff meddygol yn annog darpar famau i aros gartref cyhyd ag y bo modd cyn dod i'r ysbyty.

Mae amheuaeth hyd yn oed ynghylch a yw presenoldeb partneriaid gwrywaidd adeg yr enedigaeth yn helpu neu'n rhwystro'r enedigaeth. Er bod y rhan fwyaf o fenywod yn dweud eu bod eisiau eu partneriaid yn bresennol, awgrymwyd fymryn yn ddadleuol gan Michel Odent, obstetregydd sydd wedi treulio ei yrfa'n ymchwilio i sut mae menywod yn geni orau, fod tystiolaeth bod genedigaeth yn digwydd yn gynt pan fydd y partner gwrywaidd yn gadael yr ystafell. Un rheswm posib am hyn yw bod dynion yn poeni am eu partner ac yn cyfleu'r pryder hwn i'r fenyw. Mae hithau yn ei thro yn poeni amdano yntau ac yn ceisio'i amddiffyn. Yn anfwriadol, mae hyn yn golygu bod y fenyw yn y cyflwr ffisiolegol anghywir i eni orau. Dydy hi ddim yn glir a yw hyn oherwydd bod y partner yn wrywaidd, ac y byddai'n wahanol gyda phartner benywaidd, neu a yw hyn mewn gwirionedd oherwydd y berthynas benodol rhwng partneriaid.

Canfu adolygiad sylweddol o 15,000 o enedigaethau mewn gwahanol wledydd fod menyw yn fwy tebygol o gael genedigaeth ddigymell drwy'r wain, yn llai tebygol o gael cyffuriau lladd poen, ac yn llai tebygol o gael toriad Cesaraidd neu enedigaeth drwy'r wain lle y defnyddir offer (gyda chymorth gefeiliau neu 'ventouse') os yw'n cael cefnogaeth barhaus yn ystod y cyfnod esgor a'r enedigaeth. Roedd y gefnogaeth hon ar ei mwyaf effeithiol lle nad oedd y cynorthwyydd yn aelod o staff yr ysbyty na rhwydwaith cymdeithasol y fenyw, ond wedi derbyn rhywfaint o hyfforddiant ar roi genedigaeth, fel *doula* neu addysgwr yn y maes. Ymddengys, felly, mai'r agwedd bwysig i'r ddarpar fam oedd cael presenoldeb parhaus dibynadwy a oedd yn meddwl amdani hi ac yn ei chadw'n ddiogel.[3]

I gymhlethu'r darlun, canfuwyd bod menywod sydd â'u partneriaid gwrywaidd yn bresennol adeg yr enedigaeth yn bondio'n well â'r babi (a bod y tadau'n gwneud hynny hefyd) ac yn fwy hapus â rhyw'r babi. O ganlyniad, dydy hi ddim yn glir a yw'n well cael partneriaid yn bresennol ai peidio. Ond beth sy'n amlwg yw faint o ffactorau yn y broses eni sy'n gallu cael effaith gynnil ar yr enedigaeth a'r bondio, heb i ni efallai sylweddoli hynny'n iawn, ac y gall menywod feio'u hunain amdanyn nhw pan nad yw'n fai arnyn nhw o gwbl.

Felly beth am yr enedigaeth ei hun? Y ffordd orau i esgor babi yw ar eich traed neu ar eich cwrcwd. Y ffordd anoddaf yw ar eich cefn, gan nad yw disgyrchiant yn helpu'r babi ac mae'n rhaid iddo basio heibio'r darnau esgyrnog o fewn pelfis y fam. Anogwyd genedigaeth ar y cefn er mwyn i feddygon allu gweld beth oedd yn digwydd yn haws wrth gynorthwyo i esgor y babi. Diolch byth, nawr bod gwell dealltwriaeth o anatomeg y fenyw a'r broses eni, mae'r arfer hwn yn llawer llai cyffredin. Gyda genedigaethau anodd, roedd menywod yn aml yn beio'u hunain neu eu cyrff am fethu geni'n iawn; ond y gwir amdani oedd mai safle'r corff – y safle yr anogwyd nhw i'w gymryd – oedd yn achosi'r enedigaeth anodd, neu'n sicr yn cyfrannu at hynny.

Gwelwn, felly, fod llawer o ffactorau sy'n gwneud genedigaeth yn anodd iawn, yn enwedig yn yr oes hon o orfod geni mewn amgylchedd anghyfarwydd, gydag offer rhyfedd a phobl ddieithr yn bresennol. Felly gallai genedigaeth drawmatig a phoenus ddigwydd wrth i ddulliau geni'r oes fodern amharu'n anfwriadol ar broses sydd eisoes wedi'i chymhlethu gan esblygiad.

I lawer o bobl, pan fyddan nhw'n meddwl am enedigaeth, maen nhw'n meddwl am boen. Ystyrir bod y ddau beth yn mynd law yn llaw. Y broblem yw, pan fydd ofn arnon ni, gan gynnwys bod ag ofn wrth rag-weld poen, mae ein cyhyrau'n cyfangu i'n paratoi i ymladd neu ffoi, sy'n gwneud geni yn anoddach ac yn fwy poenus. Ond allwn ni ddim dychryn ein hunain i fod yn dawel ein meddwl! Fodd bynnag, mae'n ddefnyddiol i ni ddeall beth yn union rydyn ni'n ei ofni, sut nad yw hynny'n fai arnon ni (dydyn ni ddim yn dewis beth sy'n codi ofn arnon ni) a'r ffordd orau o geisio rheoli'r ofn. Yr hyn sy'n bwysig yw nad ydyn ni'n teimlo mai ni sydd ar fai am y boen rydyn ni'n ei phrofi, nac am y ffaith ein bod yn ei chael yn anodd goddef y boen.

Yn union wedi'r geni

A oes 'ton o gariad' bob tro?

> *Yn hytrach na phrofi 'ton o gariad', mae'n gyffredin i gael teimlad o ddifaterwch tuag at ein babi newydd. Gall teimladau o gynhesrwydd a chariad gymryd amser i ddatblygu.*

Gadewch i ni symud ymlaen at yr hyn sy'n digwydd ar ôl i'r babi gael ei eni. Mae yna dybiaeth gyffredinol fod mamau'n profi cariad llethol wrth ddal eu babi newydd am y tro cyntaf. Mewn gwirionedd, nododd 40% o famau newydd a 25% o fenywod â dau neu fwy o fabanod iddynt gael teimlad o ddifaterwch[4] (a gall y ffigur hwn fod yn llawer uwch mewn gwirionedd). Roedd hyn yn arbennig o wir yn achos mamau a ddioddefodd rwygiadau i'r pilenni yn ystod y cyfnod esgor, mewn menywod a brofodd boen a oedd yn fwy difrifol ac yn waeth na'r disgwyl, a menywod a gafodd fwy na dau ddos o'r cyffur lladd poen pethedin. Canfu'r ymchwil fod y difaterwch cychwynnol hwn yn tueddu i barhau am tua thri mis ac anaml y byddai'n bresennol rhwng chwech a deuddeg mis (pan fydd yn parhau am gyfnod hirach, gall gael ei achosi gan ryngweithio â ffactorau eraill, megis credu bod y gyfres hon o ddigwyddiadau yn dynodi bod rhywbeth o'i le arnoch chi; gall hynny arwain at ymdeimlad o gywilydd, a chyfrannu at iselder ôl-enedigol). Awgrymodd awduron yr ymchwil hwn y gallai dal yn ôl rhag bondio fod yn ymateb esblygol sy'n atal buddsoddiad emosiynol mam mewn babi newydd-anedig nes bod goroesiad y plentyn yn fwy sicr.

Pan fyddwn yn profi poen neu enedigaeth drawmatig, mae'r hormonau sy'n gysylltiedig â straen a bygythiad, fel adrenalin a chortisol, yn cynyddu, ac mae hynny'n atal yr hormonau sy'n ofynnol ar gyfer bondio a chynhyrchu llaeth, fel ocsitosin. Mae angen amser ar y fam i wella ac i gael gofal, ac mae hynny yn ei dro yn caniatáu lleddfu ymateb y corff i straen a bygythiad yn ddigonol i alluogi creu'r hormonau bondio a chynhyrchu llaeth. A dweud y gwir, ar ôl genedigaeth anodd, er enghraifft lle mae cyfnod gwthio hir neu doriad Cesaraidd brys, gall cynhyrchu llaeth gael ei ohirio am ychydig ddyddiau. Gall hyn ddigwydd hefyd pan fydd darnau o'r brych yn parhau heb eu bwrw ar ôl yr enedigaeth, oherwydd bwrw'r brych yn llawn sy'n ysgogi'r hormonau i gynhyrchu llaeth.

Yr awr ar ôl yr enedigaeth: pwysig ond nid hanfodol

Oherwydd bod geni'n gallu bod mor flinedig, gallai fod yn demtasiwn i fynd â'r babi ymaith ar ôl esgor er mwyn i'r fam allu gorffwys. Mewn gwirionedd, mae'r cyfnod wedi'r enedigaeth a chysylltiad â'r babi, ac agosrwydd ato, yn bwysig wrth helpu lefelau ocsitosin i gynyddu yn y fam a'r babi. Mae gwahaniaethau diwylliannol hefyd yn bosib o ran sut rydyn ni'n *disgwyl* teimlo ar ôl rhoi genedigaeth. Mae astudiaethau wedi canfod mai difaterwch tuag at y babi newydd ychydig ar ôl ei eni yw'r ymateb arferol mewn llawer o wledydd, a'i fod yn digwydd tra bod y fam yn gwella wedi ymdrech y geni. Yn y cyfamser, mae'r babi yn cael ei eni â llu o atgyrchau (*reflexes*) sy'n peri iddo symud ar hyd corff y fam, dod o hyd i'r deth a dechrau sugno, a nifer o nodweddion, fel llygaid mawr a bochau llawn, i gynyddu'r siawns y bydd y fam luddedig yn ei ystyried yn annwyl.

Ymddengys fod yr awr sy'n dilyn y geni, fwy neu lai, yn gyfnod pwysig mewn sawl ffordd. Mae mamau yn fwy tebygol o ddatblygu bondiau agosach, mwy sensitif, ac o allu bwydo ar y fron am gyfnod hirach os rhoddir y babi i'r fam, heb ei lapio na'i olchi, yn syth ar ôl ei eni, gyda chyn lleied ag sy'n bosib o amser ar wahân (wrth gwrs, dydy hyn ddim yn bosib bob tro – gweler isod). Mae arogl y fam cyn iddi ymolchi yn helpu'r babi i ddod o hyd i'r deth a dechrau sugno. Mae'r sugno hwn yn rhyddhau ocsitosin yn y fam a'r babi, sy'n helpu'r babi a'r fam i syllu i lygaid ei gilydd, i brofi teimladau o gynhesrwydd a chariad y naill tuag at y llall, ac i gael eu tawelu a'u cysuro. Mae'r sugno hefyd yn helpu i fwrw'r brych ac i'r groth gyfangu, gan leihau'r siawns o waedlif ôl-enedigol. Mae cyswllt croen-wrth-groen â'r fam yn gafael yn y babi yn y 'nyth' a ffurfir gan ei breichiau, ei chorff a'i bronnau, hefyd yn rheoli tymheredd corff y babi ac yn helpu i dawelu'r babi ar ôl yr enedigaeth. Yn hytrach na chrio ar ôl ei eni, fel y tybir mor aml, gall babi mewn gwirionedd dreulio hyd at awr yn syllu, fel arfer ar ei fam, mewn cyflwr o dawelwch effro, fel petai'r ddau yn dod i adnabod ei gilydd.

Yn union fel oedolyn, bydd yn well gan y babi fod pobl yn syllu'n uniongyrchol a chyfeillgar i'w lygaid, yn hytrach na bod eu llygaid ar gau, yn edrych i ffwrdd, yn ddiymateb neu'n syllu 'drwyddo'. Eisoes, bydd yn well gan y babi lais y fam yn sgil ei glywed yn y groth, ac o fewn diwrnod neu ddau, bydd y babi yn adnabod wyneb y fam. Bydd yn well gan y babi glywed cywair ieithyddol 'siarad babi' a ddefnyddiwn yn reddfol gyda babanod (cyfeirir ato weithiau fel 'Motherese' neu 'Parentese') yn hytrach na'r llais a ddefnyddiwn i gyfathrebu ag oedolion eraill. O'i enedigaeth, felly, mae babi'n reddfol eisiau cael ei ddal yn agos a'i fwydo, a hefyd yn deisyfu sylw a chael ei reoli (ei dawelu, ei gysuro neu ei ddiddori) gan giwiau cymdeithasol.

Os na all hyn ddigwydd am unrhyw reswm – gorfod mynd â'r babi i ffwrdd am gyfnod oherwydd pryderon iechyd efallai – yna gall gymryd mwy o amser i'r fam fondio gyda'i babi. Fodd bynnag, er bod yr awr ar ôl y geni'n bwysig, mae'n gwbl bosib datblygu cwlwm cryf hyd yn oed os caiff ei cholli'n llwyr. Mae'r bondiau cryf sy'n datblygu rhwng rhieni a'u plant mabwysiedig yn brawf nad yw bondio yn ddibynnol ar yr awr gyntaf hon; yr hyn mae'r awr yn ei wneud yw darparu llawer o ffactorau sy'n hwyluso'r broses fondio. Yr hyn sy'n bwysig yw agosrwydd at y babi, a phryderu llai ynghylch bondio, gan fod pryderu'n mygu'r hormonau sy'n helpu i fondio.

Nodweddion y babi

Wrth gwrs, nid proses unffordd yn unig yw bondio o'r fam i'r babi. Mae'r babi yn dylanwadu ar y broses hon hefyd. Gelwir y berthynas ddwyffordd hon rhwng y fam a'r babi yn berthynas *ddwyochrog*, lle mae'r fam yn dylanwadu ar y babi a'r babi yn dylanwadu ar y fam. Mae hyn mor amlwg fel y gellid dadlau bod y fam a'r babi yn dal i weithredu fel un organeb, fel yn y groth, hyd yn oed ar ôl i'r babi gael ei eni. A dweud y gwir, mae rhai yn awgrymu y dylem alw hyn yn 'fam-babi'. Felly, mae'n rhaid i ni gofio'r rhan y mae'r babi yn ei chwarae yn y broses fondio. Er enghraifft, pan fydd y babi yn cael ei eni, mae'n bosib na fydd yn ymateb rhyw lawer, y bydd yn gysglyd ac yn ei chael hi'n anodd sugno. Gall hyn gael ei achosi gan esgoriad anodd a rhai dulliau lladd poen, fel epidwral. Felly, bydd angen ychydig mwy o amser ar y babi i ddod yn ddigon effro i sugno. Fodd bynnag, gall fod yn anoddach ar y dechrau i fam ddatblygu teimladau o gynhesrwydd a chariad at fabi sydd ddim yn ymateb. Unwaith eto mae hyn yn normal, a dim ond amser sydd ei angen.

Weithiau mae babanod yn gwrthod setlo ac yn anodd eu cysuro. Efallai na fydd y rheswm am hynny'n glir. Gall fod yn gysylltiedig â genedigaeth anodd, moddion a gymerwyd yn ystod beichiogrwydd, neu mewn rhai achosion yn ddim byd mwy na natur hynod sensitif. Canfuwyd bod hyn yn wir hefyd ar gyfer babanod cynamserol a babanod â phwysau geni isel.[5] Mae'r babanod hyn yn fwy tebygol o ddatblygu'r hyn a elwir yn strategaethau 'ymlyniad anhrefnus' lle na all y babanod ganfod ffordd glir o gael y gofal maen nhw ei angen. Yn ogystal, gall babanod nad ydyn nhw byth yn stopio crio fod â'u llygaid ar gau, eu corff yn anhyblyg a'u dyrnau ar gau'n dynn, ac efallai y byddan nhw'n ei chael hi'n anodd ymateb i ysgogiadau cysurlon y gofalwr craffaf hyd yn oed.

Gall babanod o'r fath fod yn heriol iawn oherwydd eu bod yn gallu gadael mam yn teimlo'n ddiymadferth, yn ofidus ac yn annigonol. Fodd bynnag, er bod gofalu amdanyn nhw'n anodd iawn i ddechrau, mae'n ymddangos bod y babanod ymddangosiadol sensitif hyn yn aml yn gwneud yn dda iawn ac yn gallu datblygu ymlyniad cadarn dros amser os ydyn nhw'n cael eu magu gyda chymaint o gynhesrwydd a sensitifrwydd ag sy'n bosib. Er mwyn gallu cynnig y math hwn o rianta mewn amgylchiadau mor anodd, fodd bynnag, mae angen llawer iawn o gefnogaeth ar y gofalwyr.

Y neges mewn gwirionedd yw bod poen, trawma, pryder a gofid yn gallu llesteirio adferiad menyw a datblygiad y cwlwm gyda'r babi. Bydd cael rhywun i ofalu amdani, ei chynorthwyo, tawelu'i meddwl, lleddfu ei phryderon a'i chysuro, a rhoi cymaint o amser heb straen gyda'r babi ag y gall hi ymdopi ag ef, yn helpu'r fenyw i wella a bondio â'i babi yn llawer cyflymach.

'Greddf y fam' a dysgu bod yn fam

Mae mamau newydd ledled teyrnas yr anifeiliaid yn aml yn ei chael hi'n anoddach bondio â'u babi ac yn tueddu i fod ychydig yn llai sensitif a sylwgar o'i gymharu â'r rhai sydd eisoes wedi epilio. Mae hyn yn cynnwys bodau dynol ac mae'n hollol normal. Rydyn ni'n tueddu i ddeall hyn o safbwynt anifeiliaid a maddau iddyn nhw yn unol â hynny, er enghraifft, mynd â chŵn bach neu ŵyn newydd-anedig at fam ansicr. O safbwynt pobl, serch hynny, mae gennym ni ddisgwyliad y byddwn yn reddfol yn 'gwybod' sut i rianta'n berffaith. Dydy hyn ddim yn wir. Dydy bod yn fam ddim yn broses hollol reddfol a naturiol, fel yr arweiniwyd ni i gredu, o bosib. Er bod esblygiad wedi darparu llawer o fecanweithiau i'r fam a'r babi er mwyn helpu'r broses, mae hefyd yn ddibynnol iawn ar amgylchfyd y mamau. Er enghraifft, fel gyda phob sgìl newydd, mae angen help arnon ni a rhywun mwy profiadol i'n dysgu. Credir mai dyma un o'r rhesymau pam mae mamau newydd yn dyheu am gael eu mam nhw'n agos, hyd yn oed pan fydd eu perthynas wedi bod yn un anodd. Os nad oes gennym gefnogaeth ac arweiniad o'r fath, gallwn ei chael hi'n anodd iawn.

> *Dydy'r gallu i fagu babi ddim yn hollol reddfol. Mae'n dibynnu ar lawer o ffactorau.*

Ar ben llu o ffactorau amgylcheddol, er mwyn gallu bod yn fam effeithiol mae angen i'r fenyw deimlo ei bod hi'n ddiogel, ag adnoddau da o ran bwyd a gofal, a'i bod yn cael ei derbyn a'i chefnogi gan y rhai o'i chwmpas. Mae hwn yn bwynt hanfodol. Mae'r gred bod menyw yn meddu ar bopeth sydd ei angen i fagu ei babi, ac y bydd y reddf hon yn cael ei thanio unwaith iddi esgor, yn gred ddiwylliannol sy'n gallu bod yn niweidiol iawn, yn anffodus. Mae llawer o fenywod beichiog yn ofni na fydd hyn yn digwydd, ac yn profi cryn orbryder wrth boeni y bydd hynny'n dod yn wir. Unwaith mae'r babi'n cael ei eni, mae menywod ar bigau'r drain yn aros i'r reddf famol danio, ac os nad yw'n digwydd, maen nhw'n gallu profi cywilydd ac euogrwydd. Yn ei llyfr *Mother Nature*[6] mae Sarah Blaffer Hrdy yn edrych ar gymhlethdod bod yn fam a sut mae'n gwahaniaethu ar draws diwylliannau. Mae'n egluro bod yr ysfa i feithrin, mewn mamau dynol a mamaliaid eraill fel ei gilydd, yn dod i'r amlwg yn raddol, ac o ganlyniad i gynifer o ffactorau. Mae'r rhain yn cynnwys ein genynnau a bioleg ein corff, ond maen nhw hefyd yn cynnwys ymateb sensitif iawn i'n hamgylchedd a dylanwad pobl eraill o'n cwmpas.

> *Mae angen gofal ac amser ar famau i wella ar ôl geni.*

Y dyddiau cynnar

Gwella ar ôl geni

Arferai fod yn draddodiad (ac mae'n parhau mewn amryw o ddiwylliannau) i'r fam newydd, yn y dyddiau ar ôl geni, gael cyfnod o 'orweddiad' lle byddai'n derbyn gofal, yn cael ei hannog i orffwys ac yn cael y bwyd gorau, mwyaf maethlon oedd ar gael i'w galluogi i wella ar ôl geni, ac i gynhyrchu llaeth cyfoethog a maethlon o'r fron i'r babi. Byddai'n cael gofal gan berthnasau benywaidd, fel ei mam, ei chwiorydd a'i modrybedd, a fyddai hefyd yn ei dysgu sut i fwydo a gofalu am y babi. (A dweud y gwir, credir mai dyma darddiad y term 'gossip', sy'n deillio o 'God Siblings' neu'r talfyriad 'God Sibs'; byddai'r perthnasau benywaidd yn ymgynnull o gwmpas y fam newydd a'i babi am wythnosau, ac yn rhannu'r holl newyddion am bopeth oedd yn digwydd y tu allan i'r ystafell.)

Er bod yr arfer hwn yn dal i fod yn gyffredin ledled y byd, mae menywod mewn llawer o wledydd yn aml yn mynd adref o fewn chwe awr i'r enedigaeth, a hynny heb fawr o gymorth. Yn fwy na hynny, mae menywod yn gorfod wynebu delweddau o famau enwog sydd, o fewn dyddiau i roi genedigaeth, ddim yn dangos unrhyw dystiolaeth eu bod erioed wedi bod yn feichiog, eu bod yn y broses o wella ar ôl geni, na'u bod yn gofalu am fabi newydd-anedig. Mae'r neges yn awgrymu mai gwaith menywod yw cario'r babi yn ystod y beichiogrwydd ond bod yn rhaid iddyn nhw wedyn, a hynny cyn gynted â phosib, ddal ati fel cynt. Ychydig iawn o gydnabyddiaeth sydd i'r digwyddiad mawr yn ei hanes hi a'i chorff, nac i'r ffaith ei bod bellach yn gwneud ei gorau i fagu bywyd cwbl newydd.

Mae'r corff yn cymryd amser hir i wella ar ôl geni, yn enwedig os oedd yn enedigaeth anodd, os yw'r fam yn ceisio bwydo ar y fron, ac os yw wedi blino'n lân. Mae hi hefyd angen y gydnabyddiaeth, y gwerthfawrogiad a'r gofal a roddwyd gan broses y 'gorweddiad' i danlinellu pwysigrwydd yr hyn y mae mam newydd yn ei wneud.

Babi anghenus

Sut mae pethau gartref gyda babi newydd? Gall hwn fod yn un o'r amseroedd mwyaf heriol oherwydd y gofynion cyson a'r diffyg cwsg eithafol. Meddyliwch beth sydd wedi digwydd i'r babi; ychydig cyn iddo gael ei eni, roedd brych effeithlon iawn yn diwallu ei holl anghenion maeth. Nid oedd byth yn gorfod aros am fwyd ac roedd yn cael ei gynnal bob amser mewn amgylchedd diogel a chynnes. Nawr ei fod wedi'i eni, dydy ei anghenion ddim yn newid yn sydyn. A dweud y gwir, mae ganddo fwy o anghenion bellach oherwydd ei fod yn tyfu mor gyflym. Dim ond megis dechrau datblygu mae gallu'r babi i'w leddfu ei hun neu i gael ei leddfu gan wynebau a lleisiau eraill, felly, am yr wythnosau cyntaf wedi ei eni, mae'n ddibynnol ar fwydo a magu er mwyn ymdawelu. Mae'r cyflwr tawel hwn yn hanfodol ar gyfer twf, datblygiad, iechyd a dysgu (a dweud y gwir, fel y gwelwn yn nes ymlaen yn y llyfr, mae hyn yn wir am oedolion yn ogystal â babanod). Yn ystod y cyfnod hwn, mae'r babi'n hoffi aros yn agos at y fron a sugno er mwyn cael cysur yn ogystal â maeth.

Os edrychwn ar deyrnas yr anifeiliaid eto, gallwn ddechrau gwerthfawrogi maint tasg mam o ran bwydo'i babi newydd, boed hynny ar y fron neu â photel. Mae llaeth mamaliaid yn cynnwys gwahanol feintiau o garbohydrad, braster a phrotein yn ôl p'un a yw rhai ifanc rhywogaeth benodol yn cael eu cadw'n agos at y fam neu'n bell oddi wrthi. Er enghraifft, mewn anifeiliaid lle mae'r babanod newydd-anedig wedi'u cuddio mewn gwâl tra mae'r fam yn mynd allan ac yn hela am fwyd, mae'r llaeth yn cynnwys llawer o brotein a braster. O ganlyniad, mae'r babanod newydd-anedig yn teimlo'n llawn am gyfnod hirach, ac felly'n aros yn dawel nes ei bod hi'n dychwelyd yn hytrach na phrotestio'n uchel a denu ysglyfaethwyr. Fodd bynnag, ar gyfer creadur newydd-anedig o rywogaeth sydd wedi esblygu i gael ei ddal yn gyson gan ei fam neu ei gadw'n agos ati (yn cynnwys bodau dynol), mae'r llaeth yn llawer is mewn protein a braster, felly bydd y babi eisiau bwyd eto ymhen cyfnod cymharol fyr. Serch hynny, mae'r llaeth yn sylweddol uwch mewn carbohydrad er mwyn tyfu ymennydd y babi, sy'n datblygu'n hynod gyflym. Mae hyn yn golygu bod mamau sy'n bwydo ar y fron yn dal i weithredu fel brych y babi i bob pwrpas, a dyna pam mae'r bwydo bron yn barhaus ddydd a nos, yn enwedig yn y dyddiau cynnar. Wrth gwrs, gan fod llaeth o'r fron yn dod oddi wrth y fam, mae angen iddi hithau gael maeth da hefyd. Felly dyma'r broblem; sut mae mam newydd yn gallu ymdopi â bwydo ei babi, ceisio gorffwys fel bod ganddi'r egni i ddarparu llaeth sy'n llawn carbohydradau, a'i bwydo ei hun hefyd? Mae'n rhaid iddi gael help. Mae'n ymddangos mai dyma sut rydyn ni wedi esblygu.

Cefnogaeth

Mae'n ymddangos nad ydyn ni wedi ein cynllunio i fod yn gofalu am ein babi ar ein pennau ein hunain. Fel yr awgryma Sarah Blaffer Hrdy yn ei llyfr *Mothers and Others*[7]: 'continuous care and contact mothering is a last resort for primate mothers who lack safe and available alternatives' (t. 85). O ganlyniad, rydyn ni fel primatiaid dynol wedi esblygu i rannu gofal am ein plant ag eraill, os nad oes unrhyw ddewis arall.

> *Rydyn ni wedi esblygu i fod angen eraill i'n helpu i ofalu am ein babi.*

Dychmygwch am eiliad sut brofiad fyddai hi i fod yn fam newydd yn ystod y miloedd o flynyddoedd y buon ni'n byw ar wastadeddau Affrica. Byddem wedi byw mewn grwpiau bach o hyd at 150 o bobl. Fyddai'r fam newydd erioed wedi bod ar ei phen ei hun. Fyddai hi erioed wedi gorfod wynebu'r camau enfawr o ofyn am help sy'n ofynnol yn y gymdeithas gyfoes. Byddai genedigaeth aelod newydd o'r grŵp wedi cael ei dathlu a'i thrysori, yn arbennig gan y byddai'r babi yn perthyn yn enetig i weddill y grŵp; felly byddai helpu'r babi i dyfu a ffynnu o fudd uniongyrchol i lwyddiant y grŵp. Byddai'r menywod wrth law i ddod o hyd i fwyd a'i baratoi ar gyfer y fam newydd, cymryd eu tro i ddal y babi a rhoi sugn iddo weithiau, a gwneud popeth o fewn eu gallu i helpu'r fam a'r babi i ddod yn iach a chadarn cyn gynted â phosib.

Dyma lle rydyn ni wir yn dod i ddeall rôl hanfodol neiniau. Awgrymir bellach fod y cyfnod mewn hanes pan ddaeth mamau i allu goroesi tu hwnt i'w menopos yn bwynt allweddol pryd y gallai'r rhywogaeth ddynol gyflymu o ran datblygiad yr ymennydd ac o ran niferoedd.[8] I nain, roedd ei phlant bellach yn annibynnol arni hi ac o oedran magu plant eu hunain, ac oherwydd ei bod yn fenoposaidd, doedd hi ddim yn cystadlu â'i merch am gymar. Roedd y neiniau bellach ar gael i roi eu hamser a'u hegni i helpu i fwydo eu merched a'u hwyrion.

Roedd hyn yn golygu nad oedd yn rhaid i'w merched aros nes bod eu plant yn annibynnol arnyn nhw cyn cael plentyn arall – ffactor sy'n ymddangos yn unigryw i fodau dynol. Rhaid i rywogaethau primatiaid eraill aros cyhyd ag wyth mlynedd cyn y gall eu plant ofalu amdanyn nhw'u hunain, a chaniatáu iddyn nhw gael babi arall. Gallai bodau dynol gael plant yn sylweddol gyflymach na rhywogaethau eraill. Ond yr unig ffordd y gallai mam ddarparu'r cyfanswm enfawr o galorïau sydd eu hangen ar blentyn sy'n tyfu yn ogystal â babi sy'n tyfu oedd pe bai rhywun arall hefyd yn canfod ac yn darparu bwyd. Bellach, roedd help i'r fam wedi dod nid yn unig yn ddefnyddiol, ond yn hanfodol.

O ystyried bod mamau dynol a babanod wedi esblygu i fod angen eraill i'w galluogi i ffynnu, dydy hi ddim yn syndod bod cynifer o famau newydd yn cael trafferth mewn cymdeithasau modern lle maen nhw'n byw ar wahân i berthnasau benywaidd. Mae hyn yn dechrau egluro pam mae bod yn fam newydd yn aml yn anodd ac iselder ôl-enedigol mor gyffredin. Daw'n fwy dealladwy felly nad bai mamau newydd yw hyn ond canlyniad gwneud ein gorau i eni a magu babi mewn amgylchedd modern nad ydyn ni wedi esblygu ar ei gyfer. Mae hyn yn cael ei ddanlinellu gan y ffaith mai rhagfynegydd unigol mwyaf iselder ôl-enedigol (ar wahân i iselder blaenorol), dro ar ôl tro, yw diffyg cefnogaeth gymdeithasol.

Crynodeb

Mae'r broses o feichiogrwydd, genedigaeth, a dyddiau cynnar bod yn fam newydd yn anhygoel o gymhleth. Mae'r fam a'r bod newydd hwn yn rhyngweithio ar sawl lefel, y naill yn dylanwadu ar y llall mewn dawns gywrain. Ar ben hynny, mae'r hyn sy'n digwydd o amgylch y fenyw, o ran dylanwadau allanol, hefyd yn effeithio ar y broses hon. Dydyn ni ddim ond megis dechrau darganfod y gwahanol agweddau a all gael effaith ar y fam a'r babi ar yr adeg bwysig hon. Yr hyn sy'n amlwg, serch hynny, yw bod cynifer o fenywod yn teimlo ar fai rywsut pan nad yw pethau'n troi allan fel y gwnaethon nhw obeithio, pan nad nhw sydd ar fai o gwbl. Os gallwn ni gael gwared ar y cywilydd a'r bai, byddwn yn llawer mwy abl i symud i safbwynt o 'Wnaethon ni ddim dewis bod lle rydyn ni ar hyn o bryd, ond o ystyried ein bod ni, beth fydd yn ein helpu i symud ymlaen?'

2 'Ble mae'r llawenydd?': Deall sut dwi'n teimlo ar ôl cael babi

> *Rydyn ni wedi esblygu i brofi pryder yn haws ac i raddau mwy wrth ddod yn famau.*

Sut bynnag y byddwch yn edrych arno, mae rhoi genedigaeth yn ddigwyddiad mawr iawn sy'n cael effaith enfawr ar amrywiaeth eang o systemau corfforol ac yn ysgogi llawer o deimladau gwahanol. I rai menywod, sydd wedi profi genedigaeth anodd, gall fod yn gyfnod o boen a blinder corfforol ond hefyd o ofid a siomedigaeth ddwys, yn enwedig os ydyn ni'n teimlo bod ein corff neu, yn wir, ein meddwl wedi ein siomi. Ar ôl yr enedigaeth, mae'r cymysgedd hwn o flinder, adferiad corfforol, newidiadau cyflym ac enfawr yn lefelau'r hormonau, a'n teimladau tuag atom ein hunan a'n babi yn cael effaith sylweddol ar ein hwyliau. Gobeithio y gallwn deimlo llawenydd, rhyddhad, hapusrwydd, hyd yn oed gorfoledd, ond gellir profi emosiynau anoddach hefyd. Yn y man, byddwn yn edrych ar rai o'r teimladau cyffredin mwy cythryblus sy'n gallu codi yn dilyn geni babi, ynghyd ag awgrymiadau ynghylch beth allai fod yn eu hachosi. Er bod y teimladau hyn yn gallu bod yn erchyll, dydyn nhw ddim yn bodoli i'n gwneud ni'n ddiflas yn unig – mae ganddyn nhw swyddogaeth bwysig. Os gallwn ni ddechrau edrych arnyn nhw mewn ffordd wahanol, yna mae eu profi yn gwneud i ni ddechrau uniaethu â ni ein hunain yn wahanol. Yn hytrach na chywilyddio a beirniadu ein hunain ymhellach am fod yn orbryderus neu'n isel, rydyn ni'n dechrau sylweddoli bod y teimladau hyn mewn gwirionedd yn gysylltiedig â ffyrdd esblygol o gadw ein hunain yn ddiogel, ac â newidiadau biolegol ynghlwm wrth feichiogrwydd a dod yn fam.

Gorbryder

Yn y gwyllt, mae cael babi yn amser eithaf peryglus. Mae babanod newydd yn atyniad gwirioneddol i ysglyfaethwyr gan eu bod yn ysglyfaeth mor hawdd. Yn yr un modd, yn niwloedd hanes, roedd mam newydd a oedd yn gwella ar ôl rhoi genedigaeth ac yn cael ei llesteirio gan ei babi'n bwydo ar y fron yn arbennig o agored i niwed ac yn dibynnu ar aelodau eraill o'i grŵp i'w hamddiffyn a'i chynorthwyo. Mae'n gwneud synnwyr esblygiadol i fam newydd brofi cynnydd mewn teimladau cyffredinol o orbryder ac ofn, sy'n ei galluogi i fod yn fwy gwyliadwrus am fygythiadau. Mae hefyd yn gwneud synnwyr iddi deimlo gorbryder pan nad yw'n agos at y rhai sy'n gallu ei hamddiffyn. Wrth gwrs, mae'r math hwn o risg i'n babi yn annhebygol y dyddiau hyn, yn ffodus, ond cynlluniwyd yr ymennydd dynol ar gyfer byw filoedd o flynyddoedd yn ôl. Dyma pam mae'n gallu bod yn anodd i famau beidio â phoeni, hyd yn oed pan fydd y babi yn cysgu. Mae hefyd yn egluro'r gorbryder sylweddol sy'n cael ei brofi gan lawer o fenywod pan fydd eu partneriaid yn dychwelyd i'r gwaith, a pham maen nhw'n amheus o ddieithriaid neu bobl annibynadwy sydd eisiau dal eu babi.

Dyma'r rheswm hefyd pam mae menywod weithiau'n teimlo'n gynyddol bryderus fin nos neu yn ystod oriau mân y bore cyn i'r haul godi; y rhain oedd yr adegau peryclaf o ran ysglyfaethu. Mae llawer o fenywod yn sôn mai un o'r adegau anoddaf yw pan fyddan nhw'n ceisio cysuro babi ar eu pen eu hunain yn nhrymder nos, ac mae hynny'n berffaith synhwyrol o ystyried amgylchiadau'r cyfnod pan esblygodd yr ymennydd; byddai babi swnllyd, yn enwedig yn ystod tywyllwch, yn gallu denu ysglyfaethwyr a rhoi'r fam a'r babi mewn perygl mawr. Hyd yn oed os yw ei phartner yn cysgu wrth ei hymyl, gall y fam brofi ymdeimlad o ddychryn ac ofn nes bod ei phartner yn effro. Yn rhesymegol, gallem feddwl nad oes diben i ddau berson fod yn effro gyda'r babi ar yr un pryd, yn enwedig os na all y partner fwydo'r babi. Ond os ydyn ni'n ymwybodol bod ein hymennydd yn gweithredu'n unol â rhesymeg miliynau o flynyddoedd o ddatblygiad mewn amgylcheddau hynod beryglus, yna mae teimladau sy'n ymddangos yn rhyfedd ac yn afresymegol yn dechrau gwneud synnwyr llwyr. Pan fydd ein partner yn effro yr un pryd â ni, gallwn brofi rhyddhad mawr a lleihad yn ein gorbryder oherwydd bod ein hymennydd yn sylweddoli ein bod ni'n llawer mwy diogel rhag ysglyfaethwyr. Mae hyn hefyd yn cyd-fynd â'r rhyddhad y mae llawer o fenywod yn ei deimlo pan fydd yr haul yn codi, oherwydd byddai'r perygl gan ysglyfaethwyr wedi gostwng yn ddramatig wedi toriad y wawr.

Wrth gwrs, mae rhesymau eraill am ddatblygiad gorbryder sy'n gysylltiedig â'n teimladau amdanon ni ein hunain ac a ydyn ni'n abl i fod yn fam, er enghraifft. Gall cyfrifoldeb gofalu am fabi newydd ein llethu, neu gallwn gredu na fyddwn yn gallu amddiffyn ein babi na'i drin yn iawn. Yn aml, gellir olrhain y credoau a'r teimladau corfforol hyn i gyfnod cynnar yn ein bywyd, er enghraifft, pan oedden ni'n gyfrifol am ofalu am les rhiant pan oedden ni'n blentyn, gyda'r cyfrifoldeb hwnnw felly yn ein llethu. Byddwn yn edrych ar hyn yn fanylach yn nes ymlaen yn y llyfr. Am y tro, beth sy'n bwysig yw bod y teimladau rydyn ni'n eu profi yn digwydd am reswm. Maen nhw'n taro pan fydd ein hymennydd yn synhwyro ein bod dan fygythiad mewn rhyw ffordd; fel y gwelwn, dulliau y mae ein hymennydd wedi esblygu i'w defnyddio i'n hamddiffyn yw teimladau o orbryder ac iselder.

Y drafferth yw bod y mecanweithiau hyn wedi esblygu dros filiynau o flynyddoedd o fyw yn wahanol iawn i sut rydyn ni'n byw heddiw. Pan fyddwn yn profi gorbryder ac iselder yn yr oes sydd ohoni, dydyn nhw ddim o reidrwydd yn teimlo'n ddefnyddiol iawn o gwbl. Ond unwaith y byddwn yn deall pam mae'r teimladau hyn yn digwydd, ac nad ein bai ni ydyn nhw ond yn hytrach eu bod yn digwydd o ganlyniad i drefn ein hymennydd, gallwn edrych ar y ffordd orau o fynd i'r afael â'r teimladau hyn.

Tymer flin

Pan fydd y babi yn cael ei eni, a phan fyddwn ni'n bwydo ar y fron, mae cynnydd mewn dau hormon: ocsitosin a phrolactin. Mae ocsitosin yn hybu agosrwydd rhwng y babi a'r fam ac yn rhoi teimlad o gynhesrwydd a chariad. Mae prolactin ynghlwm wrth gynhyrchu llaeth, ond hefyd ag ymddygiad mamol, ac mae'n hybu teimlad mwyn o dawelwch meddwl a bodlonrwydd. Yn ddiddorol, mae prolactin yn cael ei gynhyrchu gan ddynion a menywod ar ôl orgasm, a chredir ei fod yn mygu awydd rhywiol er mwyn hyrwyddo cyfnod o dawelwch, bodlonrwydd ac, yn achos dynion, cwsg, wedi hynny. Mae prolactin yn gweithio ar y cyd â'r hormon dopamin (a elwir yn aml yn hormon 'gwobrwyo'), ond yn groes iddo.

Pan fydd prolactin yn cynyddu, mae dopamin yn lleihau, ac i'r gwrthwyneb. Mae dopamin yn rhoi bwrlwm o gyffro ac egni i ni sy'n ein cymell a'n gyrru. Mae'n gysylltiedig â'r system wobrwyo, a dyma'r hormon sy'n gwneud i ni fod eisiau mwy a mwy o rywbeth, er enghraifft cyflawniad, canmoliaeth, cacen, siocled, creision neu win! Mae prolactin yn gweithio i'r cyfeiriad croes i ddopamin, ac yn rhoi'r teimlad hwnnw o foddhad i ni ar ôl i ni fwyta siocled neu yfed gwin, ac ati. Mae'n fath o 'Aaa, dyna welliant, dwi wedi cael digon. Dydw i ddim angen dim byd arall am y tro.' O ganlyniad, mae'n helpu'r fam i ganolbwyntio ar ei babi yn hytrach nag ar wneud pethau eraill.

Fodd bynnag, mae agwedd arall ddiddorol ac annisgwyl i ocsitosin a phrolactin. Yn ogystal ag annog agosrwydd, cynhesrwydd a thawelwch gyda'r babi, maen nhw hefyd yn creu gelyniaeth tuag at bobl o'r tu allan. Mae hyn i'w weld ym myd natur, lle mae mam gyda'i babi newydd-anedig yn llawer mwy ymosodol na gwryw, hyd yn oed, os yw hi'n teimlo bod ei babi dan fygythiad, sy'n esbonio pam, er enghraifft, ei bod hi'n syniad da osgoi cerdded drwy gaeau lle mae gwartheg a'u lloi.

Mae'r ddau hormon hefyd yn cynyddu mewn dynion sy'n byw gyda'u partneriaid beichiog, felly maen nhw hefyd yn bondio gyda'u plant ac yn amddiffynnol ohonyn nhw. Yn wir, mae prolactin weithiau'n cael ei alw'n hormon 'gwarchod ac amddiffyn'. Felly, er ein bod yn teimlo'n fodlon wrth fagu neu ddal ein babi, gall anniddigrwydd gynyddu yr un pryd os oes unrhyw anesmwythyd ynghylch diogelwch y babi, er enghraifft, os ydyn ni'n byw mewn cymdogaeth sy'n teimlo ychydig yn anniogel, neu pan mae perthnasau neu ymwelwyr yn y tŷ nad ydyn ni'n hollol gyfforddus â nhw. Mae hyn hefyd yn egluro cyfyng-gyngor menywod ynghylch pwy sy'n gofalu am y babi os ydyn nhw'n dychwelyd i'r gwaith. Rydyn ni wedi'n rhaglennu i rannu gofal ein plant gyda phobl sy'n gwneud i ni deimlo'n ddiogel yn eu cwmni; yn esblygiadol, byddai'r rhain yn berthnasau i ni. Bellach, oherwydd natur ein bywydau, mae'n bosib nad oes gennym agosrwydd corfforol, neu seicolegol yn wir, at ein teulu estynedig. Mae hyn yn ein gorfodi i adael ein babi gyda phobl nad ydyn ni o reidrwydd yn teimlo'n gwbl gyfforddus â nhw.

Gall anniddigrwydd ddigwydd oherwydd blinder eithafol, wrth gwrs, ond gall hefyd gael ei achosi gan y dynfa o orfod gwneud pethau eraill heblaw magu a gofalu am ein babi. Mae hyn yn arbennig o wir os yw help yn brin, sy'n golygu bod dillad i'w golchi, prydau i'w paratoi, a thacluso yn gorfod digwydd ar ben ceisio gofalu am y babi. Mae'r anniddigrwydd hwn yn gallu peri siom wedi i ni obeithio teimlo'n llawn cariad, tawelwch meddwl a bodlonrwydd yn sgil geni'r babi. Gallwn hefyd deimlo'n euog pan fydd ein hanniddigrwydd yn peri i ni feio'r babi am ein blinder a'r anhrefn yn y tŷ. Pa mor wahanol fydden ni'n teimlo pe bai help ar gael gyda'r holl ofynion hyn?

Y felan geni

Mae'n bosib mai un o'r cyfresi mwyaf cyffredin o deimladau ôl-enedigol yw'r hyn sy'n cael ei alw'n aml yn *'felan geni'* neu'n *baby blues*. Mae'n digwydd i bron pob menyw ryw dri i bedwar diwrnod ar ôl rhoi genedigaeth, ac fe'i nodweddir gan duedd i fod yn fwy dagreuol, gorbryder, iselder cymedrol, sensitifrwydd i feirniadaeth, a lleihad dros dro yn nerth y cwlwm â'r babi.

Unwaith mae'r babi'n cael ei eni, mae gostyngiad enfawr a sydyn yn yr hormonau sy'n gyfrifol am gynnal y beichiogrwydd a geni'r babi. Yr un pryd, mae cynnydd yn yr hormonau sy'n ymwneud â chynhyrchu llaeth. Mae'r felan geni yn digwydd yr un pryd â'r newidiadau hormonaidd hyn, a dechrau cynhyrchu'r llaeth. Bryd hyn mae bronnau menyw yn gorlenwi, a llaeth gwyn yn disodli'r colostrwm melyn. Cynhyrchir colostrwm ychydig cyn esgor, er mwyn darparu gwrthgyrff, lefelau uchel o faetholion, a charthydd ysgafn i'r babi. Mae'r carthydd hwn yn helpu'r babi i gynhyrchu meconiwm, sy'n clirio'i system dreulio. Unwaith mae'r hormonau hyn yn setlo a llaeth yn cael ei gynhyrchu, mae hwyliau'r fenyw fel arfer yn sefydlogi. Gall hyn gymryd hyd at ddeg diwrnod i ddigwydd.

Anobaith ac iselder

Gall rhoi genedigaeth fod yn hynod o flinedig, yn enwedig i fenywod sydd heb fod yn cysgu'n rhy dda yn ystod yr wythnosau neu'r dyddiau cyn esgor. Mae hefyd, wrth gwrs, yn cael effaith sylweddol ar y corff, ac mae angen amser iddo wella. Mae'r adferiad hwn yn digwydd yn gyflymach mewn mamaliaid, gan gynnwys bodau dynol, pan fyddwn yn teimlo'n ddiogel ac yn derbyn gofal, gan ganiatáu i ni ymlacio ac encilio cymaint â phosib i arbed egni ar gyfer iacháu ein hunain a bwydo ein baban. Os ydyn ni'n teimlo'n anniogel a heb bobl gefnogol o'n cwmpas, dydy ein hwyliau ddim cystal, ac mae cael teimladau o unigrwydd a gorbryder yn bosib, a gall hynny arwain yn y pen draw at iselder ôl-enedigol.

> Mae iselder ôl-enedigol yn creu teimladau corfforol oddi mewn i ni sy'n rhoi'r ymdeimlad ein bod ni'n ddrwg, ar fai, yn gywilyddus a bod rhywbeth o'i le arnom. Gall y rhain fod mor gryf fel eu bod yn teimlo fel ffeithiau yn hytrach na theimladau corfforol.

Mae cyfraddau iselder ôl-enedigol yn amrywio'n fawr mewn gwahanol ddiwylliannau, ac ymddengys eu bod fwyaf cysylltiedig â lefelau cefnogaeth i'r fam newydd yn hytrach na nodweddion personol y fam. Ffactorau eraill sy'n cyfrannu at iselder ôl-enedigol yw cyfnodau o iselder blaenorol, perthynas wael â phartner, trafferthion ariannol a bod â statws economaidd-gymdeithasol is.[1,2]

Dydy iselder ôl-enedigol ddim yn ganlyniad unrhyw ddiffyg neu annigonolrwydd yn y fenyw, ond yn anffodus, mae'r ffordd y mae'r iselder yn gweithio yn gallu gwneud i ni gredu bod hynny'n wir. Mae'n effeithio ar ein ffordd o feddwl, gan beri i ni'n hystyried ni ein hunain a'r byd yn anobeithiol a chyfeirio ein sylw at unrhyw beth negyddol sy'n gallu cadarnhau hynny. Mae hefyd yn anwybyddu unrhyw bethau cadarnhaol a allai wrth-ddweud hynny.

Rydyn ni fel pe baen ni wedi'n gorfodi i wisgo sbectol iselder, a dim ond pethau negyddol y gellir eu gweld drwyddi. Mae iselder yn lleihau ein cymhelliant a'n diddordeb mewn bywyd. Mae'n effeithio ar ein gallu i brofi teimladau cadarnhaol, felly does dim pleser mwyach mewn pethau a arferai roi boddhad i ni. Mae bwyd a diod yn ymddangos yn anniddorol a diflas, gweithgareddau fu unwaith yn agos at ein calon bellach yn ddibwrpas; yn waeth fyth, dydy perthnasoedd ddim yn cynnig boddhad chwaith, yn cynnwys ein perthynas â'n partner a'n babi. Rydyn ni'n teimlo'n ddi-ffrwt, yn drwm ac yn brin o egni, gan beri i ofalu am y babi ymddangos yn gamp amhosib.

Gall iselder beri i ni ddeffro'n gynnar, hyd yn oed pan fydd y babi yn cysgu, gan ein hamddifadu o gwsg y mae mawr ei angen. Mae hefyd yn gwneud i ni encilio oddi wrth unrhyw gyswllt cymdeithasol; rydyn ni'n teimlo ysfa i guddio rhag pobl, ac mae ateb y drws neu'r ffôn yn gallu teimlo'n amhosib hyd yn oed. Ond cyswllt cymdeithasol yw'r ffordd orau bosib o oresgyn iselder. Dyma pam mae'n gallu bod yn gyflwr mor anodd ei drechu, yn enwedig os ydyn ni'n gymharol ynysig.

Mae iselder yn ymddangos yn debyg iawn yn y rhan fwyaf o bobl, gyda llawer hefyd yn profi gorbryder yr un pryd, ac mae'r darlun cyson hwn yn ddiddorol. Ydy e'n rhyw ddiffyg ofnadwy mewn bodau dynol, neu a oes rhyw ddiben iddo? Un syniad yw bod gan iselder ryw fath o swyddogaeth amddiffynnol. Gall hyn ymddangos yn od ac yn annhebygol oherwydd bod iselder yn ymddangos mor ddi-fudd a dinistriol o bryd i'w gilydd. Fodd bynnag, ymddengys fod ganddo gysylltiad agos iawn â'n perthnasoedd cymdeithasol, fel y nodwyd eisoes.[3] Mae'n fwy tebygol o ddigwydd pan fyddwn yn teimlo'n unig, yn ddigefnogaeth neu heb ein gwerthfawrogi. Os edrychwn ar anifeiliaid gwyllt, neu hyd yn oed ar gŵn a chathod anwes, bydd anifail ym mhresenoldeb anifail cryfach, trechol, yn osgoi edrych arno, yn gostwng ei gorff ac yn rhoi'r gorau i ymladd. Rydyn ni'n gwneud yr un peth pan nad ydyn ni'n teimlo cystal â rhywun arall, yn enwedig os ydyn ni'n teimlo cywilydd hefyd. Rydyn ni'n edrych i lawr, yn colli egni'n gyflym ac yn ei chael hi'n anodd siarad hyd yn oed. Ein hymennydd sy'n dewis ymddwyn fel hyn, er mwyn dangos i unigolyn trechol nad ydyn ni'n fygythiad iddo. Mae'r dewis yn cael ei wneud yn awtomatig cyn i ni fod yn ymwybodol ohono.

Gall iselder fynd â hyn ymhellach drwy ein tynnu'n llwyr oddi wrth grŵp o bobl a allai fod yn fygythiol, gan beri i ni encilio i'n 'hogof', i bob pwrpas, a'n deffro yn yr oriau mân ar adeg pan fydden ni'n wynebu'r perygl mwyaf o du ysglyfaethwyr; ar yr un pryd, mae'n lleihau ein blys a'n cymhelliant fel na fyddwn yn symud allan o'r ogof pan mae perygl o du unigolyn trechol yn parhau.

Rydyn ni'n gweld hyn yn digwydd mewn anifeiliaid, a gallai fod yn beth da i ni pan ocdden ninnau'n byw mewn grwpiau bach. Byddai ein henciliad wedi bod yn amlwg i weddill ein grŵp, gan annog perthynas i ddod i ofalu amdanon ni, ein bwydo a'n hamddiffyn nes ein bod yn teimlo'n ddigon cryf i ailymuno â gweddill y grŵp. Mae'n debygol y byddai hynny wedi lleihau hyd y cyfnod encilio yn sylweddol. Fodd bynnag, pan fyddwn ni'n byw gyda lefel isel iawn o gefnogaeth, mae'n anodd estyn allan a gofyn am gymorth pan mae iselder yn ein gorfodi i wneud y gwrthwyneb yn llwyr. Efallai mai dyna'r rheswm pam mae iselder ôl-enedigol yn gymaint prinnach mewn cymunedau clòs.

Er nad yw deall y mecanwaith esblygiadol posib sydd wrth wraidd iselder yn newid ei effeithiau dinistriol, gall helpu i gael gwared ar unrhyw 'iselder ynghylch iselder' rydyn ni'n ei brofi. Os ydyn ni'n gallu gweld nad yw'n ganlyniad unrhyw ddiffyg ynom ni, ond yn hytrach ei fod yn fecanwaith amddiffynnol esblygol sy'n anffodus ddim yn gweithio cystal mewn cymunedau lle mae pawb yn byw ar wahân i'n gilydd, yna gallwn roi'r gorau i ymosod arnom ein hunain, a helpu ein hunain i wella'n raddol ac estyn am gymorth yn lle hynny.

Crynodeb

Dim ond megis dechrau deall cymhlethdod cael babi a'i effaith emosiynol arnon ni rydyn ni. Gall ymatebion sy'n gallu ymddangos yn broblemus fod yn ymatebion esblygol i ofalu am fabi newydd-anedig mewn amgylchedd a oedd, am filoedd o flynyddoedd, yn beryglus iawn. Rydyn ni wedi esblygu i fod yn fwy sensitif i fygythiad, i ni ein hunain, i'n babanod newydd-anedig neu i'r rhai rydyn ni'n dibynnu arnyn nhw i'n helpu i'n cadw'n ddiogel.

Mae cael babi newydd yn golygu bod angen i ni ddibynnu mwy ar eraill i'n helpu ni, felly mae'r ffordd rydyn ni'n teimlo mewn perthynas ag eraill yn dod yn bwysicach.

Yn ogystal, mae agweddau ar fywyd sy'n ein cadw'n gadarn yn emosiynol (cysgu, er enghraifft) yn gallu cael eu tanseilio, neu hyd yn oed ddiflannu am gyfnod (hobïau, amser i ni ein hunain), yn enwedig pan fydd cefnogaeth gymdeithasol yn gyfyngedig. Ac os ydyn ni'n beirniadu ein hunain am ein hymatebion emosiynol, mae hynny'n gwneud pethau'n anoddach fyth.

Y neges yma, a thrwy'r llyfr hwn ar ei hyd, yw y bydd trin ein hunain gyda chydymdeimlad a charedigrwydd a derbyn y drefn, yn hytrach nag ymosod a chywilyddio, yn cael effaith sylfaenol ar ein cyflwr emosiynol a'n gallu i oroesi'r adegau anodd hyn.

3 'Dwi'n ei chael yn anodd teimlo cariad tuag at fy mabi': Ein hemosiynau cymysg a'n hymdrechion i'w rheoli

Rydyn ni wedi gweld pa mor gymhleth yw'r broses fondio. Rydyn ni'n gwybod bod yr enedigaeth ei hun yn gallu effeithio arni, fel y gall ymyriadau yn ystod yr enedigaeth. Cymaint yw'r cymhlethdod fel ei bod yn bur debyg mai dim ond ychydig bach rydyn ni'n ei wybod am bopeth sy'n gysylltiedig â datblygiad y cwlwm rhwng mam a'i babi. Er enghraifft, mae arogl yn rhan hanfodol o fondio mewn llawer o anifeiliaid. Pan effeithir ar synnwyr arogli'r fam, yna gall wrthod ei babi yn llwyr.

Gall hyn fod yn wir mewn mamau dynol hefyd; gallwn adnabod arogl ein babi o fewn ychydig ddyddiau i'w eni, ac mae ein babi, mewn gwirionedd, eisoes wedi arfer â'n harogl o'r hylif amniotig. I bob pwrpas, mae'r fam a'r babi yn 'argraffnodi' ar ei gilydd, yn yr un modd ag y mae morlo a chenau neu ddafad ac oen yn ei wneud. Mae arogl pen a gwddf babi yn aml yn cael ei nodi fel un o'r arogleuon mwyaf pleserus, ac mewn rhai cymdeithasau, mae'r babi newydd yn cael ei basio o gwmpas er mwyn i bawb ei arogli, fel ffordd o fondio'r babi i'r grŵp cyfan. Ond beth os yw ein synnwyr arogli neu ein system arogleuo yn cael eu cyfaddawdu mewn rhyw ffordd? I ba raddau allai hyn effeithio ar y broses fondio? A pha ffactorau eraill sy'n gysylltiedig â'r broses fondio nad yw gwyddoniaeth yn ymwybodol ohonyn nhw eto hyd yn oed?

Unwaith y bydd mam a babi yn dechrau treulio amser gyda'i gilydd, mae'r cwlwm yn datblygu ac yn tyfu oherwydd dylanwad nifer o ffactorau, gan gynnwys hormonau fel ocsitosin a dopamin. Fodd bynnag, i rai menywod, dydy'r cwlwm hwnnw ddim fel petai'n datblygu. Maen nhw'n disgrifio ymdeimlad o ddatgysylltiad a diffyg teimlad. Dywedodd un fenyw a gyfeiriwyd ataf:

> Peidiwch â'm camddeall i, dwi'n gofalu amdani ac yn ei hamddiffyn a dwi'n credu ei bod hi'n beth bach hyfryd, ond dydy hi ddim yn teimlo fel fy mabi i.

Pe bai rhywun yn dod at y drws a dweud, 'Esgusodwch fi ond dwi'n credu eich bod wedi cael fy mabi i mewn camgymeriad', fyddwn i ddim yn synnu a byddwn yn ei rhoi iddyn nhw ar unwaith.

> *Gall bondio ddigwydd ar unrhyw adeg, hyd yn oed ar ôl cyfnod hir o fethu gwneud hynny.*

Dydy hyn ddim yn fater o beidio â malio am y babi yn unig; mae llawer o fenywod yn ceisio cymorth yn benodol oherwydd eu bod yn poeni cymaint am y diffyg teimlad hwn. Mae'n achosi pryder anhygoel ac ymdeimlad o gywilydd weithiau, fel petai rhywbeth o'i le arnyn nhw neu rywbeth yn ddrwg amdanyn nhw. Pwy a ŵyr faint o fenywod sy'n ei chael hi'n anodd heb ddweud wrth neb? Yn sicr, mae yna fenywod sy'n sôn am fyw'r rhan fwyaf o'u hoes, neu ar hyd eu hoes weithiau, yn ddideimlad tuag at un plentyn penodol, ond yn aml gyda theimladau cariadus, cryf a chynnes tuag at blentyn arall. Diolch byth, mae nifer yn sôn fod y teimladau wedi 'cynnau', neu fod gwreichionen o gynhesrwydd yn ymddangos, sy'n tyfu'n deimladau cryf dros amser. Yr hyn sy'n amlwg yw nad yw hi byth yn rhy hwyr. Dydy'r cyfle byth yn diflannu.

Byddwn yn edrych ar rai syniadau sy'n gallu cynnig ambell gliw ynghylch bodolaeth y diffyg teimlad neu'r datgysylltiad hwn, ond bydd gwreiddyn y drwg yn benodol i bob menyw a'i babi.

Iselder a bondio

Gallwn brofi ymdeimlad o ddiffyg teimlad a datgysylltiad pan fyddwn yn isel ein hysbryd. Yn ôl rhai, hyd yn oed pan fyddan nhw yng nghwmni pobl, mae hi fel pe baen nhw'n eu gwylio o'r tu allan i swigen; mae ymdeimlad bod rhywbeth yn eu gwahanu.

Gydag iselder, mae ein synnwyr o lawenydd a diddordeb mewn unrhyw beth, yn cynnwys y bobl sy'n agos aton ni, yn cael ei fygu. Fel y soniwyd yn gynharach, un o effeithiau iselder yw lleddfu'r systemau cymhelliant neu wobr a 'theimlad positif' yn yr ymennydd. Mae hyn yn gwneud inni deimlo bod gweithgareddau a fu unwaith yn ystyrlon neu'n bleserus yn ddibwrpas a diflas. Yn anffodus, gall hyn hefyd gynnwys ein perthynas â'n babi. Yn rhyfeddol, mewn menywod nad ydyn nhw'n isel eu hysbryd, mae hyd yn oed cri babi yn tanio'u system wobrwyo, ond mewn menywod sy'n isel eu hysbryd, mae'r system wobrwyo yn parhau heb ei chymell.[1] Mae hyn yn ei gwneud hi'n anhygoel o anodd i fam isel ei hysbryd fagu'r egni a'r cymhelliant angenrheidiol i fodloni gofynion di-baid babi, yn arbennig pan nad yw'n profi unrhyw deimladau pleserus ar ôl gwneud hynny.

Mae iselder hefyd yn ei gwneud hi'n anodd iawn ymateb i arwyddion a newidiadau cynnil yn wynebau pobl eraill, a mesur eu hystyr yn gywir. Mae'n tueddu i wneud i ni ganolbwyntio ar fygythiad a'i effaith bosib arnon ni. Rydyn ni'n fwy tebygol o weld bygythiad, beirniadaeth a gwrthodiad gan bobl eraill, boed hynny'n wir ai peidio. Pan mae eu babi'n crio yn eu breichiau, gall iselder beri i famau feddwl nad yw eisiau bod gyda nhw yn hytrach na bod ei fol yn brifo neu ei fod eisiau llaeth; pan fydd y babi yn troi i ffwrdd wrth ryngweithio â'r fam, mae mam sy'n dioddef iselder yn cymryd yn ganiataol nad yw'r babi yn ei charu, yn hytrach na gweld bod babanod yn rheoli eu cyffro neu eu hymdrech i ryngweithio drwy droi i ffwrdd er mwyn ymdawelu am ychydig.

Fel pe na bai hyn yn ddigon anodd, caiff y tensiwn a'r pryder y mae'r fam yn eu teimlo pan fydd yn dal ei babi rhag ofn iddo'i gwrthod ei drosglwyddo i'r babi. Mae'r babi wedyn yn dechrau teimlo'n anghyfforddus â hi o ddifrif. I wneud pethau'n waeth, mae'n setlo'n gyflymach ym mreichiau rhywun arall sydd wedi ymlacio, gan roi'r argraff ei fod yn cadarnhau'r hyn mae'r fam yn ei gredu. Yn anffodus, mae hon yn sefyllfa gyffredin iawn gydag iselder ôl-enedigol, ac mae pethau'n gallu gwaethygu'n gyflym iawn, yn enwedig os yw'r bobl o gwmpas y fam yn ddiarwybod yn cymryd gofal cynyddol o'r babi, gan gredu y bydd hynny'n helpu.

> *Weithiau gallwn deimlo mor isel ein hysbryd nes bod angen help eraill arnon ni i ofalu am y babi. Mae'n bwysig cael cyfnodau o agosrwydd corfforol at ein babi pan fo hynny'n bosib er mwyn helpu'r broses fondio.*

Byddwn yn edrych ar nifer o ffyrdd o gryfhau'r cwlwm rhyngon ni a'n babi yn nes ymlaen yn y llyfr, ond mae agosrwydd at ein babi yn allweddol. Hyd yn oed os ydyn ni'n isel ein hysbryd a heb fod yn gallu ymgymryd â gofal beunyddiol ein babi, mae'n bwysig cadw cymaint o gysylltiad rhyngom ag y gallwn. Os yw cysylltiad corfforol yn teimlo'n rhy anodd i ddechrau, gallai hynny olygu dim byd mwy na gwylio'n babi yn chwarae. Gellir cynyddu'r agosrwydd dros amser wrth i'r fam a'r babi deimlo'n fwy cyfforddus yng nghwmni ei gilydd. Mae ymateb y naill i'r llall yn ysgogi cynhyrchu ocsitosin, sy'n hyrwyddo teimladau o gynhesrwydd a chysylltiad ac felly'n cynnal y cwlwm.

Mae cynnydd yn lefelau ocsitosin yn gallu helpu i godi'r iselder, a dyna un o'r rhesymau pam y gall bwydo ar y fron helpu gydag iselder ôl-enedigol. (Os yw bwydo ar y fron yn drafferthus, mae'n bosib na fydd yn ddefnyddiol, a dyma lle mae help gan y fydwraig, ymwelydd iechyd a chynghorwyr bwydo babanod arbenigol – fel y rhai o'ch Cynghrair La Leche leol (www.laleche.org.uk) neu sydd weithiau ar gael gan eich ysbyty neu wasanaeth ymweliadau iechyd lleol – mor bwysig.)

Wrth i'r iselder godi, mae teimladau o gynhesrwydd, cariad a llawenydd yn dychwelyd. I rai, fodd bynnag, mae'r diffyg teimlad yn fwy penodol, a gall godi mewn perthynas ag un plentyn penodol. Efallai fod teimladau cryf o gynhesrwydd a chariad at y plentyn cyntaf, dyweder, ond nid at yr ail blentyn, neu fel arall, ac mae'n ymddangos fel petai'r teimladau hyn yn parhau. Dyma sy'n gallu achosi anesmwythyd. A dweud y gwir, daw rhai galwadau am help gan fenywod sy'n disgrifio 'cwympo mewn cariad' gyda'u babi newydd, ac mae hynny wedyn wedi tynnu eu sylw at gyn lleied maen nhw'n ei deimlo tuag at eu plentyn cyntaf. Felly beth sy'n gallu achosi'r diffyg teimladau amlwg iawn hyn tuag at un plentyn penodol?

Bod yn ddideimlad er mwyn ymdopi

Yn gyntaf, mae'n ddefnyddiol deall pam mae bod yn ddideimlad yn digwydd. Mae'n ymateb corfforol arferol ac ymaddasol (er nad yw o bosib yn teimlo'n ddefnyddiol iawn). Mae'n ffordd o ddiffodd gweithredoedd yn y corff pan nad ydyn nhw'n cael unrhyw effaith bellach. Felly, er enghraifft, os bydd babi sy'n crio yn cael ei adael ar ei ben ei hun mewn ystafell, bydd yn stopio crio yn y pen draw. Mae hyn yn rhannol oherwydd bod crio yn defnyddio llawer o egni, a bydd y corff yn arbed egni os nad yw'r ymddygiad yn gweithio. Ond os ydyn ni'n meddwl am anifail ifanc yn nadu yn y gwyllt, bydd sŵn parhaus yn denu ysglyfaethwyr, felly gallai bod yn dawel arbed ei fywyd hefyd. Mae'r diffodd hwn yn ymateb awtomatig.

> *Rydyn ni wedi esblygu'r gallu i fod yn ddideimlad. Gall fod yn fecanwaith amddiffynnol pan fyddwn yn teimlo ein bod wedi ein gorlethu.*

Mae bod yn ddideimlad hefyd yn gallu codi mewn sefyllfaoedd lle rydyn ni'n teimlo'n ofnus iawn ond yn methu rheoli'r hyn sy'n ein dychryn. Er enghraifft, os ydyn ni'n byw mewn ardal beryglus ond yn methu symud oddi yno, rydyn ni'n diffodd yr ofnau drwy fod yn ddideimlad, ac mae hynny'n ein galluogi i ddal ati i weithredu, er bod hynny mewn modd straenllyd a gorwyliadwrus iawn. Mae'r un peth yn wir wrth ofalu am rywun sy'n dioddef salwch hir a thrallodus. Dydy'r corff ddim yn gallu parhau i weithredu dan lefelau uchel o drallod, felly mae'n diffodd er mwyn arbed egni ac atal ymddygiad aflwyddiannus. Yna gallwn ddod yn ddideimlad tuag at y person hwnnw. Dydy bod yn ddideimlad fel hyn ddim yn golygu nad ydyn ni'n poeni nac yn ofidus. Y gwrthwyneb sy'n wir; mae'n digwydd oherwydd ein trallod.

> Pan fyddwn ni'n teimlo'n ddiogel gydag eraill, a gyda ni'n hunain, does dim angen bod mor ddideimlad. Gallwn brofi mwy o ymdeimlad o ddiogelwch pan fyddwn ni'n dod i ddeall a derbyn pam ein bod yn cael trafferth.

Mae bod yn ddideimlad fel strategaeth ddiogelu yn cael ei wreiddio ynom fel plant os ydyn ni'n profi lefelau uchel o drallod nad ydyn nhw'n cael eu datrys dros gyfnodau hir o amser. O ganlyniad, rydyn ni'n fwy tebygol o fod yn ddideimlad mewn ymateb i lefelau cymharol isel o drallod o'i gymharu ag oedolion na chawsant brofiadau o'r fath. Felly, er enghraifft, os yw babi'n dioddef gyda cholig ac yn crio'n swnllyd ddydd a nos, bydd yn mygu emosiynau pawb tuag ato. Fodd bynnag, bydd rhai'n mynd yn ddideimlad yn llawer cynt oherwydd ei fod wedi dod yn ffordd fwy datblygedig o ymateb i straen.

Gall bod yn ddideimlad fod yn ymateb awtomatig, heb fod yn fai arnon ni o gwbl. Unwaith y byddwn yn deall ei fod yn ymateb i fygythiad yn hytrach na rhyw ddiffyg ynom ni, gallwn wedyn fynd ati i geisio gwybod beth yw'r bygythiad, a deall beth fydd yn ein helpu i deimlo'n ddiogel. Mae ymdeimlad o ddiogelwch yn gallu dod drwy ddatblygu dealltwriaeth a derbyn pam mae ein meddyliau yn ymddwyn fel maen nhw. Pan fyddwn ni'n teimlo'n fwy diogel, mae'n lleihau'r angen am yr ymateb dideimlad. Rydyn ni wedyn mewn sefyllfa lawer gwell i allu troi ein sylw at ein perthynas â'n babi.

Yn nes ymlaen yn y llyfr, byddwn yn edrych mewn mwy o fanylder ar sut rydyn ni'n ymateb i fygythiad, beth sy'n ein helpu i deimlo'n ddiogel, a sut i gyflwyno cynhesrwydd a llawenydd i'n perthynas â'n babi. Am y tro, byddwn yn canolbwyntio ar rai o'r agweddau ar gael babi a all sbarduno ymateb dideimlad fel y gallwn gydnabod ei fod yn ymateb dealladwy i fygythiad yn hytrach na rhyw wendid neu ddiffyg ynom ni. Dydyn ni ddim bob amser yn sylweddoli sut mae rhai sefyllfaoedd yn gallu gwneud i ni deimlo dan fygythiad, na sut mae'r meddwl yn gallu ymateb i atgofion cynharach a ysgogwyd gan sefyllfa sy'n ymddangos yn ddiniwed, heb i ni fod yn gwbl ymwybodol o hynny.

Y neges yma yw, er nad ydych chi o bosib yn credu y dylai amgylchiadau penodol fod yn ddigon i achosi trallod i chi, mae'n hollol bosib bod eich ymennydd wedi canfod rhyw fath o fygythiad os ydych chi'n profi diffyg teimlad tuag at eich plentyn. Gall hyn ddigwydd hyd yn oed os yw tarddiad y bygythiad yn anodd ei ddeall i ddechrau.

Profiadau trawmatig

Un peth sy'n gallu sbarduno ymateb dideimlad fel proses amddiffynnol yw cael profiad trawmatig. Dydy diffinio 'profiad trawmatig' ddim yn hawdd. Yn gyffredinol, mae'n cyfeirio at brofiadau emosiynol pwerus, ofn yn aml, a oedd yn ymddangos yn llethol ac yn aml yn cynnwys ymdeimlad o fod ar eich pen eich hun neu'n ddiamddiffyn. Weithiau gall teimladau o gywilydd fod yn rhan o'r profiad o drawma. Efallai i ni brofi teimlad y gallai niwed neu farwolaeth ein taro ni neu rywun sy'n annwyl i ni. O ystyried hynny, gall profiad o drawma â lefelau uchel o boen, teimladau o fod allan o reolaeth, ac ofnau am eich diogelwch eich hun a/neu ddiogelwch eich babi, fod yn rhan o'r profiad geni i rai menywod. Ar ôl profiad o'r fath, gallwn ddatblygu amrywiaeth o symptomau a thrafferthion y cyfeirir atyn nhw weithiau fel 'anhwylder straen wedi trawma' (PTSD).

Pan fydd profiadau'n llethol iawn, gall fod yn anodd i ni eu prosesu, ac felly maen nhw'n aros mewn math o gyflwr heb eu cyfannu a heb eu prosesu. Os ydyn ni'n dychmygu ein meddwl fel cwpwrdd ffeilio, mae atgofion fel arfer yn cael eu 'ffeilio' neu eu prosesu. Gallwn gael gafael ar yr atgofion hyn pan fyddwn ni eisiau – er enghraifft, os yw rhywun yn gofyn, 'I ble aethoch chi ar eich gwyliau y llynedd?' – ond dydyn nhw ddim yno yn ein meddwl o ddydd i ddydd.

Mae atgofion llethol a thrawmatig yn cael eu storio fel math o ffeil 'gwaith i'w wneud' ac yn neidio i'n meddwl yn ystod y dydd, ac efallai yn ystod y nos, ar ffurf breuddwydion neu hunllefau. Yn wahanol i'r atgofion sydd wedi eu ffeilio neu eu prosesu, mae'r atgofion hyn yn fyw, yn aml gyda gwybodaeth synhwyraidd fel arogleuon a synau ynghlwm wrthyn nhw. Maen nhw'n gallu teimlo mor real â phe baen nhw'n digwydd eto yr eiliad honno.

Mae gan atgofion sydd wedi'u ffeilio neu eu prosesu stamp amser a lle, felly mae gennym ymdeimlad ynghylch pa mor bell yn ôl a ble y digwyddon nhw.

Does gan atgofion llethol neu rai heb eu prosesu ddim o'r ymdeimlad hwn o amser a lle; o ganlyniad, maen nhw'n gallu ymddangos fel pe baen nhw'n digwydd ar y pryd fel ymyriadau neu ôl-fflachiadau. Fel arfer, mae emosiynau byw ac effro iawn yn mynd law yn llaw â nhw, fel tymer flin, dicter, pryder neu ofn. Gan nad ydyn ni'n gwybod pryd fyddan nhw'n digwydd, rydyn ni'n byw gydag ymdeimlad cynyddol o fygythiad, gan beri i ni deimlo'n fwy pigog, yn ddig, yn ofnus a dan straen.

Gallwn fod yn ddideimlad hefyd. Mewn achosion eithafol, gall hyn ysgogi teimlad o arwahanrwydd, fel pe baen ni'n byw mewn breuddwyd neu fod pethau o'n cwmpas yn afreal. Gall hefyd ein harwain ni i osgoi cael ein hatgoffa am y trawma; pe bai hynny'n enedigaeth drawmatig, gallai gynnwys osgoi pobl sy'n ein holi am yr enedigaeth, ac osgoi ein babi hyd yn oed. (Am ragor o wybodaeth am drawma a sut i ddelio ag ef o safbwynt tosturiol, gweler llyfr Deborah Lee, *The Compassionate Mind Approach to Recovering from Trauma* yn y gyfres hon.[2])

Gwelwyd y gallai mwy o fenywod fod yn profi PTSD ar ôl genedigaethau trawmatig iawn nag a feddyliwyd yn wreiddiol. Mae'r diffiniad o enedigaeth drawmatig yn unigryw i bob unigolyn. Y canfyddiad o niwed i ni ein hunain neu i'n babi sy'n allweddol, hyd yn oed os ydyn ni'n darganfod yn ddiweddarach nad oedd unrhyw berygl mewn gwirionedd.

Dydy hi'n fawr o syndod y gallai pobl sydd â chefndiroedd braidd yn drawmatig fod yn fwy sensitif i brofiadau o drawma. A dweud y gwir, yn enwedig i bobl sydd wedi profi cam-drin rhywiol, gall yr enedigaeth ei hun, yn enwedig lle mae angen ymyrraeth, ysgogi atgofion digroeso. Felly, wrth gael babi – fel gydag unrhyw ddigwyddiad mawr – mae ein hanes personol ni'n gallu ein helpu neu ei gwneud hi'n llawer anoddach i ni, heb fod unrhyw fai arnon ni. Mae'n hynod bwysig i ni gymryd profiadau o ddifrif, a pheidio â cheisio beio a chywilyddio ein hunain os ydyn ni'n cael trafferth.

Os ydych chi'n amau eich bod yn profi unrhyw un o symptomau PTSD, ewch i weld eich meddyg teulu; mae triniaethau seicolegol effeithiol iawn ar gael yn benodol ar gyfer PTSD erbyn hyn.

Mae'r babi hwn yn ormod i mi

Pan fyddwn yn teimlo'n lluddedig, yn isel, neu'n cael ein gorlethu gan y dasg o ofalu am fabi newydd, yn enwedig os nad oes gennym lawer o gefnogaeth, mae'n bosib y byddwn yn dechrau teimlo y byddai'r babi'n well ei fyd gyda rhywun arall yn gofalu amdano. Mae hyn weithiau'n gallu arwain at fygu neu ddiffodd ein teimladau tuag ato.

Os awn yn ôl i ystyried y broses o ofalu am ein plant o safbwynt esblygiadol, gall ein helpu i ddeall pam y gallwn ymbellhau oddi wrth ein babi pan fydd pethau'n teimlo'n ormod i ni. Efallai eich bod chi'n gyfarwydd â'r ffordd mae anifeiliaid weithiau'n cefnu ar eu hepil. Un syniad yw ein bod ni, fel llawer o anifeiliaid eraill, wedi esblygu mecanweithiau sy'n ein cymell i fuddsoddi neu ddadfuddsoddi amser ac ymdrech mewn babi penodol. Gallai'r rhain gael eu hysgogi gan bresenoldeb adnoddau neu amgylchedd cefnogol, neu eu diffyg presenoldeb. Hynny yw, mae systemau yn ein hymennydd yn gallu ysgogi bondio ond hefyd ei rwystro, gan ganiatáu i ni ddadfuddsoddi mewn babi os nad yw'r adnoddau i ofalu amdano ar gael. Mae hyn yn bwysig iawn, oherwydd mae'n ddigon cyffredin i broblemau bondio godi mewn mamau sydd heb gefnogaeth ddigonol, sydd â phryderon ariannol, neu sydd hyd yn oed yn profi trais domestig.[3]

Yn gynharach, fe fuon ni'n edrych ar sut mae angen adnoddau enfawr i gadw babi dynol yn fyw ac yn ffynnu nes ei fod yn annibynnol. Mae angen help eraill arno i gefnogi'r fam. Os nad yw'r gefnogaeth honno ar gael, neu os yw'r amgylchedd yn dlawd, neu os yw'r fam yn teimlo'n rhy gorfforol neu feddyliol wan ac yn brin o help i allu magu'r babi, yna mae'n bosib y byddwn ni, fel llawer o anifeiliaid eraill, yn teimlo ysfa i gefnu ar y babi. Mae'n ymddangos bod hyn hefyd yn fwy tebygol os yw'r babi â rhyw nam arno neu'n cael ei eni â salwch difrifol.

Yr hyn nad ydyn ni'n ei wybod mewn bodau dynol yw i ba raddau mae hwn yn benderfyniad ymwybodol, ymddangosiadol 'resymol', ac i ba raddau mae'n ymateb bygythiad mwy greddfol lle mae ein hymennydd yn dewis ymateb 'cefnu, peidio ag ymlynu' pan fydd y gost o fagu'r babi hwn gyda chefnogaeth gyfyngedig yn llawer rhy uchel i'r fam a'i phlant eraill. Nid cyfiawnhau troi cefn ar fabanod yw hyn, wrth gwrs, ond yn hytrach dileu cywilydd menywod sy'n meddwl tybed beth sydd wedi digwydd i'w 'greddfau mamol', a gwneud synnwyr o ysfa i adael y babi ar risiau'r eglwys leol. Mae'n tynnu sylw at atebion, fel ymateb i'n hangen cynhenid am gefnogaeth gymdeithasol eang, yn hytrach na chywilyddio menywod i guddio eu meddyliau, eu teimladau a'u hysfeydd.

Rhag i ni feddwl mai bodau dynol cynnar yn unig oedd yn cefnu ar eu babanod, mae i'w weld drwy hanes ac ar draws diwylliannau hefyd. Roedd cefnu ar fabanod, yn enwedig drwy eu gadael mewn lle amlwg yn y gobaith y byddai rhywun arall yn eu darganfod a'u magu, yn gyffredin yn oes y Rhufeiniaid a hyd at ddiwedd yr Oesoedd Canol. Tua'r adeg hon, dechreuodd nifer o wledydd ddarparu mannau penodol, fel ysbytai, lle gellid gadael babanod gan wybod y bydden nhw'n derbyn gofal.

> *Mae nifer o resymau dros anawsterau bondio â babi. Fodd bynnag, anaml iawn y mae'n tarddu o ddewis ymwybodol i beidio â bondio. Yn aml, mae'n digwydd oherwydd ffactorau yn ein hamgylchedd presennol neu'n ymwneud â'n gorffennol. Mae iselder ôl-enedigol yn gallu ei achosi hefyd.*

Yn y cyfnod modern, rydyn ni'n dal i gael trafferth gyda'r cyfyng-gyngor oesol hwn. Rydyn ni'n cynnig terfynu beichiogrwydd, yn cynnig plant i'w maethu a'u mabwysiadu, ac yn rhoi plant i berthnasau i'w magu; yn anffodus, hefyd, mae cam-drin ac esgeuluso plant yn dal yn gyffredin. Mewn llawer o wledydd (gan gynnwys nifer o wledydd Ewropeaidd, Japan, China a'r Unol Daleithiau), mae cyfle i fenywod ildio'u babanod newydd yn ddienw, drwy eu gadael ar fatres mewn inciwbetor gwydr yn waliau rhai ysbytai.

Gyda thua hanner yr achosion lle'r adnabuwyd mamau babanod oedd wedi'u gadael, y ffactorau allweddol yn y penderfyniad i gefnu ar y babi oedd bod y fam o dan ugain oed, ac/neu wedi rhoi genedigaeth sawl gwaith mewn cyfnod byr, ac/neu ei bod heb gefnogaeth ddigonol. Ffactor allweddol, yn enwedig mewn gwledydd â darpariaeth lles gyfyngedig, oedd tlodi. Fodd bynnag, dydy hi ddim yn glir ai'r fam neu ei phartner oedd yn ysgogi'r penderfyniad i ildio'r babi.

Pwynt hyn yw ein helpu i ddeall y gallai rhai o'n teimladau tuag at fabanod gael eu rheoli gan 'benderfyniadau rhesymegol', ond efallai ein bod hefyd ar drugaredd mecanweithiau esblygiadol eithaf hynafol sy'n cael eu rhannu ag anifeiliaid eraill. Er y gall fod yn boenus sylweddoli bod ein hymennydd yn gallu diffodd systemau bondio, mae'n bwysig cydnabod nad yw'r ffaith fod hynny'n gallu digwydd yn fai arnon ni.

Nid diffyg adnoddau neu ofnau ynghylch gallu gofalu am fabi yn unig sy'n gallu diffodd systemau bondio. Yn wir, mae llawer o fenywod sy'n cael adnoddau a chefnogaeth lawn yn dal i brofi synnwyr o fod yn ddideimlad a digyswllt. Un mynegiant o gywilydd sy'n cael ei leisio'n aml yw bod y babi wedi'i gynllunio a'i ddeisyfu, a'i fod yn cael ei garu gan ei phartner, aelodau eraill o'r teulu a hyd yn oed gan ffrindiau, ond nad yw'r fam ei hun yn teimlo unrhyw beth o gwbl tuag ato.

Mae'n bosib na fyddwn ni byth yn gwybod beth sy'n achosi hyn i fenyw benodol, ond yr hyn ddaw i'r amlwg dro ar ôl tro yw nad yw menywod yn deffro un bore ac yn dewis teimlo dim tuag at eu plentyn. Mae fel arfer yn achosi pryder, cywilydd, ymgais i geisio 'tanio' teimladau, a chymhelliant i geisio amddiffyn y plentyn rhag clywed am y sefyllfa hon byth. Ond ar ôl i ni leddfu'r teimladau o gywilydd ac ofn sy'n creu ysfa i guddio neu ymateb gyda phanig, gallwn fynd i'r afael â'r mater yn dosturiol, gan geisio deall natur yr anhawster yn sensitif a heb leisio barn. Wedi hynny, gallwn ystyried beth allai fod o gymorth, fel caniatáu i amser iacháu'r sefyllfa, estyn am gefnogaeth a help lle mae ar gael, siarad yn agored ag ymwelydd iechyd neu feddyg, ac ymuno â grwpiau cymorth, ar y rhyngrwyd efallai, fel drwy Netmums (www.netmums.com).

Mae cywilydd bob amser yn ein hatal rhag ceisio cymorth, felly wrth ei leihau, rydyn ni'n ehangu'r posibilrwydd o estyn allan am y gefnogaeth angenrheidiol.

Dydw i ddim yn siŵr fy mod i'n hoffi fy mabi

Felly, beth arall allai fod yn achosi'r diffodd teimladau hwn? Fel y gwelwyd, mae amgylchiadau 'cyfredol' sy'n ymwneud â'r enedigaeth ei hun, fel genedigaeth drawmatig, neu ymyriadau sy'n gallu effeithio ar y broses fondio neu ei harafu, fel esgoriad Cesaraidd neu ddefnyddio rhai mathau o laddwyr poen fel pethedin. Rydyn ni hefyd wedi edrych ar sut gall diffyg cefnogaeth gymdeithasol, ac iselder, leihau ein gallu i fondio â'n babi. Yn ogystal, mae ein cyfansoddiad genetig a'n hanian benodol yn dylanwadu ar y berthynas, a'n profiadau bywyd sydd wedi llunio ein bioleg, ein strategaethau a'n hymatebion greddfol i bobl eraill.

Gadewch i ni ystyried geneteg, a'n hanian, neu ein cymeriad, yn arbennig. Rydyn ni'n cael ein geni â thueddiadau penodol sy'n rheoli'r ffordd y byddwn yn rhyngweithio â'r byd. Felly gall rhai pobl fod yn naturiol swil, yn ofalus, angen amser i asesu sefyllfa cyn ymateb, a bod yn sensitif iawn i newidiadau. Mae eraill yn fwy allblyg, hyderus a chwilfrydig, ac yn gallu ymdopi â newid heb iddo darfu arnyn nhw. Mae'n ymddangos bod y tueddiadau hyn yn enetig ac yn weddol sefydlog drwy gydol oes unigolyn, er ein bod bellach yn gwybod ei bod hyd yn oed yn bosib newid genynnau i raddau drwy fynd ati'n fwriadol i roi mwy neu lai o bwyslais ar rai o'n nodweddion penodol ni ein hunain, a thrwy'r dulliau rhianta a'r amgylchedd rydyn ni'n datblygu ynddynt hefyd. Yr enw ar hyn yw epigeneteg, lle mae ein profiadau a'n hamgylchedd yn tanio neu'n diffodd genynnau penodol.

Pan fyddwn yn cael plant, mae'n bosib y byddwn yn gweld fod gan bob un ohonyn nhw gymeriad neu anian wahanol iawn. Gall y rhain weddu'n dda â'n hanian ni ein hunain, neu beidio â gweddu o gwbl. Mae rhai mamau wedi disgrifio sut mae un plentyn yn ymddangos fel eu plentyn 'heulog' sy'n 'goleuo'u byd' pan maen nhw o gwmpas, a'r llall yn blentyn 'cymylog' sy'n ennyn ymateb pigog neu deimlad o ddatgysylltiad heb unrhyw esboniad amlwg.

Mae'r 'diffyg ffit' hwn rhwng rhiant a phlentyn mewn gwirionedd yn brofiad cyffredin iawn. Ymchwiliwyd iddo dros y blynyddoedd, gyda ffigurau'n amrywio o 30 i 65 y cant o famau yn dweud bod yn well ganddyn nhw un plentyn nag un arall.[4] Mae rhai ymchwilwyr wedi dadlau y gallai fod yn wir am bawb: bod gwahaniaeth yn anochel. Efallai y byddwn yn ceisio caru a gofalu am ein holl blant i'r un graddau, ond y byddwn yn ei chael yn haws hoffi un plentyn o'i gymharu ag un arall. Mewn gwirionedd, gallwn hoffi rhai agweddau ar ein plant a pheidio â hoffi agweddau eraill, a gall teimladau penodol tuag at ein plant amrywio drwy gydol ein bywydau, a hyd yn oed drwy gydol y dydd, fel y bydd teimladau ein plant tuag aton ni. Yr hyn sy'n bwysig yw cofio bod cariad yn gymhleth ac yn golygu pethau gwahanol iawn mewn gwahanol gyd-destunau – ac o ran cariad rhiant, nid yw'n golygu'r un peth â hoffi ein plant.

Weithiau, gallwn gael ymdeimlad o debygrwydd i'n plant a theimlo'n agos atyn nhw, ond ar adegau eraill, mae ein plant yn ymddangos yn wahanol iawn i ni; maen nhw'n hoffi pethau gwahanol ac mae ganddyn nhw werthoedd gwahanol, felly rydyn ni'n naturiol yn teimlo'n llai agos atyn nhw. Mae'n bosib y bydd yn hawdd siarad â rhai o'n plant ac yn anoddach siarad ag eraill; gall un plentyn fod â natur ddymunol, a gall un arall fod yn oriog. Dyma sut mae pethau. Efallai nad ydyn ni'n hoffi golwg plentyn, ein bod yn cael ein hatgoffa o agweddau ohonon ni ein hunain neu bobl eraill nad ydyn ni'n hoff ohonyn nhw o gwbl, neu'n cael ein siomi wrth gael bachgen pan oedden ni eisiau merch, neu fel arall.

Fel y gwelwn drwy'r llyfr hwn, rydyn ni'n denu tosturi drwy yn gyntaf fod yn onest am ein teimladau ac yna gydnabod pam nad ein bai ni ydyn nhw, ond ein bod ni am ddelio â nhw'n onest ac yn dosturiol. Mae angen i ni ddeall a gwerthfawrogi ein siom a'n brwydrau emosiynol ein hunain; ein synnwyr o golled am y plentyn roedden ni ei eisiau ond na chawsom, ein heuogrwydd am fethu teimlo cariad tuag at y babi hwn, ein dicter tuag at y babi hwn oherwydd ei fod ef neu hi wedi cymryd lle'r un roedden ni ei eisiau. Rydyn ni'n deall nad oedden ni eisiau teimlo fel hyn, nac yn dewis teimlo fel hyn; a dydyn ni ddim yn ddrwg, does dim byd o'i le arnom, ac mae'n gwbl ddealladwy i ni brofi'r fath deimladau poenus.

Unwaith y byddwn yn deall rhai o'r rhesymau biolegol, esblygiadol, cymdeithasol a hanesyddol dros yr hyn sy'n digwydd i ni, gallwn gamu'n ôl heb feio ein hunain, a cheisio yn lle hynny wneud yr hyn allwn ni i helpu'r sefyllfa. Mae hynny'n cynnwys trin ein hunain gyda chydymdeimlad, derbyniad a charedigrwydd, a gallwn wedyn symud o sefyllfa ofnus a bygythiol i sefyllfa o fod wedi ein cynnal, ac o deimlo'n ddiogel ac yn gysurus.

> Rydyn ni'n ei chael hi'n haws meddwl yn ehangach, a meddwl am atebion creadigol, pan fyddwn ni'n teimlo'n ddiogel a chysurus yn hytrach na dan fygythiad.
>
> Rhowch gynnig ar yr ymarferion ym Mhennod 14 ('Paratoi'r meddwl tosturiol: Ysgogi'r system leddfu') i arbrofi ag effeithiau newidiadau yn ein cyflwr ffisiolegol ar ein meddwl.

Fel y gwelwn, pan allwn symud o gywilyddio a beio ein hunain i drin ein hunain gyda charedigrwydd a chydymdeimlad, rydyn ni wedi symud yn *gorfforol* o un cyflwr i'r llall. Wrth wneud hyn, mae ein meddwl yn gallu edrych allan ar y byd mewn ffordd wahanol; heb chwilio'n reddfol am fygythiad, ond gyda phersbectif ehangach, mwy agored.

Gallwn felly weld ein babi fel rhywbeth mwy na ffynhonnell bygythiad a phoen, sy'n sbarduno diffyg teimlad neu'n mygu ein teimladau cadarnhaol; bellach, mae'n rhywun y byddem am ddatblygu perthynas ofalgar ag ef yn y dyfodol. Mae meithrin tosturi yn creu cryfder a phenderfyniad ynom i ganfod ffordd drwy'r teimladau anodd sy'n gallu codi'n anochel ar hyd y daith.

Dwi'n teimlo dicter a drwgdeimlad tuag at fy mabi

Gallwn greu delfryd o famau fel ffigurau 'y Forwyn Fair' sy'n ddi-ffael yn gariadus ac yn hael tuag at eu babi. Wrth gwrs, y gwir yw bod mam yn parhau'n berson cyffredin sy'n profi amrywiaeth lawn o emosiynau gan gynnwys dicter, rhwystredigaeth, cynddaredd a drwgdeimlad. Mae profi cymysgedd o emosiynau tuag at fabi yn gwbl arferol. Cyfeirir at hyn yn aml fel 'deuoliaeth famol'.[5, 6] Mae trafferth yn codi pan mae'n ymddangos ein bod yn 'gaeth' i emosiwn anodd a bod hynny'n dechrau effeithio ar ein perthynas â'n babi. Gall fod o gymorth mawr i drafod y teimladau hyn gyda mamau eraill, gyda'r ymwelydd iechyd neu gyda chynghorydd neu therapydd.

Mae llawer o ffactorau sy'n gallu cyfrannu at deimladau o ddicter a drwgdeimlad tuag at eich babi, gan gynnwys amgylchiadau lle nad oedd y babi wedi'i gynllunio, lle nad oedd y naill riant neu'r llall yn llwyr gefnogol i'r penderfyniad i gael babi, lle'r oedd y beichiogrwydd yn anodd, yr enedigaeth yn frawychus, neu lle'r oedd dyddiau cynnar bod yn fam newydd yn flinedig ac yn llethol neu'n cynnwys salwch meddwl neu salwch corfforol. Mae'n bosib y byddwn yn gandryll gyda'r babi am achosi'r fath niwed neu aflonyddwch i ni, ein bywydau a'n perthnasoedd: 'Pe na baet ti wedi cyrraedd, fe fyddai popeth yn iawn.'

Bydd ein babi weithiau'n dod yn ffocws i'n cynddaredd, sydd wedi'i anelu aton ni ein hunain neu eraill mewn gwirionedd. Esboniodd un fenyw:

> Dwi'n sylweddoli 'mod i wedi targedu fy holl ddicter tuag ato [ei babi] oherwydd ei bod yn ymddangos yn glir ar y pryd mai ers i mi feichiogi roeddwn i'n teimlo mor gaeth. Ond, a dweud y gwir, dwi'n sylweddoli bellach mai candryll gyda mi fy hun ydw i am fod mor wirion yn beichiogi yn y lle cyntaf. Dwi'n teimlo 'mod i wedi gwneud llanast o bopeth, nid yn unig yr eiliad hon ond am byth.

Mae'r dyfyniad hwn hefyd yn awgrymu beth allai fod yn gyrru ein dicter a'n cynddaredd: ofn go iawn, yn aml, na fyddwn ni'n ddigon da i gyflawni'r dasg o fod yn fam, y byddwn yn gallu gwneud drwg i'r babi neu'n methu ei amddiffyn, ein bod wedi gwneud penderfyniad fydd yn gallu ein niweidio mewn rhyw ffordd (er enghraifft, drwy ein gwneud ni'n sâl, wedi blino'n lân, yn orbryderus neu'n isel ein hysbryd) neu niweidio perthnasoedd sy'n bwysig i ni. Mae cael babi newydd yn gallu gwneud i rywun deimlo ei fod wedi'i lethu'n llwyr.

Mae tristwch a galar wrth wraidd y dicter a'r cynddaredd yn aml hefyd: at ddrysau sydd bellach yn ymddangos ar gau, at fywydau nad ydyn ni'n eu byw bellach, at synnwyr o hunaniaeth golledig, at berthnasoedd sydd wedi newid, a hyd yn oed at atgofion o hen berthnasoedd y mae'r babi hwn wedi'u sbarduno eto.

Weithiau, mae'r drwgdeimlad yn codi oherwydd ein bod ni'n teimlo mor anghenus ac yn gweld bod ein babi yn defnyddio'r gofal rydyn ni mor daer amdano ein hunain. Gallwn deimlo'n genfigennus, fel pe bai'r babi yn cystadlu â ni, ond gallwn hefyd brofi panig sylweddol na fyddwn yn ymdopi, nac yn goroesi, yn wir, heb y gofal sydd ei angen arnon ni. Gallai'r teimladau hyn ddeillio o brofiadau ein hieuenctid, pan oedd gofal yn brin o bosib, neu pan oedd ymdeimlad bod terfyn i gariad ac y gallai 'redeg allan', neu y gellid ei ddileu a'i roi i rywun a oedd fwy o'i angen. Maen nhw hefyd yn gallu digwydd oherwydd bod amgylchiadau'r babi yn golygu ein bod ni'n fwy anghenus nag arfer, neu fod salwch sy'n bodoli eisoes yn golygu y gallai fod angen gofal arnon ni, ond fod y bobl sydd fel arfer yn gofalu amdanon ni yn trosglwyddo'u sylw i'r babi. Hyd yn oed os ydyn ni'n teimlo ein bod ni'n derbyn cymorth a gofal, gall fod yn anodd ymgodymu â'r ymdeimlad fod ein hanghenion ni yn dod yn ail i anghenion ein babi.

Mae'n bosib i'r teimladau hyn o gynddaredd a dicter fod yn frawychus iawn, yn enwedig o gymharu eu cryfder â pha mor ddiymadferth a bregus yw ein babi. Yr ateb yma yw trin ein hunain gyda chydymdeimlad yn hytrach na chywilydd. Gallwn ofni y byddwn yn gwneud niwed difrifol os na fyddwn yn mygu ein cynddaredd â chywilydd, ond y gwrthwyneb sy'n wir: cydymdeimlad, cynhesrwydd a thosturi sy'n gostegu ein cynddaredd.

Mae gen i ofn caru fy mabi

Gallwn hefyd fod yn ddideimlad a datgysylltu ein hunain pan fyddwn yn caniatáu i'n hunain garu ein plentyn er bod llawer yn y fantol. Os ydyn ni wedi profi breuder bywyd ac wedi colli rhywun annwyl i ni, er enghraifft, rhiant, nain neu daid, brawd neu chwaer neu fabi blaenorol, drwy erthyliad naturiol, marw-enedigaeth neu farwolaeth pan oedd yn hŷn, mae caniatáu i'n hunain garu ein babi yn gallu teimlo'n hynod ddychrynllyd. Efallai i ni derfynu beichiogrwydd pan oedden ni'n iau, a bod euogrwydd, galar a phoen yn crynhoi o weld y babi hwn yn llawn bywyd. Efallai i ni garu pobl ond eu bod wedi ein gadael. Mae'n bosib hefyd fod bodolaeth y babi hwn wedi dechrau mor fregus – triniaeth IVF efallai, neu feichiogrwydd a genedigaeth anodd – fel ei bod yn anodd credu ei fod yma o gwbl, ac yma i aros. Yn olaf, mae dal babi yn ein breichiau, babi y bu dyhead mawr amdano, yn gallu ysgogi diffyg teimlad neu i'n teimladau gael eu diffodd. Mae fel petaen ni'n dal ein gwynt rhag achosi poen debyg eto, a cholli babi ar ôl caniatáu i'n hunain ei garu.

> Gyda thristwch a galar, fel gydag unrhyw emosiwn arall, does dim rhaid i ni 'agor y llifddorau' yn llwyr. Yn lle hynny, gallwn 'ddadmer' yn dawel, gan brofi ein hemosiynau ychydig ar y tro.

Unwaith eto, gwelwn mai bod yn ddideimlad, datgysylltu neu wrthod teimladau cadarnhaol yw ffordd y meddwl o ymateb i fygythiad. Y bygythiad yma yw colled a'r ofn na fyddwn yn gallu dioddef poen colled o'r fath. Yr ateb yw mynd drwyddo'n araf, gam wrth gam, gan ganiatáu i'n hunain 'ddadmer' yn dawel dros amser, wrth drin ein hunain â thosturi yn hytrach na chywilyddio a beio ein hunain. (Defnyddiodd Russell Kolts y gyfatebiaeth hon yn ei waith yn defnyddio therapi sy'n canolbwyntio ar dosturi gyda phobl sy'n brwydro â'u dicter; gweler ei lyfr *The Compassionate Mind Approach to Managing Your Anger*, Robinson, 2012, i gael mwy o fanylion am ei waith. Sylwodd ar gyfarwyddiadau ar becyn o gorgimychiaid wedi'u rhewi yn rhybuddio y dylid eu dadmer yn araf, gan y gallai ceisio cyflymu'r broses beri i'r corgimychiaid golli eu siâp. Teimlai ei fod yn berthnasol i ni hefyd!)

> *Mae trin ein hunain â chydymdeimlad yn hytrach na chywilydd yn allweddol wrth reoli ein dicter.*

Dwi'n teimlo nad ydw i'n ddim byd mwy na gwrthrych i'm babi

Mae llawer o rieni'n cael y chwe wythnos gyntaf gyda'u babi yn anodd iawn, yn enwedig os yw cefnogaeth yn brin. Nid dim ond y diffyg cwsg a'r gofynion corfforol eithafol sy'n gysylltiedig â gofalu am berson bach diymadferth a dibynnol sy'n gyfrifol am hynny; ychydig iawn o adborth sydd i'r holl ymdrech hefyd. Mae rhieni yn aml yn mynegi rhywbeth fel hyn: 'Dwi'n gwybod na ddylwn i ddisgwyl gwobr ac y dylwn ei wneud oherwydd fy mod yn caru fy mabi a'i fod fy angen i, ond dwi'n ei chael hi'n anodd iawn cael dim byd yn ôl.'

A dweud y gwir, mae'r rheswm pam ein bod yn ei chael hi'n anodd yn gwneud synnwyr wrth edrych ar gyfansoddiad penodol bodau dynol. Mae gennym system gyfan o fewn ein hymennydd a'n corff a gynlluniwyd i'n tawelu pan fyddwn ni'n teimlo'n ddiogel. Y peth pennaf sy'n gwneud i ni deimlo'n ddiogel yw adborth cymdeithasol, o lygaid, cywair llais a symudiadau pen pobl eraill. Y math cyflymaf a mwyaf pwerus o adborth cymdeithasol i wneud i ni deimlo'n ddiogel yw gwên ddiffuant sy'n ymgorffori'r cyhyrau o amgylch y llygaid gan achosi i'w hymylon grebachu. Rydyn ni hefyd yn ymateb i naws llais caredig a chynnes.

Yn anffodus, mae'r system ymateb cymdeithasol hon yn cymryd amser hir i ddatblygu mewn babi, ac er eu bod yn ymateb i'n hwyneb a'n llais, dydyn nhw ddim yn gallu gwenu nes byddan nhw tua chwe wythnos oed. Tan hynny, dydy'r arwyddion cymdeithasol – y rhai sy'n gadael i ni wybod ein bod ar y trywydd iawn, sy'n gwneud i ni deimlo'n dda ac eisiau dal ati i wneud yr hyn rydyn ni'n ei wneud – dim yno yn ein babi.

Mae mamau angen eu 'bwydo', yn gorfforol ac yn gymdeithasol, yn enwedig pan fydd eu babi yn ifanc.

Un peth sy'n gallu gwneud y diffyg adborth cadarnhaol hwn yn anoddach fyth yw pan fydd y babi yn bwydo ac yn bwydo. Mae llawer o famau, yn enwedig mamau sy'n bwydo ar y fron, yn sôn am deimlo fel 'dim byd ond peiriant bwydo'. Mae'r berthynas yn cael ei chyfyngu i gyflwr cyntefig iawn, fel gydag anifeiliaid, o ddarparu bwyd a diogelwch, tra mae'r holl agwedd gymdeithasol o fod yn ddynol yn absennol i raddau helaeth.

Gall mynd drwy'r cam hwn fod yn anodd iawn, a dyma lle mae angen i'r fam gael ei 'bwydo' gan eraill o'i chwmpas, nid yn unig o ran maeth a gofal o ansawdd da, ond hefyd o ran ymatebion cymdeithasol. Mae gwên, sicrwydd, cadarnhad gan eraill, yn arbennig o bwysig yn ystod yr wythnosau cynnar pan nad oes llawer o arwyddion cymdeithasol cadarnhaol yn dod o gyfeiriad y babi.

Nododd Joan Raphael-Leff, seicotherapydd sydd wedi gweithio ers blynyddoedd gyda mamau newydd, wahaniaethau mewn arddulliau magu plant sydd hefyd yn gallu effeithio ar ein profiad o fagu plant. Nododd ddwy arddull benodol, a alwodd yn 'Hwyluswyr' a 'Rheolwyr'.[7] Mae hwyluswyr yn fodlon cael eu tywys gan eu babi, ond mae'n well gan reolwyr fod yn fwy trefnus a rheolaethol, gan sefydlu trefn ar gyfer eu babi, er enghraifft. Mae'r rhan fwyaf ohonon ni'n gymysgedd o'r ddau, ond i rai, gall cyfnodau penodol yn ystod y daith o fod yn fam, fel y dyddiau cynnar, fod yn arbennig o anodd. Gallwn deimlo ein bod wedi colli ein hunaniaeth ac wedi troi'n ddim mwy na gwrthrych i fabi. Efallai y byddwn yn chwennych cwmni oedolion a'r amser a'r lle i allu gwneud beth bynnag a arferai wneud i ni deimlo'n ni ein hunain.

Mae hwn yn aml yn amser anodd i'r rhan fwyaf o rieni, ond mae hyd yn oed yn anoddach i'r rhai sydd wedi cael profiadau blaenorol, efallai fel plant, o gael eu trin yn fwy fel gwrthrychau nag fel unigolion annibynnol, â'u meddwl a'u hanghenion eu hunain. Mae profiadau o'r fath yn y gorffennol yn gallu sbarduno teimladau anghyfforddus o gynddaredd ac ofn, fel arfer heb i ni sylweddoli hynny, oherwydd bod y meddwl wedi cafnod tebygrwydd rhwng y sefyllfa bresennol a sefyllfa'r gorffennol. Os bu'n rhaid inni ddiffodd y teimladau hyn yn y gorffennol er mwyn amddiffyn ein hunain (yn enwedig lle byddai cynddaredd plentyn yn ennyn cynddaredd mwy o du'r rhiant), mae'n bosib y bydden ni'n gwneud hynny'n reddfol nawr hefyd. Mae hyn yn digwydd oherwydd bod ein cynddaredd wrth gael ein trin fel gwrthrych (y tro hwn gan y babi) wedi'i gyflyru i sbarduno gorbryder greddfol ynom, a bod hynny yn ei dro'n gallu ysgogi diffyg teimlad greddfol ynom ni er mwyn amddiffyn ein hunain ac eraill.

Fel arfer, mae hyn yn pasio pan fydd y babi yn dechrau gwenu arnon ni. Ond mae angen i ni gofio y byddwn weithiau'n ei chael hi'n anodd cynnig llawer o ofal heb fawr ddim adborth. Dydy hynny ddim yn fai arnon ni. Mae'n arwydd o'r angen i ni gynnig cefnogaeth a charedigrwydd penodol i'n hunain ar adegau o'r fath; i ni brofi ein cynddaredd heb weithredu arno, a heb gywilyddio yn ei gylch, a chofleidio dealltwriaeth ddoeth ac estyn allan at eraill am gymorth os gallwn ni wneud hynny.

Crynodeb

- Er bod rhoi genedigaeth yn gallu bod yn achlysur llawen, yma rydyn ni'n mynd i'r afael â'r ffaith bod llawer o fenywod yn cael profiadau eithaf gwahanol sy'n gallu cynnwys ofn, gorbryder, tristwch, dicter, problemau bondio â'u babanod, neu synnwyr o ddiffyg teimlad. Drwy ddeall rhai o'r dylanwadau niferus sy'n effeithio ar y ffordd rydyn ni'n teimlo, fe welwn ni fod y rhain yn brofiadau trist a thrasig iawn ond nad ein bai ni ydyn nhw – dydyn ni'n sicr ddim yn dewis teimlo fel hyn.

- Mae tosturi yn golygu wynebu ein dioddefaint a cheisio'i ddeall mor onest ac agored ag y gallwn ni. Wrth wneud hyn, gallwn weld fod y meddwl dynol yn gymhleth iawn oherwydd y ffordd y mae wedi esblygu ac, o ganlyniad, y gall llawer o'n teimladau gael eu tanio a'u diffodd, eu cynyddu a'u lleihau, gan bob math o sefyllfaoedd. Felly, er enghraifft, fe welson ni ei bod yn bosib i fecanweithiau esblygol ymyrryd â'n gallu i fondio a theimlo cysylltiad â'n babi, ac y gellir eu cysylltu yn eu tro â'n profiadau, ein hamgylchedd cymdeithasol, a faint o gefnogaeth a gofal sydd ar gael i ni.

- Yn ogystal, gellir cysylltu ein teimladau â'r fagwraeth gawson ni gan ein rhieni pan oedden ni'n blant. Weithiau, er enghraifft, gallwn ofni caru ein babi oherwydd ein bod yn ofni ei golli, neu gallwn boeni na fyddwn yn famau digon da. Beth bynnag yw ein teimladau, yr hyn sy'n allweddol yw eu bod yn ddealladwy ac nad ydyn nhw'n golygu ein bod ni'n fam anarferol neu wael. Y gwir yw ein bod yn rhannu'r teimladau hyn â miliynau lawer o fenywod eraill ledled y byd, a pho fwyaf agored y gallwn ni fod yn eu cylch, mwyaf yn y byd fyddwn ni'n gallu agor allan a siarad amdanyn nhw gyda'n hymwelydd iechyd, meddyg teulu, fforymau cymorth ar y rhyngrwyd, ffrindiau neu berthnasau. Hanfod tosturi yw bod yn onest ynglŷn â sut rydyn ni'n teimlo ac yna gwneud popeth o fewn ein gallu i fynd i'r afael â hynny – sy'n gallu cynnwys troi at ffynonellau cymorth.

4 Deall iselder ôl-enedigol

Mythau am iselder ôl-enedigol

Yn gynharach yn y llyfr, fe welson ni ein bod yn gallu profi pob math o anawsterau emosiynol. Weithiau, gall yr anawsterau hyn fod yn ddwys, a chrynhoi o amgylch colli teimladau cadarnhaol ac iselder. Mae'r term a'r cysyniad o iselder ôl-enedigol yn dod yn fwy hysbys, ac o ganlyniad mae ceisio a derbyn cymorth yn haws bellach (er nad yn hawdd bob tro). Fodd bynnag, mae ambell fyth sy'n gysylltiedig ag iselder ôl-enedigol a allai beri i bobl betruso wrth ofyn am gymorth. Fe fyddwn yn bwrw golwg ar rai o'r mythau hyn yn y bennod hon. (Am fwy o wybodaeth am anawsterau iechyd meddwl ôl-enedigol, ewch i wefan wych Coleg Brenhinol y Seiciatryddion: www.rcpsych.ac.uk/healthadvice/problemsdisorders.aspx.)

Myth un: Dim ond ar ôl i'r babi gael ei eni y mae iselder ôl-enedigol yn datblygu

A dweud y gwir, mewn rhwng traean a hanner y menywod, mae gwreiddiau'r hyn sy'n cael ei ystyried yn iselder ôl-enedigol yn dechrau yn ystod beichiogrwydd[1,2] (yn enwedig yn y tri mis olaf) gyda symptomau fel hwyliau isel, tymer flin, bod yn ddagreuol, teimladau o anobaith a gorbryder.

Myth dau: Mae iselder ôl-enedigol yn cael ei nodweddu gan ddagrau, hwyliau isel a diffyg cymhelliant

Gall hyn fod yn un agwedd o'r cyflwr, ond mae cysylltiad agos rhwng iselder a gorbryder a thymer flin, ac maen nhw'n aml yn digwydd gyda'i gilydd. O bosib felly, byddwn yn gweld mai ein prif brofiadau yw teimlo'n aflonydd, yn anniddig, yn bryderus ac yn ddig. Emosiwn cyffredin arall yw dadymlyniad; teimlo bod pethau ychydig yn afreal, gan gynnwys teimlo na allwn wneud gwir gysylltiad â'n babi.

Weithiau, fodd bynnag, yn hytrach na theimlo dadymlyniad, efallai y byddwn am afael yn y babi a dal ein gafael arno'n fwy, o bosib er mwyn cysur neu deimlad o gael ein caru, oherwydd ofn colli'r babi, rywsut, neu ofn y bydd yn caru rhywun arall yn fwy na ni. Mae hefyd yn bosib y byddwn yn teimlo ein bod am roi'r babi i ffwrdd, nid oherwydd unrhyw ddadymlyniad ar ein rhan ni ond oherwydd ein bod yn teimlo mor annigonol ac yn daer eisiau i'r babi gael cariad a gofal gan rywun sydd, yn ein tyb ni, yn well na ni.

Byddwn yn edrych ar rai o brofiadau nodweddiadol iselder ôl-enedigol isod, ond y pwynt yma yw bod sawl ffurf ar iselder: teimladau o fod yn ddagreuol ac yn annigonol i rai, diffyg egni i eraill, ac i eraill eto, ymdeimlad o ofn, gorbryder a dicter.

Myth tri: Gall iselder ôl-enedigol 'ddod o nunlle' unwaith y bydd menyw wedi rhoi genedigaeth (y gwahaniaeth rhwng iselder ôl-enedigol a seicosis ôl-enedigol)

Mewn lleiafrif bychan o achosion, gall menywod fynd yn ddifrifol wael yn y dyddiau neu'r wythnosau ar ôl geni gyda salwch o'r enw seicosis ôl-enedigol neu ôl-esgor. Mae'n wahanol i iselder ôl-enedigol ac mae'n brin iawn (yn digwydd mewn un o bob mil o fenywod yn hytrach na'r 10–15% o fenywod sy'n profi iselder ôl-enedigol[3]). Ymddengys fod cysylltiad genetig â seicosis ôl-enedigol, felly gallai menyw fod mewn mwy o berygl o'i gael pe bai perthynas fenywaidd agos fel ei mam neu ei chwaer wedi profi salwch meddwl difrifol, fel seicosis, anhwylder deubegynol (iselder manig) neu iselder seicotig, yn fuan ar ôl rhoi genedigaeth.

Dydyn ni ddim yn gwybod yn union beth sy'n sbarduno seicosis ôl-enedigol, ac mae'n gallu ymddangos 'o nunlle'. I'r rhai sydd mewn perygl genetig, gall gael ei sbarduno gan ddiffyg cwsg difrifol a/neu gan y cwymp sydyn mewn hormonau sy'n digwydd yn y dyddiau ar ôl geni. Mae risg uwch hefyd i'r rheini sydd wedi cael profiadau blaenorol o seicosis ôl-enedigol, anhwylder deubegynol neu sgitsoffrenia (dylid hysbysu'r meddyg teulu a'r fydwraig o hynny, yn ddelfrydol cyn i chi feichiogi, a hyd yn oed os ydych chi'n teimlo'n dda, fel y gellir eich monitro a chael unrhyw gymorth angenrheidiol gan y gwasanaethau priodol).

Mae'r symptomau'n cynnwys mania – meddyliau'n rasio, trafferth cysgu, aflonyddwch a chynhyrfu – ond iselder hefyd – lle rydych chi'n encilio a ddim eisiau gweld neb. Efallai y byddwch yn profi rhithdybiau hefyd – lle rydych chi'n credu pethau nad ydyn nhw'n wir, eich bod chi wedi ennill y Loteri, er enghraifft, neu mai'r diafol yw eich babi chi. Efallai y byddwch yn gweld rhithiau, yn gweld neu'n clywed pethau nad ydyn nhw yno. Mae'n bosib y byddwch hefyd yn profi newidiadau sydyn yn eich hwyliau.

Mae seicosis ôl-enedigol yn cael ei ystyried yn 'argyfwng seiciatryddol', gan ei bod yn anodd i fenyw ofalu amdani ei hun a'i babi yn ddiogel pan fydd yn ei brofi. Mae'n golygu bod angen ceisio cymorth meddygol ar unwaith (yr un diwrnod, drwy eich meddyg teulu neu adran Ddamweiniau ac Achosion Brys); yn y rhan fwyaf o'r Deyrnas Unedig, gellir derbyn menyw i uned seiciatryddol arbenigol, o'r enw Uned Mamau a Babanod, gyda'i babi (mae mwy o wybodaeth yn yr adran 'Triniaeth' isod). Er ei fod yn salwch difrifol iawn, mae'n ymateb yn dda i driniaeth gyda meddyginiaeth.

I lawer o fenywod, yn wahanol i seicosis ôl-enedigol, mae iselder ôl-enedigol yn codi yng nghyd-destun eu profiadau yn y presennol a'r gorffennol yn hytrach na bod yn 'glefyd' sydd wedi ymddangos heb unrhyw reswm. Mae'n bosib bod rhyw risg genetig o iselder ôl-enedigol, ond dydy hyn ddim yn glir o hyd. Yn hytrach na chodi'n annisgwyl, fel arfer mae arwyddion y gallai menyw fod mewn perygl o ddioddef iselder ôl-enedigol. Ymhlith y ffactorau risg mae cyfnodau blaenorol o iselder, iselder yn ystod beichiogrwydd, trafferthion perthynas, pryderon ariannol a diffyg cefnogaeth.

Myth pedwar: Dim ond 'y felan' yw iselder ôl-enedigol a bydd yn diflannu ohono'i hun mewn ychydig ddyddiau

Mae'n gyffredin iawn i famau newydd brofi newid dros dro yn eu hwyliau, neu hwyliau ansefydlog, tua thri i bedwar diwrnod ar ôl yr enedigaeth; mae hyn yn cael ei achosi gan gwymp dramatig yn yr hormonau progesteron ac oestrogen, sy'n gyfrifol am gynnal y beichiogrwydd. Mae'n bosib y byddwch yn teimlo'n ddagreuol, yn bigog, yn isel ac yn bryderus ar brydiau. Gall hyn basio erbyn y bydd eich babi tua deg diwrnod oed a fydd dim angen unrhyw gymorth pellach. Os yw'r teimladau hyn yn parhau am dros bythefnos, ac os nad ydyn nhw'n cael eu lleddfu gan gwsg, gorffwys, amser adfer, heulwen, bwyd da, ymarfer corff ysgafn fel cerdded hamddenol, a chefnogaeth gymdeithasol gan deulu, ffrindiau ac ymwelydd iechyd, yna cysylltwch â'ch ymwelydd iechyd, y gwasanaeth ymweliadau iechyd neu feddyg teulu er mwyn gweld a ydych chi'n dioddef o iselder ôl-enedigol ai peidio.

Beth yw symptomau iselder ôl-enedigol?

Gadewch i ni edrych sut mae iselder ôl-enedigol yn ei amlygu ei hun. Mae'n effeithio ar tua 10–15% o fenywod sydd wedi cael babi, er y gall y gyfradd fod yn llawer uwch mewn gwirionedd. Mae'r symptomau'n debyg i iselder sy'n digwydd ar adegau eraill. Maen nhw'n gallu amrywio rhwng yr ysgafn a'r difrifol, a gallant gynnwys:

- Teimlo'n isel ac yn ddagreuol y rhan fwyaf o'r amser neu drwy'r amser. Gall fod yn waeth ar adegau penodol, fel y bore neu fin nos.

- Tymer flin neu ddicter tuag at eich teulu, eich babi a/neu tuag atoch chi'ch hun.

- Blinder a diffyg egni a chymhelliant (mae'n arferol i famau newydd fod yn flinedig, ond gall iselder ôl-enedigol wneud hynny'n waeth).

- Colli mwynhad neu ddiddordeb mewn agweddau ar fywyd oedd yn arfer rhoi pleser i chi. Gall hyn gynnwys anallu i fwynhau'ch babi.

- Anhawster mynd i gysgu er eich bod yn teimlo'n flinedig, neu ddeffro'n gynnar yn y bore hyd yn oed pan fydd y babi yn cysgu.

- Colli'ch archwaeth neu ddechrau bwyta mwy mewn ymgais i wneud i'ch hun deimlo'n well.

- Meddyliau negyddol a theimladau o euogrwydd; mae'n bosib y byddwch yn meddwl amdanoch eich hun a'r rhai o'ch cwmpas yn negyddol, yn cynnwys meddwl eich bod chi'n fam wael neu nad yw'ch babi yn eich caru chi.

- Gorbryder. Efallai y byddwch yn poeni na allwch ymdopi, neu y byddwch yn niweidio'ch babi yn anfwriadol neu'n methu ei amddiffyn. Efallai y byddwch yn poeni bod rhywbeth o'i le ar eich babi neu arnoch chi, ac na fyddwch chi byth yn gwella.

- Meddyliau hunanddinistriol. Mae'n bosib y bydd gennych chi ymdeimlad o anobaith ac y byddwch yn credu y byddai'ch teulu a'ch babi yn well eu byd heboch chi. Trafodwch y meddyliau hyn gyda'ch meddyg teulu neu ymwelydd iechyd. Os ydych chi'n cael ysfa gref i niweidio'ch hun, cysylltwch â'ch meddyg teulu, gwasanaeth meddygon teulu y tu allan i oriau neu Galw Iechyd Cymru (0845 46 47), neu ffoniwch eich adran Ddamweiniau ac Achosion Brys leol, sydd ar agor 24 awr y dydd.

Triniaeth

Gyda phob triniaeth, mae'n bwysig eich bod chi'n ymwybodol o'r hyn sy'n eich helpu chi. Mae meddyginiaeth yn ddefnyddiol iawn i rai menywod, ond gall eraill brofi sgileffeithiau nad ydynt yn dymuno'u cael. Gallwch drafod gyda'ch meddyg teulu pa feddyginiaethau y gellir eu cymryd yn ystod beichiogrwydd ac wrth fwydo ar y fron, ac os nad ydyn nhw'n addas i chi, trafodwch unrhyw ddewisiadau amgen gyda'ch meddyg teulu. Mae therapïau siarad hefyd yn ddefnyddiol, gyda neu heb feddyginiaeth.

Mae gan lawer o ardaloedd dîm iechyd meddwl amenedigol lleol ar gyfer menywod sy'n profi anawsterau iechyd meddwl difrifol yng nghyfnodau hwyr beichiogrwydd hyd at flwyddyn ar ôl cael eu babi (bydd yr union feini prawf yn amrywio o ardal i ardal). Gall eich meddyg teulu eich atgyfeirio at wasanaeth o'r fath. Mewn rhai ardaloedd, gall eich bydwraig neu ymwelydd iechyd eich atgyfeirio hefyd.

Dylech hefyd gael eich atgyfeirio am asesiad os ydych yn iach ond wedi profi salwch meddwl difrifol yn y gorffennol, yn enwedig os digwyddodd hynny adeg beichiogrwydd blaenorol.

Os byddwch mor sâl fel nad ydych chi'n teimlo y gallwch ofalu amdanoch eich hun neu'ch babi gartref gyda chefnogaeth eich teulu a'ch ymwelydd iechyd, gall eich meddyg teulu argymell eich bod yn cael eich derbyn i Uned Mamau a Babanod. Unedau arbenigol bach yw'r rhain lle gall mam fynd gyda'i babi. Mae'r fam yn cael ei thrin gan dîm sy'n arbenigo mewn trin afiechydon meddwl sy'n digwydd yn ystod beichiogrwydd ac yn fuan ar ôl geni plentyn. Mae'r fam yn cael cymaint neu gyn lleied o gefnogaeth ag sydd ei hangen arni i ofalu am ei babi wrth iddi wella.

Ydy menywod ag iselder ôl-enedigol yn niweidio eu babi?

Mae hwn yn ofn cyffredin, ond anaml iawn y mae'n digwydd. Bydd llawer o famau a thadau newydd weithiau'n teimlo mor flinedig a rhwystredig fel eu bod yn teimlo fel taro neu ysgwyd eu babi, ond ychydig iawn sy'n gwneud hynny. Os ydych chi'n teimlo y gallech chi niweidio'ch babi, dywedwch wrth eich meddyg teulu neu eich ymwelydd iechyd; fe fyddan nhw'n gallu'ch helpu chi, neu'n gallu'ch cyfeirio at wasanaethau a all helpu. Peidiwch â gadael i gywilydd, neu ofn y bydd eich babi yn cael ei gymryd oddi arnoch chi (gweler isod) neu y byddwch yn dod yn destun craffu, eich atal rhag gwneud hyn. Mae'r ofnau hyn yn gyffredin ac yn ddealladwy (gweler isod), ond mae problemau o'r math hwn, sy'n gysylltiedig ag iselder ac anawsterau iechyd meddwl eraill, yn cael eu cydnabod bellach ac mae gwasanaethau ar gael i'ch helpu chi a'ch babi.

A fydd fy mabi yn cael ei gymryd oddi arna i?

Mae hwn yn ofn hynod gyffredin a gall fod yn rhwystr gwirioneddol i geisio cymorth. Mae meddygon teulu ac ymwelwyr iechyd yn deall fod iselder ôl-enedigol yn gyflwr dros dro y mae modd ei drin. Yn hytrach na mynd â'r babi i ffwrdd, mae bellach yn cael ei ystyried yn bwysig cadw'r fam gyda'i babi gymaint â phosib, a dyna pam mae Unedau Mamau a Babanod wedi'u sefydlu ledled y wlad. Fodd bynnag, mae'n gallu bod yn anodd gofalu amdanoch chi'ch hun a'ch babi tra byddwch chi'n isel eich ysbryd, felly mae'n bosib y bydd angen cefnogaeth ychwanegol arnoch chi yn ystod y cyfnod hwn. Gall cefnogaeth deuluol fod yn hanfodol. Credir mai diffyg cefnogaeth wrth law yw un o'r ffactorau sy'n cyfrannu fwyaf at iselder ôl-enedigol. Pan fyddwch chi'n teimlo'n isel, mae'n gallu teimlo'n arbennig o anodd gofyn am help weithiau. Os nad oes cymorth ar gael i chi, mae'n bwysig dweud hynny wrth eich meddyg teulu a'ch ymwelydd iechyd. Mae'n bosib iddyn nhw eich cysylltu â sefydliadau sy'n gallu helpu, fel Homestart, ac fe fyddan nhw'n gallu cynyddu eu hamser cyswllt hwythau â chi.

Sut gallai iselder ôl-enedigol effeithio ar sut dwi'n teimlo am fy mabi?

Gall iselder ôl-enedigol effeithio ar eich perthynas â'ch babi mewn ffyrdd gwahanol:

- Efallai na fyddwch chi'n teimlo cymaint o gariad neu hoffter tuag at eich babi ag yr oeddech chi wedi'i obeithio.
- Mae'n bosib y byddwch yn ei chael hi'n anodd deall anghenion eich babi.
- Gall gofalu am eich babi deimlo'n faich, heb unrhyw lawenydd.
- Efallai y byddwch chi'n teimlo'n flin ac yn ddig wrth eich babi.
- Byddwch o bosib yn beio'ch babi am eich iselder ôl-enedigol.
- Mae'n bosib mai ychydig o effaith y bydd iselder ôl-enedigol yn ei chael ar eich perthynas â'ch babi neu na fydd yn effeithio ar eich perthynas o gwbl.

- A dweud y gwir, efallai y byddwch yn gweld eich babi fel ffactor cadarnhaol yn eich bywyd. Mae llawer o fenywod yn dweud fod y drefn a'r cyswllt corfforol o fagu babi wedi eu helpu drwy eu cyfnod o iselder.

Unwaith y bydd menywod yn teimlo'n llai isel eu hysbryd, maen nhw'n aml yn gweld bod eu perthynas â'u babi yn gwella. Arferwyd tybio bod hyn yn wir bob amser. Roedd y driniaeth yn canolbwyntio'n llwyr ar y fam, a byddai'n dod i ben unwaith y byddai'r fam yn teimlo'n well. Fodd bynnag, rydyn ni'n deall bellach bod cyfran sylweddol o fenywod yn dal i gael trafferth gyda'u perthynas â'u babi hyd yn oed wedi i'r iselder ôl-enedigol gilio. Oherwydd eu bod yn derbyn y neges y dylai popeth fod yn iawn bellach, mae'n bosib iddyn nhw deimlo cywilydd eu bod yn dal i gael trafferthion gyda'u babi. Mae gwasanaethau'n cydnabod hyn fwyfwy, ac mae nifer cynyddol o grwpiau, a dulliau gweithredu eraill fel tylino babanod ac ati, sy'n canolbwyntio ar y berthynas rhwng y fam a'i babi.

Dydy'r berthynas rhwng iselder ôl-enedigol a thrafferthion bondio â babanod ddim wedi'i deall yn llwyr o hyd; gall y naill achosi'r llall, gall un ddigwydd yn annibynnol ar y llall, gall un wella wrth i'r llall wella, neu gall un wella heb gael unrhyw effaith ar y llall. Dyma pam mae'r llyfr hwn yn canolbwyntio ar yr agwedd meddwl tosturiol tuag at iselder ôl-enedigol a thrafferthion bondio â babanod; fe allan nhw fod yn gysylltiedig â'i gilydd, ond mae hefyd yn bosib y bydd angen ffocws gwahanol a phenodol er mwyn eu lliniaru.

Cefnogaeth gymdeithasol ac iselder ôl-enedigol

Fel rydyn ni wedi'i ystyried eisoes, mae ymchwil wedi canfod dro ar ôl tro mai un o'r ffactorau allweddol sy'n cyfrannu at iselder ôl-enedigol yw diffyg cefnogaeth gymdeithasol, yn enwedig o du partner neu deulu agos. Mae hyn yn gwneud synnwyr o feddwl ein bod, drwy hanes y ddynoliaeth ar ei hyd bron, wedi byw mewn grwpiau cymdeithasol lle byddai babi a mam newydd yn derbyn gofal gan y teulu estynedig a'r grŵp cymdeithasol. Yn gynharach yn y llyfr hwn, cyfeiriwyd at y ffaith fod Sarah Blaffer Hrdy, yn ei llyfr arloesol *Mothers and Others*,[4] yn nodi ein bod yn unigryw ymhlith llinach yr epaod wrth rannu gofal am ein plant. Mae hi'n dadlau y gallai hyn fod yn un o'r rhesymau dros ein llwyddiant esblygiadol; roedden ni'n gallu atgenhedlu'n llawer cyflymach unwaith y byddai eraill yn gallu ein helpu i fwydo, cario ac amddiffyn ein plant. Fodd bynnag, yng nghymdeithasau'r Gorllewin, mae mamau'n aml yn gofalu am eu plant a'u hunain ar eu pennau eu hunain yn llwyr am gyfnodau hir o'r dydd. Dydy ein meddyliau ddim wedi'u cynllunio ar gyfer cael ein hynysu fel hyn, a byddwn yn archwilio hynny'n fanylach yn nes ymlaen. O ganlyniad, mae ceisio cefnogaeth yn gam pwysig wrth gefnu ar iselder, neu ei atal rhag gafael yn ddifrifol – ceisio cefnogaeth gan feddyg teulu, ymwelydd iechyd, perthnasau a ffrindiau, rhwydweithiau grwpiau mamau newydd, ac ar y rhyngrwyd (gwefannau fel Mam Cymru, Netmums a Mumsnet).

> *Mae tosturio wrthym ein hunain yn ein helpu i geisio cymorth pan fyddwn yn isel ein hysbryd.*
>
> *Mae ceisio cymorth a chysylltu ag eraill yn rhan bwysig o 'drin' iselder.*

Fel y gwelwn yn y llyfr hwn, mae ceisio cefnogaeth ynddo'i hun yn 'driniaeth' ar gyfer iselder ôl-enedigol. Fodd bynnag, natur iselder yw ein dwyn ni oddi wrth unrhyw gyswllt cymdeithasol. Mae'n dilyn felly fod ceisio cymorth eraill yn mynd yn gwbl groes i'r hyn mae'r iselder yn ein cymell i'w wneud. O ganlyniad, mae codi'r ffôn neu gamu drwy'r drws ffrynt yn gofyn am lawer iawn o gydymdeimlad, tynerwch a chryfder. Dyma yw tosturio wrthym ein hunain.

Profi meddyliau brawychus

Os arhoswn ni am eiliad ac ystyried a rhoi sylw i'n meddyliau, mae'n bosib mai'r peth cyntaf fydd yn ein taro ni yw faint yn union o feddyliau sydd gennym ni. A dweud y gwir, mae'r meddwl dynol yn aml yn effro ac yn llawn o bob math o feddyliau a ffantasïau, rhai rydyn ni'n eu dewis ond eraill sy'n ddim byd ond ymyriadau. Yn ail, mae ein meddyliau'n aml yn canolbwyntio ar rywbeth rydyn ni'n ei gynllunio neu eisiau ei wneud, neu ar rywbeth sy'n ein poeni. Yn drydydd, mae'r pryder hwn fel arfer yn ymwneud â'r gorffennol neu'r dyfodol, yn hytrach na'r presennol. Yn nes ymlaen, byddwn yn edrych ar ffyrdd o feithrin ymwybyddiaeth ofalgar o hyn, ond heb ymgysylltu'n ormodol â phrysurdeb ein meddwl.

Am y tro, fodd bynnag, gallwn weld bod y rhan fwyaf o'r meddyliau hyn yn mynd a dod ac nad ydyn ni'n meddwl dim mwy amdanyn nhw. Fodd bynnag, mae rhai o'n meddyliau yn gallu ein synnu neu hyd yn oed ein syfrdanu. Mae enghreifftiau o feddyliau o'r fath yn cynnwys dychmygu peidio â stopio ein car wrth groesfan sebra a tharo rhywun i lawr, neu wthio rhywun i afon wrth iddo edrych i'r dŵr. Mae'r meddyliau hyn yn codi am nifer o resymau, ac maen nhw'n normal i oedolion a phlant.

Mae'r llyfr rhagorol *The Imp of the Mind: Exploring the Silent Epidemic of Obsessive Bad Thoughts* gan Lee Baer (2002) yn ymwneud â hyn. Ysgrifennwyd y llyfr ar gyfer pobl â thrafferthion obsesiynol eu natur sy'n poeni am y mathau o feddyliau maen nhw'n eu cael. Fodd bynnag, mae hefyd yn ddefnyddiol iawn i famau sy'n cael meddyliau sy'n anodd eu deall neu sy'n eu cynhyrfu neu'n eu dychryn. Unwaith eto, mae'n ein helpu i gydnabod nad yw'r profiadau hyn yn anghyffredin o gwbl.

Yn aml, gall meddyliau a syniadau pryderus ein taro pan fyddwn yn dod yn ymwybodol nid yn unig pa mor agored ydyn ni i niwed ond hefyd o'n pŵer a'n gallu ninnau i niweidio eraill. Yn nes ymlaen yn y llyfr, byddwn yn edrych ar y ffordd rydyn ni wedi esblygu fel anifeiliaid cymdeithasol a'r graddau rydyn ni wedi datblygu meddwl hynod ddychmygus. Mae hyn yn golygu bod gennym y gallu i 'weld' effeithiau ein gweithredoedd ar eraill drosodd a throsodd. Rydyn ni'n gallu creu rhai golygfeydd arswydus. A dweud y gwir, mae pobl yn gwneud llawer o arian ar gefn y ddawn hon drwy ysgrifennu ffilmiau a llyfrau sy'n cynnwys trais a chreulondeb anghyffredin, ac sy'n gwerthu yn eu miliynau oherwydd bod pobl yn cael eu denu atyn nhw gan ryw ddiddordeb afiach.

Mae meddyliau o'r fath yn gallu cynyddu yn ystod beichiogrwydd ac ar ôl rhoi genedigaeth, ac yn aml yn canolbwyntio ar niwed i'r babi, wedi'i achosi naill ai gennym ni neu gan eraill. Gall y meddyliau hyn fod ar ffurf 'beth pe bawn i' – fel, 'Beth pe bawn i'n gwthio pen y babi o dan y dŵr wrth roi bath iddo?' neu 'Beth pe bawn i'n gollwng y gyllell finiog hon ar y babi?' neu 'Beth pe bawn i'n cam-drin fy mabi'n rhywiol wrth newid ei glwt?' Mae'r meddyliau hyn yn gallu achosi llawer o ofid, ac yn debygol o beri arswyd a chywilydd os ydyn ni'n credu, ar gam, eu bod yn tarddu o ryw fwriad tywyll a drwg yn ein hisymwybod. Y cwestiwn pwysig yma yw '*Beth yw fy nghymhelliant neu fy mwriad tuag at fy mabi?*' Ai niweidio'r babi yw'n bwriad, neu ddychmygu sefyllfaoedd er mwyn sicrhau ein bod yn *atal* niwed i'r babi?

Pan edrychwn ar y bwriad y tu ôl i'r meddyliau hyn, gwelwn eu bod mewn gwirionedd yn cael eu gyrru gan gymhelliant cynyddol yr ymennydd i amddiffyn ein babi, yr ymdeimlad cynyddol o gyfrifoldeb unwaith y byddwn yn beichiogi neu'n dod yn fam newydd, a sylweddoli'r niwed posib i un bach mor fregus. (Mae *Dropping the Baby and Other Scary Thoughts: Breaking the Cycle of Unwanted Thoughts in Motherhood*, gan Karen Kleiman ac Amy Wenzel (2011), yn llyfr hynod ddiddorol sy'n mynd i'r afael â'r meddyliau ymwthiol hyn yn benodol.)

Y syniad yw deall bod y rhain fel unrhyw feddyliau eraill (er eu bod yn peri gofid) – eu bod yn mynd a dod, fel pob un o'r cannoedd o feddyliau eraill sy'n gwibio drwy ein pennau. Os ydyn ni'n dewis rhoi sylw arbennig i rai meddyliau penodol, yna rydyn ni'n eu hatgyfnerthu ac yn eu gwneud yn gryfach yn ein meddwl. Yn ddiweddarach, byddwn yn edrych ar dechnegau, yn enwedig sgiliau ymwybyddiaeth ofalgar, sy'n anhygoel o bwerus i'n helpu i ollwng gafael ar y meddyliau brawychus a chynnig caredigrwydd a chefnogaeth i'n hunain drwy dosturi.

> Mae tosturi ymwybyddol ofalgar (*sylwi ar feddyliau gyda charedigrwydd a chydymdeimlad, ac yna gadael iddyn nhw fynd heibio*), yn hytrach na chywilydd, yn lleihau meddyliau brawychus.

Os ydych chi'n teimlo bod gennych chi ymdeimlad cryf o fod *eisiau*, neu o *fwriadu*, brifo'ch hun neu'ch babi, er enghraifft lle rydych chi'n teimlo mor isel fel mai dyna'r unig ateb, mae'n hanfodol ceisio cymorth ar unwaith drwy gysylltu â'ch meddyg teulu, gwasanaeth meddyg teulu y tu allan i oriau, Galw Iechyd Cymru (0845 46 47 – ar gael 24 awr y dydd, bob diwrnod o'r flwyddyn) neu eich adran Ddamweiniau ac Achosion Brys leol. Mae'n rhyfeddol o gyffredin i fenywod blymio i'r fath ddyfnderoedd, ac mae llawer o fenywod mewn Unedau Mamau a Babanod sy'n teimlo fel hyn. Diolch byth, er y gall deimlo fel cyflwr parhaol ac ofnadwy ar y pryd, gyda chymorth, cefnogaeth, clust barod a meddyginiaeth o bosib, mae'n pasio.

Crynodeb

Rydyn ni wedi gweld bod llawer o fythau am iselder ôl-enedigol. Er bod y felan geni'n gymharol gyffredin, dydy iselder ôl-enedigol ddim mor gyffredin, ond wrth ystyried sut mae'n gallu ei amlygu ei hun, mae'n fwy cyffredin nag y mae llawer yn sylweddoli. Fodd bynnag, mae'r ffurfiau difrifol iawn yn eithaf prin. Dylid cymryd pob ffurf ar iselder o ddifrif, yn enwedig os yw'n para am fwy na deg diwrnod i bythefnos. Mae'n cael ei gydnabod yn feddygol bellach ac mae sawl ffordd o helpu.

Un o'r materion sylfaenol yw bod mamau'n gallu profi ofn a chywilydd o'r hyn sy'n digwydd iddyn nhw pan maen nhw'n dechrau cael teimladau sy'n wahanol i'r llawenydd arferol; y gwir amdani yw fod y profiadau hyn yn boenus ond yn gyffredin, yn anffodus. Mae iselder wrth ei natur yn peri i ni encilio rhag cyswllt cymdeithasol, ond mae cywilydd ar ben hynny yn ei gwneud hi'n anodd iawn i ni ofyn am gefnogaeth a dysgu bod eraill yn rhannu'r un profiadau â ni. Eto, mae cefnogaeth yn 'driniaeth' allweddol ar gyfer iselder. Dyma pam mae datblygu tosturi tuag atom ein hunain mor bwysig: mae'n ein cynorthwyo i ddatblygu ffyrdd o helpu a chefnogi ein hunain yn hytrach na chywilyddio pan fyddwn ni'n cael trafferth; mae'n ein galluogi i deimlo'n deilwng i bwyso ar eraill, ac mae'n ein cefnogi pan fyddwn yn ei chael yn anodd gwneud hynny.

5 Sut rydyn ni'n cael ein llunio: Sylfeini'r dull meddwl tosturiol

Ar ôl yr holl filiynau o flynyddoedd o esblygiad, byddai'n bosib i ni feddwl bod yr ymennydd bellach yn berffaith. Ond er bod yr ymennydd yn rhyfeddol, mae natur esblygiad wedi peri iddo ddatblygu mewn ffordd sy'n gallu creu problemau go iawn i ni.[1] Pan fyddwn ni'n cael trafferthion gyda rhai mathau o emosiynau fel pryder neu ddicter, meddyliau a syniadau anodd, neu deimlo ein bod wedi ein datgysylltu oddi wrth eraill, er enghraifft ein babi, gallwn gredu na ddylen ni fod yn teimlo'r pethau hyn. Yn hytrach na'u gweld fel ffyrdd anffodus, trist a thrasig y mae ein meddwl yn ymateb i rai sefyllfaoedd, rydyn ni'n credu eu bod nhw'n arwydd fod rhywbeth o'i le arnon ni, rhywbeth diffygiol neu ddrwg. Gall hyn arwain at ymdeimlad o gywilydd a bai, a chred na fyddai pobl eraill am fod â dim i'w wneud â ni pe baen nhw'n sylwi ar y 'diffygion' hyn. Mae hyn yn gyffredin iawn, a phan fydd pobl yn ystyried trin eu hunain â mwy o dosturi, un o'r brwydrau cyntaf yw'r un gyda'r llais taer mewnol hwnnw sy'n dweud: 'Pe baech chi'n gwybod beth sy'n digwydd yn fy mhen i, fyddech chi ddim yn meddwl fy mod i'n haeddu tosturi.'

Er bod pethau'n digwydd yn ein pennau sy'n eithaf anodd ac yn wirioneddol annymunol – does dim ond angen edrych ar y ffordd mae pobl wedi trin pobl eraill drwy gydol hanes – mae'n annhebygol iawn fod unrhyw beth aeth drwy'ch meddwl chi heb fynd drwy feddyliau miliynau o bobl eraill dros y canrifoedd. Rydyn ni'n teimlo fel rydyn ni oherwydd y ffordd mae ein hymennydd wedi esblygu ac y mae natur bywyd wedi llunio ein hymennydd.

Drwy ddeall sut mae ein meddyliau wedi esblygu a sut maen nhw wedi datblygu drwy gydol ein bywydau, gallwn weld bod y trafferthion hyn yn cael eu rhannu gan fodau dynol eraill; bod yr hyn a oedd yn ein tyb ni'n ein datgysylltu mewn gwirionedd yn ein cysylltu.

Canfod ein lle yn llif bywyd

Pe gallem wylio ffilm wedi'i chwarae'n gyflym yn darlunio bywyd ar y ddaear, o'i ddechrau, filiynau o flynyddoedd yn ôl fel celloedd sengl yn arnofio yn y môr – yna, ar ôl amser hir iawn, yn bysgod, yna'n ymlusgiaid, yna'n famaliaid, ac yna'n fwy penodol yn fodau dynol, ac yna hyd heddiw – byddem yn gweld y broses raddol o ddatblygu llif bywyd. Mae gwahanol rywogaethau yn dod i'r amlwg ac yn newid yn araf. Felly, er enghraifft, rydyn ni'n rhannu hynafiaid cyffredin â tsimpansïaid chwe miliwn o flynyddoedd yn ôl, a hyd yn oed â chrwbanod, o fynd yn ôl bum can miliwn o flynyddoedd.

Mae esblygiad yn broses o newid yn raddol ond gan gynnal rhywfaint o'r hyn sydd wedi digwydd o'r blaen. Dyluniwyd ein hymennydd a'n cyrff yn y llif esblygiadol i weithredu mewn rhai ffyrdd penodol. Fel llawer o anifeiliaid eraill, mae gennym ni bedwar aelod, rydyn ni'n atgenhedlu, yn bwyta ac yn ysgarthu. Mae gennym ymennydd sydd wedi'i gynllunio i chwilio am bethau penodol, fel bwyd, diogelwch a chymar, a hefyd i fod yn bryderus yn wyneb bygythiad ac yn ddig wrth gael ein rhwystro. Fel llawer o anifeiliaid eraill, rydyn ni hefyd yn cael ein hysgogi i ofalu am rai bach – ond fel sydd hefyd yn wir am lawer o anifeiliaid eraill, gwelwn nad yw'r systemau esblygol hyn yn gweithio fel y gobeithiwn bob tro.

Rydyn ni hefyd yn gwybod bod pob ffurf ar fywyd, boed yn blanhigyn, yn anifail neu'n ddyn, yn dod i fodolaeth, yn tyfu, yn ffynnu am gyfnod ac yna'n dadfeilio'n raddol ac yn diflannu. Yn ystod ei gyfnod byr o fodolaeth (yn achos bodau dynol, dim ond tua 25,000 i 30,000 o ddiwrnodau yw hyd ein bywydau) mae gan bob bywyd, fel y nodwyd uchod, amcanion tebyg iawn, sydd wedi'u mireinio drwy esblygiad: yn y bôn, bwydo, cadw'n ddiogel ac atgenhedlu. Does dim un bywyd yn dewis dod i fodolaeth nac yn dewis amgylchiadau gwneud hynny. Dydy cath ddim yn dewis bod yn gath, dydy sebra ddim yn dewis bod yn sebra, a dydy dyn ddim yn dewis bod yn ddyn – a wnaeth yr un bod dynol ddewis bod yn wryw neu'n fenyw gyda set benodol o enynnau.

> *Yn y pen draw, gallwn feio ein hunain am agweddau ar bwy ydyn ni sydd wedi cael eu datblygu drwy esblygiad, ac nad ydyn nhw'n fai arnon ni o gwbl.*

Felly rydyn ni, fel pethau byw eraill, wedi 'dod i fodolaeth' yn y llif bywyd hwn gyda genynnau sy'n creu ein ffurfiau corfforol ac yn galluogi rhai cymhellion ac emosiynau. Mae'r rhain wedi'u llunio ar ein rhan gan esblygiad. Dydyn ni ddim yn eu dewis, ac yn ogystal â chyflawni swyddogaethau pwysig, maen nhw'n gallu achosi trafferthion gwirioneddol i ni, fel y gwelwn. Maen nhw hefyd yn effeithio'n fawr ar ein synnwyr ohonon ni'n hunain.

Hynny yw, rydyn ni wedi etifeddu ymennydd a chorff sydd wedi'u creu'n bennaf gan esblygiad yn hytrach na gennym ni. Fodd bynnag, gallwn ddod i gredu mai ein bai ni yw sgileffeithiau neu ganlyniadau anfwriadol ein hesblygiad, pan nad ydyn nhw'n fai arnon ni o gwbl mewn gwirionedd.

Effaith cymdeithas ar lunio'r hunan

Os meddyliwn ni amdanon ni ein hunain a'n bywydau, wnaethon ni ddim dewis y cyfnod mewn hanes, y rhan o'r byd na'r strwythur cymdeithasol y cawson ni'n geni iddyn nhw. Gallem fod wedi cael ein geni fel bodau dynol cynnar yn byw ar y safana, i deulu tlawd iawn yn ystod yr Oesoedd Canol, i deulu anhygoel o gyfoethog yn ystod y cyfnod modern, neu i gang cyffuriau treisgar. Er nad ydyn ni'n dewis yr amgylchiadau a'r amodau cymdeithasol lle bydd ein bodolaeth yn cael ei llunio, fe fyddan nhw'n cael effaith ddwys ar y person fyddwn ni. Dydyn ni chwaith ddim yn dewis pa ryw ydyn ni, ydyn ni'n cael ein geni'n blentyn cyntaf neu'n blentyn olaf, sut byddwn ni'n cael ein magu na beth wnaeth ein mam ei fwyta yn ystod ei beichiogrwydd, ond bydd y rhain, ynghyd â llawer o ffactorau eraill, i gyd yn ein llunio heb i ni gael unrhyw ddewis yn y mater. Un yn unig o sawl ni posib ydy'r person ydyn ni nawr; doedd hynny ddim yn ddewis i ni nac yn fai arnon ni.

Gallwn felly gynnal math o arbrawf ar y pwynt hwn. Dychmygwch fy mod wedi fy ngeni i deulu cariadus ond, yn dridiau oed yn yr ysbyty, fy mod i wedi fy herwgipio gan gang cyffuriau treisgar ac wedi fy magu yn yr amgylchedd hwnnw. Pa fath o Michelle Cree ydych chi'n meddwl fyddai'n bodoli heddiw? Os ystyriwn ni hynny am eiliad, gallwn ddychmygu na fyddai Michelle Cree y seicolegydd ac awdur y llyfr hwn yn debygol iawn o fodoli. Ond pa fersiwn fyddai'n bodoli? Mae'n debygol y byddai'n un lawer mwy ymosodol, gyda llai o ddiddordeb mewn pobl eraill efallai, ac a allai fod wedi profi a symbylu pethau ofnadwy.

Y gwir amdani, felly, yw mai dim ond fersiynau penodol o lawer o fersiynau posib ohonon ni ein hunain ydyn ni i gyd. Nid ein bai ni yw hynny. Fodd bynnag, fel bodau dynol gallwn ddewis ystyried pa fersiwn yr hoffen ni fod, a gweithio tuag at ddod yn debycach i hynny. Mae'r llyfr hwn yn ymwneud â sut mae mynd ati i greu fersiwn fwy tosturiol ohonon ni ein hunain.

Rydyn ni bellach yn gwybod fod ein cefndir yn gallu dylanwadu ar ein genynnau hyd yn oed. Felly, er enghraifft, mae genynnau sy'n 'sugno' hormonau straen ar ôl digwyddiad llawn straen yn cael eu tanio pan fyddwn ni'n derbyn gofal fel babanod, ond wedi'u diffodd fel arall. Mae hyn yn golygu ein bod yn fwy tebygol o barhau i deimlo'n bryderus hyd yn oed ar ôl i ddigwyddiad llawn straen fynd heibio os nad ydyn ni wedi derbyn digon o ofal sensitif ac annwyl pan oedden ni'n fabanod. Yn bwysig iawn, ymddengys hefyd y gallwn ddylanwadu ar danio a diffodd y genynnau hyn hyd yn oed pan ydyn ni'n oedolion, ac mae hyn yn rhan o sylfaen agwedd 'hyfforddi' y dull meddwl tosturiol. Rhan hanfodol o hynny, fodd bynnag, yw nid yn unig sut i newid ein hunain ond sut i allu deall a derbyn i ba raddau rydyn ni wedi ein llunio heb ddewis hynny o gwbl.

Mae deall hyn yn bwysig oherwydd mae gan gynifer o bobl â thrafferthion seicolegol ac emosiynol wir ymdeimlad o feio a chywilyddio personol, a hynny pan mae cymaint o'r hyn sy'n creu ein poen – hyd yn oed y fersiynau ohonon ni'n hunain sy'n bodoli bellach – y tu hwnt i'n rheolaeth ni.

Mae'n hawdd camddeall y mater hwn o leihau beio a chywilyddio. Er nad ein bai ni yw ein bod ni fel rydyn ni, ein cyfrifoldeb ni yw gwneud yr hyn allwn ni i wella a thrin ein hunain, ac eraill, â thosturi. Efallai nad ein bai ni yw hi os bydd rhywun yn taro yn erbyn ein car pan mae wedi'i barcio'n berffaith briodol mewn maes parcio, ond os yw'r person hwnnw'n gyrru i ffwrdd, dim ond ni sy'n gallu ei drwsio – ein cyfrifoldeb ni yw datrys y dryswch. Os ydyn ni wedi etifeddu mwy o risg o glefyd y galon neu ddiabetes Math 1, nid ein bai ni yw hynny, ond ein cyfrifoldeb ni yw byw mor iach ag y gallwn yn wyneb y risg gynyddol.

Felly, ffordd o feddwl am ganlyniadau ein hymddygiad a sut yr hoffem symud drwy fywyd gystal ag y gallwn ni – dyna yw tosturi. Ar y cyfan, anaml y bydd cywilyddio a beio yn ein helpu, ac maen nhw fel arfer yn gwneud ein brwydrau hyd yn oed yn waeth, ond gall dechrau deall ein poen a'n trafferthion a dewis trin ein hunain â thosturi ein helpu i fyw'r bywydau gorau allwn ni, er gwaetha'r trafferthion sydd tu hwnt i'n dewis ni.

> *Mae'r profiadau rydyn ni'n eu derbyn yn gynnar yn ein bywyd yn gallu creu person sy'n wahanol iawn i'r hyn fyddem ni'n dymuno.*
>
> *Gyda doethineb, dealltwriaeth ac ymroddiad, gallwn lunio ein hunain yn debycach i'r fersiwn y bydden ni wedi ei dewis.*

'Meddwl natur'

Weithiau, gallwn weld nad ein meddyliau ni yw ein meddyliau mewn gwirionedd; os mynnwch, meddyliau natur ydyn nhw, oherwydd mai natur wnaeth eu llunio. Wrth gwrs, pan fyddwn ni'n bersonol yn teimlo dicter neu orbryder, llawenydd neu deimladau rhywiol, er enghraifft, rydyn ni'n meddwl mai ni sy'n gwneud hynny, ond mewn gwirionedd, profi meddyliau a grëwyd gan natur ydyn ni. Rydyn ni'n profi gallu'r ymennydd i gynhyrchu dicter, gorbryder, llawenydd a chwant. Yn nes ymlaen yn y llyfr, pan fyddwn yn edrych ar ymwybyddiaeth ofalgar, byddwn yn gweld fod honno'n ffordd i ni ddechrau arsylwi ar 'feddwl natur'.

Gall y ddealltwriaeth ychwanegol hon ein helpu ni pan fyddwn yn cael trafferth gyda theimladau o boen, iselder, gorbryder a datgysylltiad, oherwydd gallwn weld mai meddwl natur sydd wrthi'n chwarae ei hen driciau. Y cwestiwn sy'n codi wedyn yw: beth allwn ni ei wneud i helpu ein hunain pan fyddwn ni'n teimlo fel hyn (ac ar hynny y byddwn ni'n canolbwyntio yn y llyfr hwn)?

Mae bywyd arferol yn cael ei greithio gan drasiedi a dioddefaint

Fel bodau dynol, mae gennym y gallu i ddeall y byddwn i gyd yn heneiddio, yn edwino ac yn marw, ac y gallwn ni, a'n hanwyliaid, ddatblygu afiechydon, neu gael ein hanafu neu ein lladd. Rydyn ni'n gwybod bod bywyd yn fyrhoedlog, ac yn newid yn gyson, ac eto mae gennym feddyliau y mae'n well ganddyn nhw yr hyn sy'n rhagweladwy, yn sefydlog ac yn barhaol. Pa mor aml ydyn ni wedi clywed caneuon serch yn datgan 'Byddaf yn dy garu di am byth'? Yn anffodus, does dim am byth, dim ond nawr, a'r ychydig flynyddoedd sydd gennym ar y ddaear.

Yn ogystal â cheisio sefydlogrwydd, yn hollol ddealladwy, rydyn ni bob amser yn ceisio osgoi pethau nad ydyn ni'n eu hoffi a dal gafael yn y pethau rydyn ni yn eu hoffi, er bod pob un o'r rhain yn amrywio ac yn newid yn gyson. Teimlwn ysfa i ganfod cyflwr o heddwch a hapusrwydd cyson heb unrhyw ddioddefaint, ond mae'r adegau hynny'n newid yn gyson; weithiau mae yna heddwch, weithiau mae yna hapusrwydd, weithiau mae yna dristwch, weithiau mae yna ddioddefaint. Mae hyd yn oed gwrthrychau, sy'n ymddangos mor gadarn a chyson, yn dadfeilio dros amser. Does dim byd y gellir ei rewi mewn amser yn union fel y mae. Mae'r gwrthdaro hwn rhwng cael ein gyrru gan ein meddwl esblygol i greu a dal gafael ar gyflwr hapusrwydd, a gwybod yr un pryd fod hynny'n amhosib, yn creu llawer o ddioddefaint i fodau dynol. Felly sut rydyn ni'n delio â hyn?

Drwy hanes, mae bodau dynol wedi deall bod dioddefaint yn rhan o fywyd, ac mai'r ffordd y byddwn yn delio â hynny – yn benodol, sut rydyn ni'n troi at ein gilydd ac yn helpu ein gilydd ar ein taith fer – sy'n ganolog. Mae gan lawer o grefyddau syniadau ynghylch beth sy'n digwydd ar ôl y bywyd hwn. Yn hanesyddol, credai pobl fod dioddefaint yn y bywyd hwn yn golygu ein bod yn fwy tebygol o gael amser gwell yn y bywyd nesaf. O ganlyniad, cofleidiwyd dioddefaint i raddau. Bellach, yn enwedig mewn rhai diwylliannau Gorllewinol, mae meddygaeth a thechnoleg fodern yn golygu nad ydyn ni bellach yn marw mewn poen ac o'r afiechydon yr arferem farw ohonyn nhw; rhwng 1348 a 1350, roedd y Pla Du ar ei anterth yn Ewrop ac mae'n debyg iddo ladd rhwng tua 70 a 200 miliwn o bobl. Hyd at ganrif neu ddwy yn ôl, roedd llawer o blant yn marw cyn cyrraedd y glasoed neu eu harddegau. Mewn rhai rhannau o'r byd, mae hyd ocs pobl yn dal i fod yn llai na deugain mlynedd. Gyda datblygiadau mewn meddygaeth, a mwy o gyfoeth, rydyn ni'n gallu atal neu liniaru rhai o achosion dioddefaint. Canlyniad anfwriadol hynny yw ein bod yn dechrau ystyried trasiedïau anochel bywyd fel pethau y gallwn eu rheoli neu eu hosgoi'n llwyr. Pan ddaw trasiedi, ac mae'n anochel y daw, rydyn ni weithiau'n gallu meddwl mai ein bai ni ydyw mewn rhyw ffordd: 'Beth ydw i wedi'i wneud i hacddu hyn?'

Yn anfwriadol, gall y safbwyntiau hyn am ddioddefaint ychwanegu at ein dioddefaint ninnau, oherwydd ein bod yn ymateb i drasiedïau bywyd gyda phanig, dicter, gwrthwynebiad neu drwy feio ein hunain, yn hytrach na derbyn eu bod yn rhan arferol o fywyd. Y cwestiwn wedyn yw nid pam mae hyn yn digwydd i ni, ond sut gallwn ni ddod o hyd i'r cryfder, y doethineb a'r penderfyniad angenrheidiol i'n helpu i ymdopi â nhw. Wrth gwrs, byddwn yn cael ein gyrru i wneud beth allwn ni i geisio atal pethau niweidiol rhag digwydd, ond pan fydd trasiedïau'n digwydd, fel maen nhw'n siŵr o wneud, mae tosturi yn golygu ceisio'u hwynebu gyda dewrder, cefnogaeth, caredigrwydd a chryfder yn hytrach nag ymgolli mewn dicter, ofn a phendroni ynglŷn â pham maen nhw wedi digwydd, a pha mor ddrwg yw pethau. Byddwn yn gweld sut mae natur ein meddwl yn golygu ei bod yn anodd troi cefn ar ddicter, ofn a phendroni, ac mae'r llyfr hwn yn canolbwyntio ar beth all ein helpu i wneud hynny. Y pwynt allweddol yma yw deall pam yn union fydden ni eisiau gwneud hynny.

> *Mae'r awydd i osgoi dioddefaint yn rhan o'r natur ddynol. Fodd bynnag, gan fod dioddefaint yn rhan o fywyd, dydyn ni ddim yn gallu'i osgoi weithiau.*
>
> *Mae tosturi yn ein helpu i wynebu a goroesi'r adegau mwyaf cythryblus hyd yn oed.*

Mae'n anochel y bydd ein bywydau, felly, yn cael eu creithio gan drasiedïau ac anawsterau o ryw fath, a hynny heb fod o ddewis, ond y bydd yn rhaid i ni rywsut ddod o hyd i ffordd o ymdopi â nhw. Er y gallai'r syniad ymddangos ychydig yn feichus, sylweddoli hynny yw dechrau ein tosturi mewn gwirionedd: ein bod ni'n dioddef, ein bod i gyd yn dioddef, ond nad ydyn ni wedi dewis y dioddefaint hwnnw. Fodd bynnag, gallwn ddod o hyd i ffyrdd o reoli dioddefaint – a hyd yn oed dyfu yn ei sgil weithiau hefyd.

Dryswch sy'n aml yn codi gyda'r dull meddwl tosturiol yw credu y bydd rywsut yn ein galluogi i ddod o hyd i gyflwr o hapusrwydd cyson. Y broblem gyda hynny yw bod pobl yn dechrau ceisio datblygu tosturi fel math o bilsen Valium neu bilsen hapusrwydd. Mae credu y gallwn wneud rhywbeth neu'i gilydd, a bod yn hapus wedi hynny, yn obaith digon dealladwy, ond mae tystiolaeth yn awgrymu nad yw mynd ar drywydd hapusrwydd ynddo'i hun, er ei bod yn ysfa gyffredin, yn mynd â ni yn bell iawn. Rhan o'r rheswm dros hyn yw ein bod ni wedyn yn ceisio cael gwared ar y pethau sy'n ein gwneud ni'n anhapus yn hytrach na dysgu byw gyda nhw. Weithiau, mae pobl yn sôn am syrffio tonnau cythrwfl yn eu meddyliau.

Mae'r nod, felly, yn ymwneud â sut gallwn ni ddysgu delio â phethau fel maen nhw'n codi. Pe baem yn forwyr, yna byddai dysgu sut i hwylio ar fôr garw yn beth pwysig i'w ddysgu. Er mor braf yw hwylio ar ddiwrnod tawel braf, mae angen i ni hefyd allu ymdopi pan fydd storm yn creu tonnau gwyllt.

Crynodeb

Er mwyn deall ein hunain, mae'n rhaid i ni ddeall o ble rydyn ni wedi dod, o beth rydyn ni wedi ein gwneud a pham. Yr unig ffordd o ateb hyn yw gweld ein hunain fel rhan o lif bywyd ynghyd â phob ffurf arall ar fywyd ar y ddaear. Mae ein bywydau yn dod i fodolaeth, yn ffynnu am ychydig, ac yna'n dadfeilio ac yn diffodd. Gellir cael sawl trasiedi ar y ffordd, ond gallwn hefyd ddod o hyd i ofal, anwyldeb a thosturi. Y ffordd y byddwn yn meithrin y rhain a'u defnyddio i ddelio â'n hanawsterau personol ni, a rhai pobl eraill yn wir, sy'n cynnig llwybr i fodolaeth hapusach a mwy sefydlog.

Nod y llyfr hwn felly yw darparu'r cyd-destun i'n helpu ni i ystyried ein meddwl mewn ffordd newydd, fel y gallwn gamu'n ôl, sylwi mwy ar beth sy'n digwydd ynddo (gan mai'r hyn rydyn ni wedi'i alw'n 'feddwl natur' yw ein meddwl ni, mewn gwirionedd) ac yna dechrau gweithredu oddi mewn iddo mewn ffyrdd sy'n ffafriol i lesiant.

6 Ein hymennydd:
Cymysgedd o'r hen a'r newydd

Felly, wnaethon ni ddim dewis amser na lleoliad ein hymddangosiad ar y ddaear hon, na llawer o'r profiadau sydd wedi ein llunio ni i raddau helaeth. Rydyn ni'n cyrraedd y byd hwn ag ymennydd a luniwyd gan enynnau ein rhieni a'r amgylchedd yng nghroth ein mam. Gwyddom fod yr ymennydd dynol wedi esblygu o ffurfiau bywyd cynnar. Gall cael rhyw ddealltwriaeth o sut mae ein hymennydd wedi'i adeiladu ein helpu i ddeall pam ein bod yn wynebu rhai problemau – a pham y gall ein hymennydd greu cymaint o drafferth i ni. (Gallwch ddysgu mwy am esblygiad yr ymennydd dynol yn http://thegreatstory. org/home.html.)

Mae David Sloan Wilson, yn ei lyfr *Evolution for Everyone*[1] (2007), yn nodi bod angen i ni, fel bodau dynol, edrych yn ôl filiynau lawer o flynyddoedd er mwyn deall ein nodweddion unigryw, gan ein bod yn awr yn meddu ar nodweddion a etifeddwyd gan yr epaod, y primatiaid, gan y fertebratiaid 600 miliwn o flynyddoedd yn ôl, a hyd yn oed yn ôl biliwn a hanner o flynyddoedd i darddiad bywyd. Mae'n ein hatgoffa ein bod hyd yn oed yn rhannu genyn sy'n rheoli ein chwant bwyd gyda llyngyr!

Mae'r siwrnai esblygiadol hon yn cael ei hadlewyrchu yn natblygiad ein hymennydd. Yn cysylltu madruddyn y cefn a rhan gyntaf ein hymennydd mae ardal a esblygodd gyda'r ymlusgiaid ac sy'n cael ei galw weithiau'n 'ymennydd ymlusgiadol'. Anian gynhenid yr ardal hon yw goroesi sylfaenol ac atgenhedlu, felly mae'n ymwneud â chanfod bwyd, dod o hyd i gymar ar gyfer atgenhedlu, ac aros yn ddiogel drwy ffoi, rhewi neu ymladd. Ar y cyfan, does dim byd yn soffistigedig yn null ymlusgiaid o ofalu am eu rhai ifanc. Er ei bod yn wir fod crocodeiliaid yn gallu cario'u babanod i'r dŵr yn dyner yn eu cegau, byrhoedlog yw'r ymddygiad gofalgar hwn. Ymhen dim o dro, bydd yn rhaid i grocodeiliaid ifanc ddygymod â byw ar eu pen eu hunain.

Daeth yr addasiad mawr nesaf gydag ymlusgiaid gwaed oer yn esblygu'n famaliaid gwaed cynnes. Cadwyd yr un greddfau sylfaenol i fwydo, atgenhedlu ac aros yn ddiogel ond fe'u haddaswyd ychydig, yn enwedig o ran gofal am yr ifanc.

Weithiau cyfeirir at y rhan o'r ymennydd sy'n creu seicoleg famalaidd fel y *system limbig*. Gan ein bod ninnau hefyd yn famaliaid, rydyn ni wedi dal ein gafael ar holl symbyliadau ymennydd ymlusgiaid, ond rydyn ni hefyd wedi datblygu'r cymhelliant i geisio agosrwydd yn hytrach na phellter wrth chwilio am ddiogelwch. Un o'r datblygiadau esblygiadol canolog yw'r broses hon o allu gofalu am rywun arall. Mae gan famau mamalaidd y gallu i sylwi ar anghenion eu babanod a darparu bwyd, cynhesrwydd ac agosrwydd. Maen nhw hefyd yn ymateb i gri am gymorth. Mae'n debyg felly fod ein gallu i sylwi ac ymateb i alwadau eraill am gymorth wedi dechrau filiynau lawer o flynyddoedd yn ôl gydag esblygiad mamaliaid a oedd yn gofalu am eu rhai bach. Yn ogystal, yn union fel ni, bydd y system gofal mewn mamaliaid yn cael ei heffeithio gan lawer o ddylanwadau sydd, mewn rhai cyd-destunau, yn gallu cryfhau neu leihau'r galluoedd hyn.

Fel mamaliaid, ag ymennydd mamaliaid, mae ein hepil yn aros yn agos at y fam yn hytrach na gorfod mentro o'r nyth a goroesi ar eu pennau eu hunain yn fuan ar ôl iddyn nhw gael eu geni. Mae hyn yn rhoi amser iddyn nhw ddysgu sgiliau yn hytrach na gorfod dibynnu ar reddf yn unig, ac, fel y gwelwn o wylio cenawon eirth neu fwncïod ifanc ar raglenni natur, neu wylio cŵn bach gyda'i gilydd, mae hefyd yn eu galluogi i chwarae. Nid diddanwch yn unig yw gwylio'r chwarae; mae hefyd yn rhan o swyddogaeth bwysig arall yn ymennydd mamaliaid – cyfathrebu ac ymgysylltu cymdeithasol – a chredir mai'r gallu hwn yw un o'r prif resymau dros lwyddiant mamaliaid fel rhywogaeth, a bodau dynol yn benodol.

Mae ein greddf o blaid byw'n agos at ein gilydd mewn grwpiau yn hytrach na bod ar wahân yn dod â llawer o fanteision, ond mae hefyd yn dod â chyfres newydd sbon o broblemau i'w goresgyn. Fel bodau dynol, rydyn ni'n gwybod fod byw'n agos iawn at rywun yn gallu achosi straen a chymhlethdod. Un ffordd o gael rhyw fath o sefydlogrwydd o fewn grŵp yw datblygu hierarchaeth statws. Unwaith eto, rydyn ni'n gweld hyn dro ar ôl tro ar raglenni natur, gyda'n hanifeiliaid anwes, ac wrth gwrs gyda ni fel bodau dynol.

O'i gymharu ag ymlusgiaid, mae statws yn gweithredu mewn ffordd lawer mwy cymhleth ymhlith mamaliaid. Ar y cyfan, mae ymlusgiaid yn diriogaethol ac os ydyn nhw'n ymladd dros adnodd (bwyd, yn aml, neu o bryd i'w gilydd, wryw neu fenyw i atgenhedlu â nhw), mae'r anifeiliaid sy'n colli'r frwydr yn encilio. Ar y llaw arall, mae gan famaliaid ffyrdd soffistigedig o werthuso'u cryfder o'u cymharu ag eraill, ac maen nhw'n ffurfio'r hyn a elwir yn hierarchaethau statws. Canlyniad hynny yw bod y gwan yn tueddu i fod yn ymostyngol gerbron anifeiliaid cryfach, ac yn ymatal rhag bod yn heriol. Mae bodolaeth yr hierarchaethau statws hyn yn galluogi grwpiau i fod yn weddol sefydlog a chydlynol, heb fod yn ymladd yn gyson dros bob adnodd – hynny yw, mae pob anifail yn y grŵp yn gwybod ei le.

Mae'r pryder hwn yn rhan fawr o'n seicoleg ddynol hefyd, gan beri i ni gymharu ein hunain ag eraill a barnu a ydyn ni'n uwchraddol neu'n israddol. Yn wir, mae gennym sawl ffordd o gymharu ein hunain ag eraill, megis a ydyn ni'n fwy neu'n llai deniadol, hoffus, pwysig, gwerthfawr, cyfoethog, tenau ac ati ...

Er ein bod yn ceisio osgoi hynny, mae'r reddf i farnu ein hunain ac eraill yn gyson, a chadw llygad ar ein safle yn yr hierarchaeth gymdeithasol, yn wirioneddol gryf; unwaith eto, felly, ddylen ni ddim beirniadu'n hunain am fod yn feirniadol – does dim bai arnon ni am hyn.

> *Rydyn ni wedi esblygu i farnu, cymharu a phryderu ynghylch ein safle mewn hierarchaethau cymdeithasol.*

Dydy bod yn fam hyd yn oed ddim yn rhydd o'r reddf hon am gymhariaeth gymdeithasol; gallwn ddyfalu, er enghraifft, mam pa mor 'dda' neu 'wael' ydyn ni neu fenywod eraill.

Drwy gydol esblygiad, mae safle uchel mewn hierarchaeth gymdeithasol wedi dynodi mwy o ddiogelwch a gallu cael gafael ar adnoddau gwell, felly mae codi neu ostwng mewn hierarchaeth o'r fath yn gallu ennyn ymatebion cryf iawn. Yn rhannol, dyma pam mae dadleuon ynghylch 'mamau sy'n aros gartref' yn erbyn 'mamau sy'n gweithio', neu 'famau sy'n bwydo ar y fron' yn erbyn 'mamau sy'n bwydo â photel' yn esgor ar deimladau mor gryf. Rydyn ni eisiau bod yn siŵr ein bod yn gwneud y gorau i'n plant, ond bod eraill yn ein hystyried yn aelod teilwng o'n grŵp hefyd. Os ydyn ni'n teimlo'n israddol a bod eraill yn edrych i lawr arnon ni, gall hynny arwain at deimlad o gywilydd, sy'n arwydd ein bod mewn 'perygl' cymdeithasol posib; dros ganrifoedd o'n bodolaeth fel bodau dynol, roedd bod mewn perygl o gael ein taflu allan o'r grŵp yn risg ddifrifol i'n goroesiad, yn enwedig felly i famau gyda babi dibynnol. O ganlyniad, mae rhoi sylw manwl i'n safle yn yr hierarchaeth gymdeithasol yn gynhenid.

Mae hyn yn wir ledled y byd oherwydd ei fod yn rhan sylfaenol o'r ffordd y mae ein hymennydd yn cael ei adeiladu. Mae deall sut rydyn ni wedi esblygu i farnu, cymharu a phrofi cywilydd yn gallu ein helpu i dderbyn ein greddfau yn hytrach na chywilyddio a barnu ein hunain ymhellach am fod ar eu trugaredd. Mae'r ymwybyddiaeth hon o'r prosesau a'r greddfau naturiol hyn yn ein galluogi wedyn i ddysgu ffordd wahanol o ymwneud â ni ein hunain ac eraill, a byddwn yn dysgu meithrin honno yn y llyfr hwn.

Yn ogystal â rhoi'r gallu i ni drefnu ein hunain yn ôl hierarchaethau cymdeithasol, mae'r ymennydd mamalaidd yn cynnig datblygiad pwysig arall sy'n chwarae rhan yn y dull meddwl tosturiol, sef sut mae esblygiad mamalaidd wedi arwain at ein gallu i fod yn agos at ein gilydd, ac mewn ambell gyd-destun, i gael ein tawelu gan yr agosrwydd hwnnw. I ymlusgiaid, roedd agosrwydd fel arfer yn arwydd o fygythiad, felly mae gan famaliaid system ffisiolegol gyfan sy'n ymwneud â gwahaniaethu rhwng agosrwydd bygythiol ac agosrwydd diogel, ac os yw'n agosrwydd diogel, i'w wneud yn werth chweil mewn rhyw ffordd.

> *Rydyn ni wedi esblygu i gael ein rheoli gan arwyddion cymdeithasol gan eraill.*
>
> *Rydyn ni'n cael ein tawelu a'n cysuro wrth ganfod diogelwch mewn eraill drwy gyswllt corfforol, mynegiant wyneb a chywair llais.*

O ganlyniad, nid yn unig y mae ein hymennydd mamalaidd yn galluogi agosrwydd, ond mae'n ymgorffori system newydd yn yr ymennydd sy'n peri i ni deimlo'n heddychlon ac yn ddigynnwrf pan fyddwn ni'n teimlo'n agos at eraill ac yn ddiogel. Mae agosrwydd 'diogel' bellach wedi ei gysylltu â hormonau fel ocsitosin, sy'n ein galluogi i brofi pleser ond sydd hefyd yn ein tawelu ac yn ein cysuro. Bydd mwncïod felly yn glanhau ei gilydd, ac mae hyn yn eu galluogi i brofi agosrwydd sy'n peri iddyn nhw ymdawelu mewn amgylchedd grŵp a allai fod yn llawn straen fel arall. Pan fydd babanod wedi cynhyrfu, cael eu dal yn agos sy'n eu cysuro a'u tawelu. Rydyn ni'n rhannu'r ymennydd mamalaidd hwn ag anifeiliaid anwes fel cathod a chŵn. Dyma pam mae'r berthynas rhyngon ni a nhw yn gallu gweithio cystal; mae'r awydd am agosrwydd yn gynhenid ynom ni, ac rydyn ni'n teimlo'n dawel ac yn hapus wrth brofi cynhesrwydd a chyswllt corfforol â'n gilydd.

Wrth i famaliaid esblygu, gwelwyd newid yn yr hyn sy'n cael ei alw'n system nerfol barasympathetig. Dyma'r rhan o'r system nerfol sy'n tawelu curiad y galon ac yn cynorthwyo treuliad ac iachâd corfforol y corff (a elwir weithiau'n system 'gorffwys a threulio'). Datblygodd cangen newydd o'r system nerfol barasympathetig mewn mamaliaid, un sy'n ymwneud â'r system gyfan o roi gofal. Caiff ei hysgogi gan gyswllt croen-wrth-groen, ond hefyd drwy ganfod diogelwch yng nghywair llais a mynegiant wyneb pobl eraill. O ganlyniad, mae mamaliaid wedi esblygu'r gallu i gael eu tawelu neu eu cyffroi – mewn geiriau eraill, eu rheoli'n emosiynol ac yn gorfforol – drwy eu perthynas ag eraill. Byddwn yn edrych ar hyn yn fwy manwl yn y man.

Mae esblygiad mamaliaid, felly, wedi creu'r posibilrwydd o ymatebolrwydd dwy ffordd o ran rhoi gofal a derbyn gofal; nid yn unig mae gennym y gallu i fod yn ofalgar tuag at eraill ac ymateb i'w gofid, ond mae gennym y gallu hefyd i fod yn *ymatebol* i'r gofal hwnnw drwy gael ein tawelu a phrofi teimlad o ddiogelwch. Felly, mae rhoi a derbyn gofal yn rhan annatod o ansawdd tosturi.

Ein galluoedd dynol 'newydd': y da, y drwg a'r hyll

Tua dwy filiwn o flynyddoedd yn ôl, dechreuodd ein cyndeidiau primataidd esblygu doniau meddwl deallus llawer ehangach; datblygwyd galluoedd i ganiatáu dychmygu, rhag-weld a chynllunio. Dechreuodd iaith esblygu, ynghyd â'r gallu i ddefnyddio symbolau, a gwahanol fathau o hunanymwybyddiaeth a hunaniaeth. Hyd y gwyddom, does dim un anifail arall yn myfyrio amdano'i hun fel y gwnawn ni, gan ddyfalu, er enghraifft, a yw cyfradd curiad cyflym yn golygu ei fod yn cael trawiad ar y galon, neu'n edrych i mewn i bwll dyfrio ac yn pendroni a yw wedi magu pwysau'n ddiweddar!

Mae'r gallu gan y rhan hon o'r ymennydd, y neocortecs, i edrych yn ôl i'r gorffennol, dysgu ohono a dychmygu'r dyfodol fel y gallwn gynllunio a dychmygu sefyllfaoedd posib heb orfod mynd drwy'r camau go iawn. Felly, er enghraifft, fe fydden ni'n gallu dychmygu sawl cymysgedd gwahanol o flasau hufen iâ. A fyddai lemwn a cheirios yn gweithio? Beth am siocled a thost? Neu gig eidion a thatws? Gallwn gynhyrchu ymateb corfforol i'r rhain oherwydd ein bod yn cyfuno delweddau a theimladau gwahanol ac yn eu hintegreiddio yn ein meddwl. Does dim rhaid i ni fynd i'r drafferth o baratoi'r hufen iâ gwahanol i weld beth allai weithio a beth na fyddai'n debygol o weithio.

Rydyn ni wedyn yn troi at ran fwyaf newydd ein hymennydd o safbwynt esblygiadol, sef y cortecs cyndalcennol. Mae ar flaen yr ymennydd, ychydig y tu ôl i'r talcen. Credid bod y rhan hon yn unigryw i fodau dynol, ond ymddengys bellach ei bod yn bresennol mewn mamaliaid fel dolffiniaid, eliffantod ac epaod hefyd. Fodd bynnag, mae'r cortecs cyndalcennol yn llawer mwy mewn perthynas â gweddill yr ymennydd dynol, ac mae'n rhannu llawer mwy o gysylltiadau â rhannau eraill o'r ymennydd o'i gymharu ag anifeiliaid eraill.

Mae'r cortecs cyndalcennol yn ymwneud â phenderfyniadau cymdeithasol, gwahaniaethu rhwng y da a'r drwg, datrys meddyliau sy'n gwrthdaro, a phenderfynu ar y ffordd orau o ymddwyn, gan arwain ein meddyliau a'n gweithredoedd yn unol â'n gwerthoedd a'n hamcanion mewnol. Mae hefyd yn gysylltiedig â thawelu neu fygu holl rannau esblygiadol hŷn yr ymennydd. Mae'n dechrau datblygu yn nhri mis olaf y beichiogrwydd ac yn parhau i ddatblygu nes ein bod tua 24 neu 25 oed. Yn wahanol i blentyn dwyflwydd oed, rydyn ni'n dysgu ymatal rhag yr ysfa i daro ein traed ar lawr a sgrechian os ydyn ni'n anghytuno â rhywun, neu beidio â rhedeg i ffwrdd os ydyn ni'n gweld pobl nad ydyn ni eisiau siarad â nhw; pan ydyn ni'n ddwyflwydd oed, dydy'r cortecs cyndalcennol ddim wedi datblygu'n ddigonol i atal ein strancio. Mae'r cyfnod hir hwn o ddatblygu y tu allan i'r groth yn golygu y gall y cortecs cyndalcennol gael ei lunio gan amgylchedd ein plentyndod, ein glasoed a'n blynyddoedd fel oedolion ifanc.

Niwroplastigedd: gallwn siapio ein hymennydd ein hunain.

Yr enw ar allu rhyfeddol yr ymennydd i ymateb a chael ei siapio gan ddylanwadau fel yr amgylchedd y mae'n gweithredu ynddo yw 'niwroplastigedd'; arweiniodd hyn at gysyniadau fel 'mae niwronau sy'n cyd-danio yn cydglymu'[3] a 'defnyddio neu golli'. Mae pob profiad, meddwl, teimlad neu ymdeimlad corfforol yn sbarduno miloedd o niwronau yn yr ymennydd, gan greu rhwydwaith niwral â chysylltiadau rhyngddyn nhw. Os yw hynny'n cael ei ailadrodd, mae'r cysylltiadau'n cryfhau. Dyma sut mae arogl penodol yn gallu sbarduno atgof am berson neu le, er enghraifft, neu sut mae ein bysedd fel petaen nhw'n 'cofio' gweithred benodol fel sut i glymu careiau esgidiau neu chwarae darn o gerddoriaeth. Os nad ydyn ni'n ymarfer, mae'r cysylltiadau'n gwanhau.

Er bod ein hymennydd yn cael ei siapio'n gyson gan brofiadau sy'n digwydd i ni, rydyn ni hefyd yn gallu ei siapio'n fwriadol ein hunain. Cynlluniwyd yr ymarferion yn y llyfr hwn i ysgogi'r niwronau sy'n gysylltiedig â rhoi a derbyn gofal, felly gallwn fynd ati'n fwriadol i ddatblygu ein meddwl tosturiol ein hunain. Mwya'n byd fyddwn ni'n ymarfer, cryfa'n byd fydd y cysylltiadau. Cryfa'n byd yw'r cysylltiadau, hawsa'n byd fydd hi i sbarduno'r niwronau penodol sy'n ysgogi teimladau o ddiogelwch, cysur, tawelwch meddwl a sefydlogrwydd.

Wrth gwrs, mae'r ymennydd cyfan yn parhau i gael ei siapio gan brofiad drwy gydol ein hoes, ond y cortecs cyndalcennol (*prefrontal cortex*) yw'r rhan sy'n cael ei siapio'n benodol gan amgylchiadau ein bywydau. Mae deall faint o amser y mae'n ei gymryd i ddatblygu'n llawn yn ein helpu i werthfawrogi'r anhawster mae plant ac oedolion ifanc yn ei gael wrth reoli eu hysgogiadau neu wrth allu cynllunio ar gyfer y dyfodol yn hytrach na byw yn y presennol yn unig. Credir bellach fod y cortecs cyndalcennol yn cael ei ad-drefnu'n sylweddol yn ystod blynyddoedd y glasoed,[5] a bod gallu pobl ifanc i deimlo empathi yn crebachu, nes eu bod nhw'n ailymddangos, fel glöyn byw o chwiler, ag ymennydd sydd bellach yn meddu ar olwg llawer ehangach ar y byd.

O ddeall y natur ddynol, gallwn weld yn union sut mae'r rhyngweithio rhwng y rhannau hyn o'r ymennydd yn creu trafferthion i ni. Rydyn ni'n aml yn beio'r trafferthion hyn ar ddiffygion personol ynom ni, pan maen nhw mewn gwirionedd yn 'llithriadau' sydd wedi eu creu drwy esblygiad.

Caethiwed i ddolenni: beth sy'n digwydd pan fydd yr hen ymennydd a'r ymennydd newydd yn rhyngweithio?

Fel bodau dynol, mae gennym ein hen ymennydd, ac rydyn ni'n gwybod bellach ei fod yr un fath ar y cyfan yn y rhan fwyaf o anifeiliaid; yn y bôn, mae wedi'i lunio i'n helpu ni i aros yn fyw nes i ni atgenhedlu. Yn yr un modd ag ymlusgiaid, mae'r cymhelliant a'r galluoedd gennym i gadw llygad am ysglyfaethwyr, i aros yn ddiogel drwy ymladd neu ffoi, i chwilio am ein tiriogaeth ein hunain a'i hamddiffyn, i ddod o hyd i fwyd a dŵr, ac yn y pen draw i ganfod cymar ac atgenhedlu. Gallwn weld yn union pa mor diriogaethol ydyn ni wrth edrych ar ein hymateb os yw rhywun yn eistedd yn ein sedd 'ni', yn parcio yn ein man parcio 'ni', neu os ydyn ni'n gorfod rhannu desg yn y gwaith. Er ein bod yn gallu dweud wrthym ein hunain nad oes ots fod rhywun yn eistedd yn ein sedd arferol ni (daw'n amlwg mai ein 'hymennydd newydd' sy'n siarad fel hyn), mae ein hen ymennydd yn dal i deimlo'n anghyfforddus yn ei gylch oherwydd ei fod yn ymddangos fel bygythiad posib i'n tiriogaeth.

Yn ogystal â'n hen ymennydd tiriogaethol, mae gennym ein hymennydd newydd â'i ddychymyg a'i allu i gynllunio. Felly, pan fydd ein hen ymennydd yn pryderu bod ein partner wedi bod yn anffyddlon, er enghraifft, gall ein hymennydd newydd – wedi'i danio gan ddicter a loes yn yr hen ymennydd – ddefnyddio'i ddychymyg i ddial ar ein partner mewn ffyrdd creadigol iawn. Yn yr un modd, mae'r ymennydd newydd yn gallu derbyn dicter a gorbryder yr hen ymennydd dros anghydfod tiriogaethol rhwng cymdogion sy'n ymwneud â ffensys a ffyrdd preifat sy'n cael eu rhannu, ac mae'n bosib i'r rhain ddatblygu'n bethau tanbaid a dialgar. Ac, wrth gwrs, beth am ryfel ac arfau rhyfel, gan gynnwys y bom niwclear? Dyma effeithiau dychrynllyd ymennydd newydd yn cael ei roi ar waith wrth ymateb i ysfa hen ymennydd i amddiffyn hunaniaeth tiriogaeth neu lwyth drwy greu arfau a strategaethau ar gyfer dinistr sylweddol.

Problem allweddol sy'n codi yn sgil ein hymennydd lletchwith yw bod yr hen ymennydd yn gyflym ac yn reddfol, a'i fod yn gweithredu cyn i ni fod yn ymwybodol o hynny hyd yn oed.[5] Er ein bod yn teimlo mai ni sy'n gyrru ein hymennydd, y gwir amdani yw bod ymchwil yn dangos fwyfwy nad ydyn ni'n ymwybodol o'r rhan fwyaf o weithgaredd ein hymennydd o gwbl. Yn aml, felly, rydyn ni'n cael ein gyrru gan ein hen ymennydd heb fod yn ymwybodol o hynny o gwbl.

> *Mae ein hymennydd yn ein gyrru **ni** yn aml iawn.*

Rydyn ni felly'n dechrau ymateb i fygythiad cyn ein bod ni'n ymwybodol ohono. Er enghraifft, os ydyn ni'n gweld rhywbeth sy'n edrych yn debyg i neidr wrth fynd am dro yng nghefn gwlad, beth yw ein hymateb cyntaf? Neidio mewn dychryn, rhewi neu redeg efallai. Fodd bynnag, bydd yr ymateb hwn wedi dechrau *cyn* i ni ddod yn llwyr ymwybodol o weld y 'neidr', yn union fel y byddwn yn tynnu ein llaw oddi wrth rywbeth poeth cyn ein bod yn gwbl ymwybodol o'r gwres. Dyma pam mae hi mor anodd tawelu dicter neu orbryder unwaith mae wedi'i ysgogi.

Ffigur 6.1: Mae ein hymennydd newydd a'n hen ymennydd yn rhyngweithio ac yn dylanwadu ar ei gilydd

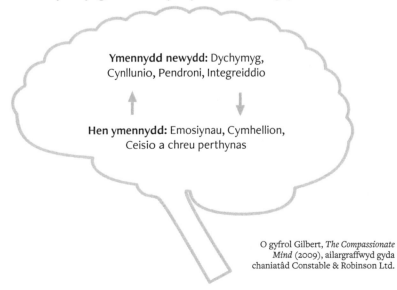

Ymennydd newydd: Dychymyg, Cynllunio, Pendroni, Integreiddio

Hen ymennydd: Emosiynau, Cymhellion, Ceisio a chreu perthynas

O gyfrol Gilbert, *The Compassionate Mind* (2009), ailargraffwyd gyda chaniatâd Constable & Robinson Ltd.

Er enghraifft, efallai y byddwn yn sylwi ar boen yn ein brest. Mae'n bosib y bydd ein hymennydd newydd yn meddwl, 'A allai hyn fod yn ddechrau trawiad ar y galon?' Cyn i ni droi, mae ein hen ymennydd wedi sylwi ar yr ofn hwn ac wedi cychwyn yr ymateb 'ymladd neu ddychryn'. Erbyn hyn, mae ein calon wedi dechrau curo'n gyflymach, a bydd ein hymennydd newydd yn meddwl 'Mawredd annwyl, beth sy'n digwydd i 'nghalon i nawr? Gallai hyn fod yn drawiad ar y galon go iawn!' Wrth gwrs, mae hynny'n peri mwy o ddychryn fyth i'r hen ymennydd. Dyna pa mor hawdd yw hi inni gael ein dal yn y dolenni hyn rhwng yr hen ymennydd a'r ymennydd newydd.

Mae effaith y rhyngweithio hwn rhwng yr hen ymennydd a'r ymennydd newydd i'w gweld yn glir os ydyn ni'n dychmygu bod heb ein hymennydd newydd. Gallwn weld hyn mewn anifeiliaid. Er enghraifft, dychmygwch gasél sydd newydd ddianc o enau llew. Beth mae'n ei wneud ar ôl iddo ddianc a'r llew wedi diflannu? Yn syml iawn, mae'n mynd yn ôl i bori. Ond beth fydden ni'n ei wneud petaen ni newydd ddianc o afael llew? Wel, byddai'n sicr ar ein meddwl ni am gyfnod go hir! Mae'n bosib y bydden ni'n dychmygu pob math o bosibiliadau ofnadwy. Gorwedd yn effro yn hel meddyliau am y digwyddiad, efallai, neu boeni y bydd y llew yn dod yn ei ôl, neu ystyried yr angen i fod yn fwy ffit a heini rhag ofn i ni fod yn y sefyllfa honno eto. Efallai y byddwn hyd yn oed yn ystyried sut mae'n effeithio ar ein hunaniaeth: 'A fydd pobl yn meddwl 'mod i'n fam wael am fod gen i fwy o ddiddordeb mewn chwilio am borfa flasus na bod yn wyliadwrus rhag llewod?'

Hunanymwybyddiaeth a hunanfonitro: effaith 'y llais ar ein hysgwydd'

Mae hon yn nodwedd allweddol o'r ymennydd newydd; mae'n rhoi ymdeimlad o hunanymwybyddiaeth i ni mewn modd nad oes gan unrhyw anifail arall mohono. Fel y nodwyd eisoes, dydy mwncïod, hyd y gwyddom ni, ddim yn poeni sut maen nhw'n edrych, sut rieni ydyn nhw neu beth mae rhywun arall yn ei feddwl ohonyn nhw. Mae bodau dynol yn gallu gwneud hyn, wrth gwrs, oherwydd bod y gallu gennym ni i edrych arnom ein hunain yn wrthrychol. Mae'n bosib y byddwn yn teimlo balchder os ydyn ni'n credu bod gan eraill agwedd gadarnhaol tuag aton ni. Fodd bynnag, gallwn hefyd edrych arnom ein hunain mewn ffordd hunanfeirniadol os ydyn ni'n credu fod gan eraill agwedd negyddol tuag aton ni. Mae'r feirniadaeth hon yn tanio ein hen ymennydd, gan wneud i ni deimlo'n bryderus, yn ddig neu hyd yn oed beri i ni ffieiddio tuag aton ni'n hunain.

Isod, mae ymarfer bach hyfryd sy'n gallu bod o gymorth gwirioneddol wrth roi syniad i ni o alluoedd ein hymennydd; sut mae hynny'n gallu achosi problemau mawr i ni, ond hefyd gynnig ateb.

Ffigur 6.2: Grym ein meddwl tuag atom ein hunain

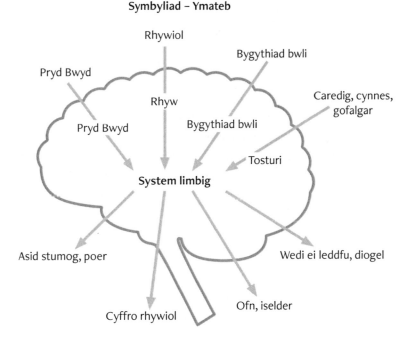

O gyfrol Gilbert, *The Compassionate Mind* (2009), ailargraffwyd gyda chaniatâd Constable & Robinson Ltd.

Ymarfer: Grym ein meddwl tuag atom ein hunain

1. Yn gyntaf, sylwch sut mae'ch corff yn ymateb wrth aros i'ch hoff bryd gael ei goginio. Gallwch ei arogli, ac mae eisiau bwyd arnoch chi. Efallai y sylwch fod eich stumog yn rwmblan a'ch bod chi'n glafoerio wrth i'ch corff baratoi i fwyta (gweler Ffigur 6.2).

2. Nawr, beth mae'ch corff yn ei wneud os ydych chi'n dychmygu'ch hoff bryd bwyd? Mae'n gwneud yr un peth yn union; rydych chi'n glafoerio ac mae'n bosib y bydd eich stumog yn rwmblan. Mae ein hymennydd felly'n trin pethau rydyn ni'n eu dychmygu fel pe baen nhw'n real. Hynny yw, mae beth bynnag rydyn ni'n ei ddychmygu yn cael yr un effaith ar ymateb ein corff â phe bai'n real.

3. Gadewch i ni feddwl am enghraifft arall; beth sy'n digwydd i'ch corff pan welwch rywun atyniadol ar y teledu neu mewn ffilm? Byddwch yn onest! Rydyn ni'n profi cyffro corfforol (heb fanylu!).

4. A beth sy'n digwydd os ydyn ni'n ffantasïo am y person hwnnw? Unwaith eto, mae ein hymennydd yn ymateb yn union fel petai'r ffantasi yn real ac mae ein corff yn ymateb yn unol â hynny. Dyma pam mae ffantasi'n gallu bod yn rhan mor bwysig o brofiad rhywiol.

5. Y tro hwn, meddyliwch am yr hyn sy'n digwydd yn ein corff pan fydd rhywun yn ein beirniadu neu'n ein bwlio. Mae'n bosib y byddwn yn teimlo gorbryder, dicter neu ysfa i grio.

6. Beth sy'n digwydd yn ein corff wedyn pan fyddwn ni'n beirniadu neu'n bwlio ein hunain? Ar y pwynt hwn, rydyn ni'n dechrau gweld nad yw ein hymennydd yn gwahaniaethu rhwng beirniad o'r tu allan a'n llais ni ein hunain. Mae ein meddwl (y system fygythiad) yn ei weld fel ymosodiad arnon ni ac yn sbarduno ymateb amddiffynnol fel dicter (ymosod yn ôl neu fychanu), gorbryder (ysfa i redeg, rhewi, neu ildio), neu ffieidd-dod (awydd i gael gwared ar y rhan sy'n ein rhoi mewn perygl o gael ein gwrthod; er enghraifft, drwy lanhau ein llaw dro ar ôl tro).

7. Nawr gallwn symud ymlaen ychydig ymhellach a nodi sut rydyn ni'n teimlo pan fyddwn ni'n sylwi ar wir garedigrwydd a chynhesrwydd gan berson arall tuag aton ni. Mae'n bosib y byddwn yn sylwi ar ein system fygythiad yn ceisio tarfu ar hynny oherwydd atgofion o gael ein brifo gan bobl roeddem yn meddwl eu bod yn garedig. Ond os gallwn ni ddychmygu cadw'r ofn hwn wrth ein hymyl am ychydig (fel cydnabod ofn ein plant, peidio â'u gwthio i ffwrdd ond eu dal yn agos, a rhoi gwybod iddyn nhw y byddwn yn gwrando'n llawnach ar eu pryderon mewn eiliad) a chaniatáu i'n hunain deimlo'r caredigrwydd a'r cynhesrwydd hwnnw o ddifrif, beth ydyn ni'n ei deimlo yn ein corff? Mae'n bosib y byddwn yn teimlo yn dawel ein meddwl, yn hapus, yn heddychlon, yn fodlon, yn ddiogel, a'n pryderon wedi'u lleddfu.

8. Felly, beth sy'n digwydd yn ein corff pan fyddwn ni'n garedig, yn gynnes ac yn ofalgar tuag aton ni ein hunain? Unwaith eto, mae'n bosib y bydd ein system fygythiad amddiffynnol yn camu i'r adwy yn gyntaf, a byddwn yn troi at hyn yn fwy manwl yn nes ymlaen. Ond, os gallwn ni roi hynny o'r neilltu eto a chaniatáu i'n hunain deimlo'r cynhesrwydd, y caredigrwydd

a'r gofal yn ein llais ein hunain, sut mae ein corff yn ymateb? Fel yn yr enghreifftiau blaenorol, bydd yn ymateb yn union fel pe bai person arall yn bod yn garedig tuag aton ni, a byddwn yn teimlo wedi ein cysuro, yn dawel ein meddwl, yn hapus.

> *Mae ein meddwl yn ymateb i'r arwyddion cymdeithasol a anfonwn atom ein hunain, fel petaen nhw'n dod oddi wrth berson arall.*
>
> *Felly gall hunanfeirniadaeth sbarduno ein hymateb i fygythiad, ond gallwn sbarduno ymateb cysurlon/diogel wrth ddefnyddio cywair llais a mynegiant wyneb caredig a chynnes tuag aton ni'n hunain.*

Mae'r ymarfer hwn yn dangos yn gryf bwysigrwydd y llais sydd gennym ni 'ar ein hysgwydd'; pan fydd y llais beirniadol i'w glywed, mae'n tanio ein system fygythiad. Pan fydd y llais tosturiol, cefnogol, cysurlon ar yr ysgwydd arall yn siarad, mae'n tanio ein system leddfu ac mae honno, fel y gwyddom bellach, yn tawelu'r system fygythiad. Mae gan y ffordd rydyn ni'n siarad â ni ein hunain – naws ein llais ein hunain a'r mynegiant wyneb a ddefnyddiwn tuag aton ni ein hunain – y grym i ysgogi ein hymennydd a'n corff mewn ffyrdd hollol wahanol. Rydyn ni hefyd yn gwybod bod beth bynnag a wnawn yn creu cysylltiadau penodol yn ein hymennydd ('mae niwronau sy'n cyd-danio yn cydglymu'). Felly, pan fyddwn ni'n beirniadu ein hunain, rydyn ni'n ategu'r cysylltiad ac yn atgyfnerthu'r system fygythiad fymryn yn fwy. Pan fyddwn ni'n dosturiol ac yn garedig tuag aton ni ein hunain, rydyn ni'n ategu'r cysylltiad ac yn atgyfnerthu'r system leddfu.

Gall cael ymdeimlad o'r hunan a hunanfonitro fod yn fuddiol, felly, ond gall hefyd fod yn ffynhonnell poen fawr a gofid pan fydd ein barn amdanom ein hunain yn negyddol. Mae'n un o ffynonellau trafferthion mwyaf yr hil ddynol – gall ein hunanfonitro a'n hunanfarnu fod yn llym neu'n hynod angharedig.

Mae ein meddyliau wedi'u trefnu i roi llawer mwy o sylw i'r negyddol na'r cadarnhaol. O ganlyniad, rydyn ni'n llawer mwy tebygol o ganolbwyntio ar yr agweddau negyddol arnon ni ein hunain a cholli golwg ar yr agweddau cadarnhaol. Mae hyn oherwydd y strategaeth 'gwell diogel nag edifar' sydd wedi esblygu yn y meddwl dros filiynau o flynyddoedd o esblygiad. Nid ein bai ni yw ein bod yn gwneud hyn, felly. Fodd bynnag, mae'n bosib i ni ddysgu ailgydbwyso'r duedd negyddol hon i raddau drwy ddysgu ein hunain i roi sylw go iawn i'r pethau cadarnhaol hefyd (gweler llyfr Rick Hanson, *Hardwiring Happiness*, y cyfeirir ato dan 'Adnoddau defnyddiol' yng nghefn y llyfr).

> *Rydyn ni wedi esblygu i ganolbwyntio ar y negyddol yn fwy na'r cadarnhaol er mwyn bod yn effro i berygl.*
>
> *Fodd bynnag, gallwn hyfforddi ein hymennydd i ymateb a chael ei siapio gan y cadarnhaol hefyd. Mae hyn yn gallu cael effaith rymus ar ein llesiant meddyliol.*

Fodd bynnag, gallwn ddysgu hyfforddi ein 'meddwl tosturiol' sydd, fel y gwelwn, yn gallu cael effaith ddwys arnon ni ar sawl lefel wahanol.

Ymwybyddiaeth ofalgar: y grefft o roi sylw i sylw

Mae gan ein hymennydd allu arall sydd, yn ôl bob tebyg, yn unigryw i fodau dynol: ymwybyddiaeth ofalgar. Dyma ein gallu i gamu'n ôl yn feddyliol a dod yn ymwybodol o brosesau'r meddwl a'r corff. Bydd y gallu hwn yn un sy'n cael ei ddefnyddio'n helaeth yn y dull meddwl tosturiol.

Mae sawl diffiniad o ymwybyddiaeth ofalgar. Un yw 'sylwi yn y presennol yn bwrpasol a heb farnu'.[6] Un symlach yw 'arsylwi heb farnu'. Mae ymwybyddiaeth ofalgar yn ein galluogi i roi sylw i sylw.

Felly, pam mae talu sylw i sylw yn gallu bod mor bwysig? Wel, oherwydd bod yr hyn rydyn ni'n rhoi sylw iddo yn tyfu yn ein meddwl a'r hyn nad ydyn ni'n rhoi sylw iddo yn pylu.

Ymarfer: Sbotolau sylw (1)

Un ymarfer sy'n dangos hyn yw eistedd mewn cadair a chanolbwyntio am ychydig ar eich troed chwith, am ddeg eiliad efallai. Anadlwch a symud eich sylw at eich troed dde. Anadlwch a symud eich sylw at eich bawd yn rhwbio yn erbyn blaenau eich bysedd. Mae'n bosib y byddwch yn sylwi nad ydych chi'n ymwybodol o'ch bysedd pan fyddwch chi'n canolbwyntio ar eich troed chwith. Pan fyddwch chi'n hoelio'ch sylw ar eich bysedd, byddwch yn llai ymwybodol o'ch traed. Mae sylw fel sbotolau, yn goleuo rhai pethau ar yr un pryd â chadw pethau eraill mewn tywyllwch. Felly mae ffocws ein sylw yn effeithio ar yr hyn sy'n dod i'n meddyliau.

Dyma ymarfer arall.

Ymarfer: Sbotolau sylw (2)

Eisteddwch yn gyfforddus mewn cadair a chofio adeg pan fuoch chi'n chwerthin – efallai fod rhywun wedi dweud jôc dda neu eich bod chi'n gwylio rhywbeth doniol iawn ar y teledu. Cofiwch pwy oedd gyda chi, beth oedd yn digwydd a pha mor ddoniol oedd y jôc. Sylwch ar yr hyn sy'n digwydd yn eich corff, ac i'ch wyneb yn benodol. Yna, ar ôl deg neu bymtheg eiliad, meddyliwch am atgof o rywbeth achosodd rywfaint o rwystredigaeth yn eich bywyd, dim byd rhy ddwys. Unwaith eto, gwnewch hynny am ddeg i bymtheg eiliad. Yna, i gloi, hoeliwch eich sylw ar atgof o un o'r gwyliau gorau a gawsoch erioed.

Wrth i chi gofio'r jôc, mae'n debyg eich bod wedi cael ymdeimlad o hwyl eto; efallai i chi sylwi ar eich wyneb yn gwenu hyd yn oed. Byddai hynny'n diflannu wrth i chi ganolbwyntio ar eich rhwystredigaeth, ac yn cael ei ddisodli gan brofiad corfforol ac emosiynol gwahanol iawn, gan newid eto wrth i chi ddwyn eich hoff wyliau i gof.

Ffordd syml yw'r ymarfer hwn o ddangos i ni fod ein sylw yn bwerus iawn ac y gellir ei symud o gwmpas. Bydd lle mae ein sylw'n cael ei hoelio yn cael effaith bwerus iawn ar ein corff a'r emosiynau rydyn ni'n eu profi. Mae hyn yn golygu bod yn rhaid i ni fod yn wyliadwrus ynglŷn â'n sylw oherwydd ei ddylanwad cryf ar ein cyrff a'n hemosiynau.

> *Mae'r hyn rydyn ni'n hoelio ein sylw arno yn gallu achosi ymateb ffisiolegol ynom ni.*
>
> *Gallwn ddysgu teimlo'n dawelach ac fel petaen ni'n derbyn mwy o gefnogaeth drwy ddewis ble rydyn ni'n hoelio'n sylw.*

Fe welson ni enghraifft arall o hyn yn yr ymarfer yn ymwneud â dychmygu bwyta bwyd blasus iawn. Os ydyn ni'n meddwl am fwyd, mae'n ddigon posib y bydd ein stumog yn rwmblan a'n ceg yn glafoerio. Beth pe baech chi'n dychmygu torri lemwn yn ei hanner a llyfu'r sudd? Mae hyn yn gallu creu ymateb corfforol eithaf cryf, er mai hollol ddychmygol yw'r lemwn dan sylw.

Mae'n anhygoel sylweddoli bod delwedd rydyn ni'n ei chreu'n bwrpasol yn y meddwl yn gallu cael effaith mor bwerus ar ein hymennydd, sydd yn ei dro yn sbarduno teimladau ac ymatebion yn ein corff. Ond mae'n brawf fod yr hyn rydyn ni'n meddwl amdano, yn ei gofio a'i ddychmygu yn gallu cael effaith ffisiolegol arnon ni.

Yn y llyfr hwn, byddwn yn defnyddio'r ddawn ymenyddol naturiol hon i gadw golwg ar ble mae ein sylw'n mynd ac i'n helpu i ganolbwyntio ar themâu, delweddau a syniadau sy'n ffafriol iawn i lesiant ac ymdawelu.

Ble bynnag mae ein sylw, rydyn ni wedi gweld fod ein corff yn dilyn. Mae ein sylw yn tueddu i ddilyn y negyddol yn fwy na'r cadarnhaol; er enghraifft, byddwn yn canolbwyntio ar un sylw negyddol yn hytrach na phum sylw cadarnhaol. Mae emosiynau yn rheolyddion sylw grymus iawn. Gall dicter neu orbryder fynd â'n sylw yn hawdd ac rydyn ni'n debygol o bendroni ynghylch sbardunau dicter a gorbryder, gan borthi'r teimladau'n fwy fyth. Fodd bynnag, gallwn ddysgu crefft ymwybyddiaeth ofalgar; sylwi sut mae ein meddwl o bosib wedi setlo i ystyried y sylw negyddol, sy'n gwneud i ni deimlo'n fwy dig neu'n orbryderus, ac yna hoelio'n sylw yn fwriadol ar sylwadau cadarnhaol. Rydyn ni'n dysgu sylwi ar yr hyn mae ein meddwl yn ei wneud, gan roi sylw i sylw.

Dysgu sut i fod yn ymwybyddol ofalgar

Darn hanfodol o wybodaeth wrth ddatblygu ymwybyddiaeth ofalgar, a rhywbeth mae ymwybyddiaeth ofalgar ei hun yn ein helpu i'w ddeall, yw mai dim ond yn y presennol yr ydyn ni'n bodoli. Dydyn ni byth yn yr eiliad i ddod neu yn yr eiliad sydd newydd fod – dim ond yn y presennol. Unwaith y symudwn ni i'r 'dyfodol', yna dyna yw'r presennol eto.

Fe fydden ni'n sylwi pa mor arbennig yw pob eiliad yn y presennol pe bydden ni'n byw ynddi'n llawn. Yn anffodus, dydyn ni ddim fel arfer yn gwneud hynny. Rydyn ni'n byw yn ein hymennydd newydd, sydd bob amser yn effro, eisiau meddwl am un peth, cynllunio peth arall, a phoeni am rywbeth neu'i gilydd. Fel rydyn ni wedi gweld, bydd yr hyn rydyn ni'n canolbwyntio arno, yr hyn rydyn ni'n meddwl amdano a'r hyn rydyn ni'n sylwi arno yn effeithio ar ein cyrff – felly bydd yr holl bryder a chynllunio yn tynnu ein sylw oddi ar yr eiliad bresennol ac o bosib yn creu teimladau o densiwn a phryder ynom. Yn rhannol felly, mae ymwybyddiaeth ofalgar yn ymwneud â dysgu deffro'n gyson i'r eiliad bresennol – i ddod yn gynyddol ymwybodol faint mae ein hymennydd newydd yn meddwl, cynllunio, rhag-weld, poeni a gofidio, a sut mae hynny'n ysgogi ein cyrff mewn ffyrdd nad ydyn nhw'n ddefnyddiol. Yn aml, does dim byd o'i le gyda'r eiliad bresennol, a gall fod yn eithaf rhyfeddol, ond dydyn ni ddim yn ymwybodol o hynny oherwydd ein bod ni'n poeni ac yn pendroni. Weithiau, dydy'r eiliad bresennol ddim yn iawn, wrth gwrs, ond byddai angen i ni fod yn llwyr bresennol ynddi er mwyn gwybod pa ffordd fyddai orau i ymateb.

Gallwn ddechrau ymddwyn yn ymwybyddol ofalgar mewn nifer o ffyrdd. Er enghraifft, gallwn ganolbwyntio ar deimladau corfforol anadlu, neu drwy ganiatáu i'r sylw setlo ar un o'n synhwyrau. Gallwn roi cynnig ar hyn yr eiliad hon; ceisiwch ddod yn gwbl ymwybodol o'r holl liwiau, siapiau a gwrthrychau o'ch cwmpas, gan sylwi'n fanwl sut mae'r golau yn disgyn arnyn nhw, ac ar y gweadau a'r siapiau. Gallwn wedyn droi ein sylw at y synau o'n cwmpas – gan wrando'n astud ar ba synau bynnag sy'n bodoli yn yr eiliad hon. Yn hytrach na'u dadansoddi, eu labelu neu eu beirniadu mewn rhyw ffordd, rydyn ni'n caniatáu i synau lifo i'n clustiau. Hynny yw, rydyn ni'n profi synau yn hytrach na meddwl amdanyn nhw.

Ymarfer: Yfed coffi yn ymwybyddol ofalgar

Dychmygwch fod yn ymwybyddol ofalgar wrth yfed paned o goffi. Yn gyntaf, rydyn ni'n sylwi sut mae'r cwpan yn teimlo yn ein dwylo, gan adael i'n dwylo anwesu ei siâp a theimlo'r cynhesrwydd. Nesaf, rydyn ni'n newid i'r hyn sy'n weladwy: lliw'r cwpan a'r patrymau sydd arno, ac yna lliw'r coffi: sylwi go iawn ar y lliwiau hufen neu frown fel petaen ni'n eu gweld am y tro cyntaf. Hoeliwch eich sylw ar hynny am eiliad neu ddwy. Nesaf, symudwch y cwpan ychydig a sylwch ar symudiadau'r coffi a sut mae'r golau'n adlewyrchu oddi arno wrth iddo symud. Wedi hynny, canolbwyntiwch ar yr arogl, a rhoi digon o amser i chi'ch hun i wneud hynny'n fanwl. Yn olaf, pan fyddwch chi'n barod, gallwn symud ymlaen at werthfawrogi blas a thymheredd y coffi yn ein ceg. Sylwch ar y blas – dychmygwch eich bod yn yfed coffi am y tro cyntaf, a rhowch ddigon o amser i sylwi ar y teimlad o flasu.

Os byddwch chi'n gwneud yr ymarfer hwn, cymharwch hynny â sut byddwch chi'n arfer yfed paned o goffi, gan sylwi efallai cyn lleied o sylw rydyn ni'n ei roi i'r dasg fel arfer a faint mwy sydd i'r profiad o yfed paned o goffi os ydyn ni'n dod yn ymwybyddol ofalgar ac yn creu amser i fod yn ymwybyddol ofalgar. Gall hyn fod yn wir am bob profiad a phob eiliad o'n bywydau.

Yn nes ymlaen yn y llyfr, byddwn yn bwrw golwg lawer manylach ar ddatblygu crefft ymwybyddiaeth ofalgar.

Ymwybyddiaeth ofalgar a thosturi

Mae'n bwysig bod yr agwedd arsylwi hon ei hun yn dyner a charedig yn hytrach nag yn greulon o feirniadol. Pe bai'n greulon o feirniadol, wrth gwrs, yna byddai'n ymyrryd â'r broses ymwybyddiaeth ofalgar ei hun oherwydd ei fod yn ymddygiad beirniadol, ac mae ymwybyddiaeth ofalgar yn ei hanfod yn ymwneud â bod yn anfeirniadol. Rydyn ni felly am i'n harsylwi ni ddigwydd yn dyner, yn garedig ac yn gefnogol, a bydd dysgu meithrin tosturi yn helpu hyn.

Fodd bynnag, yn hytrach na dim ond gweld i ble mae ein sylw yn mynd, mae'n bosib y byddwn am ei gyfeirio at systemau'r ymennydd a all fod yn fuddiol iawn i ni. Er enghraifft, os ydyn ni eisiau ennill ras, efallai y byddwn yn canolbwyntio ar feddyliau a delweddau a fydd yn ein cymell ac yn ein bywiogi; mae'n annhebygol y bydd dychmygu gorwedd ar soffa neu ddisgyn i'r llawr yn arbennig o ddefnyddiol. (A dweud y gwir, mae mabolgampwyr yn dod yn gynyddol ymwybodol o bwysigrwydd ein meddyliau i ganlyniadau da, nid dim ond ein perfformiad corfforol.) Mae'r un peth yn wir gyda thosturi – os ydyn ni'n dysgu talu sylw i agweddau ar dosturi, gallwn ddechrau ysgogi rhannau o'n hymennydd sy'n hybu llesiant ac sy'n ein helpu i ymdopi â gorbryder, poen ac iselder. Nid hud a lledrith yw hyn; dim ond cydnabod y gall ein sylw ysgogi ein hemosiynau a'n cyrff mewn ffyrdd penodol.

Gallwn roi'r ddwy elfen hyn at ei gilydd yn Ffigur 6.3 isod.

Ffigur 6.3: Rhyngweithio drwy ymwybyddiaeth ofalgar a thosturi â'r hen ymennydd a'r ymennydd newydd

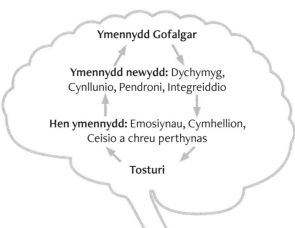

O gyfrol Gilbert a Choden, *Mindful Compassion* (2013),[9] ailargraffwyd gyda chaniatâd Constable & Robinson Ltd.

> *Gallwn ddysgu sylwi ar weithgaredd y meddwl, yn hytrach na chael ein dal yn ei ganol.*
>
> *Mae'n bosib i ni sylwi ar y gweithgaredd hwn gyda chwilfrydedd, cynhesrwydd a thosturi.*

Fel y gwelson ni yn gynharach, gall ein hymennydd newydd a'n hen ymennydd gael eu dal mewn dolenni lle mae pryder o'r ymennydd newydd yn tanio'r hen ymennydd, sy'n ysgogi'r ymennydd newydd ymhellach, ac yn y blaen. Nawr, pan fydd ein hen ymennydd a'n hymennydd newydd yn cael eu dal yn y dolenni hyn, gallwn ddefnyddio ein sgiliau ymwybyddiaeth ofalgar, drwy arsylwi ar y rhyngweithio yn unig, heb ei farnu na cheisio'i newid mewn unrhyw ffordd. Yn hytrach na chael ein sugno i'r dolenni drwy bendroni ynghylch dicter, gorbryder neu iselder, rydyn ni'n dysgu sylwi arnyn nhw a dim mwy. Efallai y byddwn hyd yn oed yn dweud wrthym ein hunain: 'Dwi wedi fy nal mewn dolen gorbryder' ac yn gwneud dim ond arsylwi ar hyn yn hytrach na chael ein dal ynddo a chynhyrchu rhagor o feddyliau gorbryderus.

Wrth i ni ddechrau arsylwi, fodd bynnag, mae'n ddefnyddiol ceisio dod â'r cynhesrwydd a'r ddealltwriaeth honno i'n meddwl wrth i ni wylio'r rhyngweithio. Yn nes ymlaen byddwn yn archwilio sut gallwn ddefnyddio naws llais a mynegiant wyneb i greu sylw tosturiol yn y foment.

Dyma ddechrau tosturi. Mae grym gan dosturi i helpu i dawelu'r meddwl mewn ffyrdd y byddwn yn eu harchwilio wrth fynd drwy'r llyfr hwn. Un rheswm am hyn yw fod tosturi yn ysgogi ein hymennydd mewn ffordd benodol sy'n wahanol i ddicter neu orbryder, dyweder. Daw sail tosturi o system rhoi a derbyn gofal ein hymennydd mamalaidd. Mae gan y system benodol honno'r gallu i gysylltu â'r rhan o'r ymennydd sy'n cynhyrchu dicter a gorbryder, a'i thawelu. Dyma ymarfer sy'n ychwanegu elfennau ymgysylltiol tosturi at ein hymarfer ymwybyddol ofalgar.

Ymarfer: Cyflwyno tosturi i ymwybyddiaeth ofalgar

Caewch eich llygaid a gadewch i'ch sylw setlo ar symudiad eich anadl. Os gwelwch chi fod eich sylw wedi symud oddi ar eich anadl, sylwch arno eto â chynhesrwydd a gwên gyfeillgar, a gyda'r doethineb sy'n dod o ddeall bod meddyliau crwydrol yn nodweddiadol o'r meddwl dynol rydyn ni'n ei rannu â phob bod dynol arall. Ydy cyflwyno cynhesrwydd a dealltwriaeth yn teimlo'n wahanol i sylwi heb farnu yn unig? Peidiwch â cheisio'i wneud un ffordd neu'r llall, dim ond sylwi ar beth bynnag rydych chi'n arsylwi arno â chwilfrydedd a chynhesrwydd.

Ymwybyddiaeth ofalgar, beichiogrwydd a bod yn fam newydd

Mae gan grefft ymwybyddiaeth ofalgar le pwysig mewn beichiogrwydd ac yn y cyfnod fel mam newydd. Cynhaliodd yr Athro Seicoleg Ellen Langer a'i thîm ym Mhrifysgol Harvard ychydig o ymchwil ar effaith hyfforddiant ymwybyddiaeth ofalgar ar gyfer mamau newydd, pan ddysgwyd y mamau i sylwi ar y newidiadau cynnil yn eu teimladau meddyliol a chorfforol bob dydd.[10] Gwelwyd bod y menywod hyn wedi adrodd am well llesiant a mwy o deimladau cadarnhaol, a llai o drallod emosiynol. Yn ôl Langer, roedd ganddyn nhw well hunan-werth a boddhad bywyd gwell yn ystod y cyfnod hwn o'u beichiogrwydd a hyd at o leiaf fis ar ôl rhoi genedigaeth. Cafodd hynny effaith gadarnhaol ar y geni ac ar iechyd cyffredinol y babanod newydd-anedig hefyd.

Soniodd Langer am y ffordd y mae ymwybyddiaeth ofalgar yn ein galluogi i ddod yn ymwybodol o amrywiaeth a newid drwy sylwi ar yr amrywiadau bach cyson yn ein teimladau a'n synhwyrau. Mae hyn yn gweithio'n groes i'n tueddiad i geisio cadw pethau'n gyson ac yn sefydlog. Rydyn ni'n gwneud hynny'n naturiol er mwyn creu teimlad o ddiogelwch a gallu rhag-weld pethau, ond rhith yw hynny, oherwydd rydyn ni'n newid yn gyson mewn gwirionedd. Drwy ddod yn ymwybodol o'r newid cyson hwn, mae Langer yn awgrymu ein bod yn agor posibiliadau ynom. Er enghraifft, pan fyddwn ni'n credu ein bod mewn anghysur cyson, mae ymwybyddiaeth ofalgar yn ennyn y posibilrwydd bod adegau posib pan fyddwn yn teimlo'n gyfforddus. Pan fyddwn yn credu ein bod yn teimlo'n anniogel yn gyson, mae ymwybyddiaeth ofalgar yn creu'r posibilrwydd bod adegau pan fyddwn yn teimlo'n ddiogel, a phan fyddwn yn credu nad ydyn ni'n teimlo dim o gwbl tuag at ein babi, rydyn ni'n creu'r posibilrwydd y bydd yna adegau pan fyddwn ni'n teimlo gwreichion bach o gynhesrwydd.

Yn y bennod nesaf, byddwn yn edrych yn fwy manwl ar y gwahanol systemau yn ein hymennydd i'n helpu i ddeall yn iawn ble mae tosturi yn ffitio yn hyn i gyd, a pham ei fod mor hanfodol wrth ein helpu ag agweddau poenus ar fywyd, fel iselder ôl-enedigol a thrafferthion bondio â'n babi.

Crynodeb

1. Mae ein hymennydd wedi esblygu dros filiynau o flynyddoedd. Ychwanegwyd adrannau mwy newydd at adrannau llawer hŷn, felly mae gennym amrywiaeth cynhenid eang o botensial cymhelliant ac emosiynau yn ein hymennydd. Mae rhai o'r rhain yn dyddio'n ôl i'n cyd-hynafiaid ag

ymlusgiaid, er enghraifft tueddiad i fod yn diriogaethol a'n gallu i ymladd, ffoi neu rewi.

2. Rydyn ni hefyd wedi esblygu drwy'r llinell famalaidd, ac yn sgil hynny mae gennym ni system limbig sy'n ein galluogi i brofi emosiynau, ymlyniad, y gallu i chwarae a chymdeithasu sylfaenol. Mae'r cymwyseddau ymenyddol diweddaraf yn newydd iawn ac yn arwain at y gallu i ddychmygu, rhag-weld, cynllunio a phoeni, yn ogystal ag ymdeimlad o'r hunan a'r gallu i hunanfonitro.

3. Gall y ffordd y mae ein galluoedd i feddwl, cynllunio, rhag-weld a chreu ymdeimlad o'r hunan yn rhyngweithio â rhai o'r systemau emosiwn ac ysgogi hŷn fod yn ffynhonnell anhawster mawr i fodau dynol, er enghraifft pan fyddwn yn cael ein dal mewn dolenni o bryder a gorbryder, a gallwn fod yn hynod o hunanfeirniadol.

4. Gall gweithgaredd o fewn yr hen ymennydd ddigwydd yn gyflym ac yn awtomatig cyn i ni ddod yn ymwybodol ohono. Mae ein corff, felly, yn dechrau ymateb cyn bod gennym unrhyw ymwybyddiaeth i wneud unrhyw beth yn ei gylch. Dim ond wedi i ni ddod yn ymwybodol ohono y gallwn geisio cael unrhyw reolaeth drosto. Felly, nid ein bai ni yw ein bod ni'n dechrau ymateb gyda dicter, pryder, tristwch, ffieidd-dod, neu yn wir â boddhad neu lawenydd. Cyn gynted ag y byddwn yn ymwybodol ohono, yna gallwn geisio ei siapio neu ei newid.

5. Mae'r ffordd rydyn ni'n ymateb i ni ein hunain yn cael effaith ddwys arnon ni ar sawl lefel. Rydyn ni'n ymateb i'r wyneb a'r llais a gyfeiriwn atom ein hunain yn yr un ffordd ag y bydden ni'n ymateb pe bai rhywun arall yn ymwneud â ni fel hynny; pan fyddwn yn beirniadu ein hunain, gallwn deimlo'n wangalon, yn bryderus ac yn isel ein hysbryd; pan fyddwn yn garedig, yn galonogol, yn dangos cydymdeimlad ac yn dosturiol wrthym ein hunain, rydyn ni'n teimlo'n ddiogel, yn sefydlog, ac yn fwy abl i weithredu'n dda.

6. Rydyn ni'n ceisio siapio ein hymateb gan ddefnyddio galluoedd y cortecs cyndalcennol. Efallai felly y byddwn yn penderfynu, er ein bod yn teimlo'n ddig, nad dyna'r ymateb rydyn ni am ei roi. Mae'n bosib y byddwn yn penderfynu ceisio ymateb gyda thosturi yn lle hynny, er enghraifft. Ein cortecs cyndalcennol sy'n recriwtio'r ymennydd newydd (meddwl a dychymyg) a'r ymennydd mamalaidd (ymlyniad a chysuro) sy'n tawelu'r ymennydd ymlusgiadol (ymladd neu ffoi).

7. Ymwybyddiaeth ofalgar yw ein gallu i arsylwi ar weithgaredd rhannau eraill o'n meddwl yn unig, heb eu barnu o gwbl. Felly gallwn, er enghraifft, arsylwi ar ein meddyliau'n codi ac yn diflannu, rhythm ein hanadlu, a llanw a thrai ein hemosiynau yn ein corff.

8. Dangoswyd bod gan ymwybyddiaeth ofalgar amrywiaeth eang o fuddion corfforol a meddyliol. Mae hefyd yn sail i'r arfer o ddefnyddio tosturi oherwydd ei fod yn helpu i sefydlogi ein meddyliau a'n bod ni'n ymgymryd â'n hyfforddiant tosturi mewn modd ymwybyddol ofalgar. Mae'n ein helpu i wir ddeall natur ein meddwl, sy'n cyflwyno derbyniad caredig yn hytrach na beirniadaeth. Mae hefyd yn caniatáu i ni fod yn ymwybodol pa ymateb rydyn ni am ei gael, er mwyn ein galluogi i ddewis ymateb tosturiol yn lle hynny, os dymunwn.

7 Deall ein systemau emosiwn

Tair system emosiwn: bygythiad, cymell, a lleddfu

Mewn penodau blaenorol, rydyn ni wedi gweld ein bod yn debyg i anifeiliaid eraill i'r graddau ein bod yn rhannu dyheadau a chymhellion sylfaenol mewn bywyd. Mae'r rhain yn cynnwys: cadw'n ddiogel, bwyta, dod o hyd i gysur a chasglu adnoddau. Mae gennym hefyd nifer o gymhellion *cymdeithasol* sy'n ymwneud â'n perthynas ag eraill. Mae'r rhain yn cynnwys bod â statws yn hytrach na theimlo ein bod yn israddol, teimlo ein bod yn cael ein derbyn yn hytrach na chael ein gwrthod, bod ag ymdeimlad o berthyn yn hytrach na bod yn rhywun o'r tu allan, cael ffrindiau, dod o hyd i bartner rhywiol, ac atgenhedlu. Rydyn ni hefyd yn gwybod bod gan fodau dynol yn benodol ddiddordeb mewn gofalu am ein gilydd, a helpu'n gilydd, ac yn wir mae astudiaethau'n awgrymu bod hon yn ffynhonnell ystyr bwysig i ni. Y cymhellion cymdeithasol sylfaenol hyn yw'r canllawiau i'r ffordd rydyn ni'n byw ein bywydau ac yn uniaethu â phobl eraill.

Yn y bennod hon, byddwn yn archwilio emosiynau oherwydd mai'r emosiynau sy'n rhoi 'tanwydd' i'n cymhellion. Mae ein cymhellion yn gynhenid, fel ein bod yn 'gwybod' yn reddfol bod rhywbeth yn bwysig. Fodd bynnag, ein hemosiynau sy'n ein helpu i 'deimlo' yn gorfforol ei fod yn bwysig. Heb emosiynau, fyddai gan ein cymhellion ddim ffordd o'n gyrru ni ymlaen. Yr emosiynau yw'r 'petrol', a'n cymhellion yw'r cyfeiriad rydyn ni am i'n car ni deithio tuag ato. Felly, gallwn ddweud, er enghraifft, fy mod yn cael fy nghymell i ofalu am fy mabi ond nad yw diffyg ffyniant neu salwch fy mabi yn effeithio'n emosiynol arna i. Fel y gallwn ddychmygu, byddai'n anodd iawn i mi ddal ati i roi'r gofal angenrheidiol i'm babi heb emosiynau, yn enwedig pan fo gofalu am blentyn ifanc mor anodd.

Gallwn weld o'r enghraifft hon fod yr emosiynau hefyd yn gallu ymyrryd â'n cymhellion sylfaenol. Er enghraifft, pan fyddwn yn isel ein hysbryd, mae ein gallu i brofi emosiynau cadarnhaol fel mwynhad a phleser yn cael ei wanhau. Os nad yw'r emosiynau a'r teimladau hyn ar waith, gall fod yn anodd iawn dod o hyd i'r awydd i ofalu amdanon ni'n hunain hyd yn oed, heb sôn am fabi. Ein hemosiynau sy'n helpu i roi ymdeimlad o ystyr a phwrpas i gymhellion; hebddyn nhw, fe fydden ni'n gallu teimlo bod pethau'n ddiystyr ac yn ddibwrpas.

Gallwn ystyried y berthynas rhwng ein cymhellion a'n hemosiynau drwy ddefnyddio cysyniadau gêm y mae plant yn ei chwarae lle maen nhw'n cael eu tywys at wrthrych cudd gyda'r geiriau 'oerach, oerach, cynhesach, cynhesach!' Wrth i'r plentyn chwilio, mae'n cael ei dywys tuag at y gwrthrych gyda'r geiriau 'cynhesach, cynhesach, oerach!' a phan mae'n symud oddi wrtho, mae'n cael rhybudd ar ffurf y geiriau 'oerach, oerach!' Mae ein 'hemosiynau negyddol' – dicter, gorbryder, ffieidd-dod a thristwch – yn gyfystyr â'r alwad 'oerach, oerach', yn arwydd o fygythiad neu rwystr i'n nod. Felly, emosiynau rhybudd yw emosiynau 'negyddol'. Mae 'emosiynau cadarnhaol' – fel hapusrwydd, llawenydd a chyffro – yn arwyddion ein bod yn dod yn agosach at ein nod. Mae'r rhain yn cyfateb i'r gri 'cynhesach, cynhesach'.

Swyddogaeth emosiynau gwahanol

Fel y gwelson ni uchod, gallwn edrych ar ein hemosiynau o ran eu swyddogaeth; er enghraifft, swyddogaeth emosiynau bygythiad yw ein rhybuddio am bethau a pheri i ni gymryd camau amddiffynnol, a swyddogaeth emosiynau mwy cadarnhaol yn eu hanfod yw nodi ein bod ni'n gwneud yn iawn a pheri i ni ddal ati. O ran eu swyddogaethau, gellir rhannu ein hemosiynau'n fras yn dri phrif gategori:

1. Y rhai sy'n canolbwyntio ar fygythiad a hunanamddiffyn.

2. Y rhai sy'n canolbwyntio ar wneud a chyflawni.

3. Y rhai sy'n canolbwyntio ar leddfu pryderon, bodlonrwydd a chysylltiad ag eraill.

> *Mae ein cymhellion cynhenid yn rhoi cyfeiriad i ni. Mae ein hemosiynau yn ein helpu i **deimlo** bod y cymhellion hyn yn bwysig i ni.*

Mae'r tair system emosiwn hyn yn cael eu cynrychioli yn ffigur 7.1 fel tri chylch sy'n rhyngweithio â'i gilydd. Mae'r model 'tri chylch' hwn yn rhan bwysig o'r model meddwl tosturiol, a bydd yn cadw cwmni i ni drwy'r llyfr hwn.

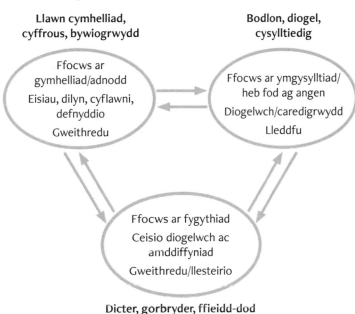

Ffigur 7.1: Tri math o system reoli emosiwn

O gyfrol Gilbert, *The Compassionate Mind* (2009), ailargraffwyd gyda chaniatâd Constable & Robinson Ltd.

Y system fygythiad a hunanamddiffyn

Fe ddechreuwn ni drwy edrych ar y system fygythiad ac amddiffyniad, gan ei bod yn debygol mai hon fydd yr un ddaeth â chi at y llyfr hwn. Drwy gydol ein bywydau, rydyn ni'n wynebu gwahanol fathau o fygythiadau, ac o ganlyniad mae gennym ni wahanol fathau o emosiwn. Felly, mae bygythiadau a allai ein niweidio ni neu wneud drwg i ni fel arfer yn cynhyrchu gorbryder, gan beri i ni fod eisiau ffoi neu guddio. Mae bygythiadau sy'n ymwneud â phethau'n amharu ar ein nodau, er enghraifft (yn cynnwys ni ein hunain neu bobl eraill yn dod ar ein traws), yn cynhyrchu rhwystredigaeth a dicter. Gall bygythiadau sy'n ymwneud â halogiad o ryw fath fod yn gysylltiedig â ffieidd-dod. Gellir meddwl am dristwch fel rhywbeth sy'n gysylltiedig â bygythiad hefyd, er ei fod yn ymwneud mwy ag ymateb i golled.

Meddyliwch eto am y gasél hwnnw y daethom ar ei draws yn gynharach yn y llyfr, a'r tro hwn, mae'n pori'n dawel. Mae'r rhan o'r ymennydd sy'n ymwneud â chanfod bygythiadau yn cadw llygad, clust a ffroen ar agor am yr awgrym lleiaf o berygl. Os yw'n sylwi ar unrhyw arlliw o berygl, gallai'r gasél sefyll yn ei unfan mewn cyflwr o ymwybyddiaeth ddwysach, ac yna ffoi os bydd y llew yn ymosod. Gallwn weld hyn ynom ein hunain. Dychmygwch fynd i grŵp mam a'i phlentyn pan fyddwn ni'n teimlo ychydig yn swil a dihyder. Efallai y bydden ni'n sylwi ein bod mewn cyflwr o orbryder dwys, lle bydden ni'n sganio am 'berygl' ar ffurf wynebau gelyniaethus, neu berygl o gael ein hystyried yn rhywun o'r tu allan a allai gael ei anwybyddu neu ei farnu. Mae'n ddigon posib y bydden ni'n teimlo fel rhedeg allan o'r ystafell neu 'ffoi'.

Mae dicter, ar y llaw arall, yn fath gwahanol o emosiwn bygythiad sy'n codi pan fyddwn ni'n teimlo ein bod yn cael ein llesteirio a'n rhwystro neu pan deimlwn fod pobl wedi ein trin ni'n annheg, er enghraifft. Yn hytrach na chael ysfa i redeg i ffwrdd, mae dicter yn peri i ni fod eisiau ymgysylltu â'r bygythiad, drwy ddadlau efallai, neu hyd yn oed drwy ymladd. Yn ddiddorol, mae mamau llawer o rywogaethau yn gallu bod yn fwy ymosodol, yn enwedig pan maen nhw'n meddwl y gallai eraill wneud niwed i'w babanod. Felly, pan fyddwn ni'n cael babi, mae'n bosib y bydd gorbryder a dicter yn effeithio arnon ni yn llawer haws nag o'r blaen.

Pan fyddwn ni'n orbryderus, rydyn ni'n aml yn mynd yn fwy pigog hefyd, ac yn ei chael hi'n hawdd profi dicter llwyr. Dychmygwch sefyllfa lle rydyn ni'n ceisio dod allan o'r grŵp mam a'i phlentyn yn sydyn oherwydd bod gorbryder yn ein llethu, ac mae rhywun wedi cau ein bygi ni i mewn gyda'i bygi hi. Mae'n bosib y bydden ni'n teimlo fel taflu ei bygi hi o'r ffordd, oherwydd ei fod yn bygwth ein siawns ni o gyrraedd lle diogel. Fel y byddwn yn gweld, mae dicter a gorbryder fel arfer yn mynd law yn llaw. Os oes gorbryder yno, gallwn chwilio am ddicter; os oes dicter yno, gallwn chwilio am orbryder neu ofn y tu ôl iddo.

> *Mae emosiynau'r system fygythiad yn ein helpu i weithredu er mwyn cadw'n ddiogel.*

Pan fyddwn yn teimlo ein bod yn cael ein bygwth, mae'r rhan o'n system nerfol o'r enw'r system nerfol sympathetig yn cael ei hysgogi. System egnïo yw hon sy'n ein paratoi ar gyfer gweithredu, ac mae'n gwneud hynny drwy gyflymu curiad y galon a dargyfeirio gwaed yn sydyn o'r system dreulio i'r cyhyrau, er mwyn rhoi'r nerth i ni ymladd neu ffoi (dyma pam mae problemau stumog a threulio weithiau'n codi pan fyddwn ni'n orbryderus neu'n ddig). Ar brydiau, fodd bynnag, pan fyddwn mewn cyflwr dwysach o gyffro yn sgil bygythiad, gallwn deimlo bod ein corff yn cael ei rwystro, fel pe baem yn cael ein dal yn ôl mewn rhyw ffordd yn hytrach na chael ein hysgogi. Bryd hynny, rydyn ni'n fwy tebygol o fod yn ymostyngol nag ymosodol, gan deimlo bod ein corff wedi colli egni ac wedi 'dymchwel'. Mae ein llais yn tawelu hefyd, ac fe fyddwn ni'n troi'n oddefol a mewnblyg. Hwn yw'r ymateb 'ofn'. Os yw'r emosiwn yn un o ffieidd-dod, gallwn brofi ymdeimlad o fod eisiau cadw draw o'r hyn sy'n ein ffieiddio. Mae ffieidd-dod fel arfer yn ymwneud â hylifau, cynnyrch ac arogleuon corfforol. Weithiau, mae chwŷd neu faw babi'n ein 'ffieiddio'. Felly mae ein hymatebion i fygythiad yn cynnwys rhewi, ffoi, ymladd, dychryn a ffieidd-dod.

'Gwell diogel nag edifar'

Pwynt allweddol i'w gydnabod gydag emosiynau bygythiad yw eu bod yn aml yn hawdd i'w hysgogi – gallwn fod wedi'n trochi mewn emosiwn bron cyn i ni hyd yn oed sylweddoli ei fod wedi'i ysgogi. Mae cyflymder yr ymateb hwn wedi esblygu ynom i'n helpu i gadw'n ddiogel. Felly, fel y gwelwyd yn gynharach, pe baen ni'n mynd am dro drwy'r coed ar ddydd o haf ac yn gweld neidr, mae'n bosib y bydden ni'n neidio, yn rhewi neu'n gweiddi cyn i ni gael amser i weld ai neidr neu ddarn o bren roedden ni wedi'i weld. Y rheswm am hyn yw bod ein hymennydd, wrth synhwyro bygythiad, yn defnyddio strategaeth 'gwell diogel nag edifar' ac yn tanio ymateb bygythiad yn awtomatig, hyd yn oed cyn i'n hymennydd ymwybodol sylwi ar yr wybodaeth. Mae hyn yn arbed gwastraffu amser gwerthfawr yn pendroni ai neidr neu ddarn o bren sydd yno, a'n bod ni'n cael ein cnoi yn y cyfamser.

Hynny yw, rydyn ni'n dechrau ymateb rhewi, ffoi neu ymladd cyn ein bod ni'n ymwybodol ohono hyd yn oed. Mae'n bwysig cofio hyn os byddwn ni byth yn beirniadu ein hunain am ein hymatebion cychwynnol. Felly, pan fyddwn ni'n sydyn yn teimlo'n ddig ar ôl i'n babi ein taro ar ein pen ar ddamwain â bloc pren, neu pan fyddwn ni'n teimlo fel crio o flaen rhywun sydd wedi ein beirniadu, nid ein bai ni yw hynny. Dydyn ni ddim yn gallu newid yr ymateb cychwynnol hwn. Dim ond wedi i ni ddod yn ymwybodol ohono y gallwn ni ei reoli, ac mae'n anodd gwneud hynny hyd yn oed wedyn. Felly, er ei bod yn cynhyrchu teimladau ac emosiynau annymunol ac anodd – fel dicter, gorbryder a ffieidd-dod – mae'r system fygythiad, yn ei ffordd syml, ansoffistigedig ei hun, mewn gwirionedd yn gwneud ei gorau i'n diogelu ni, hyd yn oed os yw hynny weithiau'n golygu camgymryd rhwng pethau diogel ac anniogel.

Rhewi, ffoi, ymladd a dychryn

Fel y gwelson ni eisoes, gallwn gael ymatebion gwahanol i fygythiad, a'r rheini'n gyflym ac awtomatig. Credir bod anifeiliaid a bodau dynol yn profi cyfres o ymatebion i fygythiad, yn ôl pa mor agos yw'r bygythiad.[2] Er enghraifft, yn gyntaf oll, bydd y gasél sy'n sylwi ar y llew yn rhewi. Mae hyn oherwydd bod anifeiliaid wedi esblygu i sylwi ar symudiadau, felly mae aros yn llonydd yn ymateb cychwynnol da. Os yw'r llew yn dechrau rhedeg tuag ato, bydd yn rhedeg. Os bydd y llew yn cael gafael arno, bydd y gasél yn ymladd drwy wingo. Ond os nad yw'n gallu torri'n rhydd, mae ganddo un ymateb olaf – a elwir weithiau'n ymateb 'dychryn' neu 'esgus marw', lle mae'r gasél yn mynd yn llipa neu'n 'donigol lonydd'. Un ddamcaniaeth ar gyfer yr ymateb hwn yw y gallai'r ymosodwr lacio'i safn os yw'n credu bod ei ysglyfaeth yn farw, gan roi cyfle i'r ysglyfaeth ddianc. Rydyn ni'n gweld hyn pan fydd llygoden yng ngheg cath. Mae'n ymddangos yn farw, ond yr eiliad y mae'r gath yn ei gollwng, mae'n 'ailfywiogi' ac yn rhedeg i ffwrdd. Mae'n bosib y bydd pobl sy'n dioddef ymosodiad yn gweld yr ymateb hwn yn cael ei ysgogi'n awtomatig pan fydd yr ymennydd yn gweld bod ymladd neu ffoi yn beryglus neu'n amhosib.

Mae gallu'r corff i ymateb i rai bygythiadau drwy lacio cyhyrau'r corff, yn hytrach na'u hatgyfnerthu fel sy'n digwydd gyda rhewi, ymladd a ffoi, yn rhan o'r ymateb drwy ildio. Gall y system hon gael ei gweithredu pan fyddwn yn cael ein bygwth gan bobl sy'n fwy o ran corffolaeth ac yn fwy dychrynllyd na ni, fel ein rhieni pan ydyn ni'n blant, pobl sy'n ein bwlio yn yr ysgol, neu os ydyn ni'n cael ein cam-drin yn rhywiol, yn gorfforol ac yn emosiynol. Credir hefyd ei fod yn rhan o'r profiad o gywilydd, pan fyddwn yn teimlo ein bod yn israddol ym meddwl rhywun arall rydyn ni'n ei ystyried yn bwysicach neu'n gryfach na ni. Gallwn ymateb drwy edrych i lawr, teimlo ein bod eisiau i'r ddaear ein llyncu ni, neu fod yn brin iawn o egni. Mae'r rhain yn arwyddion awtomatig o ildio, a'u bwriad yw atal y person arall rhag ymosod. Rydyn ni'n gweld hyn mewn llawer o anifeiliaid hefyd. Credir ei fod ynghlwm wrth iselder. Yn yr un modd â'r ymatebion eraill yn y system ymateb i fygythiad, dydyn ni ddim yn dewis ymateb fel hyn; ein meddwl ni sy'n gweithio'n gyflym i ddewis yr ymateb gorau i'n diogelu ni.

NODIADAU BABI

Pan fydd gennym ni fabi newydd, gall ein system fygythiad gael ei hysgogi ar sawl achlysur, gan greu teimladau o ddicter, gorbryder a hyd yn oed ffieidd-dod ynom. Rydyn ni bellach yn gweld ei bod hi'n anodd rheoli'r rhain, gan eu bod yn dechrau'n gyflym ac yn awtomatig cyn ein bod ni'n ymwybodol ohonyn nhw. Yn lle hynny, os gallwn ni ddysgu deall a dangos tosturi tuag atom ein hunain pan fyddwn ni'n teimlo'r emosiynau hyn yn codi, yna fe allwn ni greu ychydig o ofod o amgylch y teimladau. Bydd hynny'n caniatáu i ni fod yn llai tebygol o ymateb i achos y bygythiad, a hyd yn oed yn ein galluogi i leddfu ein dicter, ein gorbryder a'n ffieidd-dod.

Weithiau, pan fyddwn ni gyda'n babi, mae'r rheswm pam ein bod yn cael ein llethu gan deimladau o'r fath yn amlwg; mae'n bosib ein bod yn flinedig ac yn lluddedig iawn, neu'n teimlo'n ddiymadferth ac yn rhwystredig gyda babi sydd wedi bod yn crio am oriau. Ond mae cryfder ein teimladau weithiau'n ymddangos yn anghymesur â'r hyn sydd wedi digwydd. Mae hynny'n bosib oherwydd bod eiliad benodol gyda'n babi yn ysgogi atgofion am rywbeth a ddigwyddodd yn y gorffennol.

Wrth gwrs, mae ein babi'n gallu bod yn ffynhonnell addysg hyfryd i ni; gallwn ddysgu llawer am ein hemosiynau ein hunain drwy ei wylio. Dydy babanod ddim yn hunanymwybodol, felly, ar y cyfan, dydyn nhw ddim yn cuddio'u hemosiynau. Maen nhw hefyd yn dangos eu hemosiynau'n gorfforol, gan eu gwneud yn fwy gweladwy. Wrth i'n babi fynd yn hŷn, gallwn sylwi ar arwyddion sy'n dweud wrthym a yw'n profi teimladau o ddicter, gorbryder neu ffieidd-dod. Drwy'r arwyddion hyn, rydyn ni'n dechrau dysgu am ein babi.

> *Gall enwi emosiynau helpu i'w tawelu.*

Gallwn hefyd ddechrau enwi'r emosiynau hyn ar gyfer ein babi, sy'n broses bwysig iawn. Wrth i'n babi dyfu, mae'n help iddo nodi'r hyn mae'n ei deimlo. Mae hefyd yn helpu'r plentyn i deimlo'i fod yn cael profiad dealladwy ac arferol yn hytrach na bod rhywbeth dienw, rhyfedd a di-ffurf yn digwydd yn ei gorff. Profwyd bod enwi emosiwn bygythiad yn tawelu gweithgaredd yn y rhan honno o'r ymennydd sy'n canfod bygythiad. Er enghraifft, os gwelwn ni lun o berson dig, mae'n ysgogi'r rhan o'r ymennydd sy'n canfod bygythiad (yr amygdala), ond cyn gynted ag y byddwn yn rhoi'r label 'dicter' i'r emosiwn, mae'r amygdala yn 'tawelu'.[3] Gall enwi emosiynau bygythiad rydyn ni'n eu canfod yn ein babi nid yn unig ein tawelu ni, ond hefyd dawelu ein plentyn wrth iddo dyfu.

Gallwn ddechrau enwi emosiynau hyd yn oed cyn ein bod ni'n meddwl bod ein babi yn gallu eu deall. Mae naws llais a mynegiant wyneb yn gallu tawelu ein babi (a ninnau hefyd). Oherwydd bod pobl eraill yn ffynonellau sylweddol o fygythiad neu ddiogelwch i ni, mae'r amygdala wedi esblygu i fod yn arbennig o sensitif i fynegiant wyneb a naws llais, a dyna pam mae ein babi (a ninnau) yn gallu cael ei ddychryn neu ei gysuro'n sydyn iawn gan naws llais a mynegiant wyneb.

Mae'r broses hon yn gweithio yn y ddau gyfeiriad. Pan fyddwn ni'n sylwi ar arwyddion bygythiad o ddicter, gorbryder neu ffieidd-dod yn ein babi, maen nhw'n creu ymateb awtomatig ynom ninnau hefyd. Oherwydd eu bod yn digwydd mor gyflym, mae angen i ni ddefnyddio ein sgiliau ymwybyddiaeth ofalgar i ailchwarae ac arafu'r rhyngweithio ac i arsylwi arno heb farnu. Mae hyn yn ein galluogi ni i fod yn chwilfrydig am yr hyn a ddigwyddodd. Mae'n bosib y gwelwn ein bod yn meddwl neu'n ymddwyn yn wahanol iawn tuag at ein babi, gan ddibynnu ai dicter, gorbryder neu ffieidd-dod a welwn ynddo. Efallai ein bod yn teimlo pryder a gofal tuag atyn nhw pan fydd ofn arnyn nhw, ond dicter tuag atyn nhw pan fyddan nhw'n ddig. Mae'r rhain yn ymatebion arferol. Ond os gallwn ddod yn fwy ymwybodol o'n hymatebion, mae'n bosib y gallwn ddewis ffyrdd eraill o ymateb nad oedden nhw ar gael i ni pan wnaethon ni ymateb heb ymwybyddiaeth. Er enghraifft, efallai y bydden ni am geisio ymateb i ddicter gyda chydymdeimlad.

> *Mae ymwybyddiaeth ofalgar yn rhoi cyfle i ni sylwi ac yna i newid ein hymatebion.*

Mae hyn oll yn ein cynorthwyo i ddeall gwerth ymwybyddiaeth ofalgar; rydyn ni'n dysgu sylwi ar yr hyn sy'n codi ynom ni, ac wrth wneud hynny, rydyn ni'n datblygu'r gallu i labelu ein hemosiynau. Yn ddelfrydol, rydyn ni'n dod yn chwilfrydig ynghylch yr hyn sy'n codi ynom ni yn hytrach na bod yn feirniadol. Y pwynt yw bod ein hemosiynau wedi'u cynhyrchu gan brosesau ymenyddol dwfn nad ydyn ni eu heisiau weithiau. Mae peidio â barnu yn caniatáu i ni ddewis gweithredu yn ôl ein dewis. Mae bywyd yn frith o achlysuron lle rydyn ni'n dysgu diystyru gorbryder – er enghraifft, prawf gyrru, sefyll arholiad, mynd allan ar ddêt cyntaf, neu fynychu cyfweliad – pe baen ni'n ildio i orbryder bob tro mae'n taro, fydden ni ddim yn gwneud dim byd. Mewn ffordd, felly, mae bywyd yn ymwneud â dysgu *sylwi ar yr hyn rydyn ni'n ei deimlo ond dewis yr hyn rydyn ni'n ei wneud*. Gall sylwi ar eich system fygythiad ar waith fod yn fuddiol dros ben.

Y system gymell

Nawr, gadewch i ni edrych ar y gyntaf o'r ddwy system emosiwn 'gadarnhaol': y system gymell (gweler y cylch chwith uchaf yn Ffigur 7.1).

Mae bywyd, wrth gwrs, yn fwy nag ymdrin â bygythiadau, ac mae nifer o emosiynau yn ein hysgogi ac yn ein bywiogi i fynd allan a sicrhau'r pethau rydyn ni eu hangen a'u heisiau, fel bwyd, partner, swydd, cartref, neu hyd yn oed prynu newydd pâr o esgidiau. Ar y cyfan, gall emosiynau cymell deimlo'n bleserus neu o leiaf yn gysylltiedig â rhag-weld rhywfaint o emosiwn pleserus. Er enghraifft, dychmygwch ein bod yn clywed i ni ennill miliwn o bunnoedd. Beth fydden ni'n ei deimlo yn ein corff? Beth fyddai ein corff eisiau ei wneud? Ar beth fyddai ein sylw? Beth fyddai ein meddyliau? Mae'n siŵr y bydden ni'n clywed ein calon yn pwnio, yn awyddus i neidio â'n breichiau i fyny yn yr awyr, gwên enfawr ar ein hwyneb, eisiau ffonio pobl a dweud wrthyn nhw am y newyddion da. Mae'n bosib y bydden ni'n meddwl beth fydden ni'n gallu ei brynu gyda'r arian: newid yr hen gar efallai, prynu tŷ newydd, talu'r bil cerdyn credyd i gyd, neu gael y gwyliau delfrydol hynny. Efallai y bydden ni'n teimlo'n gynhyrfus a braidd yn manig, ac mae'n debyg y bydden ni'n ei chael hi'n anodd cysgu'r noson honno.

Ar y cyfan, mae ein hemosiynau pleser yn llai eithafol, fel arfer yn gysylltiedig ag amrywiaeth eang o weithgareddau sy'n gysylltiedig â llwyddiannau bach, gan gynnwys gwneud yn dda yn ein gwaith, tawelu ein babi piwis, mynd allan gyda ffrindiau, neu hyd yn oed dacluso'r gegin o'r diwedd.

> *Mae emosiynau'r system gymell yn bleserus ac yn egnïol. Maen nhw'n ein helpu ni i symud tuag at ein nodau.*

Mae emosiynau cadarnhaol wedi'u hysgogi hefyd yn gysylltiedig â chwympo mewn cariad, gan gynnwys cwympo mewn cariad â'n babi. Weithiau, disgrifir yr emosiynau hyn fel rhai llawen, neu hyd yn oed fel cyffro. Fodd bynnag, mae dwy broses sylweddol sy'n gallu ymyrryd ag emosiynau cadarnhaol. Y gyntaf, wrth gwrs, yw bygythiad. Dychmygwch ein bod ni'n cael amser braf un diwrnod yn mwynhau'r tywydd, efallai'n pendwmpian yn yr heulwen, ac yn sydyn rydyn ni'n clywed bloedd. Bydd y system fygythiad yn diffodd yr emosiynau cadarnhaol ar unwaith. Mae'n reddfol i fygythiad oresgyn emosiynau cadarnhaol.

Fel mamau, felly, pan fyddwn yn teimlo dan lefelau uchel iawn o fygythiad, gallwn ei chael yn anodd iawn profi emosiynau cadarnhaol sy'n ymwneud â'n babanod. Dydy hynny ddim yn fai arnon ni o gwbl – dyna sut mae'r ymennydd yn gweithio. Wrth i'r bygythiad leihau, mae'r emosiynau cadarnhaol yn gallu dechrau ailymddangos.

Un arall o brif achosion mygu'r system emosiynau cadarnhaol yw lludded. Cyflwr corfforol yw lludded; yn y bôn, mae'n dweud wrth organeb ei bod yn brin o egni a bod angen iddi orffwys. Yn wir, blinder a lludded yw un o'r prif resymau dros anhawster mamau plant ifanc i deimlo'r llawenydd disgwyliedig ac i ymhyfrydu yn eu plant. Mae beichiogrwydd, genedigaeth, adferiad a gofalu am blentyn ifanc yn broses hir a di-baid sy'n gallu arwain at ludded eithafol, a gall hynny ynddo'i hun grebachu'r system emosiynau cadarnhaol. Os byddwn wedyn yn dechrau beirniadu a beio ein hunain am fethu ymhyfrydu yn ein plentyn, byddwn yn sbarduno mwy o fygythiad ynom ein hunain, ac yn anfwriadol yn gwneud pethau'n llawer gwaeth.

Mae diflastod yn gallu bod yn un o ganlyniadau crebachu'r system emosiynau cadarnhaol. Yn wir, mae llawer o famau yn cyfaddef bod gofalu am blentyn ifanc yn eu diflasu. Mae hyn yn arbennig o wir os yw bod yn fam wedi golygu colli agweddau ar fywyd a fu'n destun pleser i ni; gwaith, er enghraifft, neu gyswllt ag eraill, hobïau, hyd yn oed pethau syml fel amser i ddarllen cylchgrawn neu lyfr da.

> Mae angen 'bwydo' ar ein system gymell, neu rydyn ni'n diflasu, yn swrth ac yn isel ein hwyliau.

Gall iselder hefyd fod yn achos diflastod. Mae'n rhoi'r teimlad i ni o fethu poeni am fawr ddim, nad oes gennym ni egni, ac nad ydyn ni'n profi unrhyw lawenydd bellach. Mae rhai pobl yn ei ddisgrifio fel petai'r lliw i gyd wedi mynd allan o fywyd, gan adael dim byd ond llwyd. Credir mai un rheswm dros yr anawsterau bondio â'n babi pan fydd iselder arnon ni yw bod y system gymell yn cael ei chrebachu. Mae hyn yn golygu nad yw'n gallu sylwi ar y babi fel profiad 'gwerth chweil', fel y mae mewn mamau nad ydyn nhw'n isel eu hysbryd. Fel y gwelwn ni yn nes ymlaen yn y llyfr hwn, mae sawl rheswm posib dros fethiant mam i fondio â'i phlentyn. Fodd bynnag, unwaith y bydd eu hiselder wedi cilio, mae rhai menywod yn dechrau profi llawenydd eto, ac yn sylwi bod eu teimladau tuag at eu babi yn datblygu ohonyn nhw'u hunain.

Mae hefyd yn bwysig cofio bod *angen bwydo systemau emosiynau cadarnhaol*. Does dim angen i ni fwydo ein system fygythiad – mae emosiynau bygythiad yn berffaith abl i ymddangos ar eu pennau eu hunain – ond mae angen i ni ymarfer ysgogi systemau emosiynau cadarnhaol. Felly, er enghraifft, mae angen i ni gael pethau i edrych ymlaen atyn nhw er mwyn helpu i gynnal diddordeb mewn bywyd. Dyma pam mae'r cyfnod yn union wedi'r Nadolig yn un o'r adegau brig ar gyfer cynllunio gwyliau; gall edrych ymlaen at wyliau helpu i'n cynnal drwy weddill y gaeaf.

Pan fyddwn yn dechrau teimlo'n ddiflas, yn ddi-hwyl neu'n isel ein hysbryd, mae'n bwysig ein bod yn cynllunio pethau sy'n gallu ysgogi ein system emosiynau cadarnhaol. Mae dau fath o weithgaredd yn arbennig o bwysig: y rhai sy'n rhoi ymdeimlad o gyflawniad i ni a'r rhai sy'n rhoi cyswllt i ni â phobl eraill. Gallai'r rhain gynnwys mynd allan am bryd o fwyd gyda'n partner, cwrdd â ffrindiau, mynd i grŵp mam a'i phlentyn, neu hyd yn oed fynd i siopa. Does dim angen i ni gyflawni dim o arwyddocâd mawr er mwyn ysgogi ein system emosiynau cadarnhaol. Gall gwneud y gwely, neu roi ychydig o ddillad glân i'w cadw, fod yn ddigon. Mae gweithredoedd bach yn gallu creu math o effaith caseg eira, gan roi digon o egni a chymhelliant i ni wneud rhywbeth arall, sydd wedyn yn gwneud i ni deimlo hyd yn oed yn well.

Gyda babi, gall fod yn arbennig o bwysig cynllunio cyfleoedd yn ein hamserlen ar gyfer gweithgareddau a allai ddod â mwynhad; fel arall, mae perygl i'n byd grebachu i fod ar ein pen ein hun gartref gyda'r babi. Mae iselder yn gallu crebachu ein byd hefyd, a dyna pam mae cyfuniad o iselder a chael babi ifanc yn gallu bod yn arbennig o anodd. Mae angen i ni gofio bod angen i'n systemau emosiynau cadarnhaol gael eu bwydo'n rheolaidd, fel ein hanifeiliaid anwes, neu fel ein cyhyrau; mae angen ymarfer corff i'w cadw'n ystwyth ac yn gweithio'n dda. Mewn geiriau eraill, mae gweithgareddau pleserus yn fwy na dim ond pethau 'braf' i'w gwneud; maen nhw'n hanfodol i'n llesiant a'n gallu i ddal ati.

Weithiau, mae bwrw iddi i wneud y gweithgareddau hyn yn gallu bod yn anodd oherwydd ein bod yn lluddedig, yn teimlo'n isel neu'n orbryderus. Mae mynd allan gyda ffrindiau, er enghraifft, yn gallu bod yn fwrn yn hytrach nag yn bleser. Serch hynny, mae'n bwysig ceisio diystyru'r gorbryder hwnnw os gallwn ni wneud hynny. Os ydyn nhw'n llwyddo i oresgyn y gorbryder, mae pobl yn aml yn gweld bod gwneud yr hyn sydd fel arfer yn bleserus yn gwneud iddyn nhw deimlo'n llawer gwell.

NODIADAU BABI

Gellir gweld y system gymell yn glir iawn yn ein babi wrth iddo dyfu. Mae'n bosib y daw i'r amlwg i ni gyntaf pan fydd yn gwenu, ac yna'n ddiweddarach fel llawenydd go iawn. Gallwn wylio ymateb ein plentyn wrth estyn am ei hoff fwyd neu ei hoff degan. Yn aml, mae egni'n llifo drwy ei gorff cyfan; efallai y bydd yn sboncio i fyny ac i lawr, gan estyn allan â'i ddwylo *a'i* goesau. Efallai y bydd gwên fawr yn ffurfio ar ei wyneb, ac y bydd yn dechrau gwneud synau llawn cyffro. Os nad ydyn nhw'n cael y bwyd neu'r tegan yn ddigon sydyn, mae'n bosib y byddwn yn sylwi ar y system fygythiad yn ymddangos, a hwythau'n dechrau mynd yn rhwystredig ac yn ofidus. Mae'r system gymell a'r system fygythiad yn agos at ei gilydd, a'r ddwy'n rhan o'r system nerfol sympathetig, sy'n gysylltiedig ag ysgogiad a chyffroi.

Mae pa mor sydyn fydd babi'n diflasu, neu'n colli diddordeb mewn rhywbeth oedd yn gyffrous neu'n ei swyno ychydig ynghynt, yn brawf bod y system gymell yn mynnu cael ysgogiad newydd yn gyson. Mae hon yn broses arferol o'r enw 'cynefino'. Wrth i'r system gymell grebachu a dioddef o ddiffyg ysgogiad, gall danio ein system fygythiad i'n rhybuddio am yr angen am fwy o ysgogiad. Pan fydd babi yn diflasu ar degan, mae'n gallu ymddwyn yn bigog eto, gan nodi bod angen rhywbeth newydd i fynd â'i sylw.

Y system leddfu: arafu a diogelwch cymdeithasol

Mae delio â bygythiadau, a mynd allan a chael gafael ar adnoddau, yn dasgau pwysig mewn bywyd ac, fel y gwelson ni, rydyn ni'n meddu ar y cymhellion a'r emosiynau i wneud y tasgau bywyd hynny. Ond mae hefyd yn hanfodol ein bod yn gallu caniatáu amser i 'orffwys a threulio', ac arafu a thawelu'r corff a'r meddwl yn gyffredinol. Fel arall, fe fydden ni wrthi drwy'r amser, ac yn defnyddio egni gwerthfawr. Rydyn ni'n gweld hyn yn ein babi; am yr ychydig fisoedd cyntaf, bydd yn treulio llawer o'i amser yn cysgu, yn arbed egni lle bo hynny'n bosib, oherwydd, i fabi, mae'r ysgogiad o fod yn effro, ynghyd â'r broses dyfu, yn defnyddio egni rhyfeddol.

Fel mae'n digwydd, os nad ydyn ni dan unrhyw fygythiad ac os nad oes angen i ni gyflawni neu fynd ar drywydd unrhyw beth, mae'r corff yn gallu mynd i gyflwr o *fodlonrwydd heddychlon*.[4] Mae hyn yn creu teimlad cadarnhaol gwahanol iawn i gymell, ac mae'n cael effaith ddwys ar ein cyrff a'n meddyliau. Mae'r system hon o fodlonrwydd, diogelwch a chysylltiad i'w gweld ar ochr dde Ffigur 7.1. Yn hytrach na'n bywiogi fel y system gymell, mae'n ein cysuro, gan ein harwain i gyflwr o dawelwch, heddwch a llonyddwch. Er mwyn bod yn gryno, byddwn yn cyfeirio ati fel y 'system leddfu'. Mae'n cael ei thanio pan fyddwn ni wedi cael popeth sydd ei angen arnon ni (mae'r system gymell wedi'i diffodd), a phan nad ydyn ni'n ddig neu'n orbryderus ynghylch unrhyw beth (mae'r system fygythiad wedi'i diffodd).

Fodd bynnag, mae'n fwy na hynny. Mae'n cael ei hysgogi nid yn unig gan *absenoldeb* cymell neu fygythiad, ond pan fyddwn yn sylwi ar *bresenoldeb* ymdeimlad o ddiogelwch. Gallai'r ymdeimlad hwnnw ddod o'r tu mewn i ni neu gan y bobl o'n cwmpas. Dyma pam mae'r cylch yn Ffigur 7.1 yn cyfeirio at 'ymgysylltiad', oherwydd ei fod yn cael ei danio pan fyddwn ni'n teimlo cysylltiad ag eraill (nid dim ond â'n plant).

Natur lleddfu, arafu a llonyddu

Gallwn brofi bodlonrwydd a chysur mewn ffordd gymdeithasol ac mewn ffordd anghymdeithasol, er eu bod yn brosesau gwahanol. Y ffordd anghymdeithasol, yn syml, yw ein bod yn teimlo'n fodlon â lle'r ydyn ni, pan nad ydyn ni dan unrhyw fygythiad a phan nad ydyn ni am gyflawni na mynd ar drywydd unrhyw beth yn benodol. Rydyn ni'n fodlon yn y foment gyda phethau fel ag y maen nhw. Mae hwn yn fath o ymlacio. Er enghraifft, efallai y byddwn ni'n teimlo fel hyn ar ein gwyliau, yn gorwedd wrth ymyl y pwll, ac yn mwynhau'r haul heb ofal yn y byd. Fodd bynnag, mae yna hefyd ffurf effro o leddfu sy'n bwysig iawn ac yn codi pan ydyn ni'n paratoi i wneud rhywbeth. Dychmygwch ddeifiwr ar y bwrdd uchel yn paratoi i ddeifio. Am eiliad, mae'n rhoi sylw i'r corff a'i anadlu, gan setlo'r meddwl, creu pwynt llonyddwch mewnol – ac yna'n plymio. Pan fyddwn ni'n sôn am leddfu ac anadlu mewn ffordd benodol, anadlu rhythmig lleddfol, fe fyddwn ni'n canolbwyntio ar yr 'arafu a llonyddu mewnol' hwn yn hytrach na'r math o leddfu sy'n debycach i ymlacio lle mae'r cyhyrau'n mynd yn llipa a ninnau'n mynd i gysgu.

Pan fyddwn ni'n ystyried tosturi, er ei fod yn gysylltiedig â'r system leddfu, dydy e'n sicr ddim yn ymwneud ag ymlacio na mynd i gysgu. Mae'n ymwneud â chanfod pwynt o sefydlogrwydd mewnol ynom ein hunain sy'n caniatáu i ni feddwl yn glir a gweithredu mewn ffordd ddefnyddiol. Mae'r dull meddwl tosturiol yn ymwneud cymaint â'r broses o lonyddu ag y mae â'r broses o leddfu.

> *Mae emosiynau'r system leddfu yn ein helpu i deimlo'n ddiogel, yn dawel ein meddwl ac yn heddychlon.*
>
> *Mae ein corff yn teimlo'n ddigyffro ac yn sefydlog, gan ganiatáu iddo arbed egni, treulio bwyd ac atgyweirio'i hun.*

Mae'r gallu i deimlo wedi'ch cysuro yn gysylltiedig ag anwyldeb ac ymgysylltiad. Dychmygwch fabi sy'n ymddangos ychydig yn ofidus, er enghraifft. Pan mae'n cael ei godi, ei siglo'n ysgafn a'i gyfarch mewn llais cysurlon, mae'n ymdawelu'n raddol. Yr hyn sy'n digwydd yma yw bod eich ymddygiad gofalgar o ddal a chofleidio wedi ysgogi system leddfu eich babi. Mae'r arwyddion sy'n deillio o'r cofleidio a'r dal, y llais tawel a mynegiant yr wyneb, yn cael eu cydnabod gan ymennydd y babi fel arwydd bod yr amgylchedd yn ddiogel. Mewn gwirionedd, mae gallu mamau mamalaidd i dawelu babi gofidus wedi digwydd yn sgil esblygiad rhan benodol o'r system nerfol barasympathetig – un sydd â phriodweddau arafu a thawelu mewn ymateb i ganfod diogelwch neu noddfa gymdeithasol. Gwelwyd yn gynharach fod y system sympathetig yn gysylltiedig ag ysgogi ac egnïo. Mae'r rhan hon o'r system barasympathetig, ar y llaw arall, yn gysylltiedig â lleddfu a thawelu.[5] Esblygodd mewn mamaliaid, mae'n hwyluso ymlyniad ac mae'n ffordd i'r fam a'r babi reoli emosiynau ei gilydd.

Mae effaith arwyddion gofalu (y sail ar gyfer tosturi) yn gweithredu drwy gydol oes unigolyn, nid dim ond pan fyddwn ni'n fabanod. Er enghraifft, os ydyn ni mewn gofid a bod anwyliaid yn garedig ac o gymorth i ni, bydd hyn yn ein tawelu. Mae cael ein 'tawelu' gan garedigrwydd eraill yn digwydd oherwydd bod ein hymennydd wedi'i lunio i ymateb iddo – mewn geiriau eraill, *rydyn ni wedi'n cynllunio i gael ein cysuro gan arwyddion gofalgar pobl eraill*. A dweud y gwir, mae'n sylfaenol i'r ffordd mae ein hymennydd yn gweithio. Os ydyn ni'n gyfforddus yng nghwmni'r bobl o'n cwmpas, mae'n rhoi teimlad o ddiogelwch a bodlonrwydd i ni.

Bod yn ddiogel a dod yn ddiogel

Flynyddoedd lawer yn ôl, datblygwyd 'damcaniaeth ymlyniad' gan y seiciatrydd Prydeinig John Bowlby. Tynnodd sylw at y ffaith bod angen gofal ar bob mamal yn gynnar yn ei fywyd, a bod y rhiant a'r babi wedi'u trefnu'n fiolegol ar gyfer y berthynas honno. Felly, mae babanod yn barod i roi sylw i'w mamau/gofalwyr ac, yn eu tro, mae mamau/gofalwyr yn ymwybodol o anghenion ac arwyddion eu babanod. Mae'n awgrymu bod y rhiant yn darparu dau rinwedd allweddol: canolbwynt sicr a hafan ddiogel.[6] Y *canolbwynt sicr* sy'n rhoi hyder i'r plentyn fynd allan i archwilio'i amgylchedd. Mae'r rhieni'n annog archwilio a datblygiad eu plant. Felly, mewn amgylchedd newydd, er enghraifft, gall plentyn ddechrau archwilio'r amgylchedd hwnnw tra mae'r rhiant yn rhywle sy'n agos ato – mae agosrwydd y rhiant yn rhoi hwb i ddewrder y baban. Os bydd y rhiant yn diflannu'n sydyn, bydd y plentyn yn dychryn ac yn rhoi'r gorau i archwilio. Felly, mae perthynas agos rhwng canolbwynt sicr a'r gallu i archwilio ein hamgylchedd, ac yn y pen draw i ddatblygu'r dewrder i wynebu pethau a allai beri gorbryder.

Mae *hafan ddiogel* yn caniatáu i ni dawelu a rheoli ein gofid pan fydd wedi'i ysgogi. Felly os yw plentyn wedi cynhyrfu neu ddychryn, er enghraifft, bydd yn chwilio am ei riant neu ei ofalwr ar unwaith ac yna, yn dibynnu ar sut mae'r gofalwr yn uniaethu â'r plentyn, bydd yn tawelu. Mae systemau ffisiolegol yn y plentyn sy'n ymateb i ymddygiad gofalgar y rhiant.

Dychmygwch am funud fod mam yn eistedd mewn ystafell aros a'i babi yn chwarae'n hapus gyda theganau ar y llawr. Mae'r ffaith bod ei fam yn darparu canolbwynt sicr iddo yn ei alluogi i archwilio'r teganau, a'i amgylchedd o bosib. Yn sydyn, mae larwm tân uchel yn canu am ychydig eiliadau. Beth mae'r babi yn ei wneud? Mae'n bosib y bydd yn troi at ei fam, yn codi ei freichiau a mynegi ei bryder yn ei wyneb. Efallai y bydd yn crio. Gallwn weld bod ei system fygythiad wedi'i hysgogi, a'i bod wedi'i gyfeirio tuag at ei fam. Bellach mae ei hangen hi fel ei 'hafan ddiogel'. Beth mae'r fam yn ei wneud? Fe fydd hi'n sylwi ar yr arwyddion hyn yn awtomatig, ac mae hynny'n ysgogi cyfres o ymatebion ynddi hi. Mae rhai ohonyn nhw'n gynhenid ac eraill wedi'u dysgu. Mae'n debyg y bydd yn codi ei babi, ei ddal yn ei breichiau, defnyddio llais a mynegiant wyneb cysurlon, ac efallai'n ei siglo. Mae gofid ei babi wedi ysgogi ei system ofalgar, sy'n gallu deall ei drallod ac sy'n reddfol eisiau ei wella. Bydd plant ifanc yn ymateb yn yr un modd gofalgar, gan fod hyn yn gynhenid ynom. (Fel y gwelwn, serch hynny, yn y llyfr hwn, mae nifer o ffactorau sy'n gallu bwrw'r ymateb cynhenid hwn oddi ar ei echel.)

Beth sy'n digwydd i'r babi nawr? Os dychwelwn ni at y tair system emosiwn a nodwyd uchod, pa gylch sydd ar waith ynddo bellach? Mae'n debygol y bydd yn tawelu; bydd yn stopio crio, bydd cyhyrau ei gorff yn ymlacio, a bydd ei sylw yn dod yn fwy agored a chwilfrydig eto yn hytrach na chanolbwyntio ar y bygythiad (y sŵn) a ffynhonnell y diogelwch (ei fam); mae hyd yn oed yn bosib y bydd yn symud oddi ar lin ei fam ac yn mynd yn ei ôl i chwarae. Felly mae gweithredoedd ei fam – ei ddal a'i siglo, ynghyd â chyffyrddiad, cynhesrwydd, a naws llais a mynegiant wyneb cysurlon – i gyd yn ysgogi ei system leddfu. Ysgogiad y system leddfu sy'n tawelu system fygythiad y babi.

Hyd yn oed fel oedolion, mae angen canolbwynt sicr a hafan ddiogel arnon ni. Mae'r dull meddwl tosturiol yn ein helpu i ddatblygu'r rhain ynom ein hunain ac i estyn allan amdanyn nhw mewn eraill.

NODIADAU BABI

Beth sy'n helpu ein babi i symud i'w system leddfu? Os cofiwn am enghraifft y deifiwr a'r cyflwr o lonyddwch mae'n ei geisio wrth baratoi i blymio oddi ar fwrdd uchel, mae'r cyflwr hwn yn cyfateb i gyflwr y babi pan fydd yn effro ond yn ddigynnwrf, cyflwr y cyfeirir ato fel un o fod yn dawel effro. Sylwch pa mor gryf yw'r cysylltiad rhwng y cyflwr hwn a diogelwch yn y babi. Mae hyn yn gallu digwydd pan fydd y babi yn eich breichiau chi neu ym mreichiau rhywun sy'n ofalus ohono. Efallai ei fod yn eistedd ar eich glin, neu'n archwilio gan gadw un llygad arnoch chi. Beth yw'r arwyddion, amlwg a chynnil, sy'n dangos i chi fod system leddfu eich babi ar waith?

Y system leddfu: cyflwr ar gyfer didwylledd, creadigrwydd, dysgu ac archwilio

Fel y gwelson ni eisoes, mae'r system leddfu yn ein helpu i ddygymod a goroesi dioddefaint, ac mae hefyd yn gallu ein tawelu a'n cysuro pan fyddwn ni'n teimlo'n ddig neu'n ofnus. Mae hefyd yn hwyluso cyflwr arall pwerus iawn. Meddyliwch am fabi sy'n ceisio estyn am degan y mae arno ei eisiau. Mae yn ei system gymell, ac mae'i sylw wedi'i hoelio ar ei nod. Nawr, dychmygwch fod mam y babi yn cerdded i ffwrdd oddi wrtho. Mae'n dychryn, gan feddwl ei bod yn mynd hebddo, ac yn cropian ar ei hôl, gan grio. Erbyn hyn, mae ei system fygythiad wedi'i hysgogi, a'i sylw wedi'i hoelio ar y bygythiad. Yna dychmygwch fod ei fam yn ei godi. Yr eiliad honno, mae'n teimlo bod y byd yn berffaith unwaith eto, ac mae'n ôl yn ei system leddfu. Wrth iddo dawelu, mae'n troi ei ben oddi wrth ei fam ac yn edrych o gwmpas. Yn y cyflwr hwn o lonyddwch, mae'n gallu edrych gyda sylw agored ac ymwybyddiaeth chwilfrydig. Mae'r gofod a'r golwg eang ganddo i archwilio, i ddysgu a hefyd i integreiddio gwahanol agweddau ar wybodaeth. Mae hyn yn berthnasol i ni fel oedolion hefyd; pan ddaw'r eiliadau prin hynny lle nad oes unrhyw beth i'w wneud, dim rôl i'w chyflawni, a dim byd sy'n ein poeni ni, mae'n bosib y gwelwn fod pob math o feddyliau a syniadau diddorol yn dechrau ymddangos. Meddyliwch pa system sydd ar waith pan fyddwch chi'n tueddu i gael y syniadau gorau. Gofynnwyd i grŵp o bobl a oedd yn dibynnu ar greadigrwydd wrth eu gwaith beth oedd yn helpu eu creadigrwydd. Roedd eu hatebion yn cynnwys:

- Mynd am dro yn yr awyr agored, hyd yn oed yn y glaw.
- Chwynnu'r ardd.

- Codi yng nghanol y nos ar ôl rhoi'r gorau i geisio cysgu.

- Gwau.

- Nofio.

- Edrych ar luniau prydferth mewn cylchgronau neu ar-lein, yn enwedig rhai lliwgar a rhai'n ymwneud â natur.

- Dechrau tynnu lluniau o'r babi, yn enwedig pan fydda i angen iddo gysgu ac yntau'n gwrthod gwneud hynny.

- Gwthio'r bygi drwy'r parc.

- Ioga.

> *Gallwn feddwl yn gliriach ac yn fwy creadigol pan fydd ein system leddfu ar waith.*

Fel mamau newydd, mae'n bosib y byddwn ni'n gweld ein hunain yn neidio'n ôl ac ymlaen rhwng y systemau bygythiad a chymell, ac mai prin iawn mae'r system leddfu ar waith. Dangosir hyn yn glir yng nghyfyng-gyngor tragwyddol y fam ar yr adeg pan fydd ei babi yn mynd i gysgu o'r diwedd. Mae'r tŷ yn flêr, gallai ddechrau paratoi swper, rhoi dillad glân i'w cadw a defnyddio'i system gymell i ymbellhau oddi wrth y teimladau anghynnes sy'n cael eu cynhyrchu gan ei system fygythiad. Fodd bynnag, yr hyn sydd ei angen fwyaf arni (heblaw am help gyda'r holl waith tŷ) yw cyfnod byr lle mae ei system leddfu ar waith, er mwyn ei helpu i ymateb i heriau di-baid bod yn fam. Y system leddfu yw'r cyflwr adfer, atgyweirio a gwella, a hefyd y cyflwr sy'n caniatáu i ni weld darlun anodd yn gliriach ac i allu ei ddatrys yn fwy creadigol. Faint o famau fyddai'n ymateb i'r awgrym hwn drwy ddweud, 'Iawn, fe wna i orffwys, ond dim ond ar ôl i fi olchi'r llestri cinio ...'?

Ein 'hunain' niferus

Yn union fel y tywydd, mae'r ffordd rydyn ni'n teimlo yn newid yn gyson o un eiliad i'r llall; yn ogystal â hyn, eto fel y tywydd, wrth i un agwedd newid, mae'n cael effaith ar lawer o agweddau eraill hefyd. Tra mae patrwm y tywydd yn cael effaith ar ffactorau fel tymheredd, cyflymder y gwynt, lefelau'r cymylau, lefelau golau, lleithder, glaw a phwysedd aer, mae ein hemosiynau'n cael effaith ar ein meddyliau, y teimladau yn ein corff, ysfa neu duedd ynom i weithredu (ymddygiad), y delweddau sy'n llamu i'n meddyliau ac sy'n tynnu ein sylw, a'n hatgofion.

Dychmygwch un sefyllfa: darganfod fod ein babi newydd ddysgu rowlio drosodd. Gadewch i ni edrych ar sut mae'r ffordd rydyn ni'n teimlo ar yr union adeg honno yn gallu creu patrymau gwahanol ynom ni.

Tabl 7.1: Effaith ein cyflwr emosiynol

	Gorbryder	Dicter	Cyffro	Cysur/ bodlonrwydd
Meddyliau	'O na, nawr fe fydd yn gallu rowlio i mewn i bethau a brifo!'	'Dyna ni – mwy fyth o bethau i gadw llygad amdanyn nhw. Fel petai gen i ddim digon i'w wneud!'	'Ie, da iawn. Rwyt ti mor glyfar!' 'Aros nes i ni ddangos i Nain pan fydd hi'n galw!'	'Aaa, wyt ti'n fwy bodlon gan dy fod yn gallu symud dy hun? Dyna ni, fe fyddi di'n mwynhau gwneud hynny.'
Teimladau corfforol	Calon yn rasio, stumog yn corddi, anadlu'n cyflymu.	Calon yn rasio, gên a brest yn dynn, anadlu'n cyflymu, tyndra yn y breichiau, y dwylo a rhan ucha'r coesau.	Calon yn rasio, anadlu'n cyflymu, pinnau bach yn y frest a'r breichiau.	Curiad y galon yn arafu, anadlu'n arafu, teimlad 'cynnes' yn lledu o'r frest i bob rhan o'r corff.
Ysfa/ tueddiad i weithredu (ymddygiad)	Eisiau rhedeg i nôl y babi a'i roi rywle tu hwnt i unrhyw berygl.	Eisiau codi'r babi a'i roi yn y cot. Eisiau ffonio'ch partner i weiddi ynghylch faint o waith sydd gennych chi i'w wneud.	Eisiau codi'r babi a dawnsio o gwmpas y lle yn llawn cyffro. Eisiau ffonio'ch partner i sôn am yr hyn wnaeth y babi.	Eisiau gwenu ar y babi a'i gofleidio.
Delweddau	Y babi'n disgyn oddi ar y gwely. Eich partner yn edrych arnoch chi'n frawychus pan mae'n clywed beth ddigwyddodd.	Codi'r babi'n ddiofal a'i sodro yn y cot. Cerdded allan a gadael i'ch partner ddelio â'r sefyllfa.	Gwahodd y teulu draw i ddathlu cyflawniadau'r babi. Balŵns a chacen!	Babi bodlon, yn gwenu a chwarae'n hapus.
Ffocws y sylw	Peryglon posib.	Faint yn anoddach fydd bywyd.	Dweud wrth bobl.	Y babi.

Atgofion	Adegau eraill pan ddigwyddodd pethau ofnadwy.	Adegau eraill pan fu disgwyl i chi wneud rhywbeth heb i chi dderbyn unrhyw werthfawrogiad.	Adegau eraill pan aeth pethau'n dda.	Adegau eraill pan ydych chi wedi teimlo cynhesrwydd a heddwch.

Gallwn gynrychioli'r rhain fel 'olwynion trol' (Ffigur 7.2): 'both yr olwyn' yw'r emosiwn a phob agwedd yn 'fraich'.

Ffigur 7.2: Agweddau arnom ein hunain sy'n newid wrth i ni newid ein cyflwr emosiynol

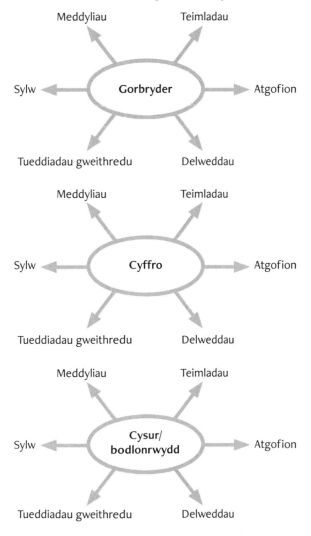

Mae nifer o bwyntiau allweddol yn codi o'r ymarfer hwn:

1. Mae'r ffordd rydyn ni'n teimlo yn effeithio ar lawer o wahanol agweddau arnon ni'n hunain. Gellir eu hystyried fel fersiynau bychain ohonon ni'n hunain: er enghraifft, yr hunan 'dig', yr hunan 'gorbryderus', yr hunan 'bodlon'.

2. Gallwn gael mwy nag un ymateb i'r un digwyddiad; mae'n bosib y byddwn yn teimlo'n llawn cyffro ond gallai elfennau o orbryder a rhwystredigaeth fod yn bresennol hefyd.

3. Gall yr 'hunain' bychain ymateb i'w gilydd, felly pan fydd ein hunan 'dig' yn ymddangos gallai ennyn gorbryder ynom. Pan fyddwn yn orbryderus, efallai y bydd yr hunan 'dig' yn ymateb gyda rhwystredigaeth neu ddirmyg.

4. Yn gynharach yn y llyfr, fe welson ni fod ffocws ein sylw yn llenwi ein hymwybyddiaeth, a bod popeth arall yn diflannu i'r 'cysgodion'. Yn fwy na hynny, mae beth bynnag sy'n hoelio ein sylw yn effeithio arnon ni yn ffisiolegol. Felly, pa bynnag 'hunan' rydyn ni'n canolbwyntio arno fydd yn llenwi ein sylw, a bydd y lleill i gyd yn 'diflannu'. Fel y gwelson ni, mae pob hunan wedyn yn effeithio ar lawer o wahanol systemau. Felly, pan fyddwn ni'n ddig, er enghraifft, mae'n anodd dychmygu meddwl neu deimlo unrhyw ffordd arall.

5. Gallwn ddewis symud ein sylw i 'hunan' gwahanol. Felly, er y gall un hoelio ein sylw i ddechrau, gallwn symud ein sylw'n ymwybodol i un arall, sy'n golygu y gallwn ystyried un sefyllfa o lawer o safbwyntiau gwahanol.

6. Y system fygythiad yw'r gyflymaf i ddal ein sylw a'r anoddaf i symud ohoni.

7. Gyda'r dull meddwl tosturiol, byddwn yn defnyddio ein system leddfu fel sail ar gyfer datblygu 'patrwm tywydd' neu 'hunan' tosturiol. Felly, pan fyddwn ni'n cael trafferth, gyda gorbryder neu ddicter efallai, gallwn wedyn ddysgu symud i'r hunan tosturiol tawelach, cadarnach ac ehangach ei feddwl er mwyn ymateb i'n gorbryder neu ddicter. Ond mae cyflawni hynny'n anodd, a dyna sail y cysyniad o orfod 'hyfforddi' yr ymennydd i'w wneud.

Ymarfer: Dod o hyd i gydbwysedd

Mae gan bob un o'n tair system emosiwn swyddogaethau pwysig, a'r rheini i gyd yr un mor bwysig. Yr hyn sy'n allweddol yw eu bod yn fras mewn cydbwysedd, hynny yw, bod pob un wedi'i datblygu'n ddigonol fel y gallwn alw arni pan fo'i hangen. Gallwn ddechrau archwilio ein dealltwriaeth o'r cydbwysedd sydd gennym rhwng gwahanol systemau emosiwn ag ymarfer cymharol syml.

Meddyliwch am y tri math gwahanol o emosiwn a nodwyd. Nawr, meddyliwch faint rydych chi'n byw ym mhob system. Faint o'ch bywyd chi sy'n cael ei gyfeirio at sylwi ar orbryder neu bethau sy'n eich gwneud chi'n bigog? Pa mor aml fyddwch chi'n profi pryderon ymwthiol? Nesaf, meddyliwch am y pethau sy'n rhoi gwir bleser i chi, yna'r pethau sy'n eich tawelu a'ch cysuro, a sut mae eraill yn eich cefnogi chi, efallai. Nawr lluniwch y tri chylch yn ôl pa mor amlwg ydyn nhw yn eich bywyd.

Ffigur 7.3: Enghraifft gyffredin yn dangos pa system emosiynol rydyn ni'n treulio fwyaf neu leiaf o amser ynddi

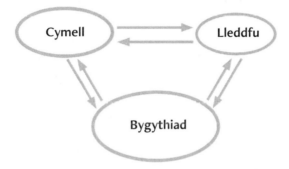

Wrth i chi edrych ar eich diagram, ystyriwch a yw eich systemau emosiynol yn weddol gytbwys, neu a oes un system sy'n cael ei hysgogi'n aml ac un arall nad yw'n cael llawer o ysgogiad o gwbl.

Y patrwm mwyaf cyffredin dwi'n ei weld wrth fy ngwaith yw system fygythiad sylweddol iawn, system gymell lai a system leddfu lawer iawn llai; mae hyn yn rhoi cipolwg ar gydbwysedd y meddwl. Mae pobl sy'n dioddef iselder yn aml yn tynnu llun system fygythiad fawr, a systemau cymell a lleddfu bach iawn. Mae'r rhai manig yn tueddu i dynnu llun system fygythiad fawr, system gymell sydd hyd yn oed yn fwy a system leddfu fechan.

> *Lle mae gennym system fygythiad gref a system leddfu lai datblygedig, rydyn ni'n canolbwyntio ar atgyfnerthu'r system leddfu, yn hytrach na gwanhau'r system fygythiad.*
>
> *Mae hyn yn cyfateb i'r modd y bydden ni'n rhoi ffisiotherapi i goes wan, yn hytrach na cheisio cydbwysedd drwy wanhau ein coes gref.*

Wrth gwrs, dydy'r rhain ddim yn llonydd; mae eu cydbwysedd yn debygol o newid hyd yn oed o un eiliad i'r llall. Mae'r broblem yn codi pan nad ydyn ni'n gallu troi at system emosiwn benodol pan fydd ei hangen hi oherwydd ei bod yn wan neu heb ddatblygu'n ddigonol.

Gall ein llun helpu i ddangos y ffordd ymlaen. Gan fod angen i feintiau'r cylchoedd fod yn weddol gytbwys, rydyn ni'n gallu gweld pa systemau sydd angen y mwyaf o waith o ran ymarfer i'w hysgogi a'u hatgyfnerthu, yn union fel cryfhau cyhyrau yn y gampfa. Os mai'r system gymell yw'r man gwan, gallwn ystyried sut i gyflwyno gweithgareddau mwy pleserus, potensial ar gyfer cyflawniad a mwynhad yn ein bywydau. Yn aml, y cylch lleiaf yw'r system leddfu. Os yw hynny'n wir, gallwn ddefnyddio rhai o'r amryw ffyrdd a ddisgrifir yn y llyfr hwn i ysgogi'r system leddfu fel ei bod ar gael i ni pan fyddwn mewn trafferthion. Does dim angen i ni ganolbwyntio ar leihau'r system fygythiad. Gan fod honno'n cael ei rheoli gan y system leddfu, mae atgyfnerthu'r system leddfu yn cynnig mwy o botensial i dawelu'r system fygythiad.

Crynodeb

Mae rhannau anoddaf a mwyaf trafferthus ein meddyliau'n ymwneud â'n hemosiynau. Sawl gwaith fyddwn ni'n meddwl, 'Petawn i ond yn gallu teimlo'n well, yn hapusach, yn fwy bodlon, yn llai gorbryderus a gofidus'? Rydyn ni wedi gweld mai rhan o'r broblem yw bod ein hymennydd yn cynnwys amryw o systemau emosiwn sy'n gallu cymryd drosodd yn hawdd. Wrth i ni ddechrau deall y gwahanol emosiynau hyn, fe fyddwn ni'n gallu dod yn ymwybodol ohonyn nhw'n codi ynom ac yna wneud penderfyniadau am yr hyn rydyn ni eisiau ei wneud.

Mae'r bennod hon wedi archwilio tri math o emosiwn a sut maen nhw'n effeithio ar ei gilydd. Mae hefyd wedi tynnu sylw at y ffordd ganolog o reoli llawer o'n hemosiynau, sef i ba raddau rydyn ni'n gallu gwneud lle i arafu a llonyddu tu mewn i ni. Bydd hynny'n lleihau effaith gyson cymhellion a bygythiadau. Gallwn wneud hyn drwy ddysgu bod yn ymwybyddol ofalgar a thrwy anadlu mewn ffordd gysurlon. Ffordd arall o'i wneud yw dysgu sut i ganolbwyntio ar gymwynasgarwch a charedigrwydd pobl eraill. Rydyn ni wedi gweld bod mamaliaid yn benodol wedi esblygu i gael eu rheoli drwy berthnasoedd cymdeithasol cadarnhaol. Mae hynny'n wir amdanon ninnau a phobl eraill hefyd; mwya'n byd y gallwn ni ymgysylltu â nhw a bod yn agored i dderbyn cefnogaeth, caredigrwydd a chymwynasgarwch, mwya'n byd y byddwn ni'n gallu gweithio gyda'n hemosiynau anodd, a phoenus o bryd i'w gilydd.

8 Sut mae'r system fygythiad, y system gymell a'r system leddfu yn newid mewn ymateb i feichiogrwydd a bod yn fam newydd

Law yn llaw â'r newidiadau corfforol, mae tystiolaeth gynyddol bod yr ymennydd hefyd yn newid yn ystod beichiogrwydd ac ar ôl geni babi. Yn fwy na hynny, gall y newidiadau hynny barhau am oes.[1] Maen nhw'n digwydd ym mhob un o'r tair system reoleiddio emosiwn: bygythiad, cymell a lleddfu.

Y system fygythiad a bod yn fam newydd

Yn gynharach yn y llyfr, fe wnaethon ni edrych ar sut yr esblygodd y system fygythiad i allu canfod bygythiadau a'r ymatebion amddiffynnol pennaf. Mae ymatebion o'r fath yn cynnwys emosiynau fel dicter, rhwystredigaeth, tymer flin a gorbryder ynghyd ag ymatebion ymddygiad – rhewi, ffoi ac ymladd. Dyma ni felly'n edrych ar sut gallai beichiogrwydd a bod yn fam newydd effeithio ar y systemau hyn.

Mae menywod yn profi cynnydd mwyaf eu hoes yn eu hormonau rhyw yn ystod y cyfnod rhwng dechrau a diwedd beichiogrwydd. Yn ogystal â chynnal beichiogrwydd ac arwain y corff drwy'r cyfnod esgor, ymddengys fod yr hormonau hyn hefyd yn cynyddu sensitifrwydd i ganfod emosiynau mewn pobl eraill. Gwelodd un astudiaeth fod menywod yn dod yn fwyfwy cywir wrth ddirnad emosiynau yn wynebau pobl eraill wrth i'w beichiogrwydd fynd rhagddo.[2] Ar ben hynny, roedden nhw'n arbennig o gywir wrth ddirnad emosiynau ofn, dicter a ffieidd-dod yn wynebau eraill. Mae'n bosib bod y newidiadau hyn yn paratoi'r fenyw feichiog ar gyfer bod yn hynod o wyliadwrus am bobl a allai fod yn fygythiad iddi hi a'i babi, ac i gynyddu ei sensitifrwydd i ofid ei babi hefyd.

Mae'n bosib y bydden ni'n meddwl bod y sensitifrwydd cynyddol hwn i emosiynau 'negyddol' mewn pobl eraill yn golygu bod menywod yn fwy tebygol o fod yn profi straen a gorbryder yn ddiweddarach yn ystod eu beichiogrwydd. Ond y gwir yw fod menywod beichiog fel petaent yn gallu rheoli straen yn well ar ddiwedd beichiogrwydd o'i gymharu â chyfnod eu beichiogrwydd cynnar. Er enghraifft, roedd eu pwysedd gwaed, cyfradd curiad y galon a'u gofid seicolegol yn is yn ystod tasgau llawn straen o'u cymharu â chyfnod beichiogrwydd cynnar ac o'u cymharu â menywod nad oedden nhw'n feichiog.[3, 4]

> *Mae ein hymatebion i fygythiad yn newid drwy gyfnodau beichiogrwydd a bod yn fam newydd.*

Roedd menywod a brofodd ddigwyddiadau bywyd llawn straen yn ystod beichiogrwydd – fel dadleuon difrifol, marwolaeth aelod o'r teulu, neu anaf difrifol,[5] ac mewn un astudiaeth, daeargrynfeydd hyd yn oed[6] – o'r farn bod y rhain yn llai o straen yn ystod cyfnod olaf eu beichiogrwydd o'i gymharu â'r cyfnod cynnar. Gwelodd yr astudiaeth fod y rhai a brofodd ddaeargrynfeydd yn gynnar yn ystod eu beichiogrwydd wedi rhoi genedigaeth yn gynharach na'r rhai a brofodd ddaeargrynfeydd yn ddiweddarach yn ystod eu beichiogrwydd. Felly, mae'n ymddangos bod straen cynnar yn cael effaith gymharol fwy na straen diweddarach.

Yn ddiddorol, pan ddigwyddodd daeargryn yn ystod yr wythnosau cynnar ar ôl geni, ystyriwyd bod hynny'n achosi cymaint o straen â daeargrynfeydd a ddigwyddodd yn ystod beichiogrwydd cynnar. Felly mae'n ymddangos y gall y cyfnod tua diwedd beichiogrwydd fod yn gyfnod unigryw lle mae gennym ni allu cynyddol i reoli straen.

Gallai'r darlun hwn fod yn wahanol iawn, fodd bynnag, os yw menyw feichiog wedi profi bywyd cynnar anodd. Ychydig iawn o astudiaethau a gynhaliwyd sy'n edrych ar y maes hwn; fodd bynnag, edrychodd un astudiaeth[7] ar effaith cam-drin plant yn rhywiol ar lefelau cortisol yn y poer drwy gydol y dydd mewn menywod beichiog. (Mae lefelau cortisol yn cynyddu gyda straen, ond maen nhw hefyd yn bwysig wrth ein deffro o gwsg a rhoi egni i ni ar gyfer y diwrnod sydd o'n blaenau.) Gwelodd yr astudiaeth fod gan fenywod beichiog a oedd wedi profi cam-drin rhywiol yn ystod plentyndod lefelau cynyddol uwch o gortisol wrth ddeffro fel yr oedd eu beichiogrwydd yn datblygu, o'i gymharu â menywod nad oedden nhw wedi profi cam-drin rhywiol yn ystod eu plentyndod. Er ei bod yn bwysig peidio â rhoi gormod o bwyslais ar nifer fechan o astudiaethau, mae'n dechrau rhoi ymdeimlad i ni o'r gymysgedd gymhleth o ffactorau, ffactorau na wnaethon ni mo'u dewis, a allai ddylanwadu ar ein hymateb i fygythiad yn ystod beichiogrwydd a'r cyfnod o fod yn fam newydd.

Straen, llid, ac iselder ôl-enedigol

Wrth gwrs, mae llawer o newidiadau corfforol yn digwydd yng nghorff menyw yn ystod beichiogrwydd a mamolaeth newydd. Fodd bynnag, mae diddordeb mawr mewn un newid sy'n cael ei ystyried fel rhywbeth a allai fod yn allweddol o ran cyfrannu at iselder ôl-enedigol. Mae Kathleen Kendall-Tackett yn credu yn yr hyn sy'n cael ei alw'n 'batrwm llid (*inflammation paradigm*) ar gyfer iselder ôl-enedigol'.[8] Pan fydd y corff dan straen, mae'r system imiwnedd yn sbarduno llid drwy'r corff i helpu'r corff i wella clwyfau ac ymladd haint. Yr hyn sy'n ddiddorol yw canlyniadau'r ymateb llid; mae'n achosi cyfres gyfan o newidiadau ymddygiad, yn cynnwys newidiadau mewn cwsg, archwaeth, gweithgaredd, hwyliau, egni, gweithgaredd rhywiol a chymdeithasu, a phob un o'r rhain yn tueddu i'r un cyfeiriad â'r hyn a welir mewn iselder. Yn wir, os yw'r straen yn parhau am gyfnod rhy hir neu'n mynd yn rhy ddifrifol, mae'r risg o iselder yn cynyddu.

Felly, pam mae hyn o ddiddordeb arbennig o safbwynt iselder ôl-enedigol? Mae lefelau llid yn codi'n sylweddol yn ystod tri mis olaf beichiogrwydd, fel rhan o'r addasu a'r ymateb arferol i feichiogrwydd a pharatoi ar gyfer geni. Os yw'r syniad hwn yn gywir, mae'n golygu bod beichiogrwydd ei hun yn gallu cynyddu'r perygl y bydd menyw'n dioddef hwyliau gwael neu iselder. Ar ben hynny, mae ffactorau sy'n gysylltiedig â bod yn fam newydd fel tarfu ar gwsg, poen ôl-enedigol, straen seicolegol a thrawma hefyd yn cynyddu llid, a thrwy hynny yn cynyddu'r risg ar gyfer iselder ôl-enedigol yn ogystal.

Mae Kathleen Kendall-Tackett hefyd yn awgrymu bod y berthynas rhwng llid ac iselder yn mynd i'r ddau gyfeiriad; mae llid yn cynyddu'r siawns o iselder, ac mae iselder yn cynyddu llid. Gall iselder hefyd effeithio ar fecanweithiau sydd fel arfer yn cyfyngu ar y broses llid, gan ganiatáu i'r broses llid barhau'n ddirwystr.

Fel rydyn ni wedi sôn eisoes, ffactor pwysig i'w ychwanegu at hyn yw effaith profiadau blaenorol. Mae iselder blaenorol a phrofiadau trawmatig, gan gynnwys profiadau cynnar dirdynnol fel cam-drin neu esgeulustod yn ystod plentyndod, yn tanio ein hymateb straen a llid fel bod ein corff yn ymateb yn llawer cyflymach ac yn gryfach i lefelau is o straen. Mae hyn yn golygu y gallai menywod beichiog ac ôl-enedigol sydd wedi dioddef iselder a thrawma cynharach fod mewn mwy o berygl o ddioddef iselder a gorbryder.

Mae'r ddamcaniaeth hon yn awgrymu y dylid gweld mwy o achosion o iselder yn ystod beichiogrwydd a chyfnod cynnar bod yn fam newydd, ond mae ymchwil yn awgrymu ei fod yn digwydd ar yr un raddfa ag iselder ar adegau eraill. Defnyddiwyd y gyfradd niferoedd hon i ddadlau nad oedd iselder ôl-enedigol yn wahanol i iselder a ddigwyddodd ar unrhyw adeg arall. Fodd bynnag, mae damcaniaeth Kendall-Tackett yn awgrymu y gallai mecanweithiau ynghlwm wrth feichiogrwydd a bod yn fam newydd fod yn fwy cymhleth nag a ystyriwyd yn flaenorol.

Casgliad hyn oll yw pwysigrwydd lleihau straen mamol a llid mamol os ydyn ni am geisio lleihau neu atal iselder ôl-enedigol. Mae gwir angen gofal a chefnogaeth ar fenywod beichiog ac ôl-enedigol. Mae nid yn unig yn beth 'braf' neu garedig i'w wneud ond mae'n gwbl hanfodol i lesiant corfforol a seicolegol y fam a'i babi, a hyd yn oed yn fwy felly os yw hi wedi cael profiadau o iselder a thrawma cynharach.

Yn ogystal, mae gweithgareddau fel bwydo ar y fron yn llwyddiannus yn gallu helpu oherwydd eu bod yn cyfrannu at ostwng lefelau straen. Ar y llaw arall, mae trafferth neu boen wrth fwydo ar y fron yn gallu cynyddu lefelau straen a llid, gan arwain at risg uwch o ddatblygu iselder. Mae'n bwysig felly fod menywod sy'n ei chael hi'n anodd bwydo ar y fron yn cael cefnogaeth gynnar. (Gall eich ymwelydd iechyd, Ymddiriedolaeth Genedlaethol Geni Plant a Chynghrair La Leche i gyd gynnig cyngor a chefnogaeth.) Mae ymarfer corff ysgafn, ond hefyd gorffwys ac adfer os bydd y fam newydd yn lluddedig neu mewn poen, a chael cymaint o gwsg â phosib (yn hytrach na derbyn diffyg cwsg fel rhan o fod yn fam newydd), i gyd yn allweddol wrth geisio lleihau straen a llid. Os ydyn ni'n gallu deall yr angen dwfn hwn am gysgu a gorffwys, mae'n gallu hwyluso sôn amdano fel rhywbeth y mae angen help ag ef.

Weithiau mae angen gweithredu tymor byr ond eithafol, fel cael rhywun arall i ofalu am y babi yn ystod y nos am rai nosweithiau, neu gysgu mewn 'shifftiau' er enghraifft, lle mae'r fam yn mynd i'r gwely yn gynnar iawn a'i phartner yn gofalu am y babi, ac yna cyfnewid rolau am hanner nos neu yn yr oriau mân er mwyn sicrhau cyfnod da o gwsg. Mae cwsg mor bwysig i rai o'r menywod sy'n dod i'r Uned Mamau a'u Babanod fel ein bod yn tybio fod cael ychydig o gwsg, o'r diwedd, yn ffactor allweddol yn eu hadferiad seicolegol yn ogystal â'u hadferiad ffisiolegol.

Mae hyn hefyd yn ein cyfeirio tuag at bwysigrwydd datblygu ac ysgogi'r system leddfu, gan mai'r system hon sy'n gallu tawelu'r ymateb bygythiad neu straen. Felly, mae ymarfer anadlu rhythmig lleddfol, ymarferion tosturiol a delweddau tosturiol (byddwn yn edrych ar y rhain yn nes ymlaen yn y llyfr), ioga penodol ar gyfer menywod ôl-enedigol, Tai Chi, cerdded yng nghefn gwlad, bod yng nghwmni pobl, unrhyw beth sy'n gwneud i ni deimlo wedi'n cysuro, yn heddychlon ac yn ddiogel, yn helpu i leihau'r llid neu'r ymateb straen hwn. Bydd hefyd yn helpu i adeiladu gwydnwch yn erbyn straen yn y dyfodol.

Yn wir, dyma wnaeth yr athro seicoleg Barbara Fredrickson ei ganfod. Edrychodd hi ar ddau fath o weithgaredd sy'n peri i fodau dynol brofi pleser, hapusrwydd ac ymdeimlad o lesiant.[9] Mae'r cyntaf yn cael ei alw'n llesiant 'hedonaidd', ac yn cynnwys gweithgareddau fel bwyta neu brynu pethau (sydd â chysylltiad agosach â'r system gymell). Llesiant 'eudaimonaidd' yw'r enw ar yr ail, ac mae hwn yn deillio o 'ymdrechu tuag at ystyr a phwrpas mwy anrhydeddus y tu hwnt i hunanfoddhad syml', fel teimlo'n gysylltiedig â chymuned ehangach (sydd â chysylltiad agosach â thosturi a'r system leddfu). Gwelodd yr Athro Fredrickson mai'r ail fath o lesiant sydd mewn gwirionedd yn newid gweithrediad ein system imiwnedd ar lefel celloedd a genynnau. Y gwir amdani oedd bod y math cyntaf o bleser yn fwy tebygol o beri i'n genynnau ymateb i straen cronig â llid, tra mae'r ail fath o bleser yn gwneud ein genynnau yn llai tebygol o ymateb felly.

> *Mae gallu teimlo'n ddiogel ac wedi'u cysuro yn bwysig yn feddyliol ac yn gorfforol i'r fam a'i babi.*

Mae'r cip sydyn hwn ar rywfaint o'r ymchwil yn rhoi syniad bras i ni y gall beichiogrwydd a bod yn fam newydd effeithio ar ein gallu i reoli bygythiad, rhywbeth a allai gael effaith sylweddol arnon ni ond nad yw'n fai arnon ni o gwbl. Mae deall hynny'n gallu'n helpu i dderbyn ein hunain am yr hyn ydym. Mae'n ein helpu i symud tuag at safbwynt gwahanol tuag aton ni ein hunain: 'Does ryfedd fy mod i wedi bod yn cael cymaint o drafferth, o ystyried yr holl newidiadau gwahanol sy'n digwydd yn ystod beichiogrwydd, y set benodol o enynnau a etifeddais, a'r profiadau cynnar a gefais, a'r cyfan ohonyn nhw'r tu hwnt i fy newis i; o ystyried yr amgylchiadau hyn, mae'n ddigon i fi wneud fy ngorau a helpu fy hun cystal ag y galla i.'

Y system gymell a bod yn fam newydd

Fel y trafodwyd yn gynharach yn y llyfr, mae emosiynau cymell yn bennaf yn gysylltiedig â chwilio am adnoddau, cyflawniad a chwblhau gwaith. Ar y cyfan, maen nhw'n bleserus ac yn rhoi ymdeimlad o lawenydd, pleser a chyffro.

Sylwyd ar newidiadau yn ymwneud â'r emosiynau hyn mewn ymennydd mamau yn y misoedd ar ôl geni eu babi.[10] Canfu'r astudiaeth hon fod yr ymennydd yn profi newidiadau cyflym ar ôl y geni. A dweud y gwir, mae rhannau ohono'n tyfu ar gyflymder sydd fel arfer ddim ond yn cael ei weld wedi cyfnodau o ddysgu sylweddol, anaf i'r ymennydd, salwch neu newid amgylcheddol sylweddol. Mae'r meysydd hyn yn gysylltiedig â chymhelliant a gwobrwyo (y system gymell), a rheoli emosiynau (y system leddfu). Bydd gwên babi a hyd yn oed gri babi yn 'goleuo' y system gymell neu wobrwyo hon. Yn ddiddorol, po fwyaf y newidiadau yn yr ymennydd, mwyaf tebygol oedd y fam o ddisgrifio ei phlentyn fel un 'arbennig, perffaith, prydferth, delfrydol'.

Dim ond megis dechrau mae'r ymchwil hwn. Un o'r cwestiynau allweddol a godwyd gan yr ymchwil yw beth allai amharu ar y broses hon, gan beri i fenywod gael trafferth i weld fod magu babi yn brofiad gwerthfawr. Yn nes ymlaen yn y llyfr, fe fyddwn ni'n edrych ar beth allwn ni ei wneud os yw hynny'n wir amdanon ni.

Y system leddfu a bod yn fam newydd: lleddfu, ymgysylltiad ac ymlyniad

Mae'r tair system sy'n rheoli emosiynau yn dylanwadu ar y ffordd rydyn ni'n ymlynu wrth ein babanod: bygythiad, cymell a lleddfu. Er enghraifft, pan fydd ein babi'n ymddangos yn ofidus neu pan fydd bygythiad iddo, mae'r system fygythiad yn tanio ac rydyn ni'n ymateb i'r bygythiad hwnnw oherwydd ein bod yn ei garu ac yn gofalu amdano. Pan fyddwn ni'n mwynhau ymwneud â'n babanod, wrth chwarae efallai, mae'n creu ymdeimlad o bleser a llawenydd. Pan fyddwn wedi blino neu dan lawer o straen, mae'n hynny'n mygu'r system gymell a'r system leddfu. Felly dydy ymlyniad ac ymgysylltiad ddim yn dibynnu ar unrhyw system unigol, ond ar y ffordd maen nhw'n ffurfio patrwm gyda'i gilydd. Agwedd bwysig arall yw'r ffordd y gallwn ni dawelu bygythiadau a chymhelliad er mwyn caniatáu naws heddychlon, sydd hefyd yn galluogi sylw agored. Gallwn alw hon yn system leddfu oherwydd, yn syml, dyna beth mae'n ei wneud. Mae'r system leddfu yn chwarae rhan bwysig mewn ymlyniad ac, fel y gallech ddisgwyl, mae llawer o newidiadau pwysig yn digwydd yn y system hon yn ystod beichiogrwydd ac ar ôl geni'r babi.

Yn ystod beichiogrwydd, mae system nerfol y fam yn ymateb i symudiadau ei babi, hyd yn oed pan fydd y symudiadau'n rhy fach iddi hi fod yn ymwybodol ohonyn nhw. Mae hyn yn awgrymu bod y babi yn dylanwadu ar y fam hyd yn oed yn ystod beichiogrwydd, ac y gallai fod yn ei hysgogi i ddod yn effro iddo ac ar yr un donfedd ag ef. Mae'r adrannau canlynol yn edrych ar rôl gwahanol hormonau sy'n gysylltiedig â'r system leddfu, a'u heffaith yn ystod beichiogrwydd a chyfnod cynnar bod yn fam.

Fferomonau

Mae arogl yn aml yn cael ei anwybyddu wrth ystyried y ffactorau sy'n gysylltiedig â bondio, ond mae'n bosib fod ganddo rôl bwysig iawn. Ym myd yr anifeiliaid, bydd mamau'n gwrthod eu rhai ifanc os ydyn nhw wedi'u halogi ag arogl arall neu os yw system arogleuol y fam wedi'i niweidio. Ydy hi'n bosib bod problemau gyda system arogli mam ddynol yn effeithio ar ei chwlwm â'i babi?

Mae derbynyddion arogl yn cael eu hysgogi yn ystod beichiogrwydd. Hormonau sy'n gallu gweithredu y tu allan i'n corff yw fferomonau. Maen nhw'n cael eu pasio rhwng y fam a'r babi yn y groth fel bod y fam a'r babi, erbyn i'r babi gael ei eni, yn adnabod arogl ei gilydd.[12] Mae fferomonau hefyd yn cael eu trosglwyddo mewn llaeth o'r fron. Yn ogystal, wrth fwydo ar y fron mae'r babi yn dysgu beth yw arogl tethau'r fam ac ardal ei cheseiliau. Bydd y fam a'r babi, ac yn wir y rhai sy'n rhoi gofal i'r babi, yn dysgu arogleuon ei gilydd. Wrth enwi ein hoff arogleuon, un sy'n codi'n aml yw arogl pen neu wddf babi sydd newydd ei eni. Yn ei llyfr *Mothers and Others*[13] mae Sarah Blaffer Hrdy yn nodi sut mae babi newydd-anedig yn cael ei basio o gwmpas, ei gofleidio a'i arogli gan aelodau'r teulu. Mae hi'n awgrymu bod y fam, drwy rannu ei babi, yn anfon arwydd at ei 'llwyth' y bydd hi a'i babi angen eu cymorth nhw. Drwy ganiatáu iddyn nhw ei ddal a'i arogli, mae hi'n gosod sylfaen ar gyfer cwlwm rhyngddyn nhw a'i babi.

Ocsitosin

Math o gemegyn o'r enw niwropeptid yw ocsitosin. Fe'i hystyrir yn gynhwysyn allweddol ar gyfer ymlyniad, nid yn unig rhwng mam a'i babi, ond rhwng y babi ac eraill sy'n gofalu amdano a rhwng pobl sy'n ymddiried yn ei gilydd.

Mae nifer y derbynyddion ocsitosin yn cynyddu'n ddramatig yn ymennydd menyw wrth iddi agosáu at ddiwedd beichiogrwydd, gan ei gwneud yn llawer mwy parod i dderbyn effeithiau ocsitosin.

Mae ocsitosin yn cynyddu'n sylweddol yn ystod y cyfnod esgor ac mae'n cyfrannu at achosi i'r groth gyfangu. Mae cynnydd pellach o ocsitosin yn y fam a'r babi wrth i'r babi fynd drwy'r llwybr geni. Yn ogystal â bod yn rhan o'r broses eni, ymddengys fod gan ocsitosin rôl wrth helpu'r fam a'r babi i adnabod arogl unigryw ei gilydd ac i gynhyrchu ymdeimlad o dawelwch meddwl a lleihau poen pan fyddan nhw mewn cysylltiad â'i gilydd.

Bwydo ar y fron o fewn yr awr gyntaf ar ôl geni sy'n cynhyrchu'r lefelau uchaf oll o ocsitosin; dyma sy'n cael ei ystyried yn ffenestr euraid ychydig ar ôl y geni o ran bondio â'r babi. (Gall bondio ddigwydd ar unrhyw adeg yn ein bywydau, ond mae'r fam a'r babi yn arbennig o barod i wneud hynny yn ystod yr awr gyntaf ar ôl yr enedigaeth.)

Mae ocsitosin yn cyfrannu at greu cysylltiadau pleserus o dawelwch meddwl a chysur rhwng y fam a'i babi. Mae ganddo swyddogaeth gymdeithasol hefyd: mae'n ein cyfeirio tuag at wynebau a llygaid, gan ein helpu i gasglu gwybodaeth am feddwl y person arall, a'i ysgogi i ymateb i ni, ac mae'n rhoi hwb i'n hymddiriedaeth yn y person arall hefyd.

Dydy hi ddim yn wir, fodd bynnag, fod yr un lefel o ocsitosin yn bresennol ym mhob merch feichiog a mam newydd. Ar ben hynny, mae'r gwahanol lefelau hyn yn gallu cael effeithiau gwahanol. Canfu un astudiaeth[14] fod menywod â lefelau uwch o ocsitosin yn eu gwaed yn nhri mis cyntaf eu beichiogrwydd ac yn y cyfnod ôl-enedigol cynnar yn profi hwb i'w hymddygiad bondio â'u babi ar ôl ei eni – fel syllu, cyffwrdd, anwesu, canu iddyn nhw a phoeni am eu diogelwch – o'i gymharu â menywod â lefelau is o ocsitosin.

Dydy hi'n dal ddim yn glir pam mae yna lefelau gwahanol o ocsitosin mewn menywod beichiog ac ôl-enedigol. Dangosodd un darn o ymchwil[15] fod lefelau ocsitosin yn gysylltiedig ag anian y fam. Roedd menywod a oedd yn sgorio'n uchel mewn nodwedd a elwid yn 'rheolaeth ymdrechgar' – a oedd yn gysylltiedig ag ymddygiad gormesol, rhoi pwyslais mawr ar lynu at amserlen a chanolbwyntio ar gyflawni tasgau – yn meddu ar lefelau is o ocsitosin yn eu gwaed ar ôl chwarae â'u babi. Ar y llaw arall, roedd menywod â sgoriau uchel ar nodwedd a elwid yn 'sensitifrwydd cyfeiriadol' yn meddu ar lefelau uwch o ocsitosin. Roedd sgorwyr uchel ar y nodwedd o ran sensitifrwydd cyfeiriadol yn meddu ar fwy o sensitifrwydd i hwyliau, emosiynau a theimladau corfforol ac yn llai gormesol, gan roi llai o bwys ar amserlen a chyflawni tasgau.

'Ochr dywyll' ocsitosin

Mae ocsitosin yn gemegyn mwy cymhleth nag y byddai rhywun yn ei feddwl ar yr olwg gyntaf. Cyfeiriwyd ato fel yr 'hormon cofleidio' neu 'gemegyn cariad', gyda'r dybiaeth fod cysylltiad uniongyrchol rhyngddo a theimladau o gariad a chynhesrwydd. Fodd bynnag, mae ymchwil sy'n defnyddio ocsitosin ar ffurf chwistrelliad trwynol wedi dangos rhai canlyniadau diddorol a rhyfeddol. Gwelwyd bod ocsitosin yn cynyddu eiddigedd a llawenhau oherwydd anlwc mewn gêm yn ymwneud ag ennill a cholli.[16] Er y gwelwyd bod ocsitosin yn cynyddu ymddiriedaeth a chydweithrediad, ymddengys mai dim ond yn achos pobl sy'n rhan o'n 'cylch mewnol' ni[17] mae hynny'n wir. Mewn gwirionedd, roedd yn creu ymateb ymosodol tuag at 'gylchoedd allanol', gyda chyfranogwyr yn barotach i amddiffyn os oedden nhw'n teimlo dan fygythiad. Cyfeiriodd ymchwilwyr ato fel safbwynt 'gofal a gwarchod'.

Mewn astudiaeth arall[18] gofynnodd ymchwilwyr i ddynion hel atgofion am eu mamau, o ran gofal ac agosrwydd mamol. Yn achos dynion a brofodd ymlyniad sicr, gwelwyd eu bod yn cofio bod yn agosach at eu mam wrth dderbyn chwistrelliad o ocsitosin o'i gymharu â chwistrelliad ffug (chwistrell heb unrhyw gynhwysion gweithredol). Fodd bynnag, yn achos dynion a brofodd ymlyniad llai sicr, roedd y gwrthwyneb yn wir: roedden nhw'n cofio bod yn llai agos at eu mam wrth dderbyn chwistrelliad o ocsitosin o'i gymharu â chwistrelliad ffug. Bu'r ymchwilwyr yn ystyried a oedd ocsitosin yn hybu'r system ymlyniad, ac o ganlyniad yn dwyn atgofion sy'n cyd-fynd â dull ymlyniad cyfredol unigolyn. Ymddengys felly fod ocsitosin yn creu tuedd yn y math o atgofion sy'n cael eu dwyn i gof.

Gwelodd astudiaethau eraill hefyd wahaniaeth yn y modd yr ymatebodd unigolion i ocsitosin. Mae'n debyg bod ocsitosin yn cynyddu ymddiriedaeth a chydweithrediad, ond gwelodd astudiaeth fod unigolion â diagnosis o anhwylder personoliaeth ffiniol (anhawster wrth reoli hwyliau yn enwedig mewn perthynas ag eraill, y credir ei fod yn deillio o berthnasoedd plentyndod llawn straen ac ansefydlogrwydd) wedi profi *gostyngiad* yn eu hymddiriedaeth a'u cydweithrediad ar ôl cael chwistrelliad trwynol o ocsitosin.[19] Roedd hyn yn arbennig o wir yn achos y cyfranogwyr a oedd yn fwyaf pryderus ynghylch ymlyniad ac yn sensitif i gael eu gwrthod.

Daeth darn arall o ymchwil ar draws gwahaniaethau ym mhrofiad ocsitosin rhwng unigolion hefyd. Yn yr astudiaeth hon[20] cynhaliwyd ymarfer lle gofynnwyd i gyfranogwyr ddychmygu derbyn cynhesrwydd, caredigrwydd a chydymdeimlad gan berson neu anifail arall. Rhoddwyd naill ai chwistrelliad o ocsitosin neu chwistrelliad ffug iddyn nhw. Ar y cyfan, roedd yr ocsitosin yn hwyluso profi'r ddelweddaeth dosturiol. Fodd bynnag, roedd y rhai mwyaf hunanfeirniadol a'r rhai gwannaf eu hunansicrwydd, diogelwch cymdeithasol a sicrwydd ymlyniad, yn ei chael yn anoddach derbyn emosiynau tosturiol o'r ddelwedd. Pan ofynnwyd iddyn nhw am eu profiadau o'r ddelwedd, mynegodd y rhai mwyaf hunanfeirniadol deimladau o ddicter, rhwystredigaeth, ofn a thristwch o beidio â chael person o'r fath yn eu bywydau.

Ocsitosin ac Anawsterau Bondio

Mae i'r gwahaniaethau unigol hyn yn yr ymateb i ocsitosin rai goblygiadau pwysig posib o ran deall gwahaniaethau rhwng mamau yn bondio â'u babanod.

Yn gyntaf, fel yr awgrymwyd uchod, dim ond mewn pobl sydd wedi cael profiadau cadarn o ymlyniad eu hunain y mae ocsitosin yn gallu hyrwyddo ymddygiad o ymddiriedaeth a rhoi gofal. I'r rhai nad oedden nhw'n teimlo'n ddiogel mewn perthynas â ffigurau ymlyniad, fel rhiant, er enghraifft, mae ocsitosin yn gallu eu gwneud yn ddrwgdybus ac yn elyniaethus hyd yn oed. Yn ei hanfod, mae'n bosib i famau gael ymatebion negyddol i'w hocsitosin eu hunain – rhaid prysuro i ddweud fod hwn yn faes sydd heb ei ymchwilio hyd yma, ond gall fod yn bwysig iawn.

> *Mae ein profiadau cynnar yn gallu dylanwadu ar ein hymateb corfforol i'n babi.*

Fel rydyn ni hefyd wedi gweld, mae ocsitosin yn gallu ysgogi teimladau anodd os yw profiadau cynnar yn ymwneud ag ymlyniad ansicr (lle nad yw ffigur ymlyniad ar gael yn gorfforol neu'n emosiynol, neu os yw ei ymddygiad yn anodd ei ddarogan). Gan fod genedigaeth, bwydo ar y fron ac agosrwydd corfforol â'r babi i gyd yn sbarduno ocsitosin yn y fam, allai hynny olygu bod mamau sydd wedi cael profiadau ymlyniad llai sicr, neu sy'n fwy hunanfeirniadol neu'n llai abl i dawelu eu meddyliau eu hunain, yn cael eu llenwi ag ymatebion emosiynol o orbryder, dicter neu ffieidd-dod pan maen nhw gyda'u babi yn hytrach nag ymatebion cynnes a hoffus? Ar ben hynny, os ydyn ni'n cael trafferth bondio â'n babi, ydy ein babi yn dod i deimlo fel petai mewn 'cylch allanol' ar wahân i ni, yn hytrach nag yn ein 'cylch mewnol'? Os felly, gallai'r ocsitosin sy'n cael ei ysgogi'n naturiol gan y geni, a gan y babi, greu teimladau o ddicter ac o fod yn amddiffynnol tuag at y babi, ac ysfa i amddiffyn eich hun ac i droi cefn ar eich babi.

Tybiaethau sydd angen eu hymchwilio yw'r rhain, wrth gwrs, ond maen nhw'n sicr yn brofiadau cyffredin i nifer o fenywod rydw i wedi gweithio gyda nhw, sy'n disgrifio meddwl am eu babi fel rhywbeth dychrynllyd a llethol.

Enghraifft Achos: Alison a'i babi, y 'gelyn'

Disgrifiodd Alison sut roedd pyliau crio maith ei babi yn teimlo fel 'ymosodiad' arni hi. Roedd yn ystyried ei babi fel rhywun a ddaeth i

aflonyddu ar ei bywyd tawel hi a'i gŵr. Mewn ymdrech i gefnogi ei
wraig yn ei gofid, ochrodd ei gŵr gyda hi yn erbyn eu babi, safbwynt
a atgyfnerthwyd ac a amddiffynnwyd yn gynyddol nes i fabi newydd
gael ei eni, un wnaethon nhw'i ddisgrifio fel 'enaid tawel, hapus'. Yr
hyn a ysgogodd Alison i geisio cymorth oedd ei hymdeimlad dwys o
gywilydd am ei hymateb i'w phlentyn hynaf, a oedd bellach yn
ddwyflwydd oed, o'i gymharu â'i chariad tuag at ei babi.

Pan fyddwn yn cael babi, rydyn ni'n aml, ac er ein gwaethaf, yn gweld tebygrwydd i ni (neu dad y babi) ynddo. Fodd bynnag, os nad ydyn ni'n hoffi'r agweddau hynny, mae'n bosib i'r babi ysgogi teimladau anodd, a hynny'n aml heb i ni fod yn ymwybodol ohonyn nhw. 'Alldaflu' *(projection)* yw'r gair am hyn, ac mae'n gallu digwydd wrth i ni gyfarfod unrhyw un. Er enghraifft, dychmygwch gyfarfod rhywun sy'n eich atgoffa o athro ysgol llym pan oeddech chi'n blentyn. Rydyn ni'n alldaflu'r atgofion a'r teimladau hyn ar y person newydd hwn ac yn ymateb iddo fel pe bai braidd yn llym a brawychus, pan mae'n hollol ddymunol mewn gwirionedd. Fodd bynnag, mae'r canfyddiadau am effeithiau 'cylch mewnol'/'cylch allanol' ocsitosin yn codi cwestiwn arall – ydy effaith alldaflu ar ein babi yn fwy eithafol oherwydd presenoldeb lefel naturiol uwch o ocsitosin a ysgogwyd gan eni, bwydo ar y fron ac agosrwydd corfforol at ein babi? A allai hyn olygu ein bod yn fwy tebygol o ystyried ein babi yn aelod o'r 'cylch allanol' pan fyddwn ni'n gweld agweddau annymunol neu anodd ohonon ni'n hunain ynddo?

Yn ogystal, mae'r ymchwil uchod yn awgrymu y gallai ocsitosin ysgogi atgofion o'r profiadau ymlyniad yn ystod ein plentyndod. Gall hyn fod yn wych os oedden nhw'n brofiadau cadarnhaol, ond gall fod yn anhygoel o anodd os oedd ein profiadau'n ysgogi gorbryder, tristwch, unigrwydd neu rwystredigaeth. O ran yr olaf o'r ddau, gall adegau pan fydd lefelau ocsitosin yn uchel, fel genedigaeth, bwydo ar y fron ac agosrwydd corfforol at ein babi, beri i ni gael ein hunain yn ymgolli'n sydyn ac yn annisgwyl mewn teimladau nad ydyn nhw fel pe baen nhw'n cyd-fynd â'n hamgylchiadau presennol. Mae'n bosib, felly, y bydd teimladau anesboniadwy o dristwch, ofn, unigrwydd neu ddicter yn llethu ein cyrff pan fyddwn ni gyda'n babi. Atgofion neu deimladau corfforol yw'r rhain a ddaeth yn gysylltiedig ag ocsitosin pan oedden ni'n ifanc, ond sydd bellach wedi'u sbarduno ynom unwaith eto gan lefelau ocsitosin eithriadol o uchel. Yn naturiol, gallwn dybio bod y teimladau rydyn ni'n eu profi o reidrwydd yn ymwneud â'n babi neu ein bywyd fel ag y mae, ond mewn gwirionedd, teimladau ydyn nhw sy'n cael eu hysgogi gan atgof corfforol o'r gorffennol.

Prolactin

Mae prolactin yn cael ei gynhyrchu pan fyddwn yn cysgu ac mae'n helpu ein corff i'w atgyweirio'i hun. Mae lefelau prolactin yn cynyddu yn ystod beichiogrwydd ac yn achosi newidiadau i ymennydd y fam sy'n gysylltiedig ag ymddygiad gofalu. Mae astudiaethau mewn anifeiliaid wedi dangos bod lefelau isel yn ystod beichiogrwydd cynnar yn gysylltiedig â gorbryder cynyddol a diffygion mewn ymddygiad mamol (llyfu ffwr yr ifanc yn llai aml, er enghraifft) yn ystod y cyfnod ôl-enedigol.[21]

Mae'n chwarae rhan yn y broses o gynhyrchu llaeth y fron ac mae'n rhoi teimlad o dawelwch a lludded ysgafn, a chredir bod hynny er mwyn annog bwydo hamddenol ac araf o'r fron. Mae prolactin hefyd yn cael ei gynhyrchu ar ôl orgasm ac yn mygu dopamin (sy'n cael ei gynhyrchu gan y system gymell), gan greu teimlad o ymlacio a bodlonrwydd.

Mae cynhyrchiant prolactin yn cynyddu mewn tadau a darpar dadau hefyd.[22] Mae'n ffrwyno testosteron mewn dynion a menywod, ac felly'n lleihau'r ysfa rywiol ac ymddygiad ymosodol. Fodd bynnag, credir ei fod hefyd yn cyfeirio ymddygiad ymosodol (o du'r fam a'r tad) tuag at unrhyw fygythiadau i'r babi, felly mae'n bosib fod ganddo rôl wrth gynyddu teimladau o fod yn amddiffynnol o'r babi.

Endorffinau

Ystyrir bod endorffinau yn rhan o'r system emosiwn gadarnhaol. Mae'r rhain yn rhoi teimlad o orfoledd a hapusrwydd hefyd ac yn cael eu sbarduno yn y system gymell a'r system leddfu. Fe'u cynhyrchir pan fyddwn ni'n chwerthin a phan fyddwn ni'n crio, pan fydd rhiant a phlentyn yn cyffwrdd, ac yn ystod bwydo ar y fron, er enghraifft. Maen nhw hefyd yn cael eu cynhyrchu mewn ymateb i'r eiliadau cyntaf o brofi poen er mwyn ein helpu i ddioddef y boen honno, ond, yn gyferbyniol, maen nhw'n cael eu cynhyrchu yn ogystal pan fyddwn ni'n myfyrio. Yn fwy na hynny, mae'n ymddangos bellach eu bod yn cael eu cynhyrchu mewn ymateb i boen emosiynol fel yr hyn a brofir pan fyddwn ni'n cael ein gwrthod neu ein hanwybyddu gan berson arall.[23] Yn fwy na hynny wedyn, mae'r rhai sy'n ystyried eu hunain fel pobl sydd â gwydnwch emosiynol uwch yn cynhyrchu mwy o endorffinau mewn ymateb i gael eu gwrthod o'u cymharu â'r rhai a nododd fod eu gwydnwch emosiynol yn isel; felly, yn ogystal â phoen gorfforol, mae'n ymddangos fod endorffinau yn darparu byffer yn erbyn y boen emosiynol o gael eich gwrthod.

Mae cocên a heroin yn ysgogi'r system endorffin ac fel gyda'r cyffuriau hynny, yn rhyfeddol, mae'n bosib i ni brofi symptomau diddyfnu pan fyddwn ar wahân i'r bobl neu'r gwrthrychau sy'n ysgogi ein system endorffin. Wedi i gwlwm opioid cryf gael ei ffurfio, efallai y bydd bod ar wahân yn ein gwneud ni'n gynhyrfus, yn bigog ac yn anghyfforddus yn gorfforol wrth i'r lefelau opioid ostwng yn yr ymennydd, gan gynhyrchu ysfa gref i ddychwelyd at ein partner, ein babi neu i'n cartref. Mewn babi, gellir lliniaru effaith diddyfnu opioid ychydig drwy sugno bawd neu gofleidio gwrthrych sy'n cysuro, fel tedi neu flanced, sydd hefyd wedi dod yn gysylltiedig â theimlo lefelau opioid uwch.

O ganlyniad, mae endorffinau yn helpu i greu cysylltiad cryf â phobl (neu wrthrychau) sy'n gwneud i ni deimlo'n dda drwy wobrwyo agosrwydd atyn nhw â llif o deimlad positif yn ein corff.

Gyda chyffuriau opioid artiffisial, rydyn ni'n dod yn oddefgar iddyn nhw, gan beri'r angen am lefelau uwch ac uwch er mwyn creu'r un effaith. Dydy'r goddefedd hwn ddim yn digwydd wrth fondio, fodd bynnag, oherwydd bod lefelau uwch o ocsitosin a gynhyrchir drwy gyswllt rhwng unigolion mewn gwirionedd yn llesteirio datblygiad goddefedd gan atal y teimladau pleserus rhag 'treulio'. Dyna gyrff rhyfeddol o alluog a chymhleth sydd gennym ni.

Crynodeb

Dim ond megis dechrau darganfod sut mae ein hymennydd yn newid yn ystod beichiogrwydd ac yn yr wythnosau a'r misoedd ar ôl cael babi yr ydyn ni. Ond o ran y model meddwl tosturiol, mae'n ein helpu i weld sut mae'r peiriant beichiogrwydd a mamolaeth rhyfeddol o gymhleth hwn yn cael ei danio a'i atgyfnerthu pan fyddwn ni'n beichiogi. Mae hyn yn achosi i ni newid mewn ffyrdd nad ydyn ni'n eu dewis ond sy'n gallu cael effaith ddwys ar ein hwyliau, ein hymddygiad, ein meddwl ac ati. Mae'n syfrdanol, a dweud y gwir.

Mae'r newidiadau hyn yn ein helpu i fod yn fam. Fodd bynnag, maen nhw hefyd yn gallu achosi canlyniadau anfwriadol fel cynnydd mewn gorbryder a mwy o ffocws ar fygythiad, ac mae hynny'n gallu creu trafferthion gwirioneddol i'r rheini a oedd eisoes â ffocws dwys ar fygythiad. Rydyn ni hefyd yn dechrau sylweddoli bod nifer o agweddau yn gallu cael eu newid neu eu bwrw oddi ar eu trywydd gan ddylanwadau allanol a mewnol, rhai eto na wnaethon ni eu dewis ac nad ydyn nhw'n fai arnon ni, ond sy'n gallu effeithio ar ein hwyliau a sut rydyn ni'n bondio â'n babi.

9 Deall cywilydd

Felly, rydyn ni wedi edrych ar esblygiad ein systemau bygythiad, cymell a lleddfu, a rôl y system leddfu wrth ddarparu sylfaen ar gyfer ein gallu esblygol i dosturio. Rydyn ni hefyd wedi gweld sut mae newidiadau biolegol beichiogrwydd a bod yn fam newydd yn gallu effeithio ar y tair system hyn. Fodd bynnag, wrth i ni deithio drwy'r llyfr hwn hyd yn hyn, does dim amheuaeth nad llaw ein system fygythiad, yn enwedig ar ffurf hunanfeirniadaeth a chywilydd, sydd wedi ein taro ar ein hysgwydd dro ar ôl tro. Os ydyn ni wedi esblygu'r gallu i dosturio a chysuro, a bod hyn yn cael ei ystyried yn ffactor allweddol yn llwyddiant y rhywogaeth ddynol, sut mae'r gallu i gywilyddio a hunanfeirniadu yn perthyn yng nghanol hyn i gyd?

Beth yw cywilydd?

Fel arfer, mae'r profiad corfforol o gywilydd yn cynnwys patrwm penodol o ymatebion: llygaid yn edrych i lawr, cyhyrau'n llacio, ymdeimlad o 'gwymp' corfforol, ysgwyddau'n disgyn a'r corff yn cau i mewn amdano'i hun. Yr ysfa o ran ymddygiad yw llechu, cuddio, awydd i'r ddaear ein llyncu, gorchuddio'r wyneb, dymuno 'marw yn y fan a'r lle'. Gall nifer o emosiynau fod yn bresennol yr un pryd, fel cyfuniad o ddicter, gorbryder a ffieidd-dod. Yn aml, mae'n anodd meddwl yn gall, ac mae'r meddwl ei hun yn gallu teimlo'n ddryslyd neu wedi'i lethu.

Gallwn weld ymddygiad tebyg mewn anifeiliaid eraill, sy'n rhoi syniad i ni o swyddogaeth bosib cywilydd. Bydd anifeiliaid yn edrych i lawr, yn colli ffurf eu cyhyrau, ac yn gwneud eu hunain yn llai ac yn fwy ymostyngol wrth wynebu unigolyn cryfach. Efallai y byddwch chi wedi sylwi ar hyn os oes gennych chi gi neu gath anwes. Mae'r anifail ymostyngol yn anfon signal awtomatig, hynod weladwy, nad yw'n fygythiad i'r anifail cryfach, felly does dim angen iddo ymosod. Mae'n fath o signal 'Dydw i ddim yn mynd i ymosod arnat ti, felly paid tithau ag ymosod arna innau!'

Mae'n ymddangos i ni esblygu'r un ymateb awtomatig hwn i nodi ein bod yn cydnabod i ni grwydro'n agos at ryw norm cymdeithasol, neu'n wir ein bod wedi camu tu hwnt iddo. Yn yr eiliad honno, felly, mae cywilydd yn ymateb amddiffynnol, ond mae'n gallu arwain at ganlyniadau hirdymor niweidiol oherwydd, fel y gwelwn, mae'n peri i ni gilio rhag cyswllt cymdeithasol ag eraill, sy'n hanfodol bwysig i'n llesiant corfforol ac emosiynol.

Felly, ymateb amddiffynnol rhag bygythiad yw cywilydd, ac mae fel arfer yn cynnwys ymddygiad sy'n ymostyngol. Fodd bynnag, mae'n bosib i ni gael patrwm gwahanol o ymatebion o gywilydd; er enghraifft, gallwn arddangos ymateb trechol yn hytrach nag ymostyngol, a mynegi dicter amlwg at y person arall a cheisio'i fychanu.

Pan fyddwn ni'n profi cywilydd, sylwch pa mor gyflym y mae ein meddwl yn ymateb i'r bygythiad. Gallwn weld ein hunain yn ymateb mewn ffordd benodol, fel ymostwng neu ymosod, cyn i ni ddod yn ymwybodol o'r hyn sydd wedi digwydd mewn difrif. Mae ein hymennydd ymlusgiadol, neu ein hen ymennydd, yn ymateb cyn i'r neocortecs neu ein hymennydd newydd sylweddoli beth sydd wedi digwydd. Felly, dydyn ni ddim yn 'dewis' ymateb cywilydd – mae'n digwydd yn awtomatig.

Pam mae 'cywilydd' yn bodoli?

Mae gan bob un ohonon ni'r gallu i deimlo cywilydd. Credir ein bod yn ei ddatblygu rywbryd yn ystod ail flwyddyn ein bywyd.[1] Mae hyn tua'r adeg pan fydd yr ymennydd wedi datblygu'n ddigonol i'n galluogi i gael ymdeimlad o'r hunan; pan fyddwch chi'n edrych mewn drych, er enghraifft, ac yn gwybod mai 'fi' sydd yno yn hytrach na rhyw berson arall.

Dyma pryd mae plentyn yn cael ei swyno gan y cysyniad o 'fy un i'; bod tegan yn eiddo iddo ef, nid i ryw blentyn arall. Mae hwn yn gallu bod yn gyfnod rhwystredig i riant, yn enwedig os oes plant eraill o gwmpas, ond mae hefyd yn hynod ddiddorol pan fyddwn ni'n sylweddoli'r newid datblygiadol dwys y mae'r ymwybyddiaeth newydd hon yn arwydd ohono.

Mae hefyd angen y gallu i ddeall fod pobl eraill yn gallu edrych ar y 'fi' hwn a chael barn amdano. Os yw plentyn yn gweld ei fod yn cael ei farnu'n gadarnhaol, mae'n gallu profi ymdeimlad o falchder a llawenydd. Fodd bynnag, mae barnu negyddol yn gallu arwain at deimladau o embaras, sarhad a chywilydd. Rydyn ni'n gweld pa mor gryf yw'r ysfa hon, ymysg plant ac oedolion, fod pobl eraill yn meddwl yn gadarnhaol amdanyn nhw, pan fyddwn ni'n ystyried pa mor bwysig yw hi i ni fod pobl eraill yn dyst i'r pethau da rydyn ni'n eu gwneud. Er enghraifft, bydd plant yn awyddus i ddangos naid newydd 'anhygoel' ar y trampolîn i ni, ac fe fyddan nhw'n siomedig os nad ydyn ni'n gwylio neu os nad ydyn nhw'n llwyddo pan fyddwn ni'n eu gwylio. Os nad oes neb yn dyst iddyn nhw, mae'n ymddangos nad yw'r pethau da amdanon ni'n hunain yn golygu dim.

Fodd bynnag, mae rhai'n dadlau bod plant yn gallu profi rhywbeth sy'n debyg i gywilydd yn llawer cynharach yn eu bywydau. Er enghraifft, wrth arsylwi ar blant chwe mis oed, gwelodd yr athro seicoleg plant, Colwyn Trevarthen, eu llawenydd wrth ddysgu gêm glapio gydag oedolyn, yn enwedig yn y profiad o rag-weld ac yna deall bod yr oedolyn yn gwybod beth i'w wneud ac yn ymuno.[2] Rhannu'r gêm sy'n creu'r llawenydd. Pan mae oedolyn arall yn cyrraedd sydd ddim yn gwybod 'trefn' y gêm, mae'r plentyn yn dal i gychwyn y gêm yn llawn disgwyliadau, ond pan ddaw'n amlwg nad yw'r oedolyn yn gwybod beth i'w wneud, mae'r plentyn yn edrych i lawr ac mae ei gyhyrau'n llacio – yr un ymatebion ag sy'n digwydd yn sgil cywilydd.

Mae'n bosib i ni brofi cywilydd allanol, â'r prif ffocws ar y cwestiwn a fydd pobl eraill yn ein hystyried yn ddrwg, yn anghywir, ddim yn ddeniadol, yn annerbyniol neu'n ein gwrthod mewn rhyw ffordd. Gallwn hefyd brofi cywilydd mewnol lle rydyn ni'n ystyried ein hunain – ein meddyliau, ymddygiad, emosiynau, corff, unrhyw agwedd ohonon ni'n hunain, mewn gwirionedd – fel rhywbeth sy'n ddrwg, yn annigonol neu'n ddiffygiol mewn rhyw ffordd. Mae cywilydd mewnol ac allanol yn gallu asio â'i gilydd i'r fath raddau fel ein bod ni'n ofni na fyddai pobl eisiau ein hadnabod pe baen nhw'n ymwybodol o'r agweddau 'cywilyddus' hyn arnon ni. Oherwydd bod cywilydd yn cael ei brofi o ganlyniad i'n perthynas go iawn neu ddychmygol ag eraill, mae weithiau'n cael ei alw'n emosiwn cymdeithasol neu hunanymwybodol.

Mae cywilydd yn brofiad pwerus ac anghymhellol, ac mae hefyd yn cael ei ystyried yn ffactor allweddol mewn llawer o drafferthion seicolegol. Felly pam mae profiad mor annymunol a dinistriol wedi datblygu'n rhan o'n stôr o emosiynau? Mae'n bosib i ni feddwl am rôl cywilydd drwy ddychmygu person 'heb gywilydd' – rhywun nad yw'n poeni beth mae'n ei ddweud neu'n ei wneud, sydd ychydig yn drahaus, neu sy'n ddiog neu ddim am drafferthu. Sut bydden nhw'n gallu ymddwyn? Sut bydden nhw'n gallu bod yng nghwmni pobl eraill? Pa fath o emosiynau fyddai'n bosib iddyn nhw eu cyfeirio atyn nhw'u hunain ac eraill? Sut byddech chi'n teimlo tuag atyn nhw? Mae'n debyg na fydden ni'n cael ein denu atyn nhw. A dweud y gwir, mae'n bosib y bydden ni'n gwneud ymdrech fwriadol i'w hosgoi rhag ofn iddyn nhw ddweud neu wneud rhywbeth sarhaus neu niweidiol i ni, heb falio na phoeni am hynny. Efallai y bydden ni hefyd yn poeni na fydden ninnau'n teimlo cywilydd chwaith, ac y bydden ni'n troi'n bobl sy'n tarfu ar eraill neu'n ymddwyn mewn ffordd a fyddai yn y pen draw yn golygu y bydden ni'n cael ein hesgymuno gan y rhai o'n cwmpas ni.

Ofn cynhenid cael ein gwrthod

Mae'n amlwg fod cywilydd yn fodd pwerus o reoli cymdeithasol, gan ein cadw ar dennyn er mwyn i bawb gydweithio'n llwyddiannus fel grŵp. Credir mai ein gallu i ddefnyddio manteision grŵp cymdeithasol sydd wedi gwneud bodau dynol mor llwyddiannus o safbwynt esblygiadol. Mae cywilydd yn ffordd o ffrwyno'r agweddau hynny a allai fod yn arbennig o niweidiol i lwyddiant y grŵp. Y cywilydd eithaf yw fod y grŵp yn eich gwrthod yn llwyr. Mae'n hawdd dychmygu beth fyddai cael eich diarddel o'r grŵp wedi ei olygu yn ystod y miloedd o flynyddoedd a dreuliodd bodau dynol yn byw ar y safana: risg sylweddol iawn o farwolaeth. Mae'r ofn hwn o gael ein gwrthod yn dal yn gynhenid, er y gallen ni bellach oroesi'n berffaith iawn heb gefnogaeth pobl eraill, o bosib. Dyma pam mae'r awgrym lleiaf o anghymeradwyaeth o du rhywun arall yn gallu peri ein bod yn mynd i banig, hyd yn oed os yw ein hymennydd rhesymegol yn dweud na ddylai fod o wir bwys.

> *Am filoedd o flynyddoedd, roedd cael ein gwrthod gan ein grŵp yn risg fawr i'n goroesiad. Mae ofn cael ein gwrthod yn rhan gynhenid ohonon ni.*

Mae nifer o arbrofion sy'n edrych ar wrthod cymdeithasol wedi darganfod bod yr ofn hwn o gael ein hesgymuno neu ein datgysylltu oddi wrth eraill mor gryf fel ein bod yn ymateb i hyd yn oed yr arwydd lleiaf o gael ein gwrthod. Mae'r teimlad hwn o gael ein gwrthod yn digwydd hyd yn oed os yw'r person rydyn ni'n synhwyro ei fod yn ein gwrthod yn rhywun nad ydyn ni'n ei hoffi.[3]

> *Mae cywilydd yn rhan o'n system amddiffyn rhag bygythiadau. Mae'n chwarae ei ran wrth ein hamddiffyn rhag bygythiad o gael ein gwrthod.*

Does dim rhaid i ni gael ein 'gwthio allan' go iawn i deimlo ein bod yn cael ein gwrthod; rydyn ni'n profi ymdeimlad o gael ein gwrthod hyd yn oed pan nad yw dieithryn ar y stryd yn sylwi arnon ni neu'n ein cydnabod mewn rhyw ffordd.[4]

Mewn un arbrawf, roedd nifer yn chwarae gêm yn erbyn cyfrifiadur.[5] Rhaglennwyd y cyfrifiadur i ddweud nad oedd am i'r chwaraewr gael ei gynnwys yn y gêm bellach. Hyd yn oed pan oedden nhw'n gwybod bod y cyfrifiadur wedi'i raglennu i wneud hyn, roedd y chwaraewyr yn dal i brofi ymdeimlad corfforol o gael eu gwrthod.

Mae ein hymennydd wedi'i ffurfio i dybio ein bod yn cael ein hesgymuno, hyd yn oed os nad yw hynny'n wir. Dychmygwch, er enghraifft, ein bod wedi anfon neges destun neu e-bost at rywun, a heb glywed dim yn ôl am beth amser. Ar un lefel, mae'n debyg y bydden ni'n rhesymoli hyn, ond dydy hi'n aml ddim yn cymryd llawer o amser i ni ddechrau meddwl tybed ydyn ni'n cael ein hanwybyddu'n fwriadol oherwydd ein bod wedi ypsetio'r derbynnydd rywsut. Mae hyn oherwydd bod ein meddyliau wedi'u trefnu o safbwynt 'gwell diogel nag edifar' – rydyn ni'n tybio ein bod yn cael ein gwrthod ar sail ychydig iawn o dystiolaeth er mwyn gallu mynd ati i ddatrys y sefyllfa cyn gynted â phosib. Mae cymryd bod popeth yn iawn pan nad yw hynny'n wir yn creu risg y cawn ein diarddel o'r grŵp heb hyd yn oed sylweddoli hynny.

Os ydyn ni wedi cael ein gwrthod yn y gorffennol, mae'r duedd tuag at wylio am arwyddion ein bod yn cael ein gwrthod yn fwy fyth. Dyma pam y gallwn ni brofi panig pan fydd ein babi yn crio ar ôl i ni ei godi, pan fydd yn troi oddi wrthyn ni, neu pan fydd yn estyn ei freichiau tuag at rywun arall. Mae'r ymatebion normal o du'n babi wedi'u sefydlu'n ddwfn yn ein hymennydd fel arwydd o wrthodiad, ac maen nhw'n gallu creu ymatebion cryf o ofn, panig, dicter a chywilydd ynom ni. Yn anffodus, dwi wedi cyfarfod llawer iawn o fenywod sy'n teimlo'u bod yn cael eu gwrthod gan eu babi. Yn aml, sylweddoli sut mae ein hymennydd yn ymateb yn orsensitif i'r ymdeimlad o gael ein gwrthod yw'r cam cyntaf i allu cywiro beth allai fel arall ddatblygu'n strategaeth amddiffynnol gynyddol gref ar ran y fam o bellhau oddi wrth ei babi neu lynu'n agosach ato.

Pan fyddwn ni'n cael ein gwrthod neu ein hanwybyddu, rydyn ni mewn gwirionedd yn ei brofi fel poen gorfforol; yr un rhannau o'n hymennydd sydd ar waith pan mae'r ddau beth yn digwydd. Rydyn ni hefyd yn gwybod bod gwrthod, ynysu ac unigrwydd yn ddrwg i'n hiechyd corfforol yn ogystal â'n hiechyd meddwl; mae'n cynyddu'r risg o salwch corfforol, yn arafu pa mor gyflym rydyn ni'n gwella o afiechydon corfforol ac yn cynyddu ein cyfradd farwolaeth.

O ganlyniad, rydyn ni'n reddfol yn gweld cael ein gwrthod neu ein datgysylltu fel bygythiadau. Mae cywilydd yn glynu wrth yr ofn hwn pan fyddwn ni'n credu y bydd rhyw wendid ynom ni, o'i ddatgelu, yn peri i ni gael ein gwrthod gan eraill:

> Mae cywilydd yn emosiwn amwys ac iddo ystyr dwbl; mae'n eich gwneud yn agored ac eto'n guddiedig. Mae'r unigolyn sy'n destun cywilydd, ac sy'n teimlo i'r byw oherwydd cywilydd, yn edrych i lawr neu'n troi i ffwrdd, ac eto'n parhau i fod yn amlwg. Y dadleniad sy'n achosi'r cywilydd: bod rhywun wedi gweld eich bod wedi gwneud rhywbeth ofnadwy. Dydy bod ar eich pen eich hun ddim yn dileu'r profiad o gywilydd, gan fod y 'tyst' yn dal i gael ei ddychmygu. (Ahmed, 2004)[6]

Dyma pam rydyn ni'n gallu profi cywilydd ar ein pennau ein hunain hyd yn oed.

Mae ein hymatebion penodol yn rhan annatod o'n hymennydd dynol, ond fe allan nhw gael eu llunio gan ein profiadau bywyd penodol ninnau hefyd. Mae gwahaniaethau rhwng y rhywiau hefyd yn bosib. Felly os ydyn ni'n teimlo'n fwy pwerus yn ein bywydau, efallai y byddwn ni'n fwy tebygol o ymateb â dicter a cheisio bychanu'r person arall, ond os ydyn ni'n teimlo'n llai pwerus, mae'n bosib y byddwn ni'n ymateb yn ymostyngol.

Sut mae cywilydd yn ein caethiwo

Y broblem fwyaf dwys gyda chywilydd yw ei fod yn ein datgysylltu oddi wrth eraill. Os ydyn ni'n credu bod rhyw agwedd arnon ni fydd yn achosi inni gael ein hanghymeradwyo neu'n codi arswyd mewn pobl eraill, fe fyddwn ni wedyn yn ceisio'i chuddio'n ofalus. Ond mae hyn yn ein gadael gyda'r ymdeimlad bod gennym ni gyfrinach annymunol amdanom ein hunain, ac nad ydyn ni wir yn deilwng o fod yn rhan o grŵp, hyd yn oed pan maen nhw'n gwmni da. Os ydyn ni'n gadael i bobl glosio'n agos atom, mae'n bosib i ni deimlo'u bod yn gallu syllu i mewn i ni a gweld y rhan erchyll, gudd. Ein hofn mawr yw y bydden nhw'n gwingo o sioc, siom neu ffieidd-dod, ac yna ddim eisiau ein hadnabod mwyach.

> *Mae cywilydd yn ein datgysylltu. Mae trin ein hunain â thosturi a chydymdeimlad yn ein helpu i weithio gyda'n trafferthion yn hytrach na theimlo cywilydd amdanyn nhw a'u cuddio. Mae gweithio gyda'n trafferthion yn caniatáu i ni gysylltu ag eraill eto.*

Yr eironi yw ein bod ni'n cadw'r agweddau hyn yn gudd rhag ofn i ni gael ein cam-drin neu'n diarddel, ond mae gwneud hynny hefyd yn peri i ni deimlo'n unig ac ar wahân. Pan fyddwn ni'n gwthio'r cywilydd i grombil ein cyrff, dydyn ni ddim yn gallu ei weld yn iawn; mae'n llechu ynom ni, gan greu naws o orbryder, caddug a thywyllwch yn y cefndir. Ond os nad ydyn ni'n gallu ei weld yn glir, dydyn ni ddim yn gallu mynd i'r afael ag ef chwaith.

I ddod allan o'r fagl, mae'n rhaid i ni dynnu'r rhannau cywilyddus allan a chraffu arnyn nhw'n fanwl; eu deall fel rhan o'r cyflwr dynol sydd, mewn gwirionedd, yn ein cysylltu ni ag eraill yn hytrach na'n datgysylltu. Rydyn ni'n gwneud hyn drwy gyflwyno ein tosturi i'r rhannau hyn. Mae angen ein cryfder arnon ni er mwyn cael y dewrder i archwilio'r rhannau anodd yma, ac i ymrwymo i geisio'u helpu hyd eithaf ein gallu. Mae angen ein doethineb arnon ni i ddeall, *o ddifrif* ac yn *ddwfn*, pam ein bod ni wedi dod i deimlo neu i ymddwyn fel rydyn ni, ac mae angen ein caredigrwydd a'n cynhesrwydd i fynd i'r afael â'r dioddefaint a achoswyd ganddyn nhw. Os ydyn ni wedi niweidio rhywun (neu ni ein hunain) drwy ein gweithredoedd, mae angen y cryfder a'r dewrder sy'n deillio o'n tosturi i'n helpu i droi at bobl, i deimlo'n edifar ac i ymddiheuro, a gwneud ein gorau i atgyweirio'r difrod hwnnw.

Cywilydd, euogrwydd a bod yn fam

Mae mamau'n aml yn sôn nad yw teimladau o euogrwydd byth yn bell iawn i ffwrdd yn ystod beichiogrwydd ac fel mam. Mae hyn oherwydd bod euogrwydd yn codi o'r system leddfu neu'r system rhoi gofal/derbyn gofal, sef yr union system sy'n cael ei hysgogi pan fyddwn ni'n beichiogi ac yn esgor. Mae euogrwydd yn wahanol i gywilydd, gan fod euogrwydd yn ymwneud ag ofni bod ymddygiad neu syniad penodol yn mynd i effeithio'n negyddol ar rywun arall. Mae euogrwydd yn peri i ni roi ein hunain yn esgidiau'r person arall a dychmygu sut gallai'n hymddygiad ni fod wedi gwneud iddo deimlo. Yr ysfa yw ceisio atgyweirio, ymddiheuro, gwneud pethau'n well rywsut. Tra mae euogrwydd yn tarddu o'r system rhoi gofal, mae cywilydd yn tarddu o'r system fygythiad ac yn cael ei sbarduno gan fygythiadau cymdeithasol lle credwn fod pobl yn edrych arnon ni mewn ffordd feirniadol. Dydy euogrwydd ddim yn gysylltiedig ag anawsterau seicolegol, ond mae cywilydd. Dydy euogrwydd ddim yn cael ei ystyried yn broblem (er y gall deimlo fel hynny ar y pryd) oherwydd ei fod yn gysylltiedig â sylwi ar broblem a mynd i'r afael â hi. Mae cywilydd, fodd bynnag, yn gysylltiedig ag ymdeimlad bod y broblem yn fai dwfn a chreiddiol ynoch chi, un sy'n creu awydd i guddio'ch hun yn hytrach nag estyn allan ac atgyweirio unrhyw niwed a achoswyd. Mae'r profiad o gywilydd yn gysylltiedig â chynnydd yn y risg o iselder a gorbryder.

> *Mae cywilydd yn peri i ni guddio'r hyn rydyn ni'n teimlo i ni ei wneud o'i le, tra mae euogrwydd yn ein cynorthwyo i droi at bobl, ymddiheuro ac atgyweirio.*

Os gallwn ni fynd i'r afael â chywilydd, gallwn wedyn symud o gywilydd at euogrwydd, ac mae hynny yn ei dro yn gallu arwain at adfer a datrys. Mae'n bosib dychmygu cywilydd fel math o bwyso'n ôl neu guddio, tra mae euogrwydd yn debycach i bwyso ymlaen ac estyn allan.

Oherwydd bod y system rhoi gofal wedi'i hysgogi i'r fath raddau, gan ysgogi ein cymhelliant i wneud ein gorau glas i helpu ein babi i ddatblygu a ffynnu, mae'n debygol iawn fod cysylltiad annatod rhwng euogrwydd a bod yn fam. Yn ei sgil, daw cynnydd mewn sensitifrwydd i'r adegau hynny pan fydden ni wedi dymuno gwneud pethau'n well. Mae euogrwydd yn tynnu ein sylw at yr adegau hynny ac yn ein gorfodi i geisio'u gwella. Felly, er ei fod yn gallu teimlo'n erchyll, dydy euogrwydd ddim yn ddrwg i gyd. Os gallwn ni ddeall euogrwydd mewn ffordd fwy cadarnhaol, mae'n dileu'r elfen o orbryder ohono ac yn ein galluogi i symud ymlaen ag ef. Yn hytrach na brwydro yn ei erbyn, mae'n bosib i ni sylwi arno'n ymwybyddol ofalgar a gwerthfawrogi ei bresenoldeb fel arwydd o ddyfnder ein gofal am ein plant, ac o'n cymhelliant i fod yn fam gystal ag y gallwn ni o dan yr amgylchiadau.

Fodd bynnag, pan ddaw cywilydd yn hytrach nag euogrwydd yn gysylltiedig â bod yn fam, mae'n gallu bod yn anodd iawn, oherwydd ar yr union adeg mae angen y cymorth mwyaf arnon ni, gall cywilydd ein hynysu oddi wrth y cymorth hwnnw.

Rydyn ni'n datblygu strategaethau diogelu er mwyn amddiffyn ein hunain rhag cywilydd; er enghraifft, drwy weithio'n galed a pheidio â gwneud unrhyw gamgymeriadau, bod yn dawel, yn dda, yn ddeniadol, yn ddoniol, neu drwy wneud hwyl am ein pennau ein hunain cyn i bobl eraill wneud hynny. Erbyn i ni ddod yn oedolion, rydyn ni fel arfer wedi dod yn eithaf da am amddiffyn ein hunain fel hyn. Fodd bynnag, pan fydd gennym ni blant, yn sydyn iawn, rydyn ni allan o reolaeth eto. Bellach, mae unigolyn bach newydd gennym ni nad yw'n gwybod am ein hofnau ac yn waeth fyth, i ddechrau, does ganddo ddim cywilydd na hunanymwybyddiaeth. Does gan ein babi ddim pryderon ynghylch crio, llenwi'i glwt, chwydu a thaflu bwyd yn gyhoeddus. Mae'n barod i weiddi mewn archfarchnad, i strancio mewn ystafell aros, i ddwyn teganau oddi ar blant eraill ac i grio oherwydd y ddynes â'r 'wyneb doniol', heb feddwl o gwbl sut mae hynny'n gallu effeithio ar ei fam. Yn sydyn, rydyn ni'n agored i gael ein hanghymeradwyo gan bobl eraill unwaith eto. Nid yn unig rydyn ni'n ofni cael ein barnu am fod yn 'famau gwael', ond oherwydd y gall ein plant deimlo fel estyniadau ohonon ni'n hunain, pan fydd pobl yn gweld yr ymddygiad 'annerbyniol' yn ein plant, mae'n gallu teimlo fel petaen nhw hefyd yn gweld y rhan annerbyniol ohonon ni.

Mae cael plant yn profi ein tosturi tuag atom ein hunain go iawn, ond mae hefyd yn gallu bod yn gyfle gwirioneddol i wneud tro pedol yn y ffordd rydyn ni wedi bod yn edrych arnom ein hunain. Weithiau, mae sylweddoli bod ymddygiad 'drwg' neu gywilyddus yn ein babi mewn gwirionedd yn hollol normal a dealladwy yn ein galluogi ni i edrych o'r newydd arnom ein hunain. Efallai mai'r cyfan roedden ni'n ei wneud oedd 'bod yn blant', fel yr holl filiynau o blant eraill yn y byd, yn hytrach nag ymddwyn mewn ffordd y daethon ni i gredu ei bod yn ddrwg, neu'n rhyfedd, neu'n wahanol.

'Beth wyt ti wedi bod yn ei wneud drwy'r dydd?'

Gallwn deimlo cywilydd pan nad yw rhywun arall yn deall ein meddyliau, yn enwedig pan welwn deimladau negyddol fel anghymeradwyaeth, anfodlonrwydd neu annifyrrwch yn llygaid y person arall. Ffynhonnell o gywilydd sydd wedi ei chrybwyll gan lawer o'r mamau dwi'n gweithio gyda nhw yw'r foment pan ddaw partner adref a gweld y llanast, pryd o fwyd eto i'w baratoi, a gwraig neu bartner anhapus. Mae'n bosib i'r fam a'i phartner ei chael hi'n anodd deall yn iawn beth sy'n digwydd yn ystod diwrnod mam, a cheisio'i gymharu â'r hyn sy'n gyfarwydd; er enghraifft, gan nad yw'r fam yn mynd allan i weithio, mae'n rhaid ei fod fel diwrnod i ffwrdd. Efallai fod y ddelwedd sy'n cael ei chreu yn un o goffi, rhyddid, teledu a chwarae â'r babi, o'i gymharu â delwedd diwrnod y partner yn y gwaith o ddifrifoldeb, cyfyngder, pwysigrwydd ac anhawster.

Beth sy'n gwneud hyn yn arbennig o anodd yw nad yw'r fam yn aml yn gallu deall beth mae hi wedi'i wneud drwy'r dydd chwaith – does dim arwydd gweladwy o'r oriau o ymdrech aruthrol a wnaed ganddi. A dweud y gwir, yn hytrach na gweld arwyddion o gynnydd wrth i'r diwrnod fynd rhagddo, mae'n ymddangos bod pethau wedi dirywio ymhellach: mae'r tŷ yn llanast, y pentwr dillad i'w golchi wedi tyfu, y babi yn fwy blin a ninnau'n fwy anhapus. Mae Naomi Stadlen yn trafod hyn mewn llyfr hynod ddiddorol o'r enw *What Mothers Do: Especially When It Looks like Nothing*[7]: 'Pan mae mam yn methu esbonio'i diwrnod, mae'n hynod annhebygol o ddweud wrthi ei hun: "Efallai fod y geiriau cywir ar goll." Gan bwy mae'r egni i fod yn graff ar ddiwedd diwrnod heriol?

Na, mae mam sydd heb lawer i'w ddweud fel arfer yn tybio mai'r rheswm am hynny yw oherwydd nad oes fawr ddim yn werth ei ddweud' (Stadlen, 2004).

Unwaith y mae'r geiriau gennym ni i ddweud beth rydyn ni wedi'i wneud, mae'r hyn rydyn ni wedi'i gyflawni yn dod yn glir ac yn ddiriaethol yn sydyn iawn. Rydyn ni wedyn yn gallu symud ein sylw at yr hyn rydyn ni'n ei wneud yn hytrach na'r hyn nad ydyn ni'n ei wneud (gweler Pennod 16 ar sylw tosturiol); er enghraifft, cadw'n plentyn yn ddiogel, ei fwydo, ei fwydo eto, ei fwydo eto fyth, ei gadw'n ddigon cynnes, yn ddigon oer, yn lân, ei gadw mewn cof, rhoi sylw iddo, ei ysgogi ddigon, ei helpu i gysgu, ac ati.

Crynodeb

1. Mae cywilydd yn ymateb dynol cyffredin i fygythiad cymdeithasol. Mae'r gallu gennym ni i brofi cywilydd o tua dwyflwydd oed, pan fyddwn ni'n gallu deall bod gan bobl eraill feddyliau ar wahân i ni ac o ganlyniad eu bod yn gallu meddu ar farn amdanon ni.

2. Os ydyn ni'n gweld emosiynau cadarnhaol tuag aton ni yn llygaid pobl eraill, rydyn ni'n gallu teimlo'n ddiogel, yn llawen ac yn falch. Ar y llaw arall, mae gweld emosiynau negyddol yn gallu gwneud i ni deimlo'n anniogel, yn orbryderus, yn ddig ac yn llawn cywilydd. Yr ofn eithaf yw cael ein diarddel o'n grŵp; am filoedd o flynyddoedd i drigolion y safana yn Affrica, byddai hynny'n golygu eu bod yn annhebygol o oroesi.

3. Mae cywilydd yn gallu cael effaith gorfforol gref arnon ni. Fe allwn ni deimlo'n orbryderus, ac yna ganfod ein bod ni'n colli egni yn sydyn, felly'n gwanychu'r corff. Mae'n bosib y byddwn yn rhoi ein pen i lawr, eisiau swatio neu'n teimlo awydd i'r ddaear ein llyncu ni. Credir mai ymateb ymostyngol yw hwn, fel sydd i'w weld pan fydd anifail mewn perygl wrth i anifail cryfach ymosod arno. Yn yr eiliad honno, felly, credir ei fod yn ymateb hunanamddiffynnol.

4. Yn y pen draw, fodd bynnag, mae cywilydd yn peri i ni encilio rhag cyswllt cymdeithasol ac yn gwneud i ni deimlo fod rhywbeth gwahanol amdanon ni, neu fod rywbeth o'i le arnon ni, ac na allwn ni ddatgelu hynny i neb rhag ofn i ni gael ein gwrthod. Gan fod pobl yn hanfodol i'n llesiant seicolegol a chorfforol, dydy cywilydd ddim o fudd i ni yn y pen draw.

5. Os gallwn ni fynd i'r afael â'r cywilydd, fe allwn ni symud o gywilydd i euogrwydd. Tra mae cywilydd yn ein gorfodi i guddio ein trafferthion, sy'n

golygu na allwn eu gweld na'u datrys mewn gwirionedd, mae euogrwydd yn tarddu o'n system rhoi gofal ac yn peri i ni geisio adfer pethau, dod o hyd i ddatrysiad, ac ailgysylltu yn hytrach na datgysylltu.

6. Drwy gyflwyno cydymdeimlad, caredigrwydd, cynhesrwydd a derbyn ein cywilydd, rydyn ni'n gallu 'dadgywilyddio' cywilydd, ac yn hytrach nag encilio, fe allwn ni geisio cysylltu â ni ein hunain a helpu ein hunain i gysylltu ag eraill ac unrhyw gymorth maen nhw am ei gynnig i ni.

10 Strategaethau diogelu a'u canlyniadau anfwriadol

Drwy'r llyfr hwn, rydyn ni wedi gweld i ba raddau rydyn ni wedi esblygu i aros yn ddiogel, cymaint felly fel bod cadw llygad am fygythiad ac ymateb iddo yn drech na bron unrhyw beth arall. Mae hyn yn cynnwys aros yn gorfforol ddiogel – osgoi cael ein taro gan gar, er enghraifft, neu osgoi salwch. Ond mae hefyd yn cynnwys aros yn gymdeithasol ddiogel. Drwy'r broses esblygiad, rydyn ni wedi cael ein paratoi i fod yn rhan o ryngweithio cadarnhaol ag eraill, yn union ar ôl cael ein geni hyd yn oed, fel ein bod ni'n cael ein dal yn ddiogel ym meddyliau pobl eraill yn hytrach na bod mewn perygl o gael ein gwrthod ganddyn nhw. Bydd y bennod hon yn edrych ar y ffordd y mae ein profiadau bywyd yn gallu rhyngweithio â'n system fygythiad gynhenid i sefydlu strategaethau i geisio ein diogelu rhag bygythiadau yn y dyfodol.

> *Rydyn ni'n datblygu ffyrdd eglur (ymwybodol) ac ymhlyg (anymwybodol) o amddiffyn ein hunain. Dyma ein strategaethau diogelu.*

Yn y dull meddwl tosturiol, gwelwn bedair prif agwedd ar y ffordd y mae hyn yn gweithredu, sef:

1. Ein *profiadau bywyd* sydd wedi arwain at

2. *ofnau a phryderon* amdanon ni ein hunain a'r ffordd y gall pobl eraill ein trin.

3. Gallwn gario'r ofnau hynny gyda ni tan y byddwn ni'n oedolion, ond fe fyddwn ni hefyd yn ceisio amddiffyn ein hunain rhagddyn nhw drwy ddatblygu *strategaethau diogelu*.

4. Fodd bynnag, mae'r strategaethau diogelu hyn yn gallu arwain at anfanteision neu *ganlyniadau anfwriadol*.

Er enghraifft, os ydyn ni wedi cael ein beirniadu'n aml fel plant, mae'n bosib y byddwn yn tyfu i fyny gydag ofn neu bryder ein bod yn israddol a ddim yn ddigon da, ac efallai'n poeni y bydd pobl eraill yn ein beirniadu a'n gwrthod. Rydyn ni wedyn yn ceisio amddiffyn ein hunain rhag teimlo'n israddol, neu rhag cael ein beirniadu, drwy ddatblygu strategaethau amddiffynnol. Gallai'r rhain fod yn strategaethau sy'n cael eu dewis yn fwriadol megis 'Dydw i ddim yn hoffi pan fydd pobl yn fy meirniadu, felly o hyn allan, dwi'n mynd i ddibynnu ar fy nghwmni fy hun', ond maen nhw'n aml yn datblygu heb i ni fod yn hollol ymwybodol ohonyn nhw. O ganlyniad, er enghraifft, mae'n bosib y byddwn ni'n ceisio plesio pobl eraill drwy'r amser, neu gadw pobl hyd braich, heb ddeall yr ofn sy'n gyrru'r ymddygiad hwn yn llawn.

Yn aml, dim ond pan fyddwn ni'n methu defnyddio'r strategaeth ddiogelu am ryw reswm rydyn ni'n dod yn fwy ymwybodol o'r ofn rydyn ni'n ceisio amddiffyn ein hunain rhagddo. Er enghraifft, efallai y byddwn ni'n cadw pobl hyd braich oherwydd ofn ein bod ni'n ddiflas neu nad oes modd ein hoffi ni, ond dydyn ni ddim yn sylweddoli hynny'n iawn nes i rywun yn y grŵp mam a'i phlentyn ein gwahodd ni am goffi, gan wneud i ni fynd i banig llwyr. Neu efallai ein bod ni'n ceisio plesio pawb arall o hyd, er mwyn gwneud yn siŵr na chawn ni'n gwrthod. Dim ond pan mae dau berson ein hangen ni'r un pryd, a ninnau yn y canol, y byddwn ni'n sylweddoli cymaint rydyn ni'n ofni siomi rhywun.

Er y gallai'r strategaethau hyn ein cadw ni'n ddiogel i ryw raddau, y broblem yw fod pris uchel i'w dalu yn y tymor hir yn aml oherwydd bod y strategaethau diogelu yn gallu arwain at ganlyniadau anfwriadol. Felly, efallai fod cadw pobl hyd braich yn golygu nad ydyn ni'n cael ein beirniadu, ond wedyn byddwn yn sylweddoli ein bod yn eithaf unig mewn gwirionedd, ac nad oes neb allwn ni ofyn iddyn nhw am help pan fydd pethau'n mynd yn anodd. Neu drwy geisio plesio pobl drwy'r amser, dydyn ni byth yn cael yr hyn sydd ei angen arnon ni i allu byw'n dda a ffynnu, ac o ganlyniad, rydyn ni'n profi blinder eithafol neu ddicter. Y broblem wedyn yw fod y canlyniadau anfwriadol yma'n gallu ein gwneud ni'n ddig gyda ni ein hunain. Er enghraifft, fe fyddwn ni'n beirniadu ein hunain am fod yn 'hunanol' am fod eisiau i rywun fynd â'r babi fel y gallwn ni ddarllen cylchgrawn a chael llonydd am ychydig, neu mae'n bosib y byddwn ni'n dweud wrthym ein hunain fod ein diffyg ffrindiau agos yn brawf nad ydyn ni'n hoffus iawn.

Felly, yn y pen draw, mae ein hymdrechion i gadw'n ddiogel yn creu trafferthion gwahanol, gan beri i ni feirniadu ein hunain am hynny hefyd. Does ryfedd ein bod ni'n teimlo mor gas tuag atom ein hunain maes o law. Ond mae hyn yn digwydd ar lefel nad ydyn ni'n llwyr ymwybodol ohoni; dyna pam rydyn ni'n ei chael hi mor anodd gweld beth sy'n digwydd yn union, ac yn ei dro, pam na allwn ni weld ffordd o ddatrys y sefyllfa. Mae'r bennod hon yn ymwneud â'n helpu ni i allu gweld yn gliriach beth sy'n digwydd, gan ein galluogi ni wedyn i ddefnyddio ein meddwl tosturiol i'n helpu i ddeall hynny, ac i geisio dod o hyd i ffordd wahanol o ymdrin â'n hunain a'n bywydau a fydd yn ein helpu i dyfu a ffynnu.

Enghraifft Achos: Sam a'r Dyn Tawel

Roedd Sam (menyw a gyfeiriwyd at ein gwasanaeth) yn ddel, yn swnllyd ac yn llawn bywyd. Symudai drwy fywyd fel corwynt, gan adael y bobl y daeth hi ar eu traws yn corddi'n anhrefnus ar ei hôl. Un ffordd neu'r llall, byddai'n denu sylw – am ei hymddangosiad, ei jôcs, neu ei gofynion cymhleth mewn siopau a bwytai. Roedd ei pherthnasoedd yn sydyn, yn ddwys ac yn fyrhoedlog. Roedd hi'n aml yn destun ymosodiadau eiddigeddus gan fenywod eraill ac yn cydnabod bod ei bywyd, o'r tu allan, yn ymddangos yn llawn cyffro a chyfleoedd. Ar y tu mewn, teimlai'n wahanol iawn.

Yna cyfarfu â Siôn. Yn wahanol i'w phartneriaid eraill – a oedd fel arfer yn olygus, yn allblyg ac yn byw bywyd i'r eithaf fel Sam – roedd Siôn yn ddyn tawel. Doedd dim byd rhyfeddol amdano, o ran ei ymddangosiad na'i waith, ond roedd yn meddu ar ymdeimlad o gadernid a bodlonrwydd. Doedd Sam ddim yn deall ei hatyniad ato, a theimlai ychydig o gywilydd o gael ei gweld yn ei gwmni, ond fe'i denwyd ato fwy a mwy. Fodd bynnag, byddai'n troi cefn ar y berthynas dro ar ôl tro, ac yntau'n gwneud dim ond aros yn dawel iddi ddod yn ôl. Roedd yn ei charu'n fawr iawn, yn dyner ei ofal ohoni ac yn dweud wrthi dro ar ôl tro nad oedd am fod gyda neb ond hi.

Ar ôl meddwl ei bod yn anffrwythlon, beichiogodd Sam gyda babi Siôn, a dechreuodd ei phanig gynyddu. Doedd hi ddim yn hollol siŵr pam, ond gobeithiai y byddai'n setlo unwaith y byddai'r babi'n cyrraedd. Symudodd Sam i mewn gyda Siôn bythefnos cyn i'r babi gael ei eni, ond yn hytrach na setlo, cynyddodd panig Sam ymhellach. Ar ôl i'r babi gael ei eni, daeth y sefyllfa mor ddifrifol fel ei bod yn methu cysgu am nosweithiau bwygilydd. Yn y diwedd, dyma'i hymwelydd iechyd yn ei chyfeirio at ein gwasanaeth ni.

Daeth am therapi a dechrau adrodd hanes ei bywyd. Esboniodd fod ei mam yn ddynes brydferth iawn, a threuliai lawer o amser ar ei hymddangosiad ar gyfer y gwahanol gariadon a oedd ganddi. Byddai Sam yn mynd yn angof ganddi yn aml, ac aeth yn denau a dioddef o ddiffyg maeth. Weithiau, fodd bynnag, byddai ei mam yn ei gwisgo i fyny ac yn ei harddangos. Er bod Sam yn teimlo fel dol, roedd wrth ei bodd â'r eiliadau hynny o agosrwydd gyda'i mam a'r edmygedd o du ffrindiau ei mam. Roedd hi'n dawel, yn agored i niwed ac yn dlws. Soniodd mor ddryslyd oedd ei theimladau ynglŷn â chael ei 'harddangos'. Ar y naill law, teimlai fel gwrthrych, yn ddiymadferth a di-rym. Ond teimlai'n bwerus hefyd – bod rhywbeth amdani a oedd yn tynnu sylw. Gadawodd gartref yn 16 oed, ond chwenychai sylw 'fel cyffur'. Disgrifiodd deimlo math o 'orbryder tywyll' pe bai'n cerdded i lawr y stryd heb droi unrhyw bennau. Byddai hyd yn oed ddioddef sarhad cenfigennus gan fenywod eraill yn well na dim sylw o gwbl. Pan graffodd hi'n fanwl ar y 'gorbryder tywyll' hwn, dywedodd ei bod yn teimlo fel petai'n diflannu heb sylw. Roedd ei strategaethau diogelu wedi newid dros amser, o fod yn dawel a chydymffurfio fel plentyn i fod yn swnllyd, yn amlwg ac yn rhywiol bryfoclyd fel oedolyn.

Fodd bynnag, fel y gallwch ddychmygu, roedd llawer o ganlyniadau anfwriadol i'w strategaethau diogelu newydd. Byddai'n ymladd â menywod, ac er ei bod yn teimlo bod ganddi'r gallu i gael agosrwydd a chysylltiad corfforol â dynion pan oedd ei angen arni, credai mai'r unig reswm yr oedd dynion ei heisiau oedd oherwydd ei bod yn edrych yn dda ar eu braich. Doedd hi ddim yn gallu dod o hyd i unrhyw un a oedd yn gallu edrych y tu hwnt i'w phrydferthwch a'i 'gweld hi', ac, yn fwy na hynny, i wir garu a gofalu am yr hi go iawn. Teimlai'n unig ac yn ddigariad, nes iddi gyfarfod â Siôn, a oedd fel petai'n edrych i graidd ei bod ac yn ei charu fwy fyth.

Pan feichiogodd, fodd bynnag, sylwodd ar ambell bwl o genfigen pan fyddai'n teimlo ei bol. Wrth iddo yntau gyffroi am y babi fwyfwy, aeth hithau'n ddicach ac yn ddicach. Dechreuodd gredu mai'r unig reswm yr oedd Siôn gyda hi oedd am ei bod yn cario'i fabi. Yn ei chynddaredd, byddai'n ei adael, cyn cael ei denu'n ôl bob tro gan ei gonsŷrn amdani a'i gofal ohoni.

Daeth y tynnu'n groes, oedd wedi dechrau setlo ychydig cyn iddi feichiogi, yn llawer mwy eithafol. Pan anwyd y babi, roedd Siôn yn bloeddio o lawenydd, tra oedd Sam eisiau taflu'r babi ato a rhedeg i ffwrdd. Roedd hi wedi cynhyrfu i'r fath raddau fel ei bod hi eisiau 'ei

rwygo'n ddarnau mân'. Dywedodd wrtho am ddewis rhyngddi hi a'r
babi ond gwrthododd yntau, yna dywedodd ei bod am ei adael a mynd
â'r babi gyda hi. Cymerodd yntau'r babi oddi arni wrth iddi geisio
rhuthro drwy'r drws. Roedd wedi dewis y babi. Rhedodd allan i'r nos
ac aeth i dafarn ac yfed cymaint ag y gallai cyn i'w dyn tawel ruthro
i mewn i'r dafarn, ei wyneb yn llawn cynddaredd, gan gario'r babi
oedd yn cysgu mewn sedd car. Aeth â hi adref, a chafodd hithau'r fath
sioc o weld ei wyneb. Doedd e erioed wedi bod yn ddig fel hyn o'r blaen.
Gwrthododd siarad â hi, ac eisteddodd hithau yn yr ystafell wely wedi
ei hysgwyd, yn ofnus ac yn ymwybodol ei bod bron â cholli ei dyn
tawel. Doedd ei strategaethau diogelu ddim yn ei chadw'n ddiogel
bellach, a rhewodd ei meddwl yn llwyr oherwydd ei phanig. Allai hi
ddim cysgu, a dyma pryd y cyfeiriodd yr ymwelydd iechyd hi at ein
gwasanaeth ni.

Gallwn synhwyro sut roedd teimladau ac ymateb Sam yn ei drysu; yn wir, roedd hi'n ystyried y sefyllfa fel 'llanast'. Ond fel mae'n digwydd, gallwn weld bod y cyfan yn cyd-fynd mewn ffordd synhwyrol a dealladwy; drwy ei phrofiadau fel plentyn, datblygodd ofnau amdani hi ei hun (gelwir y rhain yn ofnau 'mewnol') ei bod yn ddibwys, heb ei charu'n ddiamod, ond yn cael ei gwerthfawrogi am yr hyn roedd hi'n gallu ei ddarparu i eraill yn unig, yn hawdd ei hanghofio, yn agored i niwed, yn unig ac yn ofnus. Daeth hefyd yn ddig fel plentyn oherwydd ei bod yn cael ei defnyddio yn y ffordd roedd hi, ond daeth ei dicter yn ei dro yn ofn mewnol, oherwydd pe bai hi'n cyfeirio'i dicter at bobl eraill, ofnai y bydden nhw'n ei gadael ac y byddai'n colli'r mymryn bach o sylw roedd hi'n ei gael wedyn.

Ei hofnau a'i phryderon am eraill (ofnau allanol) oedd bod pobl yn ddi-hid, ddim ar gael, yn bwerus, yn awdurdodol, ac yn ystyried pobl eraill fel gwrthrychau ar gyfer diwallu eu hanghenion eu hunain a dim mwy.

Er mwyn ymdopi â'i hofnau, datblygodd strategaethau diogelu mewnol ar gyfer rheoli ei hemosiynau a'i theimladau amdani hi ei hun. Fel plentyn, roedd y rhain yn cynnwys beirniadu ei hun ac anwybyddu ei theimladau i geisio lleddfu ei dicter at eraill. Daeth yn blentyn tawel a chydymffurfiol. Wrth iddi dyfu, newidiodd ei strategaeth ddiogelu i un allanol, a oedd yn cynnwys rhyddhau ei dicter gymaint â phosib fel ei bod yn cadw pobl hyd braich ac yn rheoli'r 'gwrthodiad' ei hun. Ceisiodd hefyd wneud ei hun yn amlwg a denu ymateb a chysylltiad corfforol gan eraill i liniaru'r teimlad o ofn a gorbryder a oedd yn dod yn sgil yr ymdeimlad nad oedd hi'n bodoli mewn gwirionedd.

Yn ogystal â gwthio pobl i ffwrdd â'i dicter, roedd ei strategaethau diogelu allanol yn cynnwys peidio â gadael i unrhyw un ddod i'w hadnabod go iawn rhag ofn iddyn nhw 'weld' ei bod, y tu hwnt i'w phersona cyhoeddus deniadol a chyffrous, yn annymunol ac yn wag. O ganlyniad, doedd hi byth yn gadael i gyfeillgarwch ddatblygu a doedd hi byth yn cael fawr mwy na pherthynas unnos gyda dynion. Treuliai lawer o amser ac arian ar ei hymddangosiad, a phan fyddai allan o gwmpas y lle, byddai'n ymddwyn yn eithafol ym mhob math o sefyllfaoedd, yn cynnwys dadlau, fflyrtio, neu wneud pob math o ofynion wrth brynu nwyddau neu bryd o fwyd.

Roedd ei strategaethau diogelu yn rhoi synnwyr iddi ei bod yn bodoli, ac y gallai ddenu pobl ati pan oedd eu hangen arni – rhywbeth oedd ar goll yn ystod ei phlentyndod – ond eu gwthio i ffwrdd cyn iddyn nhw weld ei bod hi'n 'ddiflas' a 'gwag', yn ei barn hi ei hun. Pan wnaeth hi gyfarfod rhywun oedd yn ei charu, fodd bynnag, golygodd y strategaethau hyn ei bod bron â'i wthio i ffwrdd yn llwyr oherwydd ei bod yn teimlo mai dim ond mater o amser oedd hi cyn iddo sylweddoli nad oedd hi'n ddim byd arbennig.

Doedd hi chwaith ddim yn credu y byddai ganddo'r gallu i'w charu hi *a'r* babi, felly pan ddechreuodd roi sylw i'r babi, aeth ati i'w wthio i ffwrdd cyn iddo yntau allu ei gwrthod hi.

Y canlyniadau anfwriadol oedd ei bod yn teimlo'n hynod o unig ac, wrth gwrs, roedd hyn hefyd yn cadarnhau ei hofnau gwreiddiol nad oedd pobl eisiau bod gyda'r Sam 'go iawn'. Yn y pen draw, bu bron iddi golli'r union berson a'r teulu y bu'n dyheu am ddod o hyd iddyn nhw ers blynyddoedd lawer.

Wrth edrych o'r tu allan, gallwn weld pa mor hawdd fyddai hi i feio Sam, ac i Sam feio'i hun, fel yn wir y gwnaeth hi ar y dechrau. Ond wrth edrych ar y darlun cyfan, gallwn weld nad oedd Sam wedi dewis y profiadau cynnar hynny; wnaeth hi chwaith ddim dewis ymennydd sydd, drwy filiynau o flynyddoedd o esblygiad, wedi blaenoriaethu chwilio am fygythiad a'i hamddiffyn rhagddo. Mae wedi esblygu strategaeth 'gwell diogel nag edifar'; felly er y gallai fod wedi dod i gysylltiad â llawer o bobl fyddai'n ei charu, yn gofalu amdani a'i gwarchod, mae ei meddwl a'i chorff eisoes wedi 'dysgu' fod agosrwydd at bobl yn gysylltiedig â rhai teimladau o gyffro a phleser, ond yn bennaf â theimladau o ddicter, gorbryder a ffieidd-dod. Doedd ganddi hi fawr o synnwyr o gwbl fod pobl yn gallu dod â theimladau o noddfa, cysur a bodlonrwydd gyda nhw, ac y byddai'r trallod o adael iddi ei hun deimlo hynny pe bai'n cael ei gynnig, ac yna'i fod yn cael ei dynnu'n ôl, yn teimlo'n ormod iddi ei ddioddef.

> *Mae strategaethau diogelu'n gallu ein cadw ni'n ddiogel yn y tymor byr ond gellir hefyd gael canlyniadau tymor hir anfwriadol.*
>
> *Mae cyflwyno tosturi a chydymdeimlad i'n hangen cynhenid i gadw'n ddiogel yn ein helpu i ddod o hyd i strategaethau diogelu newydd sy'n fwy defnyddiol i ni wrth i'n hamgylchiadau newid.*

Felly, yn yr un modd â phobl sy'n caru cŵn, lle mae un brathiad gan gi'n ei gwneud hi'n anodd iddyn nhw fwytho ci eto er gwaethaf myrdd o brofiadau cadarnhaol cyn hynny, mae ein meddyliau'n ei gwneud hi'n anhygoel o anodd i ni fentro anghofio ein strategaethau diogelu rhag ofn i ni gael ein brifo eto. I Sam, fel i unrhyw un a fyddai wedi rhannu ei phrofiadau, byddai clychau rhybudd yn canu bob tro y byddai'n agosáu at rywun. Doedd hyn ddim yn fai arni hi, yn yr un modd na fyddai'n fai arnon ninnau pe bai'n digwydd i ni; dyma sut mae ein meddyliau wedi esblygu i'n hamddiffyn.

Rhoddwyd Siôn 'ar brawf' gan Sam lawer gwaith, ac roedd eu cydnabod yn synnu iddo aros gyda hi. Fodd bynnag, chwe blynedd yn ddiweddarach, maen nhw'n dal gyda'i gilydd ac wedi cael dau blentyn arall. Mae'n anodd rhoi'r gorau i'n strategaethau diogelu, ond mae ein hymennydd yn hydrin ac mae'n bosib eu haddasu, ac fe allwn ni ei fowldio'n ysgafn fel y bydden ni'n mowldio clai. O ganlyniad, fe allwn ni ddatblygu strategaethau diogelu newydd sy'n fwy addas ar gyfer amgylchiadau newydd, yn enwedig os ydyn ni'n agor allan i bobl eraill, hyd yn oed pan mae ein corff a'n hymennydd yn sgrechian arnon ni i beidio.

Tynnu'r cyfan at ei gilydd – y dadansoddiad pedair rhan

Ffordd ddefnyddiol o allu gweld y prosesau rydyn ni wedi'u trafod yn y bennod hon yn fwy eglur yw eu gosod ar ffurf dadansoddiad pedair rhan (fel yn Nhabl 10.1 isod). Yn ei hanfod, mae'r dadansoddiad yn fodd i ddod i ryw fath o ddealltwriaeth o'r hyn sydd wedi arwain at y sefyllfa bresennol. Penawdau pedair colofn y dadansoddiad yw:

1. Cefndir.

2. Bygythiad neu ofn.

3. Strategaethau diogelu.

4. Canlyniadau anfwriadol.

Byddai'r golofn 'cefndir' yn cynnwys digwyddiadau allweddol yn ystod ein bywydau oedd yn anodd i ni. Gallai'r rhain gynnwys sut roedd rhiant penodol yn ymwneud â ni, bod â salwch neu ryw fath o anabledd a oedd angen i ni ei reoli, neu ddioddef cael ein bwlio yn yr ysgol. Mae'r golofn 'bygythiad neu ofn' yn cyfeirio at beth yn benodol ynghylch yr hyn a oedd yn y golofn 'cefndir' wnaeth sbarduno ein system fygythiad. Gallai hyn fod yn ofn neu bryder am bobl eraill (ofnau allanol); er enghraifft, y gallai pobl eraill fod yn feirniadol, yn anwadal neu ddim ar gael i ni pan fyddai eu hangen arnon ni. Neu gallai fod yn rhyw ofn amdanon ni ein hunain (ofnau mewnol); er enghraifft, fy mod i'n 'wan ac yn methu amddiffyn fy hun', 'dwi'n cael meddyliau brawychus, ac fe fyddai pobl yn fy ngwrthod pe baen nhw'n gwybod amdanyn nhw', neu 'mae rhywbeth amdana i sy'n fy ngwneud i'n anodd fy ngharu'. Oherwydd ein bod wedi esblygu meddyliau sy'n gweithio i'n cadw ni'n ddiogel, rydyn ni'n cael ein gyrru i geisio amddiffyn ein hunain rhag i'n hofnau ddigwydd eto drwy ddatblygu strategaethau penodol (strategaethau diogelu). Dyma'r drydedd golofn. Os ydyn ni'n ofni y bydd eraill yn ein brifo neu'n ein gwrthod, mae'n bosib y bydden ni'n datblygu strategaeth ddiogelu allanol lle byddwn ni'n cadw pobl hyd braich. Os ydyn ni'n ofni ein bod yn wan, mae'n bosib y byddwn ni'n cadw ein hunain yn ddiogel drwy osgoi sefyllfaoedd anodd lle mae gofyn i ni fod yn gryf ac yn hyderus, neu efallai y byddwn ni'n dibynnu ar eraill i wneud penderfyniadau ar ein rhan.

Gall y strategaethau diogelu hyn ddod yn rhan ohonon ni a pharhau am amser hir oherwydd ein meddyliau esblygol 'gwell diogel nag edifar'; os yw strategaeth fel petai'n gweithio ac yn ein cadw'n ddiogel, yna bydd yn anodd ei hanghofio rhag ofn i ni gael ein brifo. Y broblem yw, er bod y strategaethau'n gallu ein cadw ni'n ddiogel mewn un ffordd, mae rhai anfanteision neu ganlyniadau anfwriadol yn codi yn eu sgil. Os ydyn ni'n ofni ei bod hi'n bosib i ni gael ein brifo, er enghraifft, ac felly'n cadw pobl draw er mwyn amddiffyn ein hunain, rydyn ni'n canfod ein bod yn unig, ac mewn gwirionedd yn teimlo'n fwy ynysig ac anniogel oherwydd nad oes neb y gallwn ni droi atyn nhw os ydyn ni wir yn ei chael hi'n anodd.

Gallwn weld yn y tabl fod cynnwys pob colofn yn llifo o'r golofn flaenorol.

Tabl 10.1: Y dadansoddiad pedair rhan

Cefndir	Bygythiad neu ofn	Strategaethau diogelu	Canlyniadau anfwriadol
Mam feirniadol a digariad.	**Allanol:** Mae pobl yn gallu bod yn llym, yn emosiynol gaeedig ac yn ymosodol. **Mewnol:** Mae rhywbeth drwg, anodd ei garu amdana i ac mae 'rhywbeth o'i le' arna i.	**Allanol:** Trio plesio pobl fel eu bod yn fy ngharu, yn hytrach nag ymosod arna i. Peidio â gosod gofynion ar bobl eraill rhag ofn iddyn nhw fynd yn flin tuag ata i neu fy ngwrthod i. **Mewnol:** Ffrwyno unrhyw deimladau cas neu afiach rhag ofn i'r rhan 'ddrwg' ddod allan – beirniadu fy hun, bwyta gormod, yfed alcohol, glanhau'r tŷ yn ormodol, gwneud gormod o ymarfer corff, 'niwtraleiddio' meddyliau drwg gyda rhai da. Cadw pellter rhyngof i a phobl eraill fel nad ydyn nhw'n gallu gweld y rhan afiach ohonof i.	Fy anghenion i ddim yn cael eu cyflawni, felly teimlo'n isel a dig. Anodd plesio pawb, felly teimlo'n orbryderus drwy'r amser. Methu ymlacio. Gorweithio. Pobl ddim yn gwneud dim byd i fi, felly'n dal i deimlo nad ydw i'n cael fy ngharu. Methu ffrwyno meddyliau dig neu 'ddrwg' (gan eu bod fel arfer yn digwydd i bawb), felly ofni fy mod i'n berson erchyll. Ar ben hynny, mae problemau ychwanegol gen i bellach sef gorfwyta, neu yfed gormod o alcohol, neu frwydro yn erbyn tueddiadau gorfodol obsesiynol. Teimlo'n unig, yn ynysig, yn wahanol. Gwneud i mi gredu fwy fyth fod rhywbeth anodd ei garu amdana i.

Mae'n bosib defnyddio'r fformat hwn i'n helpu i ddeall sut rydyn ni wedi dod i ymdopi â bywyd. Gall gwneud synnwyr o ymddygiad a arferai achosi rhwystredigaeth a dryswch, er enghraifft, gwthio ymaith y person cyntaf erioed a fu wir yn gefn i ni, fod yn arbennig o galonogol. Unwaith y gwelwn ein bod wedi esblygu i wneud popeth o fewn ein gallu i gadw'n ddiogel, mae ymddygiad ymddangosiadol wallgof a hurt yn sydyn yn gwneud synnwyr perffaith ddealladwy a rhesymegol.

Mae hefyd yn helpu i wahanu'r gorffennol oddi wrth y presennol. Gallwn weld yn gliriach ein bod yn dal i ymateb fel pe bai'r gorffennol yn wir pan allai'r amgylchiadau presennol fod yn wahanol iawn, mewn gwirionedd. Ond rydyn ni hefyd yn gweld nad ein bai ni yw hyn; dyna sut mae ein meddyliau wedi esblygu i'n hamddiffyn, drwy ddefnyddio strategaethau 'gwell diogel nag edifar', a gwneud i ni ganolbwyntio lawer mwy ar dystiolaeth o fygythiad nag ar dystiolaeth o ddiogelwch, er enghraifft.

Mae hefyd yn ein cynorthwyo i fod yn llawer cliriach ynglŷn â beth yn union rydyn ni angen i'n meddwl tosturiol ein helpu gydag ef. Er enghraifft, os ydyn ni wedi datblygu strategaeth ddiogelu o gadw pobl hyd braich, sut gallai ein meddwl tosturiol ein helpu i ddechrau gadael i bobl (yn cynnwys ein babi, efallai) glosio rhywfaint aton ni? Pe bydden ni bob amser yn ceisio plesio eraill a'u rhoi nhw'n gyntaf, sut gallai ein meddwl tosturiol ein helpu i ddechrau darganfod y pethau rydyn *ni* yn eu mwynhau, yr hyn rydyn *ni* ei angen, yr hyn sy'n bwysig i *ni*, ac yna ein helpu i gymryd camau bach tuag at gyflwyno'r rhain i'n bywydau?

Dyma rai enghreifftiau o ddadansoddiadau menywod sydd wedi cael trafferthion pan oedden nhw'n famau newydd. Maen nhw'n helpu i ddangos sut mae profiadau cynnar yn gallu rhyngweithio â beichiogrwydd a bod yn fam newydd.

Tabl 10.2: Enghreifftiau o ddefnyddio'r dadansoddiad i wneud synnwyr o drafferthion sy'n gysylltiedig â bod yn fam newydd

Cefndir	Bygythiad neu ofn	Strategaethau diogelu	Canlyniadau anfwriadol
Wedi'i geni i deulu sy'n cyflawni'n uchel. 'Emosiynau eithafol' fel dicter, bod yn ddagreuol, a llawenydd yn cael eu hystyried yn enghreifftiau o 'ddangos eich hun'.	Mae eraill yn feirniadol. Dydw i ddim ond yn cael fy ngwerthfawrogi pan nad ydw i'n gwneud camgymeriadau a phan dwi'n gwneud yn well nag eraill. Does gen i ddim rheolaeth dros fy emosiynau, ac mae hynny'n fy natgysylltu oddi wrth bobl. Bydd emosiynau fy mabi'n adlewyrchu'n wael arna i, gan beri i fy nheulu wrthod y ddau ohonon ni.	Bod yn berffaith, cyflawni'n uchel, peidio byth â gwneud camgymeriad. Nawr bod gen i fabi, mae'n rhaid i mi fod yn fam berffaith a pheidio â gwneud dim o'i le. Sicrhau bod y babi yn 'berffaith' ac yn cyflawni ar lefel uchel hefyd, fel ei fod yn cael ei garu (ac fel fy mod innau'n cael fy ngharu) – gwneud yn siŵr ei fod yn byhafio'n dda, yn glyfar, yn gymdeithasol, yn cropian yn gynnar ... Peidio â datgelu emosiynau byth. Eu mygu drwy hunanfeirniadaeth. Ceisio cadw'r babi'n hapus drwy'r amser, rhag-weld ei anghenio-, peidio â mynd ag e allan yn gyhoeddus byth.	Methu dweud wrth neb fod mamolaeth newydd yn anodd. Teimlo ar fy mhen fy hun, heb unman i droi am help. Mae hyn yn amhosib, felly wastad yn orbryderus y byddaf yn methu unrhyw funud. Methu rheoli babi fel hyn, felly teimlo'n siomedig gyda'r babi ac yn ddig gyda fi fy hun. Teimlo cywilydd o fethu ymdopi pan dwi wedi arfer cyflawni'n uchel. Teimlo dan straen o gwmpas y babi, sy'n gwneud y babi'n fwy pigog ac anhapus. Beio fy hun am fod â babi blin ac anwadal pan mae mamau eraill yn ymdopi mor hawdd – teimlo'n annigonol, yn ynysig. Amhosib i'w wneud, felly teimlo'n fethiant. Unig, byth yn gweld fod mamau eraill yn cael trafferth hefyd. Mynd i banig ac yn ddig gyda'r babi os yw'n dangos emosiynau cryf. Teimlo mwy allan o reolaeth.

Cefndir	Bygythiad neu ofn	Strategaethau diogelu	Canlyniadau anfwriadol
Llawer o golledion yn ystod plentyndod – tad yn gadael, nain yn mynd yn sâl ac yn marw.	Mae'r byd yn anwadal. Mae pobl rydych chi'n eu caru yn eich gadael chi. Mae rhywbeth amdana i sy'n golygu bod pobl yn fy ngadael.	Ceisio cael rheolaeth dros fy myd fy hun – rhoi trefn ar deganau a llyfrau. Datblygu ymddygiad cymhellol, e.e. 'Os na wna i gamu ar graciau'r palmant, yna fe fydd Mam yn ddiogel.' Ceisio niwtraleiddio meddyliau/ teimladau 'drwg' gyda 'meddyliau a gweithredoedd da'.	Wrth feichiogi a chael babi, yn sydyn, mae'r corff, y meddwl a bywyd allan o reolaeth ac yn anwadal. Anodd cadw trefn a defnyddio hen strategaethau, e.e. glanhau, felly teimlo'n fwy allan o reolaeth ac yn hynod orbryderus. Poeni y bydda i'n colli'r babi, felly'n wyliadwrus iawn am fygythiadau posib. Ddim yn gadael i neb arall ofalu am y babi, felly'r diwrnod yn teimlo'n fwy anhrefnus ac mae ymddygiad gorfodol obsesiynol yn mynd allan o reolaeth go iawn. Meddyliau a theimladau annymunol yn normal, felly'n mynd i barhau i godi, ond wrth i mi roi mwy o sylw iddyn nhw, maen nhw'n ymddangos yn gryfach ac yn peri i mi deimlo'n waeth amdanaf fy hun.
Rhieni yn esgeulus. Ddim wedi'n hystyried ni.	Mae pobl yn ddi-hid a dydyn nhw ddim yn fy ngwarchod. Dwi'n amhosib fy ngharu ac yn ddibwys.	Cadw pobl hyd braich neu beidio â chael dim ond perthnasoedd arwynebol. Gwrthod pobl cyn iddyn nhw fy ngwrthod i.	Wedi gobeithio'n dawel bach y byddai'r babi'n cynnig cariad diamod i mi ac yn ystyried mai fy yw'r person pwysicaf yn y byd. Cael fy hun yn mynd i banig bob tro mae'r babi yn edrych i ffwrdd neu pan fydd yn crio. Ofn bod y babi ddim yn fy ngharu i. Encilio rhag y babi fel nad ydw i'n cael fy mrifo. Y babi wedyn yn crio mwy pan mae gyda fi. Teimlo'n fwy unig a digariad fyth.

Cefndir	Bygythiad neu ofn	Strategaethau diogelu	Canlyniadau anfwriadol
Mam yn sâl a minnau'n gorfod gofalu amdani o oedran ifanc. Gorfod cadw'r tŷ yn dawel a digyffro gan fod sŵn a gofid yn gwaethygu ei chyflwr. Dad allan yn gweithio, ddim o gwmpas rhyw lawer, mewn gwirionedd.	Eraill yn wan neu'n absennol. Mae fy anghenion i fy hun yn rhy lethol i eraill.	Dal ati i ofalu am anghenion pobl eraill fel eu bod yn aros yn iach a ddim yn fy ngadael. Bod yn wyliadwrus am arwyddion o salwch. Peidio ag ymlacio na chwarae. Mygu fy anghenion fy hun.	Gyda'r babi, teimlad o gael fy ngorlethu gan gyfrifoldeb ei gadw'n iach ac yn hapus oherwydd bod hynny'n magu atgofion corfforol o fod â gormod o gyfrifoldeb fel plentyn. Teimlo'n orbryderus ac yn ddig o gwmpas y babi. Y babi'n mynd yn flin ac yn ofidus gan waethygu fy mhanig innau. Ddim yn gwybod sut i chwarae â'r babi gan na wnes i erioed ymlacio a chwarae fel plentyn. Amser gyda'r babi yn llawn tyndra, yn ddifrifol ac yn brin o lawenydd – teimlo'n fethiant fel mam. Methu gofyn am help, gan y gallai eraill fod wedi'u llethu gan eu hanghenion eu hunain, felly brwydro 'mlaen yn teimlo'n unig, yn ddicllon, yn flin ac yn hunanfeirniadol.

Yn Atodiad B, mae ffurflen wag i chi roi cynnig ar hyn os hoffech chi. Gallech hefyd roi cynnig ar lunio dadansoddiad eich partner neu aelod o'ch teulu, neu rywun arall rydych chi'n ei adnabod yn weddol dda. Mae hynny'n gallu bod yn ddefnyddiol iawn i geisio deall yn well sut mae unigolion wedi dod i uniaethu â nhw eu hunain ac eraill yn y ffordd y maen nhw.

Crynodeb

1. Fel yn achos anifeiliaid eraill, un o'n cymhellion esblygol cryfaf yw cadw'n ddiogel. Pan fyddwn ni wedi profi ofn neu bryderon mynych neu eithafol, yna rydyn ni'n datblygu ffyrdd o geisio atal yr ofnau hynny rhag codi eto. Dyma yw strategaethau diogelu.

2. Gallwn ddatblygu ofnau amdanon ni ein hunain (ofnau mewnol) fel ein hemosiynau, ein meddyliau neu ein hymddygiad a'n hofnau am eraill (ofnau allanol). Mae ein strategaethau diogelu'n gallu canolbwyntio'n fewnol ar reoli ein hunain neu ganolbwyntio'n allanol ar ein perthynas ag eraill.

3. Gellir cynnal strategaethau diogelu am amser hir iawn, hyd yn oed os bydd amgylchiadau'n newid ac nad oes eu hangen mwyach. Mae hyn oherwydd ein bod wedi esblygu meddylfryd cynhenid 'gwell diogel nag edifar'.

4. Mae'r anian gynhenid hon – 'gwell diogel nag edifar' – yn gallu arwain at ganlyniadau anfwriadol yn sgil ein strategaethau diogelu.

5. Yn anfwriadol, gallwn roi ein strategaethau diogelu ar waith gyda'n babi hefyd, e.e. 'Gwell peidio â'i garu rhag ofn i fi ei golli rywsut'.

6. Unwaith y dechreuwn ni weld sut mae ein profiadau yn y gorffennol yn cysylltu ag atgofion ein corff a'n hofnau penodol amdanon ni ein hunain a phobl eraill mewn perthynas â ni, gallwn ddechrau deall y strategaethau diogelu sy'n rhan o'n natur, sut maen nhw'n parhau am amser hir a'r canlyniadau anfwriadol a all ddilyn.

7. Mae'r dadansoddiad yn ein helpu i weld yn gliriach na wnaethon ni ddewis cael y profiadau hyn, yr ymennydd esblygol hwn, na'r strategaethau diogelu hyn na'u canlyniadau. Yn lle hynny, fe allwn ni weld pa mor anodd fu hyn i ni, ac mae hynny'n gallu ennyn tristwch dros dro. Mae'r dadansoddiad yn cyfrannu at ein dealltwriaeth, ac yn sgil hynny at ein doethineb, ac rydyn ni'n tynnu ar hynny wrth ddatblygu a defnyddio ein meddwl tosturiol.

8. Yn olaf, o ystyried yr hyn rydyn ni'n ei wybod bellach, fe allwn ni ddechrau meddwl beth fyddai'n ein helpu i symud ymlaen o'r pwynt hwn a dechrau siapio ein hunain i'r fersiwn ohonon ni ein hunain y caren ni fod.

11 'Sut ydw i'n teimlo, a sut wyt ti'n teimlo, fabi?': Deall ein meddyliau ein hunain ac eraill

Fel y gwelwyd hyd yn hyn, mae'r dull meddwl tosturiol yn canolbwyntio llawer ar sut rydyn ni'n teimlo, ac yn benodol ar sut gallwn ni ddatblygu atgofion corfforol newydd o dderbyn gofal, ac o ofalu am eraill. Fodd bynnag, gall ein teimladau a'n hemosiynau fod yn ddryslyd i lawer ohonon ni, ac mae eu deall yn ein corff yn her go iawn. Mae hyn yn gallu ei gwneud yn anodd eu deall yn ein babi hefyd. Mae'r bennod hon yn edrych ar rai o'r trafferthion sy'n gallu codi ynghylch emosiynau.

'Does gen i ddim syniad sut dwi'n teimlo'

Mae cyfran ryfeddol o fawr o'r boblogaeth yn methu nodi nac enwi'r hyn maen nhw'n ei deimlo. Os gofynnir iddyn nhw 'beth sy'n bod?', mae'n bosib na fydd ganddyn nhw unrhyw syniad pa emosiynau maen nhw'n eu teimlo. Daw un rheswm posib am hyn yn amlwg pan feddyliwn ni am y ffordd mae plant yn dysgu am eu hemosiynau. Mae plant yn teimlo amrywiaeth lawn o emosiynau, ac er mwyn gweld purdeb emosiwn, does dim ond rhaid i ni wylio plentyn bach wrth i'r emosiwn hwnnw gydio yn ei gorff cyfan. Felly, er enghraifft, gallwn ddychmygu sut byddai plentyn yn edrych wrth brofi llawenydd, cyffro, ofn, dicter, tristwch neu ffieidd-dod. Wrth i blentyn brofi'r emosiynau hyn, maen nhw'n cael eu hadlewyrchu mewn naws a lefelau egni cyfatebol, a'u henwi gan y bobl o'i gwmpas; 'Beth sydd wedi dy ddychryn di, Ioan?', 'O diar, ydy hynny wedi dy wneud yn drist?', 'Ydy hyn yn gyffrous, Guto? Ydyn ni'n mynd i fynd ar y trên mewn munud?'

Yn gynharach yn y llyfr, fe wnaethon ni edrych ar sut mae enwi ein hemosiynau pan fyddwn ni'n teimlo dan fygythiad yn help mawr i dawelu ein meddyliau. Dangoswyd hyn ar sganiau ymennydd, sy'n datgelu gostyngiad mewn gweithgaredd yn yr amygdala – y rhan o'r ymennydd sy'n ymwneud yn benodol ag emosiynau bygythiad – pan fyddwn ni'n rhoi enw i'r emosiwn rydyn ni'n dyst iddo.

Bron nad yw enwi emosiwn yn rhoi ffurf a dealltwriaeth iddo, ac yn ei wneud yn un y gallwn ei reoli: 'Felly dydy'r teimladau rhyfedd hyn y tu mewn i mi ddim mor rhyfedd mewn gwirionedd. Mae ganddyn nhw enw ac maen nhw'n gyfarwydd i bobl eraill.'

Fodd bynnag, os nad ydyn nhw'n cael eu henwi, maen nhw'n gallu parhau i fod yn gyfres aneglur ac astrus o deimladau y tu mewn i ni, ychydig fel gwrando ar iaith anghyfarwydd.

Mae gan emosiynau, wrth gwrs, rôl bwysig wrth gyfathrebu â'n hunain ac â'r bobl o'n cwmpas. Maen nhw'n creu newid o ran sylw, meddwl, ymddygiad ac ati ynom ein hunain ac mewn eraill. Fodd bynnag, beth fydd yn digwydd os yw ein hemosiynau'n cael eu hanwybyddu, neu os nad ydyn nhw wedi cael eu henwi ar ein cyfer? Neu beth os ydyn ni'n gorfod rhoi sylw manwl i emosiynau pobl eraill i rag-weld beth fyddan nhw'n gallu ei wneud nesaf, yn hytrach na rhoi sylw i'n hemosiynau ein hunain? Dyma lle rydyn ni'n dechrau gweld sut gallwn ni golli cysylltiad â'n hemosiynau ein hunain. Dydy hi fawr o syndod bod rhai ohonon ni yn ei chael hi'n anodd gwybod beth rydyn ni'n ei deimlo.

Y cameleon:
'Dydw i ddim yn gwybod pwy ydw i mewn gwirionedd'

Mae rhoi sylw i emosiynau pobl eraill yn unig, yn hytrach nag i'n rhai ninnau, yn gallu arwain at ganlyniadau anfwriadol o geisio plesio eraill, a pheidio â diwallu ein hanghenion ein hunain. Mae rhai pobl yn disgrifio eu diffyg synnwyr o'r hunan; dydyn nhw ddim yn gwybod sut maen nhw'n teimlo, beth maen nhw'n ei hoffi neu ddim yn ei hoffi, beth maen nhw ei eisiau neu ddim ei eisiau. Maen nhw'n gallu profi newid yn eu barn, eu gwerthoedd, a'u hymddangosiad hyd yn oed, yn ôl pwy sy'n cadw cwmni iddyn nhw ar unrhyw adeg arbennig.

Rydyn ni i gyd yn gwneud hyn i raddau; rydyn ni'n mabwysiadu gwahanol rolau gyda gwahanol bobl; ond mae arnom hefyd angen rhan graidd ohonon ni ein hunain sy'n gwrando ar ein hanghenion ac yn ein tywys yn unol â'n gwerthoedd. Er enghraifft, os ydyn ni'n gafael mewn pâr o drowsus mewn siop, fe allwn ni benderfynu a ydyn ni'n ei hoffi ai peidio drwy sylwi ar y teimladau sy'n codi ynom. Ond os nad ydyn ni erioed wedi cael ein hannog i sylwi ar yr hyn sy'n digwydd y tu mewn i ni, ac nad ydyn ni'n gwybod beth yw'r teimlad, yna mae gwneud hyn yn gallu bod yn anodd. Dychmygwch, felly, fod mewn sefyllfa gymdeithasol a ninnau wedi dysgu gwneud yr hyn sydd ei angen er mwyn cadw'r person arall yn hapus. Os bydd rhywun yn holi'n barn, byddwn yn chwilio wyneb yr holwr i geisio datrys beth yw'r 'ateb cywir'. 'Beth ddylwn i fod yn ei deimlo am hyn?'

> *Rydyn ni'n dysgu llawer am sut rydyn ni'n teimlo pan fydd pobl yn enwi ein hemosiynau, yn enwedig pan fyddwn ni'n ifanc.*

Fel arfer, gydag amser, dealltwriaeth a thosturi, wrth gwrs, mae'n bosib i ni ddysgu beth yw ein teimladau mewnol. Yn union fel mae'n bosib i ni ddysgu iaith dramor, enwau gwahanol goed neu gân gwahanol adar, rydyn ni wedyn yn sylwi ein bod ni'n 'gweld' y gair, neu'r goeden, neu'r aderyn unigol, lle roedden nhw gynt yn gwbl ddisylw gennym neu'n digwydd ar gyrion ein hymwybyddiaeth. Pan fydd yr ymdeimlad o ddiogelwch a'r lle gennym ni i wneud hynny, gallwn ddechrau troi ein sylw tuag aton ni'n hunain. Fe allwn ni ganolbwyntio o ddifrif gydag ymwybyddiaeth chwilfrydig yn hytrach na barn, a sylwi ar beth wnawn ni ei ganfod. Gallwn hefyd baru hynny â'r hyn sy'n digwydd yn allanol, fel ein bod yn dysgu beth sy'n sbarduno ein hemosiynau: 'Pan ddigwyddodd hynny, fe wnes i brofi'r teimlad hwn y tu mewn i mi.' 'Pan wnest ti wgu arna i, dechreuodd fy nhu mewn i gorddi.' 'Pan fydda i'n gweld yr heulwen, dwi'n teimlo fy mrest yn fawr ac yn ysgafn fel balŵn.'

Dyma lle mae arfer ymwybyddiaeth ofalgar mor bwysig. Mae'n ein helpu i ganolbwyntio ar y teimladau a'r emosiynau yn ein corff ag ymwybyddiaeth sy'n llesol a diffyg barn.

'Mae fy nheimladau yn ddychrynllyd'

Rydyn ni wedi edrych ar y ffordd y byddwn ni'n dysgu amdanon ni'n hunain drwy ein hadlewyrchiad yn wynebau'r rhai o'n cwmpas. Mae hyn yn berthnasol i'n hemosiynau hefyd. Os ydyn ni'n chwerthin, a'n rhiant yn chwerthin yn llawen hefyd, rydyn ni'n teimlo'n dda y tu mewn. Rydyn ni'n dysgu bod yr emosiwn hwn yn gwneud i ni deimlo'n braf a'i fod yn gwneud ein rhiant yn hapus hefyd. Fodd bynnag, os ydyn ni'n ddig a bod ein rhiant yn ymateb â dicter, rydyn ni'n teimlo'n anghysurus. Rydyn ni'n dysgu nad yw hwn yn deimlad da, ac fe fyddwn ni'n llai tebygol o'i ddangos yn y dyfodol. Os yw ymateb person arall yn ein dychryn, yna mae'n gorbryder yn dod yn gysylltiedig â'n teimladau o ddicter. Os bydd hyn yn digwydd dro ar ôl tro, yna bob tro fyddwn ni'n teimlo'n ddig, fe fyddwn ni'n teimlo'n bryderus hefyd. Yn y pen draw, mae'n bosib y bydd y gorbryder yn llyncu'r dicter, ac y byddwn yn teimlo'n orbryderus lle bydden ni wedi disgwyl teimlo'n ddig. (Gyda llaw, er mai dicter sy'n codi yn yr enghraifft yma, gallai fod yn berthnasol i unrhyw emosiwn, gan gynnwys tristwch, a hyd yn oed hapusrwydd a llawenydd lle mae'r bobl o'n cwmpas yn wrthwynebus i'r rheini.)

Ymhellach, os yw ein dicter yn llwyddo i gyrraedd yr wyneb yn achlysurol, gall hynny ein dychryn a pheri i ni ddatblygu ffyrdd, neu strategaethau diogelu, i'w atal, er enghraifft bwyta, ymarfer yn ormodol, yfed alcohol, neu hyd yn oed fod yn fwy dymunol tuag at bobl eraill.

Yn ogystal â cholli cysylltiad ag emosiynau pwysig a'r cyfathrebu a ddaw yn eu sgil, dydyn ni ddim chwaith yn dysgu am nodweddion emosiynau – eu bod yn codi ac yna'n gostwng, eu bod yn mynd a dod, ein bod ni'n gallu eu teimlo, ond nid o reidrwydd yn gweithredu arnyn nhw. Yn lle hynny, gallwn gael ein gadael yn eu dychmygu'n codi'n ddilestair ac yn ffurfio rhywbeth gwrthun a dinistriol os nad ydyn ni'n eu hatal.

Hyd yn oed pan fyddwn yn teimlo ein bod wedi ffrwyno'r emosiynau brawychus hyn, mae'n bosib y bydd yr ymdeimlad yn parhau fod rhywbeth annymunol yn llechu oddi mewn i ni, ac y bydd pobl yn ei weld ac yn arswydo os ydyn nhw'n dod yn rhy agos aton ni. Mae'r emosiynau cwbl normal a phwysig hyn wedyn yn datblygu'n destun cywilydd.

Gall unrhyw un o'n hemosiynau wneud i ni deimlo'n orbryderus, yn dibynnu ar beth mae ein profiadau bywyd wedi ein dysgu ni amdanyn nhw. Fodd bynnag, mae dicter yn gall teimlo'n emosiwn arbennig o anodd pan fydd gennym ni fabi oherwydd gall wneud i ni fod eisiau gweiddi, ymladd ac ymosod. Fel y gwelson ni, mae ein hemosiynau bygythiad yn cychwyn yn awtomatig, felly mae'n gallu bod yn frawychus teimlo ein hunain yn dechrau ffurfio agwedd dra-awdurdodol a blin tuag at ein babi bach diniwed mewn eiliadau o ddicter a rhwystredigaeth lwyr. Y broblem yw bod llawer o sbardunau i'n dicter gyda babi newydd: o ddiffyg cwsg, anallu i orffen tasg a fyddai'n cynyddu ein hymdeimlad o reolaeth, anallu i orffen llunio syniad heb ymyrraeth, ceisio mynd allan o'r tŷ i fynd i apwyntiad pan fydd angen bwydo neu newid y babi eto fyth ... Ond mae dicter yn arbennig o frawychus os yw wedi cael ei fygu ynom pan oedden ni'n blentyn. Yn yr achos hwnnw, dydyn ni ddim wedi dysgu bod dicter yn mynd a dod, ein bod yn gallu gwrando arno ond nid o reidrwydd weithredu arno, a'n bod ni'n gallu cymedroli ein hymateb; felly efallai y byddwn ni'n melltithio dan ein gwynt neu'n cerdded i ffwrdd yn lle taro allan. Yn hytrach, byddai'n bosib i ni ddychmygu y byddai'n parhau i dyfu i fod yn rhywbeth enfawr a dinistriol fel yr Incredible Hulk pe na baen ni'n ei ollwng allan.

Os nad ydyn ni'n hoffi emosiwn ynom ein hunain, mae'n bosib y byddwn yn ei chael hi'n anodd iawn pan fydd ein plentyn yn dechrau mynegi'r emosiwn hwnnw. Efallai y byddwn yn meddwl, 'Nawr mae yn fy mabi hefyd ac yn waeth fyth, mae'n dangos yr emosiwn cywilyddus neu frawychus hwn yn gyhoeddus. Fydd pobl yn meddwl bod fy mabi wedi'i lunio o fy natur erchyll i?' Gallwn deimlo nid yn unig ein bod ni'n gywilyddus, ond bod ein plentyn yn gywilyddus hefyd. Er mwyn amddiffyn ein hunain rhag y bygythiad o gael ein gwrthod gan bobl eraill, efallai y byddwn yn mabwysiadu'r strategaethau diogelu o gadw ein hunan a'n plentyn draw oddi wrth bobl eraill, ac ymbellhau oddi wrth ein plentyn gartref, neu fod yn ddig gyda'n plentyn pan fydd yntau'n ddig, er mwyn ceisio'i atal rhag arddangos emosiynau a fydd yn peri i bobl eraill ei wrthod, a'n gwrthod ninnau. Mae'r strategaethau diogelu hyn yn cael eu gyrru gan ofn a'r awydd i amddiffyn ein hunain a'n plentyn rhag cael ein gwrthod, ond mae ganddyn nhw ganlyniadau anfwriadol – maen nhw'n achosi arwahanrwydd ac unigrwydd, gan ein cadw rhag ffynonellau cymorth, rhag gallu gweld plant eraill a rhag deall fod dicter yn normal.

Er bod ein cywilydd wedi achosi i ni fynd yn gaeth mewn magl, unwaith eto, gallwn ddefnyddio ein tosturi i ddod yn rhydd. Yn gyntaf, gallwn ddeall i ni gael ein geni â'r gallu i feddu ar amrywiaeth lawn o emosiynau, a bod y rhain wedi'u dewis yn ofalus dros filiynau o flynyddoedd o esblygiad i fodoli ynom ni oherwydd eu bod yn ein helpu.

Yn ail, gallwn edrych ar ein gorffennol a gweld sut roedd ein hemosiynau'n cael eu hystyried a'u rheoli gan y rhai o'n cwmpas. A oedden ni'n cael mynegi ein hemosiynau? A gawson nhw eu henwi ac ennyn ymateb dilys, derbyniol a llawn cydymdeimlad, ynteu ai anghymeradwyaeth, arswyd, dicter neu ofn oedd yr ymateb? Sut gwnaethon ni ddysgu rheoli ein hemosiynau fel nad oedden nhw'n ennyn yr ymateb hwn yn y bobl hynny roedden ni'n dibynnu arnyn nhw i ofalu amdanon ni? Gallwn weld nad ni ddewisodd y ffyrdd hyn o gadw ein hunain yn ddiogel; a dweud y gwir, roedden nhw'n aml wedi dechrau cael eu llunio cyn i ni feddu ar y geiriau i ddisgrifio'r hyn oedd yn digwydd hyd yn oed. Mae'r strategaethau diogelu hyn yn gallu arwain at ganlyniadau anfwriadol anffodus nad ydyn ni'n gyfrifol am eu dewis chwaith.

> *Mae emosiynau'n gallu dod yn gysylltiedig ag emosiynau eraill, neu gael eu cyflyru ganddyn nhw. Felly gellir cysylltu tristwch â gorbryder, er enghraifft, neu gallai fod yn gysylltiedig â theimlo'n ddiogel ac wedi'n lleddfu, yn dibynnu ar ein profiadau.*
>
> *Gallwn ddysgu cysylltu'r teimladau sy'n cael eu cynhyrchu gan ein meddwl tosturiol (amddiffyniad, cryfder a lleddfu) ag emosiynau a fyddai wedi ein dychryn cyn hynny.*

Yn drydydd, gallwn ddechrau meddwl gyda'n meddwl tosturiol am yr hyn a fydd yn ein helpu i symud ymlaen, tyfu a datblygu o'r fan hon. Gallai hynny gynnwys treulio amser yn dod i wir ddeall pwysigrwydd ein holl emosiynau i ni, sylwi ar eu rôl ar gyfer ein babi, ac yna'n raddol, fesul cam, ganiatáu i'r emosiynau hyn ddychwelyd i'n bywydau. Dull dadsensiteiddio yw hwn, ac mae'n union yr un fath â'r dull y gellir ei ddefnyddio ag unrhyw beth sy'n achosi ofn i ni ond sydd angen ei oresgyn er mwyn byw bywydau llawn, fel mynd allan o'r tŷ pan fydd arnom ofn cyfarfod â phobl, neu fynd i'r car a gyrru eto ar ôl damwain car. Drwy edrych ar yr emosiynau brawychus hyn a'u harchwilio ag ymwybyddiaeth chwilfrydig a thosturi, maen nhw'n dechrau colli eu harswyd a'u cywilydd, gan ein galluogi i gysylltu â'r bobl o'n cwmpas unwaith eto.

Rydyn ni hefyd yn datblygu perthynas wahanol ag emosiynau ein babi, sy'n ffactor pwysig arall. Pan fyddwn yn y cyflwr meddwl bygythiol, rydyn ni'n ystyried ein hunain 'dan ymosodiad' ac yn canolbwyntio ein sylw ar hynny, ond pan fyddwn yn y cyflwr meddwl tosturiol, rydyn ni'n gallu edrych allan â meddwl eang, agored. Mae hyn yn ein galluogi i edrych i mewn i feddwl ein babi ag ymwybyddiaeth chwilfrydig o'r hyn y mae ei emosiynau yn ceisio'i gyfleu i ni. Ein cymhelliant yw ceisio ei helpu hyd eithaf ein gallu. Mae ein cryfder a'n doethineb yn ein helpu i aros gyda'n babi ac i geisio'i helpu hyd yn oed pan fydd mewn gofid go iawn.

'Pan fydda i wedi cynhyrfu, dydw i ddim yn gallu meddwl yn glir amdanat ti na fi': meddyliaeth

Meddyliaeth (*mentalisation*) yw'r gallu i ddeall ein meddyliau ein hunain a meddyliau person arall, er enghraifft meddwl ein babi. Mae'n tarddu o'n dealltwriaeth bod gan bobl eraill, gan gynnwys ein babi, feddyliau ar wahân i'n rhai ni. Dyma'r hyn sy'n ein galluogi i ystyried y gallai ein babi fod eisiau bwyd pan fyddwn ni'n llawn, neu'n oer yn ei goets pan fyddwn ni'n boeth ar ôl gwthio'r goets i fyny'r allt, neu'n amheus o rywun rydyn ni wir yn ei hoffi. Mae anhawster gyda meddyliaeth yn gallu ein harwain i dybio bod beth bynnag sydd ar ein meddwl ni hefyd ar feddwl pobl eraill. Mae hynny yn ei dro yn gallu ein harwain i gredu bod pobl eraill yn arddel yr un credoau, cymhellion neu deimladau â ni. Felly, er enghraifft, os ydyn ni'n credu nad ydyn ni'n hoffus, fe allwn ni dybio nad yw ein babi yn ein hoffi ni chwaith.

Fodd bynnag, mae gwahanol ffactorau yn effeithio ar ein galluoedd meddyliaeth.[1] Gall cyflyrau fel awtistiaeth a syndrom Asperger amharu arnynt. Credir hefyd fod sgiliau meddyliaeth da o bosib ynghlwm wrth sicrwydd ein hymlyniad fel plentyn. Mae hyn yn ei dro yn gysylltiedig â lefel galluoedd meddyliaeth ein gofalwyr hefyd. Er enghraifft, roedd mamau â strategaethau ymlyniad ansicr yn fwy tebygol o ymateb â thristwch pan fyddai eu plentyn yn drist, ond roedd mamau â strategaethau ymlyniad sicr yn fwy tebygol o ymateb i dristwch eu plentyn â phryder. Credir bod hon yn un ffordd y mae ymlyniad sicr neu ansicr yn gallu cael ei drosglwyddo o genhedlaeth i genhedlaeth.

Mae gofalwr sy'n gallu edrych gyda chwilfrydedd ar feddwl plentyn a'i roi ei hun 'yn esgidiau'r plentyn' yn gallu ymateb yn gyflymach ac yn gywirach iddo. Os yw plentyn yn protestio bod ratl swnllyd yn cael ei ddal yn agos at ei wyneb ond bod y fam yn dal i wenu, ei ysgwyd a dal ati i siarad â'i ffrind, dydy'r babi ddim yn datblygu unrhyw ddealltwriaeth o'i gyflwr meddyliol; mae'n bosib bod gan y babi deimlad anghysurus yn ei gorff sy'n achosi iddo weiddi neu wthio'r tegan i ffwrdd, ond does dim geiriau i esbonio'r teimladau, dydy'r ratl ddim yn cael ei roi o'r neilltu a dydy'r fam ddim yn dangos unrhyw synnwyr o ddeall yr emosiwn ac yna ymateb iddo. Mae'r babi'n cael ei adael gyda theimladau o rwystredigaeth a diymadferthedd. Fodd bynnag, gallai mam sy'n clywed ac yn gweld y gofid ymateb drwy ddweud, 'Ydy'r ratl yn dechrau dy ddiflasu? Iawn, beth am afael mewn tedi yn lle hynny? Dydy o ddim yn swnllyd, ac mae'n hyfryd ac yn feddal.' Yn yr achos hwn, sylwyd yn fuan ar anghysur y babi; cafodd ei ddeall, rhoddwyd enw iddo ('diflastod'), ac ymatebwyd iddo (rhoi'r gorau i ysgwyd y ratl); o ganlyniad, mae'r plentyn yn dysgu bod ganddo'r gallu i reoli ei amgylchedd a'i newid o fod yn anniogel i fod yn ddiogel. Mae'r plentyn hefyd yn dysgu am ei feddwl ei hun: ei fod yn gallu cael ei ddeall a'i ddiogelu. Mae'n dysgu dod yn ddiogel yn ei feddwl ei hun ac ym meddwl ei fam.

Beth sy'n ein helpu gyda meddyliaeth? Diogelwch a chysur

Yn ogystal, pan fyddwn yn teimlo'n ddiogel ac wedi'n cysuro, gallwn edrych tu draw i ni'n hunain a derbyn gwybodaeth mewn ffyrdd newydd a chreadigol. Gallwn sylwi gyda chwilfrydedd ar emosiynau ac ymddygiad pobl eraill, a dysgu am eu meddyliau nhw. Lle mae gofalwr yn meddu ar sgiliau meddyliaeth da iawn, gall plentyn ddysgu nad oes raid i dystio i emosiynau anodd yn ei fam, fel tristwch, rhwystredigaeth neu orbryder, beri gorbryder iddo yntau. Os yw'r fam yn gallu bod yn ofidus neu'n ddig neu'n ofnus, a'r un pryd ei gwneud hi'n glir i'w phlentyn mai ymwneud â hi mae'r emosiynau hynny, nid ag yntau, yna mae ei phlentyn yn dysgu nad oes raid i emosiynau o'r fath fod yn heintus neu beri pryder. Mae hi'n gallu tawelu ei phlentyn er ei bod yn ofidus ei hun, hyd yn oed os nad yw hyn yn digwydd yn union yr un pryd, drwy wneud iawn ac ymddiheuro; er enghraifft, 'Mae'n iawn, Guto, mae Mam fymryn yn drist ar hyn o bryd. Fe fydda i'n iawn mewn munud' neu 'Mae'n ddrwg gen i am fod yn gas efo ti, Guto. Dwi'n teimlo'n flinedig a braidd yn biwis. Ond nid dy fai di ydy hynny, pwt.' Hyd yn oed os yw plentyn yn rhy ifanc i ddeall y geiriau, mae ei amygdala yn gallu deall naws llais a mynegiant wyneb cysurlon a chael ei dawelu gan hynny.

> Pan fyddwn ni'n teimlo'n ddiogel ac wedi'n cysuro, rydyn ni'n ei chael hi'n haws rhoi ein hunain yn esgidiau pobl eraill (a'n rhai ninnau).

Gall pa mor ddiogel neu anniogel rydyn ni'n teimlo hefyd effeithio ar ein sgiliau meddyliaeth, felly gallwn fod yn well am ystyried meddwl rhywun arall (neu ein meddwl ein hunain) ar rai adegau nag ar adegau eraill. Pan fydd ein system fygythiad ar waith, yna mae'n fwy anodd defnyddio meddyliaeth. Hynny yw, mae'n anoddach deall yn iawn sut mae'r person arall yn teimlo neu beth allai fod ar ei feddwl. Pwynt allweddol yma yw fod y synnwyr hwn o ddiogelwch yn gallu bod yn wahanol i bob un ohonon ni, er bod lefel ein sgiliau meddyliaeth yn gysylltiedig â theimlo'n ddiogel. Mae ein gallu i ymhél â meddyliaeth yn ansefydlog. Fel y gwelson ni uchod, gall amrywio o eiliad i eiliad, mewn gwirionedd, yn ôl pa mor ddiogel neu dan fygythiad rydyn ni'n teimlo. A dweud y gwir, mae'r hyn sy'n teimlo'n ddiogel i un unigolyn yn gallu teimlo'n anniogel i un arall. Felly, mae perthynas gadarnhaol, ddibynadwy yn gallu teimlo'n anniogel i rywun sydd wedi arfer cael ei siomi dro ar ôl tro, oherwydd ei fod yn credu mai mater o amser yn unig yw hi cyn y daw'r profiad cadarnhaol hwn i ben. I rywun arall, mae'n bosib y bydd hapusrwydd yn teimlo'n anniogel, oherwydd mai dyna'r adeg pan fyddai ei dad neu ei fam yn gwylltio.

Felly, os yw cri ein babi yn sbarduno ein system fygythiad (er enghraifft, drwy brocio rhyw gred fod crio yn arwydd ein bod ni'n annigonol, neu drwy ysgogi atgofion emosiynol lle mae crio wedi dod yn gysylltiedig â thristwch llethol, galar, ofn neu unigrwydd), mae'n bosib y byddwn yn ei chael hi'n anodd iawn cilio oddi wrth ein hymdeimlad o fygythiad a symud i feddwl y babi. Nid ein bai ni yw hyn – dyna'n union sut mae ein meddyliau wedi'u cynllunio i ymddwyn pan fydd bygythiad: cyfyngu'r ffocws, meddwl y gwaethaf ('gwell diogel nag edifar'), a chanolbwyntio ar sicrhau ein diogelwch ein hunain. Ond canlyniad anfwriadol hynny yw ein bod ni wedyn yn llawer mwy tebygol o gael trafferth ymateb yn gywir i ofid y babi pan fyddwn ninnau hefyd yn ofidus. Mae hyn yn arwain at sefyllfa sy'n gyfarwydd i'r rhan fwyaf o famau, lle mae gofid y babi a gofid y fam yn bwydo'i gilydd ac yn gwaethygu, gan beri i'r ddau deimlo'r un mor druenus.

Ar y llaw arall, mae'n bosib y byddwn yn teimlo'n ddiogel pan fydd babi yn crio oherwydd ein bod ni wedi cael llawer o brofiad o gysuro plant gofidus, ac mae profiadau ein plentyndod o grio wedi creu atgofion emosiynol sy'n cysylltu crio ag atebion a dod o hyd i ddiogelwch, felly dydy crio ddim yn ein harswydo ni. Rydyn ni felly'n meddu ar 'deimlad' o hyder y gallwn oresgyn gofid ein babi. Ond i eraill, fel y nodwyd uchod, mae crio'n gallu ysgogi ymdeimlad o deimlo'n anniogel.

Haint emosiynol: Pan fydda i'n teimlo'r hyn rwyt ti'n ei deimlo

Credir mai un o'r rhesymau pam mae ymdeimlad o ddiogelwch yn helpu gyda meddyliaeth yw ein bod ni'n cynhyrchu ocsitosin pan fyddwn ni'n profi teimlad o ddiogelwch. Mae'n debyg ein bod ni'n ei chael yn haws gwahanu teimladau pobl eraill oddi wrth ein teimladau ni ein hunain pan fyddwn ni'n cynhyrchu ocsitosin. Pan nad ydyn ni'n ei gynhyrchu, rydyn ni'n gallu profi 'haint emosiynol' lle rydyn ni'n amsugno emosiynau rhywun arall. Mae eu teimladau nhw'n gallu teimlo fel ein teimladau ni. Dyma beth sy'n digwydd i fabanod, pan mae clywed un babi'n crio yn peri i fabanod eraill grio. Wrth gwrs, rydyn ni'n naturiol yn teimlo beth mae eraill yn ei deimlo. Dyna yw 'cydymdeimlad'. Pan fyddwn ni'n teimlo'n ddiogel ac yn gallu cynhyrchu ocsitosin, rydyn ni'n dal i allu profi teimladau person arall; ond mae'n glir i ni mai oddi wrthyn nhw maen nhw'n dod, nid oddi wrthym ni. Mae hyn yn golygu ein bod ni'n llai tebygol o ymateb yn awtomatig. Yn lle hynny, mae cyfle bach i ni ystyried beth allai helpu'r person arall os yw'n teimlo fel hyn. Gallai hynny fod yn wahanol i'r hyn a fyddai o gymorth i ninnau yn yr un sefyllfa.

Pan fyddwn yn profi'r ymdeimlad o ddiogelwch a gynigir gan emosiynau penodol, mae'n haws i ni adlewyrchu yn ôl i'r plentyn ein bod ni'n deall ei ofid ond y gellir ymdopi ag ef, bod modd ei reoli ac nad yw'n peri gofid i ni. Mae'r plentyn yn dysgu fod ei emosiynau yn gallu teimlo'n anghyfforddus, ond dydyn nhw ddim yn dychryn pobl eraill ac felly dydyn nhw ddim yn arswydus iddyn nhw. Yn sgil hynny, wrth i'r plentyn dyfu, mae'n llai tebygol o gael ei ddychryn gan emosiynau pobl eraill; o ganlyniad, mae ei sgiliau meddyliaeth yn well, gan ei alluogi i edrych ar feddwl rhywun arall ag ymwybyddiaeth chwilfrydig ac ymateb yn fwy priodol.

'Pan fydd pethau'n mynd yn drech na fi, dydw i ddim yn gallu meddwl yn iawn'

Cynhaliwyd arbrawf dadlennol yn defnyddio llygod mawr mewn cawell. Roedd y drefn rywbeth yn debyg i hyn: bob tro y dangoswyd llun o gylch glas, roedden nhw'n cael ychydig o fwyd wrth wasgu lifer. Bob tro y dangoswyd sgwâr coch, roedden nhw'n cael sioc drydanol. Roedd y llygod mawr yn rhydd i fynd i mewn ac allan o'r cawell fel y mynnent. Ymdopodd y llygod mawr yn dda â hyn oherwydd ei bod yn amlwg beth oedd angen iddyn nhw'i wneud i gadw'n ddiogel. Yn raddol, unwyd y sgwâr coch a'r cylch glas i ffurfio hirgylch porffor. Doedd dim strategaeth glir gan y llygod mawr bellach, a daeth eu hymddygiad yn fwy ansicr ac anhrefnus. Mae hyn yn digwydd i ni hefyd; pan fydd strategaethau'n dechrau gwrthdaro ac nad oes ffordd glir o aros yn ddiogel mwyach, rydyn ni'n dechrau profi lefelau uchel iawn o orbryder ac ymddygiad dryslyd. Mae ein meddwl yn gallu teimlo fel petai wedi ei orlwytho ac ychydig yn wallgof, a dweud y gwir.

Mae hyn i'w weld mewn ffordd fwy eithafol yn achos plant sy'n cael eu brifo'n emosiynol neu'n gorfforol gan eu gofalwr. Pan fyddan nhw'n cael eu brifo, mae eu system ymlyniad yn cael ei sbarduno'n awtomatig ac maen nhw'n ceisio diogelwch gan wrthrych eu hymlyniad. Fodd bynnag, os mai dyna'r person sy'n eu brifo hefyd, yna mae angen iddyn nhw dynnu'n ôl ac amddiffyn eu hunain. Galwyd hyn yn 'ofn heb ddatrysiad'[2] gan Mary Main, ymchwilydd academaidd i ymlyniad. Mae'r strategaethau diogelu hyn yn gwrthdaro'n uniongyrchol â'i gilydd ac yn chwalu neu'n mynd yn anhrefnus. O ganlyniad, mae'r strategaethau diogelu 'gorau' dan yr amgylchiadau yn arwain at ymddygiad rhyfedd ac anhrefnus, fel disgyn i'r llawr, mynd at ofalwr ond heb edrych i'w gyfeiriad, neu olwg wag neu farwaidd ar yr wyneb.

Efallai y byddwn ni fel oedolion yn sylwi bod sefyllfaoedd lle rydyn ni'n teimlo'n gaeth yn creu ymdeimlad o orbryder dwys ond hefyd o golli golwg ar bethau, fel petai ein meddwl wedi 'chwythu ffiws'. Gall hyn fod yn arbennig o anodd pan fyddwn yn teimlo hyn mewn ymateb i'n babi. Enghraifft o hyn yw mam yn teimlo nad yw'n meddu ar y gallu i dawelu ei babi. Mae ei babi yn crio, felly mae hi'n cael ei denu i afael ynddo a'i gysuro, ond ei hofn yw nad oes ganddi'r sgiliau i wneud hynny ac y bydd y babi'n mynd yn fwy gofidus a dig yn ei phresenoldeb. Gall hynny ei gorlethu a bydd ei meddwl yn wag neu wedi drysu. Y canlyniad anfwriadol yw bod y babi yn mynd yn fwy gofidus, gan beri iddi deimlo'n fwy diymadferth ac annigonol, ac yn y pen draw, wneud y babi'n anoddach i'w dawelu.

Pan fyddwn dan fygythiad, mae ein meddwl yn symud yn awtomatig o ddefnyddio rhan flaen yr ymennydd (yn ogystal â rhannau craill o'r ymennydd), sy'n caniatáu i ni feddwl mewn ffordd eang am y sefyllfa, i ddefnyddio'r hen ymennydd a'i systemau amddiffyn cyntefig, cul eu ffocws, o ymladd, ffoi, rhewi a llewygu. Y rheswm am hyn yw y gallai treulio amser yn ystyried y cyfan fod yn beryglus iawn; mae'r ymennydd yn ein gyrru i weithrcdu'n gyntaf a meddwl yn nes ymlaen pan fyddwn ni mewn sefyllfaoedd y mae'n eu hystyried yn beryglus. Mae hyn hefyd yn dangos yn union pam ei bod mor anodd cyflwyno ein meddwl tosturiol i sefyllfaoedd fel hyn, oherwydd ei fod yn defnyddio mwy o ran flaen ein hymennydd, yr union ran sy'n cael ei diffodd, yn ogystal â'n hen ymennydd (y system ymlyniad). Wrth i'r ymennydd droi yn ôl at strategaethau syml yn wyneb bygythiad, mae angen i ni ymarfer y camau meddwl tosturiol drosodd a throsodd fel ein bod yn defnyddio'r strategaeth yn awtomatig pan fyddwn yn teimlo wedi ein llethu.

Felly, pan fyddwn ni'n teimlo 'dan glo', wedi cynhyrfu, yn ddryslyd, ac yn ei chael hi'n anodd gwybod beth i'w wneud, yn enwedig pan fyddwn ni'n ceisio gofalu am fabi, dydy hynny ddim yn fethiant ar ein rhan ni; dyma ymateb arferol ein hymennydd i fygythiadau sy'n gwrthdaro, yn enwedig os mai dyma oedd profiad ein plentyndod hefyd. Mae angen i ni gyflwyno tosturi i'r sefyllfa anodd sy'n ein hwynebu, yn enwedig pan fyddwn ni'n ei chael yn anodd magu babi. Mae angen i ni hefyd werthfawrogi pa mor anodd yw symud i'n meddwl tosturiol yn ystod yr eiliadau hynny o fygythiad, a dyna pam ei bod mor hanfodol i ni atgyfnerthu ac arfer â'r ymarferion meddwl tosturiol sy'n cael eu nodi'n ddiweddarach; fe fyddan nhw wedyn yn ffurfio rhan annatod o'r ffordd y byddwn ni'n ymateb.

> *Mae ein meddyliau yn ei chael hi'n anodd meddwl yn glir pan fydd ein hemosiynau'n gwrthdaro.*
>
> *Gall treulio ychydig bach o amser yn dod ag ymwybyddiaeth ofalgar a thosturi i'n teimladau o fod wedi ein gorlethu ein helpu ni i deimlo'n ddigon pwyllog i ddechrau meddwl yn gliriach.*

Os ydyn ni wedi cael profiadau plentyndod sy'n golygu ein bod ni wedi dysgu peidio ag ymddiried yn yr union berson sydd i fod i ofalu amdanon ni, mae'n gallu bod yn arbennig o anodd ymddiried yn unrhyw un o gwbl, *a gallai hynny gynnwys ni ein hunain hyd yn oed*. Pan fyddwn ni'n ymarfer tosturi tuag atom ein hunain, gallwn sylwi ar y teimladau sy'n codi yn ein corff a'r meddyliau sy'n dod i'n meddwl. Os ydyn ni'n sylwi ar rywfaint o wrthwynebiad neu bryder, yna gallai fod yn fuddiol i ni edrych yn ôl ar ein profiadau gyda phobl roedden ni'n dibynnu arnyn nhw i ofalu amdanon ni. Gall hyn roi cliwiau i ni am unrhyw gysylltiadau a ddysgwyd gan ein corff mewn perthynas â derbyn gofal. Mae'n bosib i'r rhain gael eu sbarduno eto pan fyddwn ni'n ceisio gofalu amdanon ni ein hunain hyd yn oed. Y peth allweddol yma yw gwahanu'ch anawsterau gofal oddi wrth eich cymhelliant neu'ch bwriad tuag atoch eich hun. Gallwn wneud y camgymeriad dealladwy ond cyfeiliornus o dybio mai rhyw ddiffyg ynom ni oedd wrth wraidd eu methiant nhw i'n trin ni'n dda. Mae hynny'n gallu *teimlo'n* hollol wir hefyd. Er mwyn datblygu i fod y fersiwn orau ohonon ni'n hunain, mae angen i ni fod yn wrthrych ymlyniad cadarn, dibynadwy, llawn cydymdeimlad a gofalgar i ni'n hunain, hyd yn oed pan fethodd pobl eraill â bod felly. Mae hyn ymhell o fod yn beth hawdd i'w wneud, ond mae'n rhywbeth y gallwn symud tuag ato gydag ymarfer.

Mae angen amser ar ein babanod i ddal i fyny pan fyddwn ni'n newid

Pwynt pwysig i'w nodi yma yw: yn yr un modd ag y gwnaethon ni ddatblygu strategaethau diogelu fel babanod i'n helpu i gael y gofal gorau posib gan ein rhieni, mae ein babanod ninnau'n datblygu strategaethau diogelu i sicrhau'r gofal gorau posib gennym ni. Wrth i ni wella ar ôl iselder ôl-enedigol, neu roi cynnig ar strategaethau newydd gyda'n babi – fel ei ddal pan fydd mewn gofid yn hytrach na gadael iddo grio neu adael i rywun arall ei gysuro – bydd y babi'n cael ei synnu ychydig i ddechrau gan y drefn newydd hon.

Peidiwch â phoeni os bydd angen ychydig o amser ar eich babi i gynefino ag ymddygiad newydd fel cael eich dal gennych chi, neu eich bod chi'n edrych arno yn hytrach nag osgoi edrych i fyw ei lygaid. Fe fydd angen ychydig o amser arno i arfer â hyn, ond mae'n siŵr o wneud, yn enwedig os yw'r ymddygiad newydd hwn yn digwydd yn gyson a'i fod yn dysgu ei fod yma i aros.

Y neges yma yw: yr adeg y byddwch chi'n cymryd y risg fwyaf, er enghraifft, drwy afael yn eich babi i geisio'i dawelu yn hytrach na gadael iddo grio, mae'n bosib y bydd ei ofid yn waeth oherwydd bod hynny'n tarfu ar ei strategaethau diogelu. Bydd gwir angen eich meddwl tosturiol i'ch helpu chi i ddal ati. Arogl gorau'r byd, llais gorau'r byd, croen gorau'r byd i'n babi yw ein rhai ni, p'un a ydyn ni'n hoffi hynny ai peidio, neu'n credu hynny ai peidio. Mae ein babi yn cael ei dynnu aton ni, a fydd hi fawr o dro cyn i'r babi gysylltu'r holl agweddau hynny arnon ni â theimlo'n dawel ac wedi'i gysuro. Y cyfan sydd ei angen yw i chi ganiatáu ychydig o amser i'ch babi ddal i fyny!

Crynodeb

1. Mae rhai strategaethau diogelu yn gallu effeithio ar y modd rydyn ni'n uniaethu â'n hemosiynau ein hunain; er enghraifft, os ydyn ni'n dysgu mai'r peth gorau yw canolbwyntio ar emosiynau pobl eraill yn hytrach na'n rhai ni, y canlyniad anfwriadol yw nad ydyn ni'n gwybod sut rydyn ni'n teimlo, neu os ydyn ni'n teimlo rhywbeth, nad ydyn ni'n gwybod beth yn union yw e, neu beth fydd yn ei wneud i ni neu i eraill.

2. Ar y llaw arall, os ydyn ni'n dysgu bod rhai emosiynau ynom yn achosi dicter neu orbryder mewn eraill, yna gallwn fynd yn ofnus iawn ynghylch emosiynau penodol a cheisio'u ffrwyno. Oherwydd bod ein hemosiynau yn ein tywys, y canlyniadau anfwriadol yw ein bod yn colli'r wybodaeth y maen nhw'n ceisio'i chyfleu i ni. Er enghraifft, os ydyn ni'n dysgu ffrwyno ein dicter, mae'n bosib y byddwn yn ei chael yn anodd atal pobl rhag 'cerdded droson ni'.

3. Pan fyddwn yn cael trafferth gyda'n hemosiynau ein hunain, rydyn ni weithiau'n gallu cael trafferth gydag emosiynau ein babi hefyd. Mae'n bosib y byddwn ni felly'n cael trafferth gwybod sut mae ein babi yn teimlo neu fod emosiwn penodol yn ein babi yn llawer anoddach i'w reoli.

4. Os oes dau neu fwy o emosiynau wedi'u cyflyru i'w gilydd, yn sydyn iawn, gallwn brofi cyfres o emosiynau i gyd ar unwaith. Weithiau maen nhw'n gwrthdaro; er enghraifft, efallai y byddwn yn teimlo dicter sy'n ein gyrru ni

i ymosod, ond hefyd gorbryder, sy'n ein cymell i encilio. Gall hyn ein llethu, ac wrth i'n hymennydd frwydro i ymdopi â'r gwrthdaro, mae'n bosib iddo fynd i gyflwr o ddryswch fel petai wedi 'chwythu ffiws'. Rydyn ni'n ei chael hi'n anodd meddwl yn glir neu ymddwyn mewn modd eglur. Dyma drefn gynhenid ein hymennydd, a dydy hynny ddim yn fai arnon ni.

5. Drwy edrych ar ein hemosiynau ein hunain â'n 'meddwl tosturiol', h.y. drwy geisio cyflwyno ein doethineb, ein cynhesrwydd, ein cryfder a'n hymwybyddiaeth ni iddyn nhw, rydyn ni'n teimlo'n fwy diogel. Rydyn ni'n ei chael yn haws sylwi arnyn nhw, deall yr wybodaeth maen nhw'n ei rhoi i ni, ac yna ymateb â'n meddwl tosturiol yn hytrach na gyda'n meddwl bygythiol cul.

CAM DAU

Datblygu ein meddwl tosturiol

12 Natur tosturi:
Beth sy'n ffurfio 'meddwl tosturiol'?

Pan fyddwn ni'n dioddef, rydyn ni'n dymuno i'r dioddefaint ddiflannu fel ein bod ni'n gallu teimlo'n well. Mae hyn ynddo'i hun yn dangos tosturi tuag atoch eich hun. Fodd bynnag, dychmygwch eich bod chi'n mynd at y deintydd gyda dannodd hynod boenus, ac yn canfod bod y dant wedi pydru ac yn llidus. Mae mor boenus fel eich bod yn gofyn i'r deintydd beidio â chyffwrdd yn y dant, dim ond cael gwared ar y boen. Mae'n rhoi cyffur lladd poen cryf i chi, ond mae'n gadael y dant heb ei gyffwrdd. Ydy hon yn weithred wirioneddol dosturiol ar ran y deintydd a ninnau? Neu dychmygwch fod plentyn yn sâl; er mwyn iddo wella, mae'n bosib y bydd angen llawdriniaeth arno a fydd yn ei frifo a'i ddychryn. Mae ein tosturi yn ein helpu ni i'w helpu drwy gael y driniaeth sydd ei hangen arno i wella, yn hytrach na dim ond cael gwared ar y boen a'r ofn yr eiliad honno (er y gallwn geisio ein gorau glas i wneud hyn hefyd). Yn y ddwy enghraifft hyn, y peth tosturiol i'w wneud yw nid yn unig ceisio lladd y boen ond mynd i'r afael ag achosion y boen. Mae'n hawdd iawn i bobl gamddeall tosturi a meddwl ei fod yn ymwneud â meddalwch, gwendid, caredigrwydd neu hyd yn oed faldod – weithiau caiff hyd yn oed ei gamddeall fel trueni. Ond un o rinweddau pwysicaf tosturi mewn gwirionedd yw sut mae'n atgyfnerthu dewrder, y dewrder i allu gwneud pethau anodd weithiau er mwyn helpu ein hunain neu bobl eraill.

Mae sawl diffiniad o dosturi, a phob un ohonynt, fwy neu lai, yn canolbwyntio ar sut rydyn ni'n ymgysylltu ac yn ymdrin â dioddefaint ynom ein hunain ac eraill. Un diffiniad o dosturi yw: *sensitifrwydd i ddioddefaint ynom ein hunain ac mewn eraill, a'r cymhelliant i'w liniaru a'i atal.*

Fodd bynnag, yn hytrach na delio â dioddefaint yn unig, mae hefyd yn ymwneud â helpu ein hunain ac eraill i dyfu a ffynnu o ddifrif, ac mae hynny'n gallu cael effaith ar y ffordd rydyn ni'n rheoli dioddefaint yn ogystal, wrth gwrs. Felly hefyd gyda'n plant; mae'n bosib y bydden ni'n dymuno gallu eu cadw'n ddiogel wrth ein hymyl, yn rhydd o niwed a dioddefaint, ond yn y pen draw, dydy hynny ddim yn eu helpu i dyfu a ffynnu. Rydyn ni hefyd yn dysgu sgiliau iddyn nhw ac yn eu helpu i ddatblygu hunanhyder drwy ganiatáu iddyn nhw 'estyn eu hadenydd' gam wrth gam, tra byddwn ninnau'n darparu diogelwch ac anogaeth.

> *Mae tosturi yn ymwneud â'r parodrwydd i droi tuag at ddioddefaint yn hytrach nag oddi wrtho.*

Gan ddychwelyd at y diffiniad o dosturi rydyn ni'n ei ddefnyddio yma ('*sensitifrwydd i ddioddefaint ynom ein hunain ac mewn eraill, a'r cymhelliant i'w liniaru a'i atal*'), gwelwn fod dwy agwedd allweddol ar dosturi. Y gyntaf yw 'sensitifrwydd i ddioddefaint ynom ein hunain ac mewn eraill'. Dyma'r parodrwydd i droi tuag at ddioddefaint a cheisio bod ar yr un donfedd ag ef a thanseilio'r hyn sy'n ei achosi. Yr ail yw'r cymhelliant a'r awydd i geisio meddu ar y doethineb a'r sgiliau sydd eu hangen er mwyn helpu i'w liniaru a'i atal. Oherwydd bod dioddefaint yn annymunol ac weithiau'n ymddangos yn annioddefol, gallwn gael ein denu i geisio'i wella, ynom ni ac mewn pobl eraill, cyn i ni ddeall yn iawn beth sydd wedi'i achosi. Yn enghraifft y deintydd, problem gyda'r dant oedd wrth wraidd y dioddefaint, nid y boen. Mae agwedd gyntaf tosturi ('sensitifrwydd i ddioddefaint ynom ein hunain ac mewn eraill') yn ein galluogi i graffu ar union achos y ddannodd. Mae'n bosib fod gennym ni hefyd y cymhelliant neu'r awydd i'r ddannodd gael ei thrin; fodd bynnag, rydyn ni'n annhebygol o feddu ar y sgiliau i wneud hynny ein hunain, felly rydyn ni'n chwilio am rywun sy'n gallu, a dyma'r ail agwedd ar dosturi – ceisio lliniaru'r dioddefaint yn ddoeth.

Dyma ddwy enghraifft arall o'r ddwy seicoleg. Rydych chi'n gweld rhywun yn cwympo i mewn i afon sy'n llifo'n gyflym ac yn neidio i mewn i'w achub. Dyna'r agwedd gyntaf ar dosturi (sensitifrwydd i ddioddefaint); ond yna rydych chi'n sylweddoli nad ydych chi'n gallu nofio! Felly mae'r bwriad yn dda ond dydych chi ddim yn meddu ar y doethineb na'r gallu i wybod beth i'w wneud. Neu dychmygwch eich bod chi eisiau bod yn feddyg er mwyn atal a lliniaru dioddefaint pobl eraill. Dyna'ch bwriad tosturiol, ond yna mae'n rhaid i chi astudio am nifer o flynyddoedd er mwyn cael y sgiliau i wybod beth i'w wneud. Dydy'r bwriad ynddo'i hun ddim yn ddigon. Mae'r un peth yn wir amdanon ni. Cael yr awydd i fynd i'r afael â dioddefaint ynom ein hunain ac eraill yw'r cam cyntaf, ond yna mae'n rhaid i ni fynd ati i ddatblygu'r sgiliau i wneud hynny. Mae'r sgiliau hyn yn cynnwys datblygu ffyrdd o feddwl, teimlo, ymddwyn, dychmygu a rhoi sylw, a dyna sy'n ein helpu i uniaethu â'n hunain a phobl eraill mewn ffordd dosturiol.

> *Mae tosturi hefyd yn ymwneud â ffynnu a thyfu.*

Tosturi tuag at yr 'ochr dywyll'

Mae'n ddefnyddiol sylweddoli bod angen tosturi arnon ni ar gyfer *y pethau anodd*, nid dim ond ar gyfer y pethau hawdd. Felly, er enghraifft, mae'n gymharol hawdd ennyn tosturi tuag at bobl rydyn ni'n eu hoffi ond yn anoddach gwneud hynny tuag at bobl nad ydyn ni'n eu hoffi, yn enwedig ein gelynion. Rydyn ni'n fwy tebygol o deimlo tosturi tuag at bobl sy'n rhannu gwerthoedd tebyg i ni – boed yn grefyddol, yn wleidyddol, neu'n ymwneud â sut i fagu plant – nag at bobl sy'n wahanol. Mae'r un peth yn wir mewn perthynas â ni ein hunain. Mae'n bosib y bydd hi'n gymharol hawdd dangos tosturi tuag aton ni'n hunain am bethau sy'n peri poen gorfforol, er enghraifft, ond yn llawer anoddach o ran pethau sy'n emosiynol boenus neu sy'n sbarduno teimladau o gywilydd.

Mae rhai pobl yn credu bod datblygu tosturi yn golygu na ddylen nhw fod yn ddig mwyach, na chael ysfeydd neu feddyliau heriol o gwbl, na phrofi pyliau o banig mwyach neu ysfa i redeg i ffwrdd. Mae hyd yn oed y Dalai Lama yn gwylltio! Nid dyna beth yw tosturi. Dydy tosturi ddim yn cael gwared ar deimladau fel hyn; yn hytrach, mae'n fater o ddeall, oherwydd ein bod ni'n ddynol, fod yr agweddau anodd yma'n rhan o bawb, ac o'n dysgu i ddelio â nhw mewn ffordd dosturiol.

Y cwestiwn felly yw sut rydyn ni'n datblygu tosturi tuag at ein dicter, ein pryder, ein tristwch, ein cenfigen, ein meddyliau heriol, unrhyw ysfa fydd gennym; sut rydyn ni'n datblygu tosturi a dealltwriaeth tuag at y teimladau llethol hynny o fod eisiau rhedeg i ffwrdd – yn hytrach na'u hofni, bod â chywilydd ohonyn nhw neu feirniadu ein hunain am eu profi. Y rheswm pam mae tosturi yn bwysig yma yw oherwydd mai delio â phrofiadau dynol cyffredin yr ydyn ni – yn enwedig o gofio ein hymennydd heriol. Felly, mae tosturi ar gyfer y pethau anodd yn ogystal â'r pethau hawdd – a dyna pam mae'n ymwneud â dewrder.

Mae agwedd Fwdhaidd ar dosturi yn defnyddio'r trosiad o flodyn lotws sy'n tyfu mewn mwd i gynrychioli'r sgiliau o ymgysylltu â'n dioddefaint a cheisio'i liniaru. Er mwyn tyfu, mae angen i hedyn y blodyn lotws setlo yn y mwd yn gyntaf. Mae'r mwd yn cynrychioli'r rhannau tywyll, poenus a heriol hynny ohonom ein hunain y byddwn yn mynd i drafferth fawr i'w celu rhag eraill (ac yn aml, rhagom ein hunain hefyd); yr eiddigedd, y dicter, y meddyliau a'r mympwyon 'drwg', y cywilydd. Ein dioddefaint ni yw'r mwd. Er ein bod ni'n reddfol eisiau cael gwared ar y mwd, mae'n rhaid i'r blodyn lotws gael ei wreiddio yn y mwd er mwyn tyfu a ffynnu. Mewn geiriau eraill, mae angen ein dioddefaint arnon ni fel bod ein tosturi, neu'r blodyn lotws, yn gallu tyfu. Er mwyn gallu gwir ddeall ein dioddefaint a'i wella, mae'n rhaid i ni allu tyrchu i'r mwd. Dyma pam mae cryfder a dewrder yn rhannau allweddol o dosturi – oherwydd bod angen y nodweddion hyn er mwyn i ni allu cyrchu'r mannau anodd hyn.

Achos Lisa a'i 'bywyd braf'

O'r tu allan o leiaf, mae Lisa'n edrych fel menyw y byddai eraill yn dymuno cyfnewid lle â hi. Mae hi'n ddeniadol, yn llawn egni a chyffro, yn gallu cyflawni bron unrhyw swydd y mae hi ei eisiau, ac yn ymddangos fel pe na bai'n ofni dim byd. Fe'i cyfeiriwyd at ein gwasanaeth ar ôl iddi gael ei babi cyntaf, gyda diagnosis posib o fania. Er bod ei bywyd yn ymddangos yn braf, esboniodd nad oedd hi erioed wedi teimlo'i bod hi wedi setlo mewn difrif. Roedd hi bob amser yn chwilio am yr un peth hwnnw a fyddai'n gwneud iddi deimlo'n 'hollol iawn': swydd newydd efallai, partner newydd, gwlad newydd, babi.

Daeth i'r amlwg ei bod hi, o dan yr wyneb, yn teimlo'n hynod drist, ofnus ac affwysol o unig. Sylweddolodd hefyd ei bod yn eiddigeddus o eraill a oedd wedi llwyddo i gael y bywyd perffaith hwnnw, a phan oedden nhw'n methu, roedd hi'n falch iawn yn slei bach. O ganlyniad i hynny, daeth i'w chasáu ei hun. Roedd hi'n treulio bron bob munud o bob dydd yn ceisio cilio oddi wrth y cyflwr hwn o unigrwydd, siom, tristwch a dicter.

Drwy beidio â chraffu o gwbl ar y dioddefaint, nac ymgysylltu ag e go iawn, datblygodd yn beth arswydus. Disgrifiodd ei theimladau o unigrwydd, siom, tristwch a dicter fel morlyn tywyll roedd hi mewn perygl o lithro iddo'n gyson. Dros amser, fodd bynnag, dechreuodd droi ei sylw'n betrus at y 'morlyn'. Y tro cyntaf, teimlai fel petai'n eistedd ar y lan, yna trochodd ei llaw ynddo, yna edrychodd i mewn i'w ddyfnderoedd. Dechreuodd sylweddoli ei fod yn cynnwys poen a thristwch dwfn, ond wnaeth e mo'i llyncu. Gallai fynd i mewn iddo, nofio o gwmpas am ychydig, a dod yn ôl allan. Doedd y morlyn ddim yn ei chwmpasu hi i gyd; dim ond meddiannu rhan ohoni yr oedd e. Mewn gwirionedd, sylwodd ei fod gryn dipyn yn llai ac yn llawer mwy bas na'r hyn a ddychmygodd, a gallai hyd yn oed weld y gwaelod. Sylweddolodd hefyd nad ei bai hi oedd ei fodolaeth, ond roedd yn rhan ohoni serch hynny ac roedd angen iddi gofio hynny wrth edrych ar ôl ei hun a symud ymlaen â'i bywyd. Mewn gwirionedd, ei hatgofion emosiynol o boen a thristwch o gyfnod cynharach oedd y morlyn, a'r atgofion hynny'n dal i gael eu sbarduno yn y presennol, gan achosi pryder a dryswch iddi. Drwy nofio o gwmpas 'ynddyn nhw', gallai weld yn gliriach beth oedden nhw, a nodi bod yr atgofion emosiynol hyn yn rhan ohoni ond yn tarddu o'r gorffennol yn hytrach na'r presennol.

Yn y diwedd, unwaith y daeth i 'adnabod' y morlyn yn iawn, doedd hi ddim yn ei ofni bellach, nac yn cael ei meddiannu ganddo. Gallai edrych i fyny ac allan ar y dirwedd o'i chwmpas. Ar ben hynny, roedd hi'n teimlo'n ddigon diogel i allu symud draw oddi wrth y morlyn ac archwilio'r dirwedd ehangach. Am y tro cyntaf, disgrifiodd deimlo'n rhydd.

Mae profiad Lisa yn dangos dwy ran tosturi: yn gyntaf, tyrchu i lawr i'r 'mwd' i ymgysylltu â'r dioddefaint a gweld ei sail, sydd yn aml yn atgofion emosiynol a loes o'r gorffennol. Yn ail, pan ddechreuwn weld achos a natur ein dioddefaint, gallwn wedyn fynd ati i liniaru'r dioddefaint, gan ddefnyddio doethineb, cydymdeimlad a chryfder i gymryd y camau sydd eu hangen i ddod yn fwy heddychlon ac i helpu ein hunain i dyfu a ffynnu.

Mae profiad Lisa o allu 'nofio o gwmpas' ym 'morlyn' ei thristwch yn dangos y doethineb sydd ei angen ar gyfer cyflawni ail agwedd tosturi, sef yr angen i ddysgu nofio yn gyntaf. Yn union fel dysgu nofio, gallwn ddysgu'r sgiliau o allu symud drwy ein hemosiynau heriol, a mynd i mewn ac allan ohonyn nhw. Hefyd, yn yr un modd â dysgu nofio, rydyn ni'n cychwyn lle mae'n teimlo'n ddiogel, mewn man lle mae'n hawdd mynd i mewn ac allan – pen bas y morlyn, er enghraifft – yn hytrach na lle mae'n anodd, fel neidio'n syth oddi ar glogwyn i ran ddyfnaf y morlyn. Mae Ffigur 12.1 isod yn dangos dwy seicoleg tosturi: **ymgysylltu â dioddefaint** (y cylch mewnol), a **lliniaru dioddefaint** (y cylch allanol), a'r sgiliau a'r nodweddion y mae modd i ni eu dysgu i'n cynorthwyo gyda'r tasgau hynny.

Ffigur 12.1: Chwe nodwedd a chwe sgìl tosturi

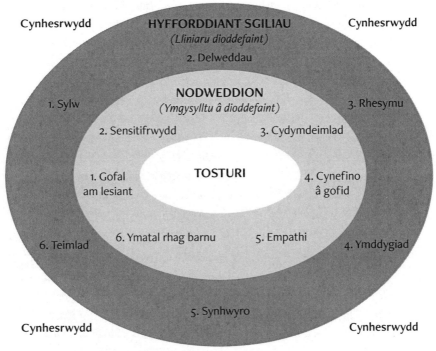

O gyfrol Gilbert, *The Compassionate Mind* (2009), ailargraffwyd gyda chaniatâd Constable & Robinson Ltd.

> Mae chwe **nodwedd** tosturi yn rhoi i ni'r rhinweddau sy'n ein galluogi i droi tuag at ein dioddefaint, ei ddioddef a'i ddeall.
>
> Mae chwe **sgìl** tosturi yn ein galluogi i liniaru dioddefaint drwy ysgogi tosturi tuag atom ein hunain mewn gwahanol ffyrdd.

Gellir meddwl am yr ail gylch, 'Nodweddion', fel yr agwedd a gymerwn wrth agosáu at ein hochr 'fwdlyd' – yr ochr drallodus, frawychus neu dywyll. Unwaith y byddwn yn dechrau deall y rhan hon ohonon ni ein hunain, rydyn ni'n defnyddio'r agweddau yn y cylch allanol, o'r enw 'Sgiliau', i liniaru dioddefaint y rhan sy'n cael trafferthion. Yma, rydyn ni'n fwriadol yn symud ein safle mewn perthynas â ni ein hunain fel ein bod ni'n meddwl, yn ymddwyn, yn dychmygu, yn rhoi sylw, yn teimlo ac yn defnyddio'n synhwyrau mewn ffordd sy'n ysgogi tosturi tuag atom ein hunain. Byddwn yn edrych ar y sgiliau a'r nodweddion hyn yn fwy manwl; mae gwir ddeall yr agweddau hyn yn gallu helpu os ydyn ni'n cael anhawster gyda thosturi tuag atom ein hunain, oherwydd gallwn nodi pa sgiliau neu nodweddion penodol sy'n peri trafferth arbennig i ni. Wedi i ni nodi a gweithio gyda'r blociau hyn, fe welwn fod y tosturi yn dechrau llifo.

Chwe nodwedd meddwl tosturiol (ymgysylltu â dioddefaint)

Enghraifft achos: Mali a'i babi, Maya

Daeth Mali at ein gwasanaeth cyn esgor, yn dioddef o ofn rhoi genedigaeth. Roedd ansicrwydd yn ei harswydo, felly roedd hi angen i fywyd fod yn rhywbeth y gellid ei rag-weld heb ddim byd annisgwyl yn codi. Yn ddigon deallndwy, roedd y syniad o eni plentyn yn ei llenwi ag ofn. Po fwyaf pryderus y byddai'n mynd, mwyaf oll y byddai'n ceisio cael rheolaeth ar bethau, ond erbyn hyn roedd hi'n torri tir newydd; doedd ganddi hi ddim profiad o feichiogrwydd, ei hun nac ymhlith ei chydnabod, felly roedd hi'n gorfod dibynnu ar bobl eraill. Byddai ei gorbryder a'i phanig yn aml yn sbarduno dicter pan fyddai hi'n teimlo bod pobl eraill yn ei gwrthod neu pan nad oedden nhw'n ei deall. Roedd ei dicter yn dychryn pobl eraill, ac yn gwneud iddyn nhw gadw draw, gan beri iddi deimlo fwy fyth ar ei phen ei hun ac allan o reolaeth.

Yn anffodus, roedd genedigaeth ei merch yn anodd a chafodd ei gwahanu oddi wrthi am gyfnod. Roedd Mali yn gorfforol sâl ac roedd angen trallwysiad gwaed arni. Cymerodd amser hir iddi wella'n gorfforol. Roedd bwydo ar y fron yn anodd, sydd ddim yn anghyffredin ar ôl esgor heriol, yn anffodus; ond roedd ei cheisiadau cynyddol gynhyrfus am gymorth i geisio bwydo ar y fron yn cael eu hystyried yn dystiolaeth o'i 'salwch meddwl', ac roedd hi'n teimlo nad oedd pobl yn ei chymryd o ddifrif a'u bod yn cau eu hunain i ffwrdd oddi wrthi o ganlyniad. Unwaith eto, roedd hi'n teimlo'n ofnus ac unig. Roedd hi'n feirniadol ohoni ei hun ac yn teimlo ei bod wedi siomi Maya, ei merch fach. Doedd hi ddim yn teimlo'i bod yn gallu 'esgor yn iawn na bwydo'n iawn' ac, yn waeth fyth, teimlai nad oedd hi'n gallu ymladd dros Maya a sicrhau'r cymorth angenrheidiol i roi'r hyn roedd hi'n ei ystyried yn 'ddechrau gorau mewn bywyd' iddi.

Ar y dechrau, cafodd Mali drafferth i fondio gyda Maya, ond, dros amser, dechreuodd deimlo mwy a mwy o gariad tuag ati.

Gallwn ystyried nodweddion a sgiliau tosturi mewn perthynas â thaith Mali drwy'r misoedd cynnar anodd wedi geni Maya. Wrth edrych yn gyntaf ar nodweddion tosturi yn Ffigur 12.1, rydyn ni'n dechrau ar 'naw o'r gloch' ar y cylch canol ac yn symud yn null y cloc. Rydyn ni'n dechrau felly gyda chymhelliant i 'ofalu am lesiant'.

1. Cymhelliant a pharodrwydd i ofalu am lesiant

Mae taith tosturi yn cychwyn gyda rhyw fath o gymhelliant a pharodrwydd i ddechrau'r siwrnai – i ddechrau meddwl am ein hanawsterau a bod yn agored i'w hystyried. Dychmygwch sut bydden ni'n sefyll, yn symud ac yn ymddwyn pe bydden ni'n datblygu awydd, cymhelliant, parodrwydd i **wir ofalu am lesiant** y rhan heriol neu drafferthus honno ohonon ni. Yn hytrach na dymuno troi cefn arni, neu gymryd trueni drosti, neu amddiffyn ein hunain rhagddi, rydyn ni'n ymrwymo i droi tuag ati, ceisio deall beth mae hi ei angen ac yna'i helpu hyd eithaf ein gallu.

Daeth Mali at ein gwasanaeth gyntaf mewn panig, wedi canolbwyntio'n llwyr ar sut i gael yr help roedd hi ei angen i gadw'n ddiogel o ran sicrhau rheolaeth dros eni ei babi. Roedd ganddi gymhelliant uchel dros 'ofalu am ei llesiant'. Ond unwaith roedd y bygythiad hwn wedi mynd heibio, llwyddodd i gamu'n ôl a myfyrio ychydig, a gweld nad problem untro roedd hi angen ei goresgyn oedd hon, ond yn hytrach stori a oedd yn codi dro ar ôl tro drwy gydol ei bywyd a oedd yn creu llawer iawn o boen a dioddefaint iddi. Penderfynodd yr hoffai gael rhai sesiynau seicolegol er mwyn ceisio deall hyn a gweld a oedd ffordd wahanol ar gael iddi.

NODIADAU BABI

Yr hyn a helpodd Mali i sylwi a mynd ar donfedd y nodweddion tosturiol yma oedd ymddangosiad ei babi, Maya. Roedd hi'n ei chael hi'n haws gweld y nodweddion hyn yn y modd roedd hi'n ymwneud â Maya, a helpodd hynny hi i ystyried sut gallen nhw fod yn berthnasol iddi hi ei hunan. Er nad oedd hi'n teimlo cwlwm arbennig gyda Maya yn ystod yr wythnosau cynnar, roedd hi'n llawn cymhelliant i roi'r gofal gorau posib iddi. Roedd yn ymddangos bod effaith gylchol rhwng Maya a Mali; wrth i Mali ddechrau troi tuag ati ei hun ychydig mwy, dechreuodd ddatblygu mwy o gynhesrwydd a chariad tuag at Maya. Wrth iddi weld sut roedd hi gyda Maya, helpodd hynny hi i fyfyrio ar yr hyn a fyddai o gymorth iddi hi.

2. Sensitifrwydd

Unwaith y byddwn ni'n teimlo cymhelliant i wneud rhywbeth, rydyn ni'n dechrau *sylwi*. Mae hynny'n golygu bod gennym ni *sensitifrwydd* i'n poen a'n brwydr. Mae hynny'n ein helpu i ddechrau edrych â sylw agored ar yr emosiynau sy'n codi ynom. Gall hyn fod yn anodd, yn enwedig os oedd profiadau plentyndod yn golygu ein bod wedi treulio mwy o amser yn rhoi sylw i emosiynau pobl eraill, heb roi fawr o sylw i'n hemosiynau ni ein hunain. Weithiau, os yw pobl wedi bod yn feirniadol o'n teimladau, neu'n elyniaethus tuag atyn nhw, rydyn ni'n dysgu bod â chywilydd ohonyn nhw a'u celu, neu fe allwn ni ofni, os ydyn ni'n craffu ar ein teimladau, y bydd yr hyn wnawn ni ei ddarganfod neu ei 'ryddhau' yn ein dychryn neu'n ein gorlethu – felly mae rhwystrau lu'n bosib ar y pwynt yma. Yr ateb yw cymryd un cam ar y tro, fel dysgu nofio heb fod angen neidio i mewn i'r pen dwfn.

Sylwodd Mali ei bod yn profi dicter ac yn ymateb iddo'n sydyn iawn. Roedd bygythiadau'n crynhoi, felly dydy hi fawr o syndod iddi ymateb yn llwyr o'i system fygythiad. Fe dreulion ni beth amser yn defnyddio ymwybyddiaeth ofalgar (gweler Pennod 13 am fanylion pellach am ymwybyddiaeth ofalgar) i'w helpu i arafu a rhoi sylw manylach i'r gwahanol emosiynau a oedd yn codi ynddi. Yn hytrach na dim ond teimlo'n ddig, daeth yn ymwybodol bod ei dicter mewn gwirionedd yn dilyn cyfnod o ofn.

NODIADAU BABI

Roedd Mali yn sensitif iawn i gyflwr corfforol ac emosiynol Maya ac roedd yn llawn cymhelliant i geisio deall ystyr gwahanol fathau o grio. Roedd y sensitifrwydd manwl iawn hwn i Maya fel petai'n helpu Mali i nodi manylion cynnil ei gofid ei hun.

3. Cydymdeimlad

Mae 'gwybod' beth rydyn ni'n ei weld wrth edrych arnom ein hunain gyda sensitifrwydd yn cael ei hwyluso gan nodwedd **cydymdeimlad**. Dyma'r gallu i gael ein cyffwrdd gan ofid pobl eraill, neu ein gofid ni ein hunain. Mae'n digwydd yn awtomatig ac yn sydyn. Credir bod cydymdeimlad yn gysylltiedig â thanio'r hyn a elwir yn niwronau drych. Mae'r rhain yn 'adlewyrchu' yr hyn a welwn yn digwydd i rywun arall yn ein hymennydd ni. Er enghraifft, os gwelwn ni rywun yn taro bys ei droed yn erbyn coes bwrdd, yna mae'r rhan o'n hymennydd *ni* sy'n nodi poen ym mysedd ein traed yn cael ei sbarduno. Rydyn ni'n llythrennol yn 'gwybod' sut deimlad oedd hynny ac yn gallu gwingo gyda'r person yma. Fodd bynnag, mae'n gallu bod yn anodd wedyn i wahanu teimladau pobl eraill oddi wrth ein teimladau ni. Gall ymddangos bod eu teimladau nhw wedi llifo droson ni hefyd. Os ydyn nhw'n teimlo wedi'u gorlethu ac yn ddiymgeledd, yna gallwn ninnau deimlo ein bod wedi'n gorlethu ac yn ddiymgeledd hefyd.

Cyn gynted ag y daeth Mali yn ymwybodol o'r rhan ofnus ohoni ei hun, cafodd ei chyffwrdd, ac roedd ganddi ysfa wirioneddol i ofalu amdani ei hun, a'i hamddiffyn ei hun.

NODIADAU BABI

Wrth i Mali wella ar ôl geni Maya a dechrau cysgu mwy hefyd, roedd hi'n ymddangos yn fwy abl i'w hagor ei hun i ofid Maya a gadael iddi hi ei hun brofi'r gofid hwnnw o ddifrif.

4. *Cynefino â gofid*

Os ydyn ni wir yn caniatáu i ofid ein cyffwrdd, sut rydyn ni'n rheoli'r gofid hwnnw? Weithiau, mae'r hyn rydyn ni'n ei deimlo o'n hymateb cydymdeimladol tuag atom ein hunain neu eraill yn gallu bod yn anodd ei ddioddef, a byddai hyn yn ei gwneud hi'n anodd i ni droi tuag at ofid o ddifrif. O ganlyniad, rydyn ni angen y nodwedd nesaf, **cynefino â gofid**, i'n helpu ni i allu dioddef y gofid rydyn ni'n ei deimlo bellach. Rydyn ni'n dysgu cynefino â gofid drwy ein profiadau o wybod ynom ein hunain, neu o weld mewn pobl eraill, y bydd y teimladau'n dod i ben; bod pob emosiwn, dymunol neu annymunol, yn cynyddu a lleihau ac yn pasio yn y pen draw.

Rydyn ni hefyd yn dysgu nad yw emosiynau yn ein dinistrio nac yn ein gwneud yn wallgof, er ei bod yn ymddangos y gallan nhw weithiau. Gall hyn fod yn anodd i ni os nad oes gennym ni lawer o brofiad o bobl eraill yn lleddfu'n gofid. Os ydyn ni wedi gorfod dioddef gofid am gyfnodau hir ar ein pen ein hunain, er enghraifft, yn enwedig pan oedden ni'n ifanc, gall ein gofid ddod yn gysylltiedig â theimladau ychwanegol o arswyd, gorlethu a chael ein gadael ar ein pen ein hun. Gallwn ddod i gredu ar ryw lefel bod gofid yn enfawr, yn ddiddiwedd ac yn ddigysur oherwydd ein profiadau cynnar, ac o ganlyniad, fod angen rhywbeth eithafol i'w atal neu ei reoli, fel alcohol, gorfwyta, meddyginiaeth, cyffuriau neu hunan-niwed.

Pan ystyriwn y profiadau cynnar hyn, beth sy'n dod â'r profiad hwn o ofn i ben i fabi? Cael ei godi a'i ddal. Dim byd eithafol, nac aruthrol na syfrdanol, dim ond bod yn ddiogel ym mreichiau rhywun. Er nad ydyn ni mewn gwirionedd eisiau nac yn hoffi cysur corfforol pan fyddwn mewn gofid, mae gwybod fod modd lleddfu ein gofid yn gallu bod yn ddigon i'n helpu i'w ddioddef.

Roedd cynefino â gofid yn bur anodd i Mali. Os oedd hi'n profi teimladau o banig ac yn methu gweld dihangfa, byddai'n symud at ddicter yn sydyn, a gallai hynny fod yn ymosodol ac yn frawychus i bobl eraill. Po fwyaf o bobl fyddai'n encilio neu'n troi oddi wrthi i'w hamddiffyn eu hunain, mwyaf dig fyddai hi. Nododd ei bod am allu cymryd sylw o'r teimladau hyn a'r rhybudd a oedd yn codi yn eu sgil, ond ei bod eisiau setlo'i hun yn ddigonol i allu ymateb mewn ffordd fwy cymedrol.

NODIADAU BABI

Unwaith eto, Maya oedd yr athrawes orau i Mali, yn enwedig yn ystod yr wythnosau cynnar ar ôl yr enedigaeth. Roedd Mali yn teimlo'n flinedig, yn gorfforol sâl, yn ofnus ac yn ddryslyd, a gallai deimlo ei dicter a'i rhwystredigaeth yn codi wrth iddi frwydro i gael Maya i gysgu, bwydo, setlo ac ati. Fodd bynnag, roedd hi'n sicr o un peth, sef nad oedd hi eisiau niweidio Maya. Roedd hyn yn golygu bod Mali'n gwneud popeth o fewn ei gallu i ddioddef ei gorbryder a'i dicter o gwmpas Maya, gan gynnwys deffro'i gŵr yn ystod oriau mân y bore a rhoi Maya iddo, er mwyn iddi hi allu cerdded i ffwrdd ac ymdawelu. Drwy hynny, dysgodd Mali fod ganddi allu sylweddol i reoli ei gofid ei hun a gofid Maya – nodwedd na fyddai'n credu ei bod ganddi cyn hynny.

5. Empathi

Mae nodweddion tosturi tuag aton ni'n hunain neu eraill felly'n dechrau gyda pharodrwydd i ymgysylltu â'r frwydr, i fod â'r gallu i sylwi pan fyddwn ni neu eraill yn ei chael hi'n anodd, i gael ein cyffwrdd neu ymateb â chydymdeimlad i'r frwydr, ac i allu dioddef y gofid a allai gael ei sbarduno ynom. Wedyn, mae angen i ni allu gwir ddeall gwreiddiau unigryw'r frwydr a beth yn union allai'r anghenion penodol fod o ganlyniad. Dyma lle mae **empathi** yn chwarae rhan.

Yn aml, gellir drysu rhwng empathi a chydymdeimlad. Cydymdeimlad yw'r gallu i deimlo dioddefaint eraill, ac empathi yw'r gallu i ddeall yr hyn mae unigolyn ei angen, a gallai hynny fod yn wahanol iawn i'r hyn fyddai ei angen arnon *ni* yn y sefyllfa honno. Er enghraifft, gallai plentyn ifanc, Tomos, sy'n gweld plentyn arall, Efa, yn ei dagrau, fynd i nôl ei fam ei hun i gysuro Efa. Fodd bynnag, byddai plentyn hŷn ag empathi mwy datblygedig yn gwybod mai nôl mam Efa ddylai ei wneud.

Mae empathi yn ymwneud â dealltwriaeth ddoeth o achosion y boen. Yn wahanol i gydymdeimlad, dydy e ddim yn awtomatig; yn hytrach, daw o'r parodrwydd ymdrechgar i 'wisgo esgidiau rhywun arall' a meddu ar chwilfrydedd a rhyfeddod ynghylch gwreiddiau gofid y person hwnnw. Wrth i ni ddysgu am ein meddyliau ein hunain, rydyn ni'n dod yn fwy abl i fod ag empathi go iawn tuag at ein gofid ein hunain yn hytrach na chael ein llyncu ganddo. Felly, yn hytrach na chael ein boddi gan dristwch mawr, er enghraifft, a hwnnw'n teimlo'n llethol ac yn ddychrynllyd, rydyn ni'n gallu dweud, 'Dwi'n teimlo'n hynod drist, ond o feddwl am fy mhrofiadau, mae hynny'n ddeilladwy.' Mae'n caniatáu ymdeimlad o gyfyngu'r gofid fel pe bai'n rhan ohonon ni yn hytrach na'r cyfan, ac yn rhoi teimlad o wahanu oddi wrtho, fel pe baen ni'n sefyll wrth ei ymyl yn hytrach na chael ein hamgylchynu'n llwyr ganddo.

Enillodd Mali lawer iawn wrth allu deall pam roedd hi'n profi teimladau mor gryf o banig mewn rhai sefyllfaoedd. Cysylltodd hynny â theimlo'n wahanol i blant eraill yn yr ysgol a chael ei bwlio am hynny. Anaml y byddai hi'n cael cymorth gan ei hathrawon; mewn gwirionedd, byddai rhai yn gwaethygu'r sefyllfa, ac roedd hi'n teimlo'n unig iawn ac yn agored i niwed. Yn amlwg, roedd datblygu'r ddealltwriaeth hon yn rhyddhad i Mali, ac fe helpodd hi i symud o edrych arni ei hun yn feirniadol i edrych arni ei hun yn llawer mwy tosturiol. Yn ogystal, fe wnaeth ei helpu i ddechrau ystyried effaith bosib ei dicter ar eraill, ac atgyfnerthodd hynny ei chymhelliant i geisio cyfleu ei gorbryder mewn ffyrdd y gallai eraill eu derbyn, fel y bydden nhw wedyn yn debycach o'i helpu, yn hytrach na chilio.

NODIADAU BABI

Yn ystod yr wythnosau cynnar, câi Mali gryn drafferth i ddeall Maya ac roedd hi'n aml mewn cyflwr o orbryder dwys pan fyddai Maya yn cynhyrfu. Fodd bynnag, wrth i grio Maya ddechrau newid yn grio gwahanol i ddynodi teimladau gwahanol, ac wrth iddi ddechrau gwenu a dangos amrywiaeth ehangach o emosiynau, teimlai Mali ei bod yn dod i adnabod Maya. Roedd hi'n haws dweud, 'Mae Maya yn mwynhau ...' neu 'Dydy Maya ddim wir yn hoffi ...' Gallai ddeall yr hyn roedd Maya o bosib ei angen, a gwyddai hefyd y gallai babi arall fod angen rhywbeth gwahanol yn sefyllfa Maya.

6. Ymatal rhag barnu

Pan fyddwn ni'n edrych ar y rhan gysgodol hon ohonon ni'n hunain, **ymatal rhag barnu** yw'r gallu i sylwi arni, yn union fel y mae, heb ei chondemnio. Mae'n caniatáu i ni graffu ar agweddau arnom ein hunain ac eraill gyda chwilfrydedd clir ac agored, a gweld y rhan honno yn union fel y mae heb ei gwthio na'i thynnu i ffurfio rhywbeth gwahanol. Mae'n ein galluogi i gael golwg lawer cywirach o'r rhannau hynny ohonon ni fyddwn ni fel arfer yn ceisio eu cadw'n gudd rhag ein hunain neu eraill. Drwy gymryd y safbwynt hwn o ymatal rhag barnu, rydyn ni'n caniatáu i'n hunain dynnu'r agweddau hyn allan i'r goleuni a'u gwneud nhw'n amlwg. Mae ymatal rhag barnu yn rhan allweddol o ymwybyddiaeth ofalgar; gallu sylwi ar ein hemosiynau, ein teimladau corfforol, ein meddyliau ac ati a'u derbyn yn hytrach na'u condemnio, na barnu ein hunain am eu cael. Fodd bynnag, dydy hynny ddim yn golygu ildio neu ddiffyg gweithredu. Efallai felly y byddwn yn derbyn ein bod ni'n cael meddyliau ac ysfeydd dig, ond yna'n penderfynu nad dicter yw'r meddylfryd gorau i weithredu ohono.

I ddechrau, roedd Mali yn ystyried ei hun 'fymryn yn wallgof, a bod ei meddwl hi'n wahanol i feddwl pawb arall. Fodd bynnag, daeth i weld bod y 'gwallgofrwydd' hwn mewn gwirionedd yn ganlyniad y meddwl gwallgof rydyn ni i gyd yn ei rannu, ynghyd â'i phrofiadau unigryw hi. Dechreuodd ei hymatebion wneud synnwyr iddi, a llwyddodd i feddalu ei hagwedd tuag ati ei hun. Gwelodd hefyd ei bod yn gallu mynd allan i'r byd mawr yn amlach oherwydd nad oedd hi bellach yn teimlo mor wahanol.

NODIADAU BABI

Roedd Mali yn ei chael hi'n llawer haws derbyn Maya na hi ei hun. Er y byddai'n well ganddi pe bai Maya fymryn yn llai blin, neu'n llai effro yng nghanol y nos, gallai Mali ddeall hynny heb ei chondemnio. Roedd gallu camu yn ôl a gweld hyn ar gyfer Maya yn ei gwneud hi'n haws iddi ddechrau camu'n ôl a gweld hynny ar ei chyfer hithau hefyd.

Chwe sgìl meddwl tosturiol (lliniaru dioddefaint)

Fel y gwelwn, mae sgiliau a nodweddion tosturi (cylch allanol a chylch mewnol Ffigur 12.1) yn gysylltiedig â'i gilydd; mae pob un o'r nodweddion yn cefnogi datblygiad y nodweddion eraill, ac mae hyn yn ei dro yn galluogi meddylfryd tosturiol i ddatblygu. Unwaith y bydd natur ein dioddefaint ni ac eraill i'w gweld yn glir, rydyn ni'n gallu ystyried yn llawer gwell pa sgiliau fydd eu hangen arnon ni i'w leddfu. Wrth i ni ddatblygu'r sgiliau i wneud hynny, mae'r un sgiliau yn helpu i atgyfnerthu nodweddion cymhelliant i ofalu am lesiant, sensitifrwydd i ofid, cydymdeimlad, cynefino â gofid, empathi ac ymatal rhag barnu. Does dim lle 'iawn' i ddechrau; yn lle hynny, byddwn yn symud yn gyson o gwmpas a rhwng y sgiliau a'r nodweddion, gyda phob un yn adeiladu ar y lleill.

1. Sylw tosturiol

Tra mae sensitifrwydd i ofid (dan 'nodweddion') yn cyfeirio at sylw i'r hyn sy'n achosi trafferth i ni neu i eraill, mae sylw tosturiol yn canolbwyntio ar yr hyn sy'n ddefnyddiol i liniaru'r gofid a'i atal yn y dyfodol. Er enghraifft, os ydyn ni'n datblygu math cyfarwydd a phenodol o gur pen, sylwi ar hyn a chraffu ychydig yn ddyfnach ar yr hyn rydyn ni'n ei deimlo yw 'sensitifrwydd i ofid', a throi ein sylw at yr hyn a allai helpu yw sylw tosturiol. Felly, gallai hynny gynnwys cofio beth sydd wedi helpu pan gawson ni gur pen o'r math penodol hwn o'r blaen. Byddwn yn edrych yn fanylach ar natur ac ymarfer sylw tosturiol ym Mhennod 16.

Pan fyddai Mali'n cael trafferth, byddai'n cofio cymaint oedd eisoes 'wedi mynd o'i le' ym mywyd byr Maya. Byddai hyn yn aml yn ei gorlethu ac yn peri iddi deimlo'n isel. Pan drodd ei sylw at feddwl am beth allai ei helpu, llwyddodd i gyflwyno caredigrwydd ac anogaeth tuag ati ei hun, ac yna dechreuodd sylwi ar yr holl bethau a aeth yn dda gyda Maya. Byddai hynny'n aml yn tyfu fel caseg eira, gan beri iddi sylwi ar agweddau cadarnhaol eraill, fel faint haws roedd pethau bellach nag o'r blaen, pa mor rhyfeddol o dda roedd hi'n ymdopi â hyn i gyd, a pha mor ddefnyddiol fu hi i ffrind oedd hefyd yn ei chael hi'n anodd.

NODIADAU BABI

Pan oedd Maya'n ofidus, sylwodd Mali ar hynny ond yna canolbwyntiodd ar yr hyn a allai helpu Maya, fel rhoi rhywbeth arall iddi edrych arno, neu ei chodi a'i chofleidio.

2. Delweddau tosturiol

Mae defnyddio ein dychymyg yn ffordd bwerus a chyflym iawn o ysgogi ein meddyliau a chynhyrchu gwahanol deimladau ac ymatebion. Er enghraifft, pe bai rhywun yn gofyn i ni ddychmygu'r lle gwaethaf i fod ar wyliau, mae'n bosib y bydden ni'n meddwl am draeth caregog â llawer o sbwriel a gwesty ar hanner ei adeiladu. Byddai'n ennyn teimladau penodol, fel dicter neu ffieidd-dod. Fodd bynnag, pe bydden ni'n dychmygu ein cyrchfan wyliau berffaith, mae'n bosib y bydden ni'n meddwl am draeth tywodlyd, gwyn, â môr cynnes clir a rhywun yn dod â diodydd a bwyd blasus i ni. Byddai'r ddelwedd hon yn gwneud i ni wenu a theimlo'n hamddenol a heddychlon.

Does dim rhaid i ni gael y gallu i ddychmygu 'pethau da' na chreu lluniau clir yn y meddwl; yn gyffredinol, y cyfan mae ein dychymyg yn ei roi i ni yw ymdeimlad annelwig o ddelwedd, neu yn wir, deimlad yn unig.

Gallwn ddefnyddio delweddaeth i ysgogi systemau emosiynol a ffisiolegol penodol yn ein hymennydd a'n corff, sydd wedyn yn meithrin ein meddwl tosturiol. Gall hefyd fod yn ffordd o ganolbwyntio ar ymddygiad tosturiol a meddwl tosturiol drwy ddychmygu beth fyddai person tosturiol neu'r rhan dosturiol ohonon ni'n hunain yn ei feddwl a'i wneud.

I ddechrau, roedd Mali yn ei chael yn haws dychmygu ei hun yn dosturiol wrth feddwl amdani hi ei hun yn gofalu am ei chi. Yna, wrth i'w chariad at Maya dyfu, canolbwyntiodd ar dosturi tuag at Maya. Cafodd drafferth am ychydig i gyflwyno tosturi tuag ati hi ei hun ond canfu ei bod yn haws gwneud hynny wrth sbarduno'i meddylfryd tosturiol tuag at ei chi neu Maya yn gyntaf.

3. Meddwl tosturiol (rhesymu)

Yma, gallwn ystyried yr hyn allai'r rhan dosturiol ohonon ni ei feddwl neu ei ddweud wrthym ein hunain pan fyddwn ni mewn gofid, neu wrth rywun arall sy'n ei chael hi'n anodd, neu beth allai person tosturiol ei feddwl neu ei ddweud wrthyn ni pan fyddwn ni'n ei chael hi'n anodd. Mae ein system fygythiad yn ei chael yn hawdd iawn i afael yn ein meddyliau, a gall gorbryder a phendroni ein llethu ni'n sydyn iawn. O ganlyniad, mae'n rhaid i ni weithio gydag ymdrech a bwriad a dechrau ystyried beth fyddai'r rhan dosturiol ohonon ni'n ei feddwl neu'n ei ddweud am y gorbryder a'r pendroni. Unwaith eto, gall canolbwyntio ar naws llais a mynegiant wyneb cynnes helpu i sbarduno'r meddwl tosturiol.

Roedd Mali yn cael budd mawr o brofi ei meddwl a'i rhesymu tosturiol drwy wirio a oedd hynny'n rhywbeth y byddai hi wir yn ei ddweud wrth rywun roedd ganddi feddwl ohoni. Byddai hefyd yn gwrando'n ofalus wrth adrodd yr hyn a ddywedodd yn ôl iddi hi ei hun; gallai deimlo a oedd hi'n siarad 'o'r galon' o ddifrif, neu a oedd arlliw o feirniadaeth neu ddicter i'w geiriau.

Byddai Mali yn cymharu'r pethau y byddai'n eu dweud wrthi hi ei hun gyda sut yr hoffai siarad â Maya pe bai Maya yn cael yr un trafferthion pan fyddai hithau'n hŷn.

4. Ymddygiad tosturiol

Os ydyn ni'n ystyried ffigurau tosturiol mewn hanes, neu mewn ffilmiau neu lyfrau, pa ymddygiad ar eu rhan sy'n dweud wrthym eu bod nhw'n dosturiol? Gallai amrywio o arwyddion bychain o gynhesrwydd ac addfwynder tuag at eraill i weithredoedd o haelioni, cryfder a dewrder. Pan fyddwn ni'n cyflwyno tosturi i'r rhan honno ohonon ni sy'n achosi trafferth, sut rydyn ni'n ymddwyn tuag ati? Beth allwn ni ei wneud i'w helpu ar yr union adeg mae'n ei chael hi'n anodd? Er enghraifft, gallai ymddygiad tosturiol fod yn ddim mwy nag eistedd gyda'r rhan sy'n ei chael hi'n anodd a gwrando o ddifrif ar yr hyn sy'n creu'r anhawster neu'r boen. Beth allwn ni ei wneud i'w helpu yn y tymor byr, yn yr awr nesaf neu'r diwrnod nesaf? Gallai ymddygiad tosturiol fod yn fater o ffonio rhywun a gwneud cysylltiad, neu fynd am dro gyda'r babi hyd yn oed os yw'n glawio. Gallwn hefyd feddwl am beth allwn ni ei wneud i helpu yn y tymor hir, fel ymrwymo i wneud ymarferion meddwl tosturiol am bum munud bob nos, neu drefnu gofal plant fel ein bod ni'n gallu mynychu dosbarth ymarfer corff neu ddosbarth nos bob wythnos.

Mae ymddygiad tosturiol yn aml yn gofyn am ddewrder a chryfder. Er enghraifft, os ydyn ni'n poeni am fynd â'n plentyn hynaf i'r ysgol, efallai ein bod ni'n credu mai ymddygiad tosturiol yw cael rhywun arall i fynd â'r plentyn fel ein bod ni'n gallu aros gartref yn ddiogel. Mewn gwirionedd, ymddygiad tosturiol yw gweithredu mewn ffordd a fydd o gymorth i ni dyfu, datblygu a ffynnu yn y tymor hir, sef magu'r dewrder i fynd â'n plentyn ein hunain. Gall fod yn dosturiol i swatio, neu gymryd seibiant, am gyfnod byr, ond bydd ein meddwl tosturiol yn gwybod pan fydd hi'n bryd dechrau ailgysylltu â'r byd unwaith eto. Dydy ymddygiad tosturiol ddim o reidrwydd yn ymwneud â bod yn 'ddymunol'. Er enghraifft, gallai hyfforddwr chwaraeon tosturiol weld potensial mewn plentyn a gwneud iddo gynnig dro ar ôl tro nes iddo lwyddo, pan fyddai'n well gan y plentyn roi'r gorau iddi wrth wynebu'r broblem gyntaf a throi cefn ar y gamp am byth. Gall rhieni tosturiol adael i'w plentyn gael bar bach o siocled ond gwrthod gadael iddo gael mwy.

Roedd cyrraedd y sesiynau yn gofyn am ymdrech fawr ar ran Mali, ond roedd hi'n teimlo eu bod yn ei helpu a dechreuodd gredu ei bod hi'n deilwng o help. Roedd ei hymddygiad tosturiol yn cynnwys dod i sesiynau pan oedd hi prin wedi cysgu hyd yn oed. Sylweddolodd hefyd fod angen help gan bobl eraill arni, a throdd at ei mam, a'i gŵr; rhywbeth y cafodd drafferth fawr i'w wneud ar y dechrau.

NODIADAU BABI

Yn enwedig yn y dyddiau cynnar, cafodd Mali ei chynnal i raddau helaeth iawn gan ei gwir gymhelliant i ofalu am Maya hyd yn oed pan oedd wedi blino'n lân. Roedd gofalu am Maya yn un weithred dosturiol ar ôl y llall, boed hynny'n ei bwydo, ei newid, neu ei chofleidio dro ar ôl tro pan fyddai'n deffro yn ystod y nos. Byddai'n gwneud hynny yn ystod y dyddiau cynnar hyd yn oed, pan nad oedd hi'n teimlo cysylltiad clòs iawn â Maya; mae hynny'n dangos ein bod ni'n gallu ymddwyn mewn ffordd dosturiol hyd yn ocd os nad oes gennym ni deimladau tosturiol o reidrwydd. A dweud y gwir, mae angen i ni'n aml ymddwyn yn dosturiol i ddechrau, ac fe fydd y teimladau'n dilyn maes o law.

5. Ffocws synhwyraidd tosturiol

Yma rydyn ni'n canolbwyntio ar rinweddau synhwyraidd tosturi, fel sut rydyn ni'n anadlu, sut mae ein corff yn teimlo, sut rydyn ni'n ein dal ein hunain (ein hosgo), yr olwg ar ein hwyneb, naws ein llais a sut rydyn ni'n symud.

Dechreuodd Mali sylwi pa mor wahanol yr oedd ei chorff yn teimlo, pa mor wahanol roedd hi'n siarad, a pha mor wahanol roedd hi'n anadlu pan oedd hi'n bryderus neu'n ddig, o'i gymharu â phan oedd ei meddylfryd yn fwy tosturiol.

NODIADAU BABI

Sylwodd Mali fod Maya'n rhoi 'adborth' iddi ar unwaith ynghylch osgo ei chorff, ei hanadlu, naws ei llais a mynegiant ei hwyneb, gan y byddai'n sylwi'n fuan iawn os oedd Mali yn bryderus neu'n ddig ac yn mynd yn gynhyrfus ac yn anniddig. Roedd yn hynod ddiddorol gweld Maya'n llonyddu, yn setlo ac yn mynd i gyflwr o fod yn dawel effro unwaith y byddai Mali'n dechrau gwneud ymarferion tosturiol yn ystod y sesiwn.

Roedd Maya'n tueddu i ddioddef o golig, ond byddai'n aml yn gollwng gwynt neu'n llenwi'i chlwt wrth i'w chorff ymlacio yn ystod yr adegau hynny pan fyddai Mali yn ymarfer ei hymarferion tosturiol yn y sesiynau!

6. *Teimladau tosturiol*

Teimladau fel caredigrwydd, cynhesrwydd, cyfeillgarwch yw'r rhain, yn ogystal â math o ddidwylledd a hyder sy'n codi ynom pan fyddwn ni'n ymwneud â phobl eraill neu â ni ein hunain gyda thosturi. Tra mae nodweddion cydymdeimlad yn ein galluogi i deimlo poen ein dioddefaint ni a dioddefaint mewn eraill, mae sgiliau tosturi yn cynhyrchu teimladau cadarnhaol o garedigrwydd, cyfeillgarwch, 'dymuniad o'r galon' y byddwn ni neu eraill yn hapus, a theimlad o lawenydd pan fyddwn ni'n dychmygu bod y dioddefaint wedi'i liniaru. Mae canolbwyntio ar ddychmygu naws llais a mynegiant wyneb caredig a chynnes yn bwysig wrth helpu i greu'r teimladau hyn.

Creu patrymau tosturi ynom ein hunain

Wrth i ni symud drwy ein diwrnod, ein hwythnos, neu drwy'r blynyddoedd, rydyn ni'n symud i mewn ac allan o wahanol rolau mewn perthynas â ni ein hunain ac eraill. Gall ein rôl ar unrhyw adeg arbennig reoli'r hyn rydyn ni'n canolbwyntio arno, sut rydyn ni'n meddwl, sut rydyn ni'n ymddwyn, beth rydyn ni'n ei deimlo neu'n ei ddychmygu; o ganlyniad, mae llawer ohonon ni'n gallu canfod ein bod ni'n dra gwahanol pan fyddwn ni'n fam o'i gymharu â phan ydyn ni'n wraig, yn fenyw sy'n gweithio, yn ferch, pan fyddwn ni'n fflyrtio â rhywun, neu pan fyddwn ni'n mynd allan gyda ffrindiau, er enghraifft. Mae Paul Gilbert yn galw hyn yn 'Feddylfryd Cymdeithasol'[1] oherwydd bod y rolau'n dod i'r amlwg pan fyddwn ni'n ymwneud, neu'n dychmygu ymwneud, â phobl eraill. Rydyn ni'n cyfleu gwahanol signalau i eraill yn ôl ein meddylfryd ar y pryd, sy'n sbarduno ymateb yn y person arall. Rydyn ninnau hefyd yn ymateb i feddylfryd arbennig rhywun arall. Felly, byddwn yn ymateb yn wahanol os yw rhywun yn feddyg sy'n gofalu amdanon ni yn yr ysbyty o'i gymharu â phe byddai rhywun yn dod aton ni am help. Gallwn ddychmygu bod fel actorion, yn newid cymeriad sawl gwaith mewn diwrnod, hyd yn oed yn cyfnewid dillad i chwarae rôl wrth fynd ymlaen (faint ohonon ni sy'n newid ein dillad i newid sut rydyn ni eisiau teimlo, meddwl ac ymddwyn? Er enghraifft, 'gwisgo grymus' os oes angen i ni deimlo mwy o reolaeth, neu wisgo ein dillad 'hamddena' er mwyn ymlacio gartref. Dychmygwch pe baech chi'n eu cyfnewid!). Dydy hi ddim yn wir dweud ein bod ni'n actio neu'n esgus; mae'n fater o symud cyson ac addasu ein hymatebion, ein hemosiynau, ein meddyliau, osgo ein corff, ein sylw a'n hymddygiad dilys yn ôl sut rydyn ni'n ymwneud ag eraill, ac yn ymateb iddyn nhw, yn union fel maen nhw'n ei wneud i ni.

> *Os nad ydyn ni'n teimlo y gallwn fod yn dosturiol tuag atom ein hunain neu tuag at eraill, gallwn ddechrau drwy weithredu 'fel pe byddem'. Yn union fel actor yn paratoi i chwarae rhan.*
>
> *Os ydyn ni'n dechrau â'r bwriad o fod yn dosturiol tuag atom ein hunain, bydd y teimladau'n dilyn yn y pen draw.*

Mae gennym ni nifer enfawr o niwronau yn ein hymennydd a'r rheini i gyd yn gydgysylltiedig, gan greu gwe neu rwydwaith. Maen nhw'n tanio gyda'i gilydd mewn ffurfweddiadau, fel patrymau tywydd yn yr ymennydd. Mae'n bosib y bydd patrymau penodol yn codi dro ar ôl tro, ond bydd pob patrwm ychydig yn wahanol bob tro oherwydd bydd y myrdd o ddylanwadau ychydig yn wahanol bob tro. Wrth i ni symud i wahanol rolau cymdeithasol, bydd y 'patrymau tywydd' hyn yn newid yn unol â hynny. Yn y dull meddwl tosturiol, rydyn ni'n ceisio symud i mewn i'r meddylfryd cymdeithasol rhoi gofal, y meddylfryd cymdeithasol tosturiol, neu'r 'patrwm tywydd' hwnnw. Wrth i ni symud ein hunain i'r rôl hon, mae ein meddyliau, ein teimladau, ein hymddygiad, ein sylw ac ati i gyd yn newid i feddu ar nodwedd tosturi. Mae fel newid y tywydd yn raddol bach o fod yn stormus neu'n lawog i ddiwrnod cynnes o wanwyn.

Nod y dull hwn yw ein bod yn dysgu treulio mwy a mwy o amser yn y meddylfryd cymdeithasol tosturiol, hyd nes mai dyna'n ffordd 'nodweddiadol' neu arferol o ymwneud â'n hunain ac eraill. Hyd yn oed os nad ydyn ni'n teimlo ein bod yn gallu bod y person hwn ar y cychwyn cyntaf, gallwn ddechrau gweithredu 'fel pe bydden ni', efallai am funud neu ddwy i ddechrau. Gallwn ddechrau chwarae o gwmpas â'r syniad: '*Pe bawn i'n* trin y broblem honno fel person tosturiol, beth fyddwn i'n ei ddweud? Beth fyddwn i'n ei wneud? Sut byddwn i'n teimlo? Ar beth fyddwn i'n canolbwyntio?'

Wrth ddatblygu tosturi tuag atom ein hunain, mae angen i ni allu rhoi gofal, ond hefyd ei dderbyn, mewn perthynas ag eraill ac â ni ein hunain. Mewn gwirionedd, mae rhoi gofal a derbyn gofal yn ddau feddylfryd cymdeithasol gwahanol. Ystyriwch sut byddech chi'n meddwl, yn ymddwyn, yn dal eich corff, yn sylwi ac yn teimlo wrth ofalu am rywun, neu ei helpu, o'i gymharu â phan fyddwch chi'n derbyn gofal neu'n cael help. Mae'n bosib y byddwch yn sylwi ar wahaniaethau go iawn. Mae'n bosib y byddwch hefyd yn sylwi bod un yn teimlo'n haws na'r llall. Gan fod angen i ni fod yn gyfforddus yn y ddau feddylfryd, mae angen i ni weithio gyda'r ddau. Ond, fel arfer gyda'r dull Meddwl Tosturiol, rydyn ni'n dechrau gyda'r hawsaf ac yn gweithio tuag at yr un anoddaf.

Newid gwedd tosturi

Cefais fy nghyflwyno i ffordd hyfryd o feddwl pa fath o berson yr hoffem fod gan fenyw sy'n defnyddio ein gwasanaeth. Roedd hi wedi sylwi, wrth i bobl heneiddio, bod eu hwynebau yn 'aros' yn yr olwg sydd arnyn nhw'r rhan fwyaf o'r amser. Roedd hi wedi gweld hen wraig â'i rhychau ar ffurf gwên dyner, â chrychau chwerthin o amgylch ei llygaid. Dywedodd fy nghleient ei bod wedi sylweddoli mai dyna sut roedd am i'w hwyneb hithau 'aros' wrth iddi heneiddio hefyd. Roedd hi eisiau bod yn debycach i'r hen wraig hon. Felly, ceisiodd dreulio cymaint o amser ag y gallai yn efelychu sut roedd hi'n tybio y byddai'r hen wraig yn ymddwyn, gan gynnwys cyflwyno mynegiadau o garedigrwydd a chynhesrwydd i'w hwyneb. Fodd bynnag, dydy hynny ddim yn cael gwared ar y rhychau!

Sut mae tosturi yn llunio ein systemau bygythiad, cymell a lleddfu

Ar unrhyw adeg benodol, bydd ein meddwl yn ffurfio patrwm arbennig mewn perthynas â'r 'tri chylch' neu systemau emosiwn bygythiad, cymell a lleddfu. Gallwn ddychmygu sut gallai'r patrwm newid drwy gydol y dydd (neu'r nos) a hyd yn oed o un eiliad i'r llall. Felly gallai'r patrwm fod yn wahanol wrth i ni geisio cael y babi'n barod i adael y tŷ, o'i gymharu â phan ydyn ni'n taro ein pen rownd y drws i weld a yw'r babi'n cysgu. Yn Ffigur 12.2, gallwn weld sut gallai'r patrwm tri chylch edrych pan mae ein hunan tosturiol ar waith.

Ffigur 12.2: Y broses dosturiol

Atgynhyrchwyd gyda chaniatâd caredig Paul Gilbert

> *Dydy bod yn dosturiol ddim yn golygu nad ydyn ni byth yn teimlo'n ddig.*
>
> *Mae'n golygu ein bod yn gallu deall ffynhonnell ein dicter yn well a delio ag ef mewn ffordd dawelach, fwy medrus.*

Fel y gwelwn ni, dydy tosturi ddim yn golygu nad ydyn ni'n teimlo unrhyw emosiynau bygythiol fel dicter neu orbryder. Mae'n bosib ein bod ni'n ceisio gweithio gyda'r rhain o'n hunan tosturiol, neu mae hefyd yn bosib fod yr emosiynau bygythiol hyn mewn gwirionedd yn gyrru ein hunan tosturiol. Felly, mae diffoddwr tân sy'n rhedeg yn ôl i mewn i dân i achub plentyn yn gweithredu o'i hunan tosturiol, er y gall lefel ei orbryder fod yn uchel, fel y bydd ei system gymell. Mae'n bosib fod ei system leddfu ar waith hefyd, fel ei fod mor ddigynnwrf ac yn canolbwyntio cymaint â phosib. Gall tosturi hefyd gael ei yrru gan ddicter, o ganlyniad i anghyfiawnder neu annhegwch. Mae'n bosib ein bod ni'n ddig ar ôl i blentyn arall frifo ein plentyn, ac mae hynny'n ysgogi ein system fygythiad ac yn ein paratoi i weithredu. Fodd bynnag, yn hytrach nag ymateb â dicter yn unig (lle gall y system leddfu gael ei diffodd yn llwyr ac mae ein system gymell yn ein hyrddio ni tuag at ddychryn y plentyn a'i riant a pheri iddyn nhw ymddiheuro), mae'n bosib y bydden ni'n hoffi ceisio cyflwyno ein meddwl tosturiol. Byddai hynny'n caniatáu i ni ddelio â'r sefyllfa â mwy o ddoethineb a sgìl na gyda dicter yn unig. Er ein bod yn dal i deimlo'n ddig, o bosib, byddai defnyddio ein system leddfu i'n tawelu a'n sadio ni yn ein helpu i feddwl yn ehangach ac ymateb mewn ffordd arafach a mwy pwyllog. Mae'n bosib y byddai ein system gymell yn llai tanbaid nag o'r blaen, gyda'r ffocws yn newid o fod eisiau dial neu fod rhywun yn ildio i gael gwybodaeth, efallai, neu i wylio mam y plentyn i weld a yw hi'n cael trafferthion, neu hyd yn oed i helpu ein plentyn i ddysgu sut i reoli sefyllfaoedd anodd fel hyn.

Buddion tosturi

Credwyd ers tro fod bodau dynol wedi esblygu ar gyfer gwrthdaro ac ymladd; mai'r grwpiau mwyaf llwyddiannus oedd y rhai mwyaf ymosodol. Fodd bynnag, mae tystiolaeth gynyddol sy'n awgrymu bod dethol naturiol mewn gwirionedd yn ffafrio'r mwyaf cydweithredol, cymwynasgar, anhunanol a thosturiol, yn hytrach na'r mwyaf ymosodol. Mae dynoliaeth mor llwyddiannus fel rhywogaeth oherwydd ein bod wedi addasu i allu byw mewn tiroedd a hinsoddau mor amrywiol. Credir bod yr hyblygrwydd hwn wedi bod yn bosib oherwydd gallu bodau dynol i ryngweithio'n gymdeithasol mewn modd hynod soffistigedig, sy'n golygu y gallwn gydweithio fel grŵp i gyflawni mwy nag y gallen ni fel unigolion.

Ymddengys mai dim ond pan fyddwn ni dan fygythiad y byddwn ni'n troi at ymosodiadau corfforol neu eiriol.[2] Mewn gwirionedd, mae'n debyg ein bod wedi esblygu i fyw'n bennaf mewn cyflwr gorffwys (y system leddfu), lle gallwn arbed egni a threulio bwyd, meddwl, dysgu ac integreiddio gwybodaeth newydd. Hwn hefyd yw'r cyflwr sy'n gysylltiedig â bod yn gymdeithasol, lle rydyn ni'n chwilio am anwyldeb, cwmnïaeth ac ymdeimlad o berthyn. Rydyn ni ar ein hiachaf yn gorfforol ac yn seicolegol pan fyddwn ni yn y cyflwr hwn. I'r gwrthwyneb, mae tystiolaeth erbyn hyn y gall pobl sy'n teimlo fwyaf o ddatgysylltiad oddi wrth eraill – er enghraifft, y rhai sy'n unig – fod mewn cymaint o berygl o gael afiechyd â smygwyr a phobl sy'n ordew.[3]

Rhai o fuddion meithrin ein meddwl tosturiol:

- Mae'n ein helpu ni i ymgysylltu â phoen emosiynol a'i ddioddef.
- Gall helpu i dawelu ein dicter a'n gorbryder.

- Mae'n adeiladu gwydnwch emosiynol: ein gallu i oroesi cyfnodau anodd ac i godi ein hunain yn ôl ar ein traed wedi i ni gael ein taro i lawr.

- Mae'n helpu i'n cadw ni'n gorfforol iach: mae'n ein dwyn ni'n ôl i gyflwr gorffwys sy'n arbed egni, yn lleihau llid a salwch, ac yn rhoi hwb i'n system imiwnedd.

- Mae'n lleihau'r risg o iselder a gorbryder.

- Mae'n cynyddu ein gallu i gysylltu ag eraill, yn cynnwys bondio â'n plant.

Yn y bôn, rydyn ni wedi ein cynllunio i garu a chael ein caru, a phan mae hynny'n digwydd, rydyn ni'n gweithredu ar ein gorau, yn emosiynol ac yn gorfforol.

Am grynodeb hyfryd o'r buddion a gawn o feithrin y system leddfu neu'r system ymgysylltu, gweler llyfr David Hamilton, *Why Kindness is Good for You* (2010).[4]

Crynodeb

1. Un diffiniad o dosturi yw 'sensitifrwydd i ddioddefaint ynom ein hunain ac mewn eraill, a'r cymhelliant neu'r awydd i'w liniaru neu ei atal'. Mae hyn yn dangos dwy seicoleg wahanol tosturi; yn gyntaf, bod yn barod i droi tuag at y dioddefaint (ymgysylltu â dioddefaint) a rhoi sylw iddo, ac yn ail, yr awydd i geisio'i wella (lliniaru dioddefaint).

2. Mae trosiad y blodyn lotws yn y mwd yn codi mewn Bwdhaeth. Y mwd yw'r dioddefaint, neu'r rhannau anodd, 'mwdlyd', ohonon ni ein hunain, a'r blodyn lotws yw'r tosturi. Er mwyn i dosturi dyfu, mae'n rhaid i'r 'hedyn' ddisgyn i mewn i 'fwd' ein dioddefaint. Felly does dim tosturi heb ddioddefaint.

3. Mae'r dull meddwl tosturiol yn canolbwyntio ar chwe nodwedd sydd eu hangen i allu troi tuag at ddioddefaint:

   i. Cymhelliant i fod eisiau gofalu amdanom ein hunain a helpu ein hunain yn ogystal ag eraill.

   ii. Sensitifrwydd i ddioddefaint.

   iii. Cael ein cyffwrdd gan ein gofid (cydymdeimlad).

   iv. Gallu dioddef y gofid hwnnw (cynefino â gofid).

   v. Y gallu i ddeall yn union pam ein bod yn cael trafferth a beth allai helpu (empathi).

   vi. Gallu deall y dioddefaint heb ei farnu (ymatal rhag barnu).

4. Rydyn ni'n ceisio lliniaru dioddefaint drwy gyflwyno ein 'hunan' tosturiol iddo. Gallwn 'danio' a meithrin ein 'hunan' tosturiol drwy ddefnyddio gwahanol sgiliau, sy'n cynnwys:

   i.   Sylw tosturiol, lle rydyn ni'n canolbwyntio ein sylw fel sbotolau ar unrhyw beth sy'n ysgogi ein system leddfu.

   ii. Delweddau tosturiol, sy'n dychmygu bod neu berson delfrydol yn ymwneud â ni gyda thosturi, neu ddychmygu ein hunain fel ein hunan tosturiol 'gorau' ac yn ymwneud â rhywun arall.

   iii. Meddwl neu resymu tosturiol, pan fyddwn ni'n meddwl beth fydden ni'n ei ddweud wrth rywun gwirioneddol annwyl i ni, neu beth allen nhw'i ddweud wrthym ni.

   iv. Ymddygiad tosturiol, sef unrhyw gamau sy'n helpu i atal dioddefaint neu ei wella, waeth pa mor fawr neu fach.

   v.   Ffocws synhwyraidd tosturiol, lle rydyn ni'n canolbwyntio ar rinweddau synhwyraidd tosturi, fel sut rydyn ni'n anadlu, sut mae ein corff yn teimlo, sut rydyn ni'n dal ein hunain (ein hosgo), mynegiant ein hwyneb, naws ein llais a sut rydyn ni'n symud.

   vi. Teimladau tosturiol, sy'n cynnwys cynhesrwydd a charedigrwydd, cryfder a dewrder.

5. Rydyn ni'n ymgymryd â gwahanol rolau cymdeithasol mewn bywyd, yn dibynnu pwy ydyn ni a beth rydyn ni'n ymdrechu i'w wneud. Gelwir hyn yn 'feddylfryd cymdeithasol'. Mae'r rhain yn trefnu llawer o wahanol agweddau ar ein meddwl a'n corff yn batrymau penodol, fel patrymau tywydd. Gyda'r dull meddwl tosturiol, rydyn ni'n ceisio trefnu ein meddwl yn batrymau rhoi gofal a derbyn gofal. Er enghraifft, bydd ffocws ein sylw yn wahanol pan fyddwn ni'n gofalu am rywun o'i gymharu â phe baen ni'n cystadlu â nhw. Bydd ein meddwl, ein hymddygiad a'n teimladau yn wahanol hefyd.

6. Rydyn ni'n gwella ein meddylfryd rhoi gofal pan fyddwn ni'n ymarfer bod ein hunain tosturiol gorau. Rydyn ni'n atgyfnerthu ein meddylfryd derbyn gofal pan fyddwn ni'n ymarfer ein delwedd dosturiol, neu pan fyddwn ni'n derbyn help gan eraill.

7. Pan fydd ein system leddfu ar waith, gallwn fod yn greadigol iawn. Dydy ein sylw ni ddim yn cael ei ddenu gan fygythiadau na'r angen i gaffael neu gyflawni (cymhelliad). Pan fyddwn ni'n teimlo'n ddiogel, mae ein meddwl yn agored iawn ac yn gallu llunio syniadau a meddyliau mewn ffyrdd

creadigol iawn. Dyma pam mai'r system leddfu yw'r system orau ar gyfer cynnig atebion neu ganfod llwybr drwy anawsterau bywyd.

8. Yn hytrach na'n bod wedi cael ein dylunio'n bennaf ar gyfer ymddygiad ymosodol, fel y tybiwyd ar un adeg, mae'n ymddangos y gallai llwyddiant dynoliaeth fod yn ganlyniad i'n cymhelliant i ofalu am eraill a derbyn gofal. Rydyn ni ar ein gorau o ran llesiant seicolegol a chorfforol, ac ar ein mwyaf creadigol a chynhyrchiol, pan fyddwn ni'n gweithredu o fewn ein system leddfu gymaint â phosib.

9. Rydyn ni'n byw mewn cymdeithas sy'n gogwyddo'n amlwg tuag at gymell. Yn aml, pan fydd ein system fygythiad ar waith, rydyn ni'n symud yn syth ohoni i'n system gymell. Mewn gwirionedd, fe fyddwn ni'n rheoli bygythiad yn well os awn ni drwy'r system leddfu a thosturi yn gyntaf cyn mynd i'r system gymell. Rydyn ni'n anelu at ddatblygu ein hunan tosturiol fel ein prif dywysydd drwy fywyd.

13 Paratoi'r meddwl tosturiol: Ymwybod gofalgar

Alla i newid fy ymennydd mewn difrif?

Mae John Bowlby, yn ei lyfr *A Secure Base: Clinical Applications of Attachment Theory* (1988),[1] yn ein hatgoffa ein bod yn newid drwy gydol ein hoes. Dydyn ni byth yn stopio newid. Mae hyn yn golygu bod adfyd yn gallu effeithio arnon ni ar unrhyw adeg yn ein bywydau, ond fod yr un peth yn wir am ddylanwadau cadarnhaol hefyd. Mewn geiriau eraill, dydy hi byth yn rhy hwyr i ni newid.

Tybiwyd ar un adeg, unwaith y bydd ein hymennydd wedi pasio drwy'r cyfnod o ddatblygiad enfawr sy'n digwydd rhwng genedigaeth ac oddeutu'r tair oed ei fod yn 'gyflawn' a bod unrhyw newidiadau wedi hynny yn fach ac yn anodd eu gwneud. Mewn gwirionedd, rydyn ni bellach yn gwybod, drwy broses o'r enw 'niwroplastigedd', fod y potensial gan ein hymennydd i ddatblygu tan ddiwedd ein hoes. Os ydych chi wedi rhoi cynnig ar ddysgu sgìl newydd yn ddiweddar, efallai i chi sylwi ei bod yn gallu cymryd mwy o amser i'w ddysgu fel oedolyn na phan oeddech chi'n blentyn; mae hynny'n gallu bod yn eithaf rhwystredig, ond rydych chi'n gallu ei ddysgu yn y pen draw. Yn fwy na hynny, mae pob profiad o ddysgu yn dangos rhan gyfatebol o'r ymennydd yn tewhau ar sganiau ymennydd. Mae'r ymennydd yn union fel cyhyr yn ein coesau a'n breichiau. Os ydyn ni'n ei weithio, mae'n tyfu, neu yng ngeiriau ymadrodd a ddefnyddiwyd yn gynharach yn y llyfr, '*mae niwronau sy'n cyd-danio yn cydglymu*'.

Os yw hyn yn wir, wrth ystyried y gweithgareddau corfforol a meddyliol rydyn ni'n cymryd rhan ynddyn nhw bob dydd, pa rannau o'n hymennydd sy'n cael eu gweithio orau? Yn anfwriadol, y rhannau nad ydyn ni efallai am iddyn nhw dyfu – fel y rhannau sy'n ymwneud â dicter neu orbryder – sydd mewn gwirionedd yn cael llawer iawn o ymarfer, ac o ganlyniad yn cryfhau. Os ydyn ni'n ystyried faint rydyn ni'n poeni ac yn pendroni, neu faint mae ein dicter yn mudferwi yn ystod diwrnod arferol, yna mae'r rhan hon yn cael ei harfer dro ar ôl tro ac felly'n mynd yn gryfach ac yn gryfach.

Ffordd ddadlennol iawn o ystyried hyn yw ystyried y gosodiad bod athrylith, ar y cyfan, yn rhywun sydd wedi ymarfer am gyfnod o dros 10,000 o oriau mewn maes penodol.[2] Sawl awr o ymarfer mae ein system fygythiad ni wedi'i chael eisoes? Mae'n debyg ein bod wedi cyrraedd 10,000 o oriau flynyddoedd lawer yn ôl!

Cymhelliant tosturiol

Fel y gwelson ni, bydd ein system fygythiad yn treiglo ymlaen heb ei gwirio, a gall fod yn anodd iawn i'w llesteirio. Nid ein bai ni yw hynny; dyma sut mae ein meddwl wedi esblygu i ddarparu system gyflym ar gyfer cadw ein hunain yn ddiogel. O ganlyniad, fe allen ni adael i'n meddwl gario 'mlaen fel hyn. Fodd bynnag, rydyn ni bellach yn gwybod fod ein system leddfu'n ffordd rymus o reoli ein system fygythiad. Beth am i ni roi 10,000 o oriau tuag at dyfu honno? Efallai fod hynny'n ymddangos ychydig yn heriol. Ond cyfnod o weithio arnon ni'n hunain yw bywyd, felly mae gennym ni ddigon o amser i ymarfer.

Hefyd, mae pob eiliad a dreuliwn yn ymarfer yn tanio ein niwronau mewn patrwm penodol sy'n cael ei ehangu a'i atgyfnerthu ychydig bob tro fyddwn ni'n ymarfer. Gallwn feddwl am y person rydyn ni eisiau datblygu i fod, ac yna gymryd camau bach ar hyd y daith honno. Wedi'r cwbl, dim ond cyfres o gamau unigol yw taith gyfan.

Meithrin gardd ein meddwl

Yn yr un modd â gardd, gallwn adael i'n meddwl dyfu'n wyllt, neu benderfynu ei drin mewn ffordd benodol. Felly beth yw ein cymhelliant? Pa ran ohonom ein hunain ydyn ni am ei datblygu? Sut ydyn ni am feithrin gardd ein meddwl?

Gyda'r dull meddwl tosturiol, wrth gwrs, rydyn ni'n anelu at feithrin ein meddwl tosturiol, felly rydyn ni'n mynd ati i lunio ein meddwl mewn ffordd benodol. Ein cymhelliant yw datblygu'r doethineb a'r sgiliau angenrheidiol i droi tuag at ein dioddefaint ni a dioddefaint pobl eraill, a helpu i'w liniaru a'i atal.

Daw ein doethineb o ddeall ein bod yn cael ein llunio gan rymoedd na wnaethon ni eu dewis ac sydd ddim yn fai arnon ni, fel esblygiad a'n profiadau cynnar. Mae'n bosib nad y person ydyn ni yw'r person fydden ni wedi dewis bod. Fodd bynnag, gallwn hefyd ddysgu llunio ein profiadau, a mynd ati'n fwriadol i hyfforddi a datblygu'r person yr hoffen ni fod.

Cymhelliant yw'r pwynt cychwynnol allweddol, gan ei fod yn trefnu'r meddwl mewn ffyrdd arbennig (gweler Pennod 13). Er enghraifft, pan fyddwn ni eisiau cystadlu, mae hynny'n trefnu ein meddwl, ein hymddygiad a'n sylw o amgylch llwyddiant, colli a churo eraill. Os mai tosturi yw ein cymhelliant, mae hynny'n trefnu ein meddwl mewn ffordd wahanol – bydd ein meddwl, ein sylw a'n hymddygiad yn canolbwyntio ar roi a derbyn gofal a helpu ein hunain ac eraill i dyfu a ffynnu.

Yn yr un modd â gardd, mae'n bosib y bydd datblygu ein meddwl tosturiol yn gofyn am lawer iawn o waith ar y dechrau, ond unwaith y bydd yn dechrau dod i drefn, daw'n llawer haws i'w gynnal.

Dau flaidd

Mae'r stori fach ganlynol yn dangos y newid rydyn ni'n ceisio'i greu, a hynny mewn ffordd hyfryd a syml. Mae'n perthyn i ddiwylliant yr Americaniaid Brodorol, ac yn sôn am daid yn cerdded gyda'i ŵyr:

> Taid: Mae dau flaidd y tu mewn i mi. Dicter yw un, a thosturi yw'r llall.
>
> Ŵyr: Pa flaidd fydd yn ennill, Taid?
>
> Taid: Y blaidd dwi'n ei fwydo.

Gallwn ddewis siapio ein meddwl drwy symud ein sylw dro ar ôl tro o agweddau sy'n ysgogi bygythiad i rai sy'n ysgogi tosturi.

Gallwn wneud penderfyniad ynghylch pa flaidd rydyn ni'n ceisio'i fwydo. Yn fwy na hynny, does dim rhaid i ni ymladd na mygu'r rhannau nad ydyn ni eu heisiau. Y cyfan sydd angen i ni ei wneud yw eu 'bwydo' cyn lleied â phosib. Pan fyddwn ni'n pendroni neu'n cwyno i ni ein hunain, neu'n beirniadu ein hunain, mae'n bosib i ni atgoffa ein hunain pa flaidd rydyn ni'n anfwriadol yn ei fwydo. Yna gallwn geisio symud ein hegni tuag at y blaidd rydyn ni wir eisiau ei fwydo: tosturi.

Mae corff o ymchwil sy'n tyfu'n gyflym sy'n dangos bod mynd ati'n fwriadol i ysgogi'r rhan o'r ymennydd sy'n ymwneud â gwahanol agweddau ar dosturi yn tewhau ac yn tyfu'r rhan honno. Yn fwy na hynny, mae ymchwil hefyd yn dangos bod newidiadau i'w gweld ar sganiau ymennydd ar ôl dim ond hanner awr o ymarfer bob dydd dros gyfnod o ychydig wythnosau mewn pobl nad ydyn nhw wedi gwneud y mathau hyn o ymarfer o'r blaen. I'r rhai a fu'n ymarfer am gyfnod hirach bob dydd, roedd yr enillion yn fwy nag oedden nhw i'r rhai a oedd yn ymarfer llai.[3] Hynny yw, does dim rhaid i ni fyfyrio am bum awr y dydd i dyfu ein system leddfu; bydd ychydig funudau'n unig yn helpu. Ond po fwyaf a wnawn, mwyaf oll yw'r newidiadau fyddwn ni'n eu profi.

Dal ati – 'tyfu tiwlip'

Mae'r awdur a'r seicolegydd clinigol Christopher Germer yn cyflwyno darlun hyfryd o'r broses o feithrin ein tosturi. Cymharodd y broses â thyfu tiwlip.[4] Yn gyntaf, rydyn ni'n penderfynu y bydden ni'n hoffi tyfu tiwlip. Dyma'r cam cyntaf un: cymhelliant, neu wneud y penderfyniad i feithrin tosturi tuag atom ein hunain. Wedyn awn ati i baratoi'r pridd drwy ei chwynnu, ei balu ac efallai ychwanegu ychydig o gompost. Rydyn ni wedyn yn plannu'r bwlb tiwlip yn ddwfn yn y pridd, yn ei 'ddyfrio' a'i 'fwydo' â'n hymarferion ymwybyddiaeth ofalgar a thosturi. Daliwn ati i wneud hynny a chadw llygad ar y pridd ddydd ar ôl dydd, ond does dim i'w weld yn digwydd. Efallai y byddwn yn dechrau cael llond bol ac yn teimlo fel rhoi'r gorau iddi. Ond un diwrnod, rydyn ni'n sylwi ar flaguryn bach gwyrdd yn dod i'r golwg o'r pridd. Heb i ni sylweddoli hynny, roedd y tiwlip wedi bod yn tyfu wedi'r cwbl.

Yn aml, dyma'r patrwm gydag ymarferion tosturi: rydyn ni'n sylweddoli bod yr holl ymarfer wedi bod yn gwneud newidiadau tawel ond cyson i'n hymennydd; er enghraifft, pan fyddwn ni'n teimlo'r mymryn lleiaf o gynhesrwydd tuag atom ein hunain, neu tuag at ein babi, neu ddim yn dioddef cymaint ag y bydden ni yn wyneb beirniadaeth. Dydy ymarfer byth yn ofer.

Dechrau ymarfer

Rydyn ni am fynd drwy'r ymarferion fesul cam. Mae pob un ymarfer yn unigol, ond yn ddiweddarach, defnyddir nifer ohonyn nhw gyda'i gilydd fel sail i ymarferion eraill. Rhannwyd yr ymarferion yn rhai sy'n paratoi'r meddwl a'r corff i greu ymdeimlad o setlo a llonyddu (Penodau 13 a 14), a rhai sydd wedi'u cynllunio i greu'r patrwm tosturi penodol yn y meddwl a'r corff (Penodau 15 ac 16). Mewn gwirionedd, fel y gwelwn, mae'n amhosib eu gwahanu mewn ffordd mor glir, gan fod yr ymarferion paratoi ynddyn nhw'u hunain yn gallu ysgogi'r meddwl tosturiol. Gallwn feddwl am y broses fel croesi cyfres o gerrig camu o'r meddwl bygythiol neu hunanfeirniadol i'r meddwl tosturiol. Mae pob ymarfer yn garreg gamu unigol.

Wrth ddysgu'r ymarferion, mae'n werth treulio peth amser ar bob un ohonynt, er enghraifft rhoi cynnig arnyn nhw am ychydig funudau bob dydd am wythnos. Mae hyn yn ein helpu i ddeall pwynt a phroses yr ymarfer, ac i weld bod y profiad yn amrywio ac na fydd byth yn union yr un fath bob tro. Mae hyn hefyd yn sicrhau nad ydyn ni'n troi cefn ar ymarfer y tro cyntaf i ni roi cynnig arno oherwydd nad yw'n 'gweithio' neu nad yw'n addas i ni. Yn aml, mae'r ymarferion mwyaf heriol yn heriol am mai'r rheini yw'r rhai rydyn ni eu hangen fwyaf. Mae'n bosib mai'r rheini fydd yr ymarferion mwyaf buddiol i ni, felly mae angen i ni roi amser iddyn nhw.

> *Yr ymarfer anoddaf yw'r ymarfer mwyaf buddiol weithiau.*

Amser ymarfer

Mae'r rhan fwyaf o bobl sy'n dechrau ymarferion ymwybyddiaeth ofalgar a thosturi yn sylweddoli bod dyddiau neu wythnosau'n pasio heb iddyn nhw wneud unrhyw ymarfer o gwbl. Pan fyddwn ni'n ceisio datblygu systemau ymennydd penodol drwy eu harfer ('mae niwronau sy'n cyd-danio yn cydglymu'), yna, yn union fel gydag ymarfer corff, mae angen i ni ganfod ffordd i alluogi ein hunain i wneud yr ymarfer hwnnw. Wrth gwrs, y bobl sydd angen yr ymarferion fwyaf yw'r rhai sy'n treulio'u holl amser yn gweithredu a phoeni. Pan fyddwn ni'n meddwl am ychwanegu babi i'r sefyllfa, daw gwir faint yr her yn amlwg, yn enwedig gan fod babi'n cyfyngu ar yr amser a'r lle i ymarfer, neu hyd yn oed yn gwneud ymarfer yn amhosib. Mae hynny ynddo'i hun angen ein tosturi; mae cydnabod bod dod o hyd i ennyd werthfawr o amser i lonyddu ac i setlo yn hynod anodd pan fydd yna fabi.

Felly, sut gallwn ni reoli hyn? Yn gyntaf, mae angen i ni gael y cymhelliant i'w wneud, felly mae angen i ni atgoffa'n hunain yn rheolaidd pam yn union mae hyn yn bwysig i ni. Yn ail, mae angen ffordd o gofio, ac yn drydydd, mae angen yr amser arnon ni i'w wneud. Gall helpu i nodi rhyw amser pan fydd yn bosib ymarfer ac yna trefnu nodiadau atgoffa ar gyfer yr adeg honno. Efallai y byddwn am ddechrau drwy ddewis yr amseroedd hawsaf, fel pan fydd y babi wedi mynd i gysgu am y nos neu yn y car os yw'r babi'n hepian ar ôl bod ar daith (pan fyddwch wedi parcio, yn hytrach nag yn dal i yrru!). Wrth i'r ymarferion ddod yn fwy cyfarwydd, mae'n bosib y bydden ni am ddewis adegau pan fyddwn ni fel arfer yn ei chael yn anoddach symud i'n meddwl tosturiol; er enghraifft, pan fyddwn ni'n teimlo'n orbryderus, yn ofidus, yn rhwystredig neu'n ddig. Mae'n bosib y bydden ni am roi nodyn gludiog, sticer, symbol neu lun wrth ymyl y gwely i'n hatgoffa pan fyddwn ni'n deffro, wrth ymyl y drws ffrynt, ger y ffôn, neu ar ddrws ystafell y babi, rywle yn y gegin, ar handlen bygi'r babi, neu ar banel deialau'r car; unrhyw fan lle rydyn ni am atgoffa ein hunain i geisio symud i'n meddwl tosturiol cystal ag y gallwn ni. Os oes gennych ffôn symudol, yna gallai'r llun neu'r cefndir adlewyrchu'ch meddwl tosturiol, gan ein bod yn edrych ar y llun hwnnw nifer o weithiau bob dydd. Efallai fod modd sefydlu trefn atgoffa ar eich ffôn. Mae llawer o apiau ffôn symudol bellach ar gael i wneud hynny, a hefyd i ddarparu ymarferion myfyrio ac anadlu a hyd yn oed gyrsiau sy'n eich tywys drwy ymarferion bob dydd.

Dulliau ymarfer

Mae dau ddull o ymarfer. Mae un yn ymarfer mwy ffurfiol, a'r llall yn fwy naturiolaidd, lle rydyn ni'n ymgymryd ag eiliadau o ymwybyddiaeth ofalgar a thosturi wrth i'n diwrnod fynd yn ci flacn. Mae'n ddefnyddiol ceisio cynnwys rhywfaint o ymarfer ffurfiol oherwydd mae hyn wir yn ein galluogi i ddod yn gyfarwydd â'r arfer a dod yn gyfarwydd â'n meddyliau, ond yn y pen draw, rydyn ni am allu defnyddio'r ymarferion hyn wrth i ni symud drwy'r dydd, felly mae ymarfer 'wrth i ni fynd' hefyd yn bwysig. Gydag ymarferion ffurfiol, mae hyd yn oed munud yn bwysig, ond gorau po hiraf fyddan nhw. Os ydych chi'n anelu at un neu ddau funud yn unig, rydych chi'n fwy tebygol o roi cynnig arni, ac efallai y gwelwch fod yr un munud wedi gallu troi'n bum munud, deg munud neu hyd yn oed ugain munud o bosib.

Ble i ymarfer

Mewn gwirionedd, yr ateb i hynny yw 'unrhyw le', oherwydd y nod yw gallu defnyddio'r dull meddwl tosturiol pryd bynnag mae ei angen arnoch, a dydych chi byth yn gwybod pryd allai hynny fod. Fodd bynnag, ar gyfer arferion ffurfiol, efallai yr hoffech chi ddod o hyd i ofod lle gallwch chi greu amodau sy'n eich helpu chi i setlo a llonyddu. Ystyriwch eich holl synhwyrau: yr hyn rydych chi'n ei weld, ei glywed, ei arogli, ei gyffwrdd a'i flasu. Efallai yr hoffech chi glirio cornel a dewis beth rydych chi ei eisiau yno.

- Meddyliwch am y synnwyr o **weld**; efallai y byddech chi'n hoffi creu golau o fath arbennig drwy ddod â lamp gyda chi. Mae'n bosib hefyd yr hoffech chi gael llun neu wrthrych sy'n creu ymdeimlad o heddwch a chynhesrwydd ynoch chi.

- O ran y synnwyr o **gyffwrdd**, efallai yr hoffech chi gael clustog neu gadair benodol i eistedd arni a blanced gysurus i'ch cadw'n gynnes os ydych chi'n gwneud hyn yn ystod oriau mân y bore neu gyda'r nos. Mae rhai pobl yn mwynhau dal rhywbeth fel carreg esmwyth, sy'n gallu cynnig ffocws i'r sylw.

- Mae **arogl** yn bwysig hefyd ac yn y pen draw, drwy gysylltiad, gall ffurfio angor neu sbardun i'w ddefnyddio pan fyddwch chi'n cael trafferth er mwyn eich helpu chi i symud yn gyflymach i gyflwr mwy sefydlog a thosturiol. Felly, chwiliwch am arogl i'w roi yn y lle hwn, efallai ar flodau sych, ar reiddiadur neu losgwr olew i'w ryddhau gan y gwres, neu ar hances bapur, neu ar sgarff y gallwch ei lapio o'ch amgylch eich hun.

- Ystyriwch **synau** hefyd. Efallai yr hoffech chi ddefnyddio ychydig o gerddoriaeth fyfyriol yn y cefndir (gweler y wefan coherence.com), neu efallai y byddai'n well gennych chi dawelwch er mwyn gallu clywed cân yr adar neu synau o'r tu allan, fel y glaw neu'r gwynt, neu rwnian cyson traffig.

- O ran **blas**, mae'n bosib yr hoffech chi greu ymdeimlad o ffresni yn eich ceg drwy yfed ychydig o ddŵr cyn i chi ddechrau.

> *Er bod ymarfer ffurfiol 'ar eich eistedd' yn ddefnyddiol, rydyn ni'n anelu at allu defnyddio ein meddwl tosturiol unrhyw bryd, yn unrhyw le.*

Gwnewch y lle hwn yn rhywle rydych chi'n edrych ymlaen at fynd iddo.

Efallai y byddwch hefyd am ei wneud yn lle y gallwch ddod iddo'n hawdd gyda'r babi, fel eich bod chi, maes o law, yn gallu gwneud rhai o'r ymarferion wrth i chi fwydo'r babi, neu wrth i'r babi gysgu neu hyd yn oed pan fydd y babi wedi cynhyrfu.

Fodd bynnag, mae'n bwysig nad yw peidio â chael y 'lle iawn' yn eich rhwystro rhag ymarfer. Mewn gwirionedd, gallwn ymarfer yn unrhyw le ac unrhyw bryd; gallwn greu'r nodweddion allanol hyn yn ein meddwl ein hunain. Fodd bynnag, mae cael lle allanol o'r fath yn gallu ei gwneud hi'n haws i greu'r lle hwn ynom ein hunain, ac mae'r union broses o'i sefydlu yn helpu i ysgogi'r rhan honno o'r meddwl.

Ymwybod gofalgar

Rydyn ni bellach yn eithaf cyfarwydd â pha mor gyflym mae'r system fygythiad yn gallu gafael ynom ni. Cyn pen dim, mae ein calon yn curo, rydyn ni'n teimlo'n ofnus neu'n ddig, ac mae ein pennau'n llawn meddyliau dig neu orbryderus. Mae'r meddyliau neu'r teimladau hyn yn gallu ein meddiannu'n llwyr. Bron nad ydyn ni wedi cael ein tynnu i mewn i afon wyllt. Rydyn ni'n cael ein sgubo gan y dŵr, ac mae tynnu ein hunain allan yn gallu ymddangos yn amhosib. Fodd bynnag, mae yna ffordd o wneud hynny; yn fwy na hynny, mae'n sgìl, sy'n golygu bod modd ei ddysgu. Dyma sgìl ymwybyddiaeth ofalgar, sydd wedi'i grybwyll yn gynharach yn y llyfr, sef y gallu i arsylwi ar ein profiadau mewnol heb eu beirniadu na cheisio'u newid mewn unrhyw ffordd.

Mae yna ymadrodd Bwdhaidd, '*Meddwl fel yr awyr*'. Dyma yw ymwybyddiaeth ofalgar. Gydag ymwybyddiaeth ofalgar, rydyn ni'n ceisio symud i gyflwr lle rydyn ni'n ymwybodol o'n meddwl a'n corff, lle mai ni yw'r awyr las a'n bod ni'n gwylio'r cymylau yn symud ar ei thraws. Gall y cymylau fod yn bethau sy'n digwydd y tu mewn i ni, fel ein meddyliau, ein hemosiynau neu ein teimladau corfforol. Maen nhw hefyd yn gallu bod yn bethau sy'n digwydd y tu allan i ni, fel synau, arogleuon, gweadau neu liwiau, neu'r rhyngweithio rhyngon ni ac eraill. Yn hytrach na chael ein cipio ac ymateb i'r ysgogiadau hyn, yr unig beth a wnawn yw edrych arnyn nhw, sylwi arnyn nhw, heb eu barnu na cheisio'u newid mewn unrhyw ffordd.

Cymhariaeth arall yw dychmygu gosod cadair blygu wrth ochr y ffordd a gwneud dim byd ond gwylio'r ceir yn mynd heibio. Y nod yw peidio â chanolbwyntio'n ormodol ar farnu'r ceir, peidio â cheisio anwybyddu'r rhai nad ydyn ni'n eu hoffi, neu stopio'r rhai rydyn ni'n eu hoffi. Dydyn ni ddim chwaith yn eistedd yn un ohonyn nhw ac yn cael ein cludo ymaith. Dydyn ni'n gwneud dim byd heblaw eistedd ac arsylwi.

Pan fyddwn ni'n gwneud hyn, rydyn ni'n dysgu pob math o bethau pwysig am ein meddwl. Mae'n bosib y byddwn ni'n sylwi bod popeth yn mynd a dod, nad oes unrhyw ddau beth yn union yr un fath, nad oes dim yn aros yr un fath. Mae'n bosib y byddwn yn sylwi bod eistedd yn y gadair blygu neu fod yn awyr las yn ein tawelu, ond unwaith y bydd ein hemosiynau neu ein meddyliau yn mynd â'n sylw, rydyn ni'n cael ein cynhyrfu ganddyn nhw. Efallai y byddwn yn sylwi ein bod ni'n cael llawer o feddyliau; bod llawer ohonyn nhw'n ymwneud â'r gorffennol neu'r dyfodol yn hytrach na'r presennol; bod y rhan fwyaf o'n meddyliau a'n teimladau yn gysylltiedig â bygythiad; ein bod ni'n ceisio gwrthsefyll rhai meddyliau a theimladau, ond yn dal gafael ar eraill; bod ymwybyddiaeth ofalgar yn beth anodd ei gyflawni!

Gall ymwybyddiaeth ofalgar ymddangos yn beth mor hawdd i'w wneud, ond dydy hynny ddim o reidrwydd yn wir. Er enghraifft, dychmygwch orfod sylwi ar anadl allan o'r dechrau i'r diwedd – mae'n ddigon posib na fyddwch chi wedi cyrraedd diwedd un anadl hyd yn oed cyn i'ch meddwl chi grwydro a nodi bod angen rhoi llaeth ar y rhestr siopa. Mae'n sgìl, fodd bynnag, sy'n dod yn haws gydag ymarfer. Mae hefyd yn sgìl hanfodol oherwydd ei fod yn ein galluogi i sylwi ar yr hyn sy'n digwydd yn ein meddyliau, camu'n ôl ychydig yn hytrach na mynd ynghlwm wrtho, ac yna dewis sut rydyn ni am ei siapio; yn y dull meddwl tosturiol, mae angen ei siapio'n batrwm o dosturi.

Efallai y byddwn yn gofyn sut mae'n bosib i ymwybyddiaeth ofalgar helpu pan mai eisiau *peidio* â theimlo'n orbryderus neu'n ddig neu'n hunanfeirniadol yr ydyn ni, yn hytrach na dim ond arsylwi ar y teimladau hyn heb eu barnu. Ond mae'r ffordd y gall ymwybyddiaeth ofalgar ein helpu yn cael ei harddangos yn rymus iawn drwy edrych ar y syniad wrth wraidd triniaeth ar gyfer iselder difrifol mynych sy'n cael canlyniadau rhagorol. Therapi Gwybyddol Seiliedig ar Ymwybyddiaeth Ofalgar (MBCT: *Mindfulness-Based Cognitive Therapy*) yw hyn a chafodd ei ddatblygu gan Mark Williams, John Teasdale, Zindel Segal a Jon Kabat-Zinn. Maen nhw'n sôn amdano mewn manylder yn eu llyfr *The Mindful Way Through Depression: Freeing Yourself from Chronic Unhappiness* (2005).[5] Lluniwyd MBCT ar ôl i awduron y llyfr fynd ati i geisio dod o hyd i ffordd o helpu pobl a oedd wedi profi iselder difrifol mynych rhag syrthio'n ôl i grafangau iselder yn y dyfodol. Deilliodd o Leihau Straen yn Seiliedig ar Ymwybyddiaeth Ofalgar (MBSR: *Mindfulness-Based Stress Reduction*), a ddatblygwyd gan Jon Kabat-Zinn[6] ar gyfer delio â gorbryder a phoen gronig.

> *Mae ymwybyddiaeth ofalgar yn ein helpu i adael i feddyliau a theimladau basio, heb i ni eu porthi â phanig, rhwystredigaeth a hunanfeirniadaeth ychwanegol.*

O ran poen gronig, nododd Jon Kabat-Zinn ein bod nid yn unig yn dioddef y boen ei hun ond ein bod wedyn yn poeni, yn pendroni ac yn teimlo'n rhwystredig ac yn ddig am y boen, sydd wedyn yn cynyddu ein tensiwn a chynyddu'r boen gronig yn ei sgil. Mae'n ymddangos bod proses debyg yn digwydd gydag iselder. Os ydyn ni'n cael pwl o iselder, rydyn ni wedyn yn fwy tebygol o gael un arall. Bob tro rydyn ni'n profi iselder, mae'r siawns y bydd yn digwydd eto'n cynyddu. Felly, hyd yn oed os yw cyffuriau gwrthiselder yn gweithio i atal y pwl, dydyn nhw ddim fel petaen nhw'n atal pyliau rhag digwydd eto. Deilliodd MBCT o ymdrech i ganfod ffordd o lesteirio'r pyliau hyn er mwyn eu harafu neu eu hatal yn y dyfodol.

Dyma a welwyd am iselder sy'n digwydd dro ar ôl tro: os ydyn ni wedi cael pwl o iselder, mae hyn yn effeithio ar lawer o'n systemau corfforol. Rydyn ni'n teimlo'n wahanol yn ein corff, mae ein cymhelliant yn pylu, effeithir ar ein gallu i feddwl, mae ein sylw'n canolbwyntio ar y negyddol, rydyn ni'n tueddu i gofio atgofion hunanfeirniadol neu ofidus yn unig, ac yn dychmygu sefyllfaoedd ar eu gwaethaf.

Ar ôl i ni wella o bwl, beth fydd yn digwydd os ydyn ni'n deffro un bore yn teimlo fymryn yn drist neu wedi cael ychydig o lond bol? Rydyn ni'n symud yn gyson drwy wahanol deimladau ac emosiynau drwy gydol y dydd, ond ar ôl i ni gael iselder, mae grym penodol i deimlo 'wedi cael llond bol'. Bellach, mae pob math o gysylltiadau ynghlwm wrth fod 'wedi cael llond bol'; gall ddwyn yn ôl atgofion corfforol o ofn, neu o suddo. Mae'n bosib y byddwn, mwyaf sydyn, yn cofio teimladau o gyfyng-gyngor neu anobaith. Efallai y byddwn yn dechrau cael meddyliau tebyg i 'O na, mae'n mynd i ddigwydd eto! Alla i ddim ymdopi os yw hynny'n wir' neu 'Stop, dydw i ddim eisiau hyn!' Mae fel petai'r holl agweddau dychrynllyd hyn wedi cael eu llwytho ar ben rhyw deimlad byrhoedlog o fod 'wedi cael llond bol'. Mae pob un o'r agweddau hyn yn cynhyrfu'r system fygythiad ymhellach, gan ei bod wedi symud o gael ei phrocio'n ysgafn gan deimlad o fod 'wedi cael llond bol' i fod yn hollol effro a'r larwm perygl yn canu. Rydyn ni wedi symud o ennyd o fod 'wedi cael llond bol' i funudau o banig ac ofn. Mae'r bêl wedi dechrau rholio ac mae'n anodd ei hatal. Po hiraf y byddwn ni'n poeni, mwyaf argyhoeddedig y deuwn y gallai hyn fod yn bwl newydd o iselder. Gall eiliadau o fod wedi cael llond bol droi'n awr o fod wedi cael llond bol, yna'n ddiwrnod ofnadwy, yna'n wythnos wael, yna'n bwl newydd o iselder. Cynsail Therapi Gwybyddol Seiliedig ar Ymwybyddiaeth Ofalgar yw: os gallwn ni ganiatáu i'r ennyd o fod 'wedi cael llond bol' ymddangos a diflannu, heb i ni geisio'i mygu neu gynhyrfu yn ei chylch, mae'n bosib na fydd byth yn troi'n bwl arall. Mae ymchwil wedi profi bod hyn yn gweithio. Mae pobl sydd wedi dysgu sgiliau ymwybyddiaeth ofalgar gryn dipyn yn llai tebygol o brofi iselder pellach, hyd yn oed os ydyn nhw wedi cael llawer o byliau blaenorol. A dweud y gwir, mae treialon wedi canfod y gall MBCT haneru'r risg o gael pwl arall ymhlith pobl sydd wedi dioddef tri phwl neu fwy o iselder.[7] Bellach, gwelwyd ei fod yn ymyriad effeithiol i drin pwl o iselder dwys hyd yn oed.[8]

Mae corff helaeth o dystiolaeth sy'n dangos effeithiolrwydd ymwybyddiaeth ofalgar ar gyfer llu o anawsterau, yn cynnwys rheoli problemau iechyd corfforol cronig, na ellir eu gwella. O ganlyniad, mae'n sgìl sy'n wir werth ei feithrin.

Mae'r dull meddwl tosturiol yn dibynnu ar sgiliau ymwybyddiaeth ofalgar. Mae'n ein galluogi i droi ein sylw 'tuag i mewn', a thrwy hynny gyweirio ein sensitifrwydd i'r hyn sy'n digwydd oddi mewn i ni. Mae hefyd yn datgelu gwybodaeth bwysig am nodweddion ein byd mewnol, er enghraifft bod meddyliau, emosiynau a theimladau'r corff yn cryfhau a gwanhau, yn codi ac yn gostwng, yn mynd a dod, nad ni yw ein meddyliau na'n hemosiynau, a bod gadael iddyn nhw fynd a dod yn gallu lleihau ein dioddefaint yn sylweddol. Wrth i ni ddysgu sylwi ar ein dioddefaint, yna gallwn edrych tuag i mewn, nid yn unig gydag ymwybyddiaeth, ond gyda phenderfyniad i'w leddfu, felly rydyn ni'n cyflwyno'n meddwl tosturi iddo. O ganlyniad, byddwn yn treulio peth amser yn dysgu'r sgìl hwn o ymwybyddiaeth ofalgar.

Meddwl gwag?

Un o'r rhagdybiaethau sy'n gysylltiedig ag ymwybyddiaeth ofalgar neu ymarferion o fath myfyriol yw ein bod yn ymdrechu i gael meddwl clir, gwag. Y gair cyntaf i sylwi arno yma yw 'ymdrechu'. Os nad ydyn ni'n ymwybodol o'n meddylfryd, yna'r cyfan mae 'gwneud' ymwybyddiaeth ofalgar neu 'wneud' tosturi yn ei gyflawni yw creu ffocws arall i'n systemau bygythiad a chymell, ac erbyn hynny mae ein sylw wedi symud i'r cymhellion i gyflawni ac osgoi methiant o ran ymarfer ymwybyddiaeth ofalgar ei hun.

Yn hytrach na 'chyflawni' neu 'ymdrechu' bwriadol, mae'n newid ffocws ein sylw: cam yn ôl o'r 'gwneud' a symud i'r 'bod'. Yn y cyflwr 'bod', rydyn ni'n gallu arsylwi ar y 'gwneud' yn hytrach na chael ein dal yn ei ganol. Mae'n bosib i ni sylwi a ydyn ni'n llithro i gyflwr o ymdrechu'n galed i'w wneud yn iawn drwy ddod yn ymwybodol o'n corff a'n hanadlu. Mae'n ffordd o wirio pa gyflwr rydyn ni ynddo, drwy sylwi a yw'r wyneb yn gwgu neu wedi ymlacio, a yw'r dannedd yn dynn neu'n llac, a yw ein hysgwyddau wedi eu codi neu wedi eu gostwng tuag yn ôl, a yw bonion y breichiau a'r dwylo, a'r cluniau, yn dynn neu wedi ymlacio. Os ydyn ni yn y cyflwr 'gwneud', rydyn ni'n sylwi bod ein corff yn dynn, yn barod ar gyfer y gwneud, fel ci sydd wedi nôl ei dennyn yn barod i fynd am dro. Pan fyddwn yn sylwi ar hyn, gallwn gyflwyno ein hymwybod gofalgar a cheisio gadael i'n hunain ryddhau'r tensiwn hwn, oherwydd nad oes angen 'gwneud' ar hyn o bryd.

Ail ran y dybiaeth yw ein bod yn ceisio cael meddwl clir, gwag. Mae'r arbrawf hwn yn ein helpu i ddod yn ymwybodol o natur ein meddwl.

Arbrawf: Ymwybyddiaeth o'r meddwl aflonydd

Eisteddwch yn dalsyth â'ch traed ar y llawr a'ch dwylo'n gorffwys yn eich côl fel eich bod yn gyfforddus ond yn effro. Gyda'ch llygaid ar agor, gadewch i'ch meddwl orffwys yn yr ennyd bresennol. Dewch yn ymwybodol o'ch amgylchedd; y synau o'ch cwmpas, yr hyn allwch chi ei weld, ymwybyddiaeth o naws y llawr o dan eich traed a'r gadair oddi tanoch. Sylwch a ydych chi'n arogli unrhyw beth. Eisteddwch am ychydig funudau yn y cyflwr hwn o ymwybod gofalgar.

Yn hytrach na rhoi sylw i'r hyn rydych chi'n gallu ei synhwyro yn eich amgylchedd, mae'n bosib y byddwch yn sylwi, cyn hir, eich bod wedi'ch dal yng nghanol eich meddyliau. Pan fydd hyn yn digwydd, dewch â'ch meddwl yn dyner yn ôl i synhwyro'ch amgylchedd unwaith eto.

Felly, pa mor llonydd a sefydlog yw ein meddwl hyd yn oed pan fyddwn ni'n gwneud dim ond bod yn ymwybodol o'n hamgylchedd? Mae gweld pa mor gyflym y mae meddyliau'n meddiannu ein meddwl yn gallu bod yn eithaf syfrdanol, a gallwn deithio yn eithaf hir wedi ein dal gan 'stori' neu ddeialog ein meddyliau cyn i ni ddod yn ymwybodol o ble rydyn ni wedi mynd.

A beth oedd natur ein meddyliau? Fel arfer, rydyn ni'n cael ein clymu gan feddwl am y gorffennol neu'r dyfodol yn hytrach na'r presennol, ac yn aml mae'r meddyliau'n canolbwyntio ar fygythiadau. Felly rydyn ni'n poeni neu'n teimlo'n rhwystredig am yr hyn sydd wedi digwydd, neu a all ddigwydd, neu'r hyn nad ydyn ni wedi'i wneud ond sydd angen i ni ei wneud. Mae'n bosib y byddwn yn hel meddyliau am ddadleuon ac yn poeni am ein perthynas â phobl.

Yr hyn sy'n amlwg yn yr ymarfer hwn yw'r rhyngweithio rhwng ein hen ymennydd a'n hymennydd newydd: ein hen ymennydd sy'n canolbwyntio ar fygythiad a diogelwch, cael bwyd, atgenhedlu a pherthynas gymdeithasol, a'n hymennydd newydd sy'n cynllunio, yn dychmygu, yn meddwl a phendroni, ac yn procio a chynhyrfu pryderon a phoenau'r hen ymennydd yn gyffredinol. Dyma'r union beth a welwn pan dreuliwn ennyd yn edrych i mewn ac arsylwi ar ein meddwl: meddwl aflonydd, synfyfyriol sy'n canolbwyntio'n bennaf ar boeni am y gorffennol a'r dyfodol, â phryder penodol am ein perthynas â phobl eraill. Dyma gyflwr naturiol ein meddwl: aflonyddwch a thuedd i hoelio ein sylw ar fygythiad. Dydy hyn ddim yn fai arnon ni; dyna'n union sut mae ein meddyliau wedi esblygu.

Felly beth yn union yw ymwybyddiaeth ofalgar?

Yn ei lyfr *Wherever You Go, There You Are*,[9] mae Jon Kabat-Zinn yn disgrifio ymwybyddiaeth ofalgar fel sylwi'n fwriadol ar yr hyn sy'n digwydd i ni ar hyn o bryd, a gwneud hynny mewn ffordd anfeirniadol. Gall hynny olygu sylwi ar unrhyw beth: ein meddyliau, ein teimladau, ysfa gorfforol, teimladau corfforol, yr hyn rydyn ni'n ei weld, ei glywed, ei gyffwrdd, ei flasu a'i arogli.

Mae tair elfen i'r diffiniad hwn. Mae'n rhywbeth rydyn ni'n ei wneud yn *fwriadol*, o'i gymharu â'r dolenni anfwriadol rydyn ni'n llithro iddyn nhw pan fyddwn ni'n cael ein clymu i'n meddyliau. Yn ail, mae'n golygu canolbwyntio ar yr hyn sy'n digwydd yn yr *ennyd bresennol* yn hytrach na llithro i feddwl am y gorffennol neu'r dyfodol. Yn drydydd, mae'n golygu *caniatáu i'r hyn rydyn ni'n ei ddarganfod fodoli heb ei farnu, ei gondemnio na dymuno'i fod yn rhywbeth heblaw'r hyn ydyw*. Dychmygwch brofi teimlad o dristwch am ennyd. Pan fyddwn ni'n ymwybodol o dristwch, rydyn ni'n fwriadol yn troi ein sylw at y synnwyr o deimlo'n drist yn unig, heb geisio cael gwared arno, na lladd arnom ein hunain am ei deimlo, na mynd i banig oherwydd ein bod ni'n ei deimlo. Os ydyn ni wedi cael profiad o dristwch a droellodd i lawr i ddyfnderoedd iselder, yna wrth i ni edrych ar y tristwch yn ofalus, mae'n bosib ein bod ni'n sylwi ar syniad bach yn ymddangos o rywle, er enghraifft, 'O na, beth os mai dyma ddechrau iselder?' Ond yn hytrach na gadael i'r meddyliau a'r teimladau hyn ein sgubo ni ymaith, mae'n bosib y byddwn yn ymateb ag ymwybyddiaeth chwilfrydig: 'A, dyna ni. Pan dwi'n cael y teimlad penodol hwn, mae'r meddyliau penodol hyn yn tueddu i ddod i'r amlwg.' Erbyn hyn, rydyn ni wedi symud i gyflwr o arsylwi yn hytrach na phorthi'r ymateb iselder yn anfwriadol.

Unwaith y byddwn ni wedi datblygu'r gallu i fod yn ymwybyddol ofalgar, gallwn ystyried sut yn union yr hoffen ni ymateb i'r hyn rydyn ni'n sylwi sy'n digwydd. Dyma lle mae tosturi yn berthnasol; gallwn nid yn unig ymateb i'r hyn a welwn ag ymwybyddiaeth chwilfrydig, gallwn hefyd gyflwyno bwriad gwirioneddol i geisio helpu ein hunain i leddfu beth bynnag sy'n achosi poen a thrafferth i ni. Fel y gwelson ni, pan ddown â'n meddylfryd rhoi gofal a derbyn gofal ynghyd ar ffurf tosturi, yna mae ein meddwl a'n corff yn ymateb i hynny yn awtomatig, a gall y bygythiad gwreiddiol hyd yn oed leihau oherwydd bod ein corff yn tawelu ac yn setlo'n well. Felly, pan fyddwn ni'n sylwi'n ymwybyddol ofalgar ar yr ymdeimlad o dristwch, gallwn gyflwyno ein meddwl tosturiol iddo. Gallai hynny fod yn agwedd o ddilysu, cydymdeimlo, cyfyngu a chynhesrwydd – rhywbeth tebyg i 'A, dyma dristwch. Mae'n teimlo'n boenus a gall hynny fod yn anodd ei ddioddef, ond mae'n bosib ei ddioddef a bydd yn pasio', wedi'i ddweud â llais ac wyneb cynnes a charedig.

Ymwybyddiaeth ofalgar a thosturi

Yn gyntaf, rydyn ni'n sylwi'n ofalus ar batrwm y meddyliau, y teimladau, yr ysfeydd a'r emosiynau sy'n digwydd o'n mewn.

Yn ail, rydyn ni'n penderfynu ar y patrwm penodol fydden ni'n hoffi ei greu; yn yr achos hwn, patrwm ein meddwl tosturiol.

A ninnau nawr wedi creu'r bwriad rydyn ni'n dymuno cyfeirio ein sylw tuag ato, gadewch i ni edrych ar un o effeithiau pwysig sylw a fydd yn ein helpu i ymarfer ein hymwybyddiaeth ofalgar a'n tosturi.

Cyfeirio ein sylw

Pan fyddwn ni'n ddifeddwl, mae'n teimlo fel petaen ni'n cael ein rheoli gan ein meddwl a'n corff, yn cael ein dal yn ddiymadferth ym mha le bynnag y mae ein meddyliau a'n teimladau yn ein hanfon ni. Mae fel petaen ni wedi disgyn i afon wyllt ac yn cael ein cario er ein gwaethaf gan y llif. Beth sy'n digwydd, felly, os ydyn ni'n dechrau rheoli ffocws ein sylw? Yn lle cael ein sgubo ymaith gan ddŵr yr afon, rydyn ni'n dringo allan ac yn eistedd ar y lan, gan wylio'r meddyliau, y teimladau, yr emosiynau a'r ysfeydd yn mynd heibio.

Efallai cich bod yn cofio hyn yn gynharach yn y llyfr. Os ydyn ni'n dychmygu ein sylw fel sbotolau neu olau fflachlamp, gallwn roi cynnig ar arbrawf sy'n dangos natur sylw.

Arbrawf: Sbotolau sylw

Eisteddwch yn dalsyth mewn osgo effro, â'ch traed yn fflat ar y llawr, a chaewch eich llygaid. Nawr dychmygwch fod eich sylw fel sbotolau. Yn gyntaf, cyfeiriwch ef at fys bawd eich troed chwith. Mae'n bosib y byddwch yn sylwi ar deimladau o fewn y bys bawd, neu'r fan lle mae'n cyffwrdd â'ch hosan neu'ch esgid. Efallai y byddwch yn sylwi ar deimlad eich bys bawd yn cyffwrdd â'r llawr. Nawr symudwch eich sylw at fys bawd eich troed dde, yna at eich gwefusau. Yna rhwbiwch flaenau eich bys cyntaf a'ch bawd yn erbyn ei gilydd a sylwi ar y teimladau.

Beth ddigwyddodd i fawd eich troed chwith wedi i chi symud eich sylw at fawd eich troed dde, a phan wnaethoch chi symud eich sylw o fawd eich troed dde i'ch gwefusau, ac yna i'ch bys a'ch bawd? Mae'n bosib i chi sylwi bod beth bynnag oedd ffocws eich sylw wedi llenwi'ch ymwybyddiaeth yn llwyr. Felly, yn union fel sbotolau, mae eich sylw'n goleuo beth bynnag y mae'n canolbwyntio arno ond yn gadael popeth arall yn y cysgodion. Dyma natur sylw. Gallwn roi cynnig ar yr un ymarfer drwy roi sylw i synau, neu arogleuon, neu'r hyn rydyn ni'n ei weld neu'n ei flasu; mae'r ymdeimlad nad yw'n cael sylw yn diflannu, a'r ymdeimlad sy'n cael sylw fel petai'n tyfu'n gryfach. Er enghraifft, mae'n bosib i ni ddod yn ymwybodol yn sydyn iawn o sŵn tician cloc yn yr ystafell, ond os ydyn ni wedyn yn symud ein sylw at sŵn aderyn yn canu y tu allan, fyddwn ni ddim yn sylwi ar dician y cloc mwyach.

Yn fwy na hynny, gallwn afael yn fwriadol yn y fflachlamp a symud y golau o gwmpas. Felly, ar unrhyw adeg arbennig, rydyn ni'n gallu *dewis* ble i hoelio ein sylw. Gallwn hefyd wneud y sbotolau'n gulach er mwyn canolbwyntio ar rywbeth hynod benodol, fel bawd ein troed chwith, neu gallwn ledu'r sbotolau a chaniatáu i ni sylwi ar ein corff yn gyfan, er enghraifft.

Agwedd arall ar sylw sy'n cael ei dangos gan yr arbrawf hwn yw bod ffocws ein sylw yn ysgogi ein meddwl mewn gwahanol ffyrdd. Felly, gallai canolbwyntio ar dician y cloc ein cythruddo, tra mae gwrando ar gân yr adar yn dod â theimlad o dawelwch. Mae'r un peth yn wir pan fyddwn ni'n hoelio ein sylw ar emosiynau, teimladau ac atgofion. Am rai munudau, felly, ceisiwch ennyn atgof am amser o hapusrwydd go iawn, efallai o rannu ennyd ddoniol neu wên gyda rhywun. Sylwch ar sut mae eich corff yn teimlo. Sylwch ar eich wyneb a sut mae wedi meddalu a ffurfio gwên, efallai. Mae'r hyn sy'n cael ei oleuo gan eich sylw bellach yn cael effaith ffisiolegol bwerus arnoch chi. Nawr, meddyliwch am adeg pan oeddech chi'n teimlo ychydig yn ddig neu'n rhwystredig. Beth sy'n digwydd yn eich corff nawr? Beth sydd wedi digwydd i'ch wyneb? Mae'n bur debyg fod yr atgof hapus wedi cilio i'r cefndir, ac mae'r atgof hwn bellach yn llenwi'ch meddwl. Nid yn unig hynny – mae hefyd wedi newid ffisioleg eich corff fel eich bod erbyn hyn yn profi teimladau ac ysfeydd gwahanol iawn.

Pan fyddwn ni'n sylweddoli ein bod ni nid yn unig yn gallu dewis symud ein sylw ond fod ffocws ein sylw hefyd yn gallu effeithio arnon ni mewn ffyrdd gwahanol iawn, yna gallwn ddechrau dewis symud ein sylw at rywbeth a allai fod yn fwy defnyddiol i ni, fel ein meddwl tosturiol. Byddwn yn dychwelyd at hyn yn y bennod ar sylw tosturiol.

Mae ein sylw wedi'i gynllunio i gael ei herwgipio gan y system fygythiad, a phan fydd hynny'n digwydd, bygythiadau yw unig ffocws ein sylw; mae unrhyw feddyliau, teimladau neu atgofion positif yn diflannu o'n hymwybyddiaeth. Yn ogystal, o gofio bod yr hyn 'sy'n cyd-danio yn cydglymu', mae hynny'n atgyfnerthu ein meddwl bygythiol ymhellach. Fodd bynnag, a ninnau nawr yn gwybod ein bod ni'n gallu symud ffocws y sylw, unwaith y byddwn ni'n sylwi ar yr hyn sy'n digwydd (gan ddefnyddio sgiliau ymwybyddiaeth ofalgar), gallwn ddewis symud ein sylw i beth bynnag sy'n ysgogi ein meddwl tosturiol, fel adegau pan wnaethon ni fod o gymorth gwirioneddol i rywun, neu oresgyn rhywbeth a oedd yn anodd. Bydd hyn wedyn yn llenwi ein sylw, bydd y bygythiad yn cilio i'r cefndir, ac rydyn ninnau wedi symud at danio a chlymu – a thrwy hynny, gryfhau – ein meddwl tosturiol.

Mae'r arbrawf bach syml o symud ein ffocws o fysedd ein traed i'n gwefusau yn dangos tair agwedd ar natur ein sylw sydd yn gallu gwneud gwahaniaeth mawr i ni:

1. Mae sylw fel sbotolau sy'n amlygu ac yn goleuo beth bynnag yw testun ei ffocws.

2. Mae sylw yn rhywbeth sy'n gallu cael ei symud. Er y gall ein systemau bygythiad a chymell ei reoli'n anfwriadol, gallwn ninnau hefyd ei gyfarwyddo'n fwriadol.

3. Mae beth bynnag sy'n destun ffocws ein sylw yn creu effeithiau ffisiolegol pwerus iawn ynom ni, a chyn gynted ag y bydd ein sylw ni'n symud, bydd yr effeithiau ffisiolegol yn newid ar unwaith hefyd. Felly, pan fyddwn ni'n hoelio'n sylw ar dosturi, cynhesrwydd a charedigrwydd, rydyn ni'n teimlo'n wahanol iawn i'r adegau hynny pan fyddwn ni'n hoelio'n sylw ar anhapusrwydd, gorbryder neu rwystredigaeth.

I grynhoi, pan fyddwn ni'n profi teimladau, meddyliau neu emosiynau anodd, gall ymwybyddiaeth ofalgar ein helpu i aros gyda nhw yn hytrach na'u hosgoi, ond mae hefyd yn caniatáu i ni gamu'n ôl ac arsylwi arnyn nhw yn hytrach na chael ein dal yn eu canol. Mae'r broses hon o gamu'n ôl yn unig yn gallu effeithio arnon ni'n ffisiolegol, oherwydd mae yna ymdeimlad o dawelwch ac o fod â rheolaeth dros bethau pan fyddwn ni'n camu i'r meddwl arsylwi neu 'ymwybodol' hwn.

Unwaith rydyn ni wedi dechrau arsylwi ar y meddwl bygythiol yn hytrach na chael ein dal ynddo, mae'r broses hon o ymwybod gofalgar yn ein galluogi i benderfynu ai'r peth mwyaf defnyddiol i ni ar yr adeg honno yw parhau i arsylwi ar y meddwl bygythiol, neu symud ein hymwybyddiaeth i rywbeth arall, gan ddewis creu patrwm gwahanol yn ein meddwl yn fwriadol, fel y meddwl tosturiol.

Un pwynt pwysig i'w nodi yma yw nad mater o 'meddyliwch am feddyliau hapus yn unig, a pheidiwch â meddwl am feddyliau anhapus' yw'r gallu hwn i symud sylw; mae'n ymwneud â gallu dod â chydbwysedd i'n meddwl, ac yn sgil hynny ddoethineb a dealltwriaeth o'r ffordd y mae ein meddyliau'n gweithio, ac mae hynny'n ein galluogi i ddod o hyd i ffyrdd o helpu o ddifrif pan fyddwn ni, neu eraill, yn ei chael hi'n anodd.

Setlo'r corff a'r meddwl

Fel y gwelson ni, mae ein meddwl yn aml yn gallu rheoli sbotolau ein sylw, ac mae'n ei symud yn gyflym, gan greu pob math o deimladau ac ymatebion ynom ni. Gallwn deimlo'n gyffrous iawn o ganlyniad. Pan fyddwn ni'n ceisio gafael yn sbotolau sylw a'i ganolbwyntio ar un peth yn unig, gall helpu os byddwn ni'n tawelu ein meddwl ac yn caniatáu iddo lonyddu. Mae fel cerdded drwy bwll yn ein welingtons. Mae'n cynhyrfu'r mwd, a dydyn ni ddim yn gallu gweld dim. Ond os gwnawn ni aros yn ein hunfan, mae'r mwd yn setlo'n araf ac yn suddo i'r gwaelod ac mae'r dŵr yn clirio. Gallwn ddefnyddio ein hanadl i'n helpu i setlo a llonyddu ein corff a'n meddwl fel ein bod ninnau'n gallu gweld yn gliriach. Gan ein bod ni'n anadlu o hyd, mae dysgu ffyrdd defnyddiol o ddefnyddio'n hanadl yn golygu bod gennym ni bob amser fodd pwerus o reoli ein corff a'n meddwl, a does dim perygl ein bod yn ei anghofio yn rhywle.

Mae'r cysyniad hwn o sefyll yn llonydd ac aros yn amyneddgar yn hytrach na cherdded o gwmpas yn y pwll mwdlyd yn un sy'n cael ei gyflwyno wrth ymarfer ymwybyddiaeth ofalgar. Pan welwn ein bod ni'n ymdrechu'n rhy galed, yn mynd yn rhwystredig oherwydd nad ydyn ni'n gallu dod o hyd i'r hyn ddylen ni, yn rhincian dannedd a gwgu, rydyn ni'n gwybod ein bod wedi dechrau cerdded o gwmpas y pwll eto wrth 'chwilio am ymwybyddiaeth ofalgar'. Mae hyn yn arwydd bod angen i ni stopio, cyfeirio ein sylw'n ôl at ein hanadl, a gadael i'n hunain setlo a gwylio dŵr y pwll yn troi'n glir eto.

Ymarferion craidd ar gyfer ymwybyddiaeth ofalgar

Ymarfer: Ymwybyddiaeth ofalgar i'r anadl

Gan fod anadl yn rhywbeth sydd gyda ni bob amser, mae'n gallu dod yn angor i helpu i lonyddu ein meddwl aflonydd. Mae'n ein helpu i fod yn yr ennyd bresennol. Eisteddwch yn dalsyth, â'ch traed yn fflat ar y llawr, mewn osgo effro, urddasol â'ch ysgwyddau i lawr ac yn agored. Mae'n haws canolbwyntio ar eich anadl os byddwch chi'n cau'ch llygaid, ond os yw'n well gennych chi, gadewch i'ch llygaid syllu'n ddiffocws ar bwynt o'ch blaen.

Hoeliwch eich sylw ar fan lle rydych chi'n sylwi ar eich anadl, er enghraifft blaen eich trwyn, neu eich brest yn codi ac yn disgyn, neu drwy osod eich dwylo ar eich stumog, a blaenau'r bysedd yn cyffwrdd, a theimlo rhythm eich bysedd yn symud ar wahân ac yn dod at ei gilydd eto. Trowch eich sylw at eich anadl i weld a allwch ei ddilyn o ddechrau'r anadl i mewn hyd at ddiwedd yr anadl allan. Dydych chi ddim yn ceisio newid eich anadlu mewn unrhyw ffordd. Rydych chi'n ceisio sylwi arno yn union fel y mae, heb ei farnu o gwbl.

Efallai na wnaethoch chi lwyddo i gyrraedd diwedd un anadl cyn i'ch meddyliau ymwthio i'ch pen. Mae hynny'n normal. Sylwch ar hyn ag ymwybyddiaeth chwilfrydig a chynhesrwydd, ac yna tywyswch eich meddwl yn ôl yn raddol i'ch anadl, yn union fel y byddech chi'n cyfeirio ci ifanc neu blentyn bach sydd wedi gorgyffroi. Bydd angen i chi wneud hyn dro ar ôl tro oherwydd bod y meddwl mor aflonydd, ond bob tro y byddwch chi'n sylwi bod eich meddwl wedi crwydro, mae honno'n ennyd o ymwybyddiaeth ofalgar. Felly mwya'n byd fyddwch chi'n sylwi ar eich meddwl yn crwydro ac yna'n ailgyfeirio eich sylw tua'r anadl, mwya'n byd rydych chi'n ymarfer ac yn cryfhau'r mecanweithiau yn yr ymennydd sy'n ymwneud â'r gallu i fod yn ymwybyddol ofalgar.

Er nad ydych chi'n ceisio newid eich anadl, mae'n bosib y byddwch chi'n sylwi fod y broses o ganolbwyntio arno yn y modd anfeirniadol hwn yn eich tawelu, ac efallai y bydd eich anadl yn ymestyn yn naturiol. Nid dyma nod yr ymarfer, fodd bynnag. Y nod yw ymarfer cyfeirio ein sylw mewn ffordd benodol yn unig. Os ydyn ni'n dechrau defnyddio'r ymarfer hwn i geisio tawelwch, mae hynny'n gyfystyr â dechrau crwydro o gwmpas y pwll mwdlyd eto, y tro hwn yn chwilio am dawelwch; rydyn ni'n cynhyrfu'r meddwl eto drwy gyflwyno llid, rhwystredigaeth ac efallai rywfaint o hunanfeirniadaeth hefyd. Mae canolbwyntio ar yr anadl yn mynd yn anoddach wedyn. Pan fydd hyn yn digwydd, ac mae'n debygol o ddigwydd (dydy ein systemau cymell a bygythiad byth yn bell iawn i ffwrdd), gadewch i'ch hunan sylwi ar y chwilio, sylwi ar y llid a'r rhwystredigaeth, o bosib gan wneud dim mwy na'u henwi (er enghraifft, 'llid yw hyn', 'rhwystredigaeth yw hyn'), ac yna trowch eich sylw yn ôl at yr anadl mewn modd tyner, chwilfrydig ac anfeirniadol. Rydych chi i bob pwrpas yn sefyll yn eich unfan yn y pwll mwdlyd eto, yn gwylio'r mwd yn setlo eto gyda meddwl cynnes, chwilfrydig ac anfeirniadol.

Ymarfer: Ymwybyddiaeth ofalgar i synau

Caewch eich llygaid a gadewch i synau dreiglo i'ch clustiau, yn union fel pe bai'ch clustiau yn soseri lloeren sy'n casglu synau. Peidiwch â dehongli'r synau, eu labelu na'u barnu, dim ond gadael iddyn nhw lifo tuag atoch. Os byddwch chi'n sylwi arnoch eich hun yn ymateb i'r synau, nodwch eich ymatebion ag ymwybyddiaeth chwilfrydig ac yna trowch eich sylw yn ôl at beth bynnag rydych chi'n gallu ei glywed.

Ymarfer: Ymwybyddiaeth ofalgar i'r synhwyrau

Rydyn ni'n aml yn bwyta neu'n yfed heb roi llawer o sylw o gwbl i'r blas. Mae'r ymarfer hwn yn aml yn cael ei wneud gyda rhesin, ond gallwch roi cynnig arno gydag unrhyw fwyd. Byddwn yn defnyddio'r enghraifft yma o ymwybyddiaeth ofalgar i siocled, oherwydd ei fod yn rhywbeth bach blasus, ac eto'n aml, dim ond y llond ceg cyntaf rydyn ni'n ei fwynhau, heb dalu fawr iawn o sylw i'r gweddill.

- Teimlwch bwysau'r siocled yn eich llaw.
- Os yw wedi'i lapio, teimlwch wead yr hyn sydd amdano drwy redeg eich bys drosto yn ysgafn ac yn araf.
- Edrychwch ar y ffordd mae'r golau yn disgyn ar y deunydd lapio. Sylwch ar y patrymau a'r lliwiau ar y deunydd lapio.
- Yn araf iawn, agorwch y siocled ag ymwybyddiaeth o naws a sŵn y deunydd lapio wrth iddo rwygo neu agor.
- Dewch yn ymwybodol o'r chwa o arogl a gafwyd wrth i chi agor y deunydd lapio.
- Sylwch ar olwg y siocled: yr amrywiadau o ran lliw, patrymau a gwead.
- Torrwch sgwâr yn araf, gan nodi ansawdd y siocled rhwng eich bysedd, a theimlad a sŵn y siocled yn torri.

- Daliwch y siocled am eiliad, gan sylwi sut mae'n teimlo wrth iddo doddi ychydig oherwydd cynhesrwydd eich bysedd.

- Nawr codwch y siocled at eich trwyn yn araf ac anadlu arogl y siocled, gan sylwi heb farnu o gwbl.

- Yn araf, cnowch ddarn o'r siocled, gan roi sylw i naws y cnoad a'r foment pan ddewch yn ymwybodol o'r blas gyntaf.

- Gadewch i'r siocled orffwys yn eich ceg, gan nodi'r teimladau.

- Sylwch ar unrhyw gynnydd mewn poer a'r teimladau o lyncu.

- Sylwch ar unrhyw deimladau yn eich ceg ar ôl i chi lyncu'r siocled.

Ymwybyddiaeth ofalgar i'r corff

Dyma un o ymarferion allweddol ymwybyddiaeth ofalgar[10] oherwydd bod cymaint yn cael ei ddysgu yn ei sgil. Yn anffodus, mae gan lawer o fenywod berthynas anodd â'u corff, ac mae hyn yn gallu bod yn arbennig o wir ar ôl cael babi pan fydd y corff wedi magu ffurf na chafodd erioed o'r blaen, o bosib. Efallai ei fod yn dyner ar ôl yr enedigaeth, gall teimladau newydd rhyfedd godi, ac mae mewn proses o drawsnewid cyflym yn dilyn esgor. Mae'r corff hefyd yn cynnal atgofion i ni. Mae'n bosib nad ydych chi'n hoffi meddwl am eich corff, felly fe allai'r ymarfer hwn fod yn anodd i chi. Os felly, dechreuwch drwy ganolbwyntio ar ran o'r corff nad yw'n eich cynhyrfu'n ormodol, fel bysedd neu wadnau'r traed neu dop y pen.

Y rheswm pam mae'r ymarfer hwn yn bwysig yw oherwydd mai yn y corff rydyn ni'n profi ein hemosiynau, yn ogystal â'n hatgofion corfforol. Os ydyn ni bob amser yn troi cefn ar ein corff, rydyn ni'n colli'r wybodaeth sy'n helpu i wneud synnwyr o'n hymatebion a'n profiadau. Pan fyddwn ni'n gallu troi tuag at ein corff yn lle hynny, rydyn ni'n dysgu bod emosiynau a phrofiadau corfforol yn newid drwy'r amser, yn cryfhau a gwanhau, yn mynd a dod. Rydyn ni hefyd yn dod yn ymwybodol o'r graddau y mae ein meddyliau'n rhyngweithio â'n corff; er enghraifft, mae pryderu am boen yn gallu cynyddu graddfa'r boen. Yn enwedig pan fyddwn ni'n cael profiadau anodd gyda'n corff, fel poen, atgofion annymunol neu farnu llym, rydyn ni'n dod yn ymwybodol o'r posibilrwydd o ddod ag ymwybyddiaeth chwilfrydig a thosturiol i hyd yn oed yr anoddaf o'r profiadau hyn, a gellir cymhwyso hynny at lawer o brofiadau eraill y tu hwnt i'r ymarfer hwn.

Ymarfer: Ymwybyddiaeth ofalgar i'r corff

- Gorweddwch neu eisteddwch yn gyfforddus mewn osgo effro ond wedi ymlacio.
- Anadlwch yn araf am ychydig i setlo'ch meddwl.
- Gan ddechrau o'ch traed, hoeliwch eich sylw ar wadnau eich traed (profwyd bod hyn ynddo'i hun yn ddigon i'ch tawelu pan fyddwch chi'n teimlo'n orbryderus neu'n ddig).
- Sylwch ar unrhyw deimladau heb farnu o gwbl.
- Wrth i'ch meddwl grwydro, denwch eich sylw'n dawel yn ôl at wrthrych eich sylw. Treuliwch ychydig funudau yn canolbwyntio ar bob rhan.
- Nawr canolbwyntiwch ar dopiau'ch traed.
- Eich pigyrnau.
- Gwaelod y coesau.
- Cluniau.
- Pelfis.
- Pen-ôl.
- Stumog (mae'n bosib y byddwch yn ymwybodol o farn neu atgofion yn codi wrth i chi roi sylw i rannau penodol o'ch corff. Sylwch ar y rhain gyda chwilfrydedd byrhoedlog, efallai gan eu labelu fel 'barnu', 'beirniadu', 'poeni', ac yna hoelio'ch sylw yn ôl ar y rhan benodol o'r corff a gadael iddi lenwi'ch ymwybyddiaeth am yr ennyd honno).
- Brest.
- Cefn.
- Ysgwyddau.
- Breichiau.
- Bysedd.
- Gwar.
- Gwddf.
- Y geg.
- Y tu mewn i'r geg.
- Trwyn.
- Llygaid.
- Cefn y pen.
- Y corun.

Cyflwyno diolchgarwch a thosturi i'r corff

Yn yr ymarfer hwn, rydyn ni'n troi ein sylw at y corff mewn ffordd ymwybyddol ofalgar, ond ein bwriad y tro hwn yw mynd ati'n fwriadol i gynyddu a dwysáu'r patrymau sy'n cael eu creu wrth gyflwyno diolchgarwch a thosturi i'r rhannau o'n corff, a'r emosiynau, yr atgofion a'r teimladau sy'n cael eu cynhyrchu pan fyddwn ni'n anelu sbotolau sylw arnyn nhw.

Os ydych chi'n meddwl y gallech chi syrthio i gysgu neu deimlo'n swrth, yna eisteddwch i fyny, ag osgo urddasol, effro yn hytrach na gorwedd. (Os ydych chi'n wirioneddol gysglyd, mae'n bosib y byddwch chi'n penderfynu mai'r peth mwyaf tosturiol i'w wneud yw cysgu am ychydig, os yw'n bosib, a rhoi cynnig ar hyn rywbryd eto.) Nod yr ymarfer yw dod ag ymwybyddiaeth effro i'r corff yn hytrach nag ymlacio neu syrthio i gysgu, er bod ymlacio yn gallu digwydd yn sgil yr ymarfer.

Ymarfer: Cyflwyno diolchgarwch a thosturi i'r corff

Caewch eich llygaid a chyflwynwch eich ymwybyddiaeth i rythm codi a disgyn eich stumog a'ch brest sy'n cael ei greu gan eich anadlu. Dewch yn ymwybodol o'ch corff cyfan am ennyd, yna hoeliwch eich sylw ar y fan lle mae'ch corff yn cyffwrdd â'r llawr, y sedd neu'r gwely. Nawr dychmygwch fod eich sylw wedi'i lenwi â chynhesrwydd a charedigrwydd go iawn. Efallai y bydd gennych hyd yn oed ymdeimlad o liw cynnes, niwl neu oleuni. Nawr, gan ganolbwyntio ar fysedd eich traed, dychmygwch fod cynhesrwydd yn tywallt i mewn i fysedd eich traed ac yna'n llenwi'ch traed gyda phob anadl. Dychmygwch y cynhesrwydd yn lapio o'u cwmpas. Cyflwynwch ymdeimlad o ddiolchgarwch i fodiau'ch traed a'ch traed, am yr holl waith maen nhw'n ei wneud heb i ni wir sylwi arnyn nhw.

Nesaf, cyflwynwch yr un cynhesrwydd i waelod eich coesau, eich pengliniau, eich cluniau a'ch pen-ôl, gan anadlu'ch diolchgarwch, eich cynhesrwydd a'ch caredigrwydd i mewn iddyn nhw ac o'u hamgylch. Os sylwch chi ar unrhyw densiwn neu anghysur, gadewch i'ch ymwybyddiaeth setlo o'i gwmpas fel cynhesrwydd potel dŵr poeth. Ceisiwch ganiatáu meddalu o gwmpas ymylon yr anghysur.

Yna cyflwynwch eich ymwybyddiaeth i'ch pelfis a'ch stumog, gan anadlu golau neu liw cynnes eich diolchgarwch a'ch tynerwch i bob rhan, gan gofio sut maen nhw wedi ceisio'ch gwasanaethu hyd eithaf eu gallu, y gwaith caled a wnaethpwyd ganddyn nhw, a'r iachâd y gallai fod ei angen arnyn nhw. Gall gosod eich llaw yn ysgafn ar bob rhan fod yn help, a theimlo bod eich cynhesrwydd a'ch tynerwch yn mynd o'ch llaw i'r rhan honno o'ch corff. Cadwch hi yno cyhyd ag y dymunwch.

Pan fyddwch chi'n barod, symudwch i waelod a thop eich cefn, sy'n gweithio mor galed ar ein rhan, yn enwedig yn ystod beichiogrwydd, ac sy'n aml yn dioddef llawer o'r herwydd. Symudwch eich cynhesrwydd, eich diolchgarwch a'ch tynerwch i'ch brest ac ardal eich calon, i'ch bronnau a'r newidiadau cymhleth a brofwyd ganddyn nhw wrth iddyn nhw wneud eu gorau wrth reoli, dechrau a rhoi'r gorau i gynhyrchu llaeth.

Nawr, dewch â'ch ymwybyddiaeth gynnes i'ch ysgwyddau, topiau'ch breichiau, eich penelinoedd, gwaelod eich breichiau a'ch arddyrnau. Cyflwynwch eich diolchgarwch i bopeth y mae'r rhannau hyn yn ei wneud i chi, gan gynnwys eu gallu i gryfhau er mwyn gallu cario babi sy'n mynd yn drymach ac yn drymach. Yna anadlwch ddiolchgarwch a chynhesrwydd ar gledrau eich dwylo a'ch bysedd.

Nesaf, cyflwynwch eich ymwybyddiaeth i gefn eich gwddf, eich corun ac yna'ch wyneb a'ch gên. Gadewch i'ch wyneb feddalu o amgylch yr ên, y tafod, y talcen a'r llygaid. Teimlwch dymheredd yr aer ar eich wyneb.

Nawr, cyflwynwch eich ymwybyddiaeth i'ch corff cyfan, gan anadlu'ch cynhesrwydd, eich diolchgarwch a'ch tynerwch o amgylch y cyfan.

Dewch â'ch ymwybyddiaeth yn ôl i'ch anadl am ennyd, yna dechreuwch symud bysedd eich traed a'ch bysedd yn ysgafn, yna ymestyn eich corff cyfan yn dyner. Os ydych chi'n gorwedd, rholiwch ar un ochr a gwthio eich hun i fyny'n ysgafn ac yn araf nes eich bod yn eistedd. Yna, pan fyddwch chi'n barod, safwch ar eich traed yn araf.

Ymwybyddiaeth ofalgar i emosiynau

Cymhariaeth sydd weithiau'n cael ei defnyddio ar gyfer yr ymarfer hwn yw dychmygu hen ddyn Tsieineaidd yn eistedd â'i goesau wedi'u croesi ar glustog myfyrio yn ei ardd. Mae'n ysmygu ei getyn ac yn myfyrio'n dawel pan ddaw aderyn heibio a glanio ar ei ysgwydd. Mae'n sylwi arno ac yna'n hoelio'i sylw yn ôl ar ei getyn eto. Daw criw o blant i chwarae yn yr ardd. Maen nhw'n gweiddi ac yn chwerthin ac yn chwarae eu gemau, ond mae yntau'n dal i eistedd yn dawel. Mae'n eistedd yno yn y glaw a'r haul a'r gwynt.

Ein hemosiynau ni yw'r plant, yr aderyn a'r tywydd, â'r hen ddyn yn ysmygu'i getyn yn cynrychioli ein safbwynt ni mewn perthynas â nhw. Rydyn ni'n ceisio peidio â barnu ein hemosiynau na chael ein clymu'n ormodol i ymateb iddyn nhw, dim ond sylwi arnyn nhw wrth iddyn nhw basio heibio. Nid ein hemosiynau ydyn ni. Dim ond 'ymwelwyr dros dro â'r ardd' ydyn nhw.

Dydy'r hen ddyn ddim yn ceisio gafael yn yr emosiynau dymunol a'u cadw, na gwthio'r emosiynau annymunol ymaith; mae'n gadael i bob un ohonyn nhw fynd a dod. Mae hyn yn anodd ei wneud, oherwydd mae ein hemosiynau wedi'u cynllunio i wneud inni weithredu. Gydag ymarfer, fodd bynnag, mae'n bosib i ni ddysgu creu bwlch rhwng dod yn ymwybodol o'n hemosiynau ac ymateb iddyn nhw. Mae hynny wedyn yn caniatáu lle i ni allu symud i feddylfryd gwahanol, fel ein bod ni'n gallu ymateb yn ddoethach ac yn fwy medrus yn hytrach nag mewn ffordd hollol adweithiol, ac o bosib anfedrus ac annoeth.

Rydyn ni hefyd yn gallu bod yn ymwybodol o nodweddion emosiynau: sut maen nhw'n ymddangos, yn cynyddu, yn cyrraedd uchafbwynt ac yna'n pylu'n ddim. Mae pob emosiwn, dymunol neu annymunol, yn mynd a dod, yn codi ac yn gostwng, ac mae'n bosib i ni ddysgu sut i 'syrffio' arnyn nhw. Dychmygwch wylio gwylanod ar wyneb y môr, yn codi ac yn gostwng wrth i'r tonnau fynd a dod. Dydyn nhw ddim yn gwrthsefyll y tonnau o gwbl, dim ond yn symud gyda nhw wrth iddyn nhw godi a disgyn. Dyma'r berthynas rydyn ni'n ei meithrin tuag at ein hemosiynau mewn ymwybyddiaeth ofalgar: caniatáu iddyn nhw ymddangos, codi i uchafbwynt ac yna pylu unwaith eto.

Ymarfer: Ymwybyddiaeth ofalgar i emosiynau

Rydyn ni'n mynd i ddechrau drwy eistedd ag osgo effro, urddasol, â'n traed yn fflat ar y llawr. Caewch neu hanner cau eich llygaid, a gadewch i'ch anadlu setlo. Nawr rydyn ni'n mynd i dynnu ein sylw at ein teimladau cyfredol drwy sganio ein corff, gan gynnwys ein brest, stumog, wyneb, breichiau, coesau a dwylo a sylwi ar y patrymau teimladau penodol a ddaw yn sgil pob emosiwn. Dim ond sylwi ar y teimladau rydyn ni'n ei wneud, heb geisio'u newid mewn unrhyw ffordd.

Gallwn hefyd arbrofi â chyflwyno gwahanol emosiynau yn fwriadol i weld eu heffaith ar ein corff. Yn gyntaf, rhaid meddwl am atgof o adeg pan oedden ni'n teimlo fymryn yn orbryderus. Sut mae hynny'n teimlo yn y corff? Pa deimladau yn y corff sy'n arwydd ein bod ni fymryn yn orbryderus? Tensiwn yn y breichiau a'r cluniau, efallai, curiad y galon yn cynyddu, anadlu cyflymach, y croen ychydig yn llaith.

Yna meddyliwch am atgof dymunol a sylwi sut mae hynny'n teimlo yn y corff. Mae'n bosib y cewch ymdeimlad cynnes a phinnau bach yn eich brest, y cyhyrau'n ymlacio, gwên ar eich wyneb, teimlad o'r corff yn agor allan yn hytrach na chyfangu.

Rydyn ni felly'n dysgu arsylwi ar y gwahanol emosiynau fel patrymau gwahanol o deimladau corfforol sy'n llifo drwy ein corff, yn adeiladu, yn cyrraedd uchafbwynt ac yna'n pylu, yn union fel ton ar y môr.

Ymwybyddiaeth ofalgar i feddyliau

Mae ein meddyliau yn sbardunau grymus iawn i'n hemosiynau a'n hymddygiad. Os ydyn ni'n dychmygu cael ein hanwybyddu ar y stryd gan rywun rydyn ni'n ei adnabod, mae'n bosib y byddwn ni'n meddwl, 'Mae hi wedi anghofio'i sbectol eto.' Gallai hyn wneud i ni chwerthin wrthym ein hunain cyn galw arni'n serchog, neu gallai beri i ni feddwl, 'Tybed beth ydw i wedi'i wneud iddi sy'n achosi iddi hi fy anwybyddu?' Mae hynny'n gwneud i ni deimlo'n wahanol iawn, ac mae'n bosib y byddwn ni'n rhoi ein pen i lawr a cheisio cyrraedd adref cyn gynted ag y gallwn ni. Rydyn ni'n cael ein sgubo ymaith gan ein meddyliau, o un meddwl i un arall, ac un arall eto, fel disgyn i afon. Fodd bynnag, yn union fel synau neu deimladau corfforol, rydyn ni hefyd yn gallu craffu ar ein meddyliau fel dim byd mwy na gweithgaredd meddyliol sy'n ffurfio ac yna'n diflannu eto. Mae hwn yn ymarfer pwerus iawn i'w wneud, gan ei fod yn caniatáu i ni ddatgysylltu'n hunain oddi wrth ein meddyliau, fel nad ydyn ni'n cael ein clymu wrth ein hymateb iddyn nhw. Er hynny, mae'n beth anodd iawn i'w wneud oherwydd ein bod mor gyfarwydd â'n meddyliau, ac mae'n gallu bod yn anodd camu'n ôl oddi wrthyn nhw. Mae'n gofyn am gryn dipyn o ymarfer, ac mae'n hynod o hawdd canfod ein bod wedi llithro o lan yr afon, lle roedden ni'n craffu ar ein meddyliau'n ymddangos a diflannu fel trobyllau, ac wedi disgyn i'r dŵr a chael ein sgubo ymaith unwaith eto. Fodd bynnag, mae'n ymarfer mor fuddiol fel ei bod yn werth dal ati a throi'n ôl ato dro ar ôl tro.

Ymarfer: Ymwybyddiaeth ofalgar i feddyliau

- Eisteddwch ag osgo effro, urddasol ond wedi ymlacio. Caewch neu hanner cau eich llygaid.
- Gadewch i'ch sylw setlo ar eich anadl.
- Dychmygwch eich bod yn eistedd wrth nant neu'n sefyll ar bont yn gwylio'r nant yn llifo oddi tani.

- Sylwch ar y coed, naws yr awyr, unrhyw synau, unrhyw arogleuon.

- Trowch eich sylw at y meddyliau niferus sy'n codi ac yn pylu yn eich meddwl.

- Dychmygwch 'ddal' pob meddwl ac yna sylwi arno'n ymddangos ar ddeilen sy'n nofio ar wyneb y dŵr cyn diflannu gyda'r llif.

- Dychmygwch y meddwl nesaf yn ymddangos ar ddeilen arall, sy'n arnofio gyda'r llif.

- Os ydych chi'n credu nad oes gennych chi unrhyw feddyliau, sylwch fod hynny'n un ynddo'i hun, a gwyliwch wrth iddo ddiflannu ar ddeilen gyda'r llif.

- Fel arall, dychmygwch wylio trobyllau yn y dŵr, yna dychmygwch nhw'n ffurfio meddyliau, sy'n ymddangos am eiliad ac yna'n diflannu eto.

Mae'r ymarfer hwn yn rhoi ychydig o fwlch rhyngon ni a'n meddyliau. Maen nhw'n mynd yn llai grymus ac emosiynol. Rydyn ni hefyd yn dod yn ymwybodol faint yn union o feddyliau sy'n mynd drwy ein pennau, a bod pob un yn gallu denu ymateb corfforol eithaf cryf. Os ydyn ni'n gollwng gafael arnyn nhw, maen nhw'n mynd a dod heb ein tynnu ni i bob cyfeiriad.

Ffordd arall o ystyried meddyliau yw dychmygu ein meddwl fel awyr las glir, fel rydyn ni wedi'i wneud yn barod. Meddyliau yw'r cymylau sy'n treiglo ar draws yr awyr. Mae rhai yn ysgafn a brau, eraill yn llwyd a sylweddol, eraill wedyn yn ddu a tharanllyd. Ond mae pob un ohonyn nhw'n treiglo ar draws awyr las glir ein meddwl.

Ffordd arall hyfryd o ystyried meddyliau yw eu dychmygu fel pe baen nhw wedi'u hysgrifennu ar ddŵr gyda ffon. Maen nhw'n ffurfio ac yna'n diflannu'n syth bìn.

Ymwybyddiaeth ofalgar 'wrth fynd a dod'

Ymarfer: Bwyta fel babi

Pan fyddwch chi ar fin bwyta neu yfed rhywbeth, dychmygwch eich bod chi'n fabi nad yw erioed wedi blasu'r bwyd neu'r ddiod o'r blaen. Ydych chi'n gallu mynd i'r fath gyflwr o ryfeddod a chwilfrydedd? Yn wahanol i fabi, fe allwch chi fod yn ymwybodol o'ch rhyfeddod a'ch chwilfrydedd a sylwi ar eich ymatebion, eich meddyliau a'ch teimladau. Pan fyddwn ni'n cyflwyno bwydydd newydd i'n babi, fe allwn ni gyflwyno ein hymwybod gofalgar i ymwybod ein babi, a sylwi sut mae ein babi'n defnyddio pob un o'i synhwyrau i archwilio'r bwyd newydd hwn.

Ymarfer: Ymwybyddiaeth ofalgar i'r golchi llestri

Mae hon yn ffordd dda o greu ymarfer ymwybyddiaeth ofalgar heb orfod neilltuo amser penodol ar gyfer hynny. Pwy a ŵyr, os ydych chi'n casáu golchi llestri neu'n ddig eich bod yn gorfod eu golchi, fe allai hyd yn oed droi rhywbeth annymunol yn rhywbeth rydych chi'n edrych ymlaen at ei wneud! Dewiswch sebon golchi llestri sy'n gwneud i chi deimlo'n dawel ac yn gysurlon pan fyddwch chi'n ei arogli neu'n edrych ar ei liw.

- Dechreuwch drwy gymryd ambell anadl hir, araf.

- Wrth i chi redeg y dŵr, sylwch ar batrymau'r dŵr yn y bowlen.

- Gwasgwch ychydig o sebon golchi llestri yn y bowlen a sylwi ar lif yr hylif.

- Sylwch ar effaith y sebon golchi sebon llestri yn cymysgu â'r dŵr.

- Craffwch ar y swigod sy'n ffurfio.

- Anadlwch yr arogl a sylwi sut mae'n gwneud i chi deimlo y tu mewn.

- Gwrandewch ar sŵn y dŵr yn llenwi'r bowlen.

- Sylwch ar unrhyw flas yn eich ceg.

- Rhowch eich dwylo yn y dŵr yn araf bach a dewch yn ymwybodol o naws y dŵr cynnes sy'n eu gorchuddio.

- Sylwch ar deimlad y plât neu'r cwpan yn erbyn eich llaw, a theimlad y cadach golchi llestri yn y llaw arall.

- Golchwch bob eitem, gan sylwi'n ymwybyddol ofalgar ar bob un yn dod yn lân.

- Sylwch ar y dŵr a'r swigod yn disgyn yn araf wrth i chi roi'r eitem ar y bwrdd draenio.

Gallwn roi cynnig ar hyn gydag unrhyw weithgaredd a wnawn, fel y byddwn yn hollol bresennol yn yr ennyd, er enghraifft glanhau ein dannedd, gwneud paned, newid y babi, tynnu dillad gwlyb allan o'r peiriant golchi ac ati.

Ymarfer: Cerdded yn ymwybyddol ofalgar gyda'r bygi

Mae hwn yn ymarfer da i'w wneud, yn enwedig pan mae'n anodd dod o hyd i'r amser i ymarfer ymwybyddiaeth ofalgar.

- Anadlwch yn hir ac yn araf am ychydig.

- Teimlwch eich dwylo yn erbyn yr handlen a'r teimlad o wrthiant yn eich breichiau wrth i chi wthio.

- Sylwch ar deimlad eich traed yn cyffwrdd â'r ddaear ac yna'n codi a gadael y ddaear.

- Hoeliwch eich sylw ar y teimladau yn hanner isaf a hanner uchaf eich coesau wrth iddyn nhw symud.

- Nesaf, anelwch sbotolau eich sylw ar eich synhwyrau.

- Sylwch ar yr hyn welwch chi o'ch cwmpas – ceisiwch ganolbwyntio ar flodyn neu ddeilen unigol, efallai, ac yna ehangu'ch sylw i gynnwys popeth a welwch.

- Nawr canolbwyntiwch ar yr hyn rydych chi'n ei glywed. Gadewch i'r synau dreiglo'n ddiymdrech i'ch clustiau.

- Trowch eich sylw at arogleuon ac yna at flasau.

- Cyflwynwch y sylw ymwybyddol ofalgar hwn i'ch babi, gan nodi'r hyn rydych chi'n ei weld a'i deimlo heb farnu o gwbl.

Crynodeb

Er mwyn gallu symud i'n meddwl tosturiol, mae'n rhaid i ni'n gyntaf fod yn ymwybodol pan nad ydyn ni ynddo. Dydy hyn ddim yn hawdd oherwydd bod dyluniad ein meddwl yn golygu ei bod yn hawdd syrthio i grafangau ein meddwl bygythiol. Mae ymwybyddiaeth ofalgar yn sgìl sydd, drwy ymarfer, yn ein galluogi i sylwi pan mae'n meddwl bygythiol ni ar waith, fel y gallwn wneud dewis ynglŷn â'r ffordd rydyn ni'n uniaethu â'r meddwl hwn ac a ydyn ni am symud ein sylw i'n meddwl tosturiol ai peidio.

14 Paratoi'r meddwl tosturiol: Ysgogi'r system leddfu

Symud o'n meddwl bygythiol i'n meddwl tosturiol: y pum carreg gamu

Erbyn hyn, mae'n debyg y byddwch wedi sylwi pa mor hawdd yw hi i'r system fygythiad gymryd yr awenau. Does dim angen i ni ymarfer hynny o gwbl. Fodd bynnag, mae'n gallu cymryd ymdrech ymwybodol i symud o'n meddwl bygythiol i'n meddwl tosturiol. Rydyn ni'n gwneud hynny drwy 'bontio' o'r system fygythiad i'r system leddfu. Mae'r canlynol yn gasgliad o dechnegau sy'n helpu i fynd â ni o un cyflwr ffisiolegol i'r llall, fel pont neu gyfres o gerrig camu. Mae pum techneg graidd i wneud hyn:

1. Osgo corff cryf a hyderus.

2. Anadlu allan yn hir ac yn araf.

3. Ymwybyddiaeth ofalgar – meddwl ymwybodol ond heb farnu. Gellir cofio'r tair techneg hyn gyda'r ymadrodd 'corff fel mynydd, anadl fel y gwynt, meddwl fel yr awyr'.

4. Mynegiant wyneb caredig a chynnes.

5. Llais caredig a chynnes.

Mae'r tair techneg gyntaf – osgo'r corff, anadlu ac ymwybyddiaeth ofalgar – yn helpu'r corff a'r meddwl i fod yn fwy cadarn, sefydlog a chlir, gan ein galluogi ni i ddod yn ymwybodol o'r hyn sy'n digwydd oddi mewn i ni. Maen nhw hefyd yn ein symud o'r system nerfol sympathetig, sy'n ymwneud ag ysgogiad ac egni'r system gymell ac ymateb ffoi/dychryn y system fygythiad, i'r system nerfol barasympathetig, sy'n ymwneud â thawelu curiad y galon, gorffwys, adferiad ac ymdeimlad ffisiolegol o ddiogelwch.

Mae'r technegau yn ein rhoi yn y cyflwr gorau posib i allu ysgogi ein meddwl tosturiol. Byddwn wedyn yn dechrau ysgogi ein system dosturiol o ddifrif drwy ddod â mynegiant cynnes a chyfeillgar i'n hwyneb a dychmygu clywed llais cynnes a chyfeillgar yn siarad â ni. Mae rhan o'n system nerfol barasympathetig yn cysylltu cyhyrau sy'n rhan o wenu (yn enwedig y rhai o gwmpas y llygaid), a'r glust ganol, â'n calon ac â'n horganau mewnol uwchben ein llengig. Pan fyddwn yn gwenu ac yn defnyddio llais cyfeillgar, neu'n sylwi ar hynny mewn pobl eraill, rydyn ni'n profi ymdeimlad o 'gynhesrwydd' a diogelwch yn ein corff, ac mae curiad ein calon yn cael ei leddfu.

Weithiau, cyfeirir at y system ffisiolegol benodol hon fel 'y system ymgysylltu cymdeithasol'[1] ac mae'n dangos i ba raddau rydyn ni wedi datblygu i fod yn greaduriaid hynod gymdeithasol. Byddwn yn defnyddio'r wybodaeth hon am rym wyneb a llais caredig wrth ein rheoli'n ffisiolegol mewn llawer o'r ymarfcrion meddwl tosturiol.

Trwy ddefnyddio'r pum techneg hyn, rydyn ni'n rhoi'r cyfle gorau i ni'n hunain i ennyn ymateb tosturiol tuag atom ein hunain a thuag at bobl eraill.

1. Ymgorfforiad: newid osgo eich corff i newid eich meddwl

Mae'r ffordd rydyn ni'n ein dal ein hunain yn effeithio ar y ffordd rydyn ni'n teimlo ac yn meddwl, ac ar ein ffisioleg. Rydyn ni'n gwybod hyn yn reddfol. Dychmygwch fod yn rhaid i chi wneud galwad ffôn anodd, efallai i ddatrys camgymeriad mewn bil. A fyddech chi'n gwneud yr alwad yn gorwedd ar y soffa, yn eistedd ar gadair neu'n sefyll ar eich traed? Er na all y person yn y pen arall eich gweld chi, rydyn ni'n gwybod ein bod ni'n teimlo'n wahanol yn ôl ein hosgo, ac o ganlyniad yn creu argraff wahanol hefyd.

> *Mae newid osgo ein corff yn newid sut rydyn ni'n teimlo.*

Os ydyn ni'n sefyll neu'n eistedd ag osgo mwy talsyth a hyderus, mae ymchwil wedi canfod bod gennym ni fwy o egni, a'n bod ni'n llai tebygol o deimlo'n isel. Mae'r osgo corff hwn hefyd yn codi ein lefelau testosteron ac yn gostwng ein lefelau cortisol, felly rydyn ni'n teimlo'n fwy hyderus a thawelach ein meddwl.[2,3] Pan fyddwn ni'n crymu neu'n cywasgu ein corff, yn gostwng ein pen, yn cyrlio'n belen, ac yn plethu ein breichiau neu'n croesi ein coesau, rydyn ni'n mabwysiadu osgo 'ymostyngol'. Mae hyn i'w weld mewn anifeiliaid. Oherwydd ein bod wedi mabwysiadu osgo ymostyngol, rydyn ni'n anfon neges i'n hymennydd ein bod ni mewn perygl o ddioddef ymosodiad posib gan berson cryfach, hyd yn oed os nad yw hynny'n wir o gwbl. O ganlyniad, mae ein corff yn teimlo dan fygythiad ac mae ein meddyliau a'n hymddygiad yn canolbwyntio ar fygythiad hefyd. Ar y llaw arall, drwy eistedd neu sefyll mewn ffordd hyderus ond ymlaciol, rydyn ni'n anfon arwydd i'n hymennydd nad oes bygythiad a'n bod ni'n ddiogel. Mae ein corff yn ymlacio o'r herwydd, ac mae ein meddyliau'n dod yn fwy optimistaidd.

Pan ddechreuwn ni unrhyw un o'r ymarferion, rydyn ni'n symud ein corff i osgo sy'n ymgysylltu â'r systemau ffisiolegol sydd fwyaf tebygol o'n helpu i deimlo tosturi tuag atom ein hunain ac at eraill. Gan fod tosturi yn gofyn am gryfder a dewrder, mae'r osgo yn un o gryfder, dewrder a hyder ond hefyd o fod yn agored ac yn barod i dderbyn. Felly, hyd yn oed os nad ydyn ni'n teimlo fel hyn, neu'n credu bod y rhain yn rhinweddau sydd gennym ni, gallwn newid osgo ein corff i gynyddu'r siawns o deimlo fymryn yn fwy fel hynny.

Mae'n rhaid peidio ag anghofio y gallai osgo hyderus fod wedi arwain at fygythiad pan oedd rhai ohonon ni'n blant, felly byddai osgo cywasgedig, â'r pen i lawr a'r corff yn troi i mewn arno'i hun, wedi bod yn amddiffynnol ar y pryd. Fel gyda'r holl ymarferion, felly, mae angen i ni fod yn araf ac yn addfwyn, gan ddal gafael ar ein bwriad a'r person y dymunwn fod, ond gan barchu ar yr un pryd y strategaethau mae ein corff wedi'u mabwysiadu i gadw'n ddiogel rhag bygythiad, yn aml heb i ni fod yn ymwybodol ohonyn nhw. Gallwn felly symud ein corff yn araf ac yn addfwyn i osgo mwy agored a hyderus, ond gan ei gadw mewn safle sy'n teimlo'n ddiogel yn hytrach nag yn llethol. Gallwn wedyn arbrofi â'r osgo mwy hyderus ac agored hwn yn ein hymwneud â'r byd o'n cwmpas a gweld beth sy'n digwydd. Unwaith y byddwn ni'n darganfod, yn gyntaf, nad yw'n ein gwneud ni'n llai diogel, ac yn ail, y gallai ddod â buddion i ni o ran sut rydyn ni'n uniaethu ag eraill a sut maen nhw'n uniaethu â ni, fe fyddwn ni'n teimlo ein bod ni'n cael ein hannog i ddal ati gyda'r newidiadau hyn.

Felly sut rydyn ni'n dod o hyd i'r osgo ar gyfer ein hunan tosturiol? Gall yr arbrawf canlynol fod yn ddefnyddiol yn hynny o beth:

Arbrawf: *Dod o hyd i osgo tosturiol*

Dychmygwch sefyll, â'ch traed gyda'i gilydd. Bydd hyn yn gweithio'n well os gwnewch hynny go iawn, oherwydd gallwch chi deimlo'r safle yn eich corff. Nawr, dychmygwch fod rhywun yn eich gwthio yn ysgafn. Rydych chi'n debygol o siglo'n ôl a 'mlaen a cholli'ch cydbwysedd os cewch eich gwthio wrth sefyll fel hyn. Nawr, newidiwch eich osgo fel y byddwn yn siglo ychydig os cewch eich gwthio'n ysgafn eto, ond na fyddwch yn disgyn. Sylwch ar osgo greddfol eich corff nawr; mae'n debygol y bydd eich traed tua lled clun ar wahân a'ch pengliniau wedi'u plygu ychydig, eich ysgwyddau i lawr ac yn agored, eich pen i fyny, eich llygaid yn edrych ymlaen a'ch pwysau'n gwasgaru drwy'ch pen, y gwddf, ar hyd eich asgwrn cefn a thrwy'ch coesau i mewn i'r llawr. Mae'ch traed yn teimlo fel pe baen nhw wedi'u hangori i'r llawr fel gwreiddiau coeden yn y ddaear.

Nawr, wrth gadw'r osgo hyderus a chryf hwn (a elwir weithiau yn osgo 'urddasol'), eisteddwch i lawr â'ch pen-ôl wrth gefn y sedd a gwaelod eich asgwrn cefn yn gorffwys yn erbyn cefn y gadair. Gwnewch yn siŵr fod eich ysgwyddau i lawr ac yn agored a bod eich asgwrn cefn yn syth ond ddim yn rhy dynn. Mae'ch llygaid yn edrych yn syth ymlaen, yn hytrach nag i lawr neu i fyny, ac mae pwysau eich pen yn cael ei gynnal gan eich asgwrn cefn syth. Gorffwyswch eich dwylo ar eich glin. Gallwch eu gosod â'r cledrau am i fyny, os dymunwch. Ceisiwch arbrofi gyda gosod eich llaw dde'n wynebu am i fyny yn eich llaw chwith, sydd hefyd yn wynebu am i fyny, a'r bodiau'n cyffwrdd yn ysgafn. Meddalwch eich gên a'ch wyneb. Mae'n bosib y byddwch yn sylwi ar ymdeimlad o drymder, cadernid a llonyddwch wrth i chi eistedd yn yr osgo hwn.

Byddwn yn defnyddio'r osgo hwn i ddechrau'r holl ymarferion meddwl tosturiol. Mae'n bwysig ar gyfer ymarferion meddwl tosturiol, yn enwedig os ydyn ni'n poeni am deimlo'n agored i niwed neu os oes gennym ni dueddiad i 'grwydro ymaith' a cholli ein hunain pan fyddwn yn cau ein llygaid. Mae hefyd yn ein helpu i deimlo yn ein cyrff nad peth 'meddal a gwlanog' yw tosturi, ond yn hytrach safbwynt o ddewrder cryf, urddasol a thawel hyderus. Mae'n bosib na fyddwn yn teimlo ein bod yn meddu ar y rhinweddau hyn, ond rydyn ni'n dangos penderfyniad i ddechrau ceisio tyfu ychydig mwy o hyn ynom ein hunain fel ein bod ni'n gallu helpu ein hunain (ac eraill) drwy gyfnodau anodd.

Gall y technegau 'actio method' a ddefnyddir gan actorion i'w helpu i actio cymeriad sy'n wahanol iddyn nhw eu hunain fod yn dechneg ddefnyddiol iawn, yn enwedig os yw'n anodd dychmygu'n union sut mae bod yn dosturiol yn 'edrych'. Mae actorion yn ymchwilio'n fanwl iawn i'w cymeriad, yn cynnwys y llais, mynegiant yr wyneb, y dillad maen nhw'n eu gwisgo, sut maen nhw'n cynnal eu corff, sut maen nhw'n symud, sut maen nhw'n rhyngweithio ag eraill. Maen nhw wedyn yn trawsnewid i 'fod' y person hwnnw, hyd yn oed os ydyn nhw fel rheol yn wahanol iawn i'r person maen nhw'n ei bortreadu.

Dyma'n union wnawn ni yma: ymddwyn 'fel petaen ni' yn dosturiol, hyd yn oed os nad ydyn ni'n teimlo fel hynny eto. Ffugio nes llwyddo, mewn ffordd, yw cynsail yr hyn rydyn ni'n ei wneud yma.

Nawr, ar ôl i ni eistedd â'r osgo talsyth, 'urddasol' hwn â'n traed yn gadarn ar y llawr, rydyn ni'n mynd i symud ein sylw at fath penodol o anadlu o'r enw 'rhythm anadlu lleddfol':[4]

2. Rhythm anadlu lleddfol

Mae gan rythm anadlu lleddfol lawer o swyddogaethau, ond, yn bennaf mae'n darparu sylfaen sydd o gymorth i'r holl ymarferion eraill. Mae fel pâr cryf o freichiau sy'n gafael ynom ni ac yn ein helpu drwy gyfnodau anodd. Mae'n arfer grymus ynddo'i hun, yn enwedig pan fyddwn ni'n teimlo wedi 'cynhyrfu' a bod angen i ni dawelu neu feddwl yn gliriach, neu pan fydd angen i ni ymdopi â rhyw brofiad anodd. Yn ogystal, mae ein hanadl yn rhywbeth sydd gyda ni bob amser, felly os gallwn ni ddysgu sut i'w recriwtio i'n helpu ni, mae'n cynnig ffynhonnell rymus o gymorth sydd bob amser ar gael.

> ### Ymarfer: Rhythm anadlu lleddfol
>
> Ar ôl i ni eistedd yn gryf, yn gadarn ac yn urddasol (gweler yr ymarfer diwethaf), â'n traed yn gadarn ar lawr led clun ar wahân, dwylo'n gorffwys ar ein pengliniau, cledrau am i fyny os dymunwn, a'r pen yn dalsyth ac yn wynebu ymlaen, rydyn ni'n cau ein llygaid yn dyner. Gan gofio am ein sylw fel golau fflachlamp, rydyn ni'n tywynnu'r golau ar ein hanadl. Sylwch ar y teimladau wrth anadlu i mewn, y saib bach yn ein hanadl, ac yna'r teimladau o anadlu allan. Sylwch gydag ymwybyddiaeth chwilfrydig a chynhesrwydd, yn union fel petaech chi'n gwylio babi neu anifail ifanc yn cysgu. Wrth i'ch meddwl grwydro, fel y bydd yn naturiol lawer gwaith, dychwelwch yn dyner i sylwi ar eich anadl. Dyma'r ymarfer ymwybyddiaeth ofalgar i'r anadl ym Mhennod 13. Ceisiwch ddilyn tri anadliad llawn i mewn ac allan.
>
> Nawr, yn hytrach na gwylio ein hanadl yn ymwybyddol ofalgar, rydyn ni'n fwriadol yn mynd i newid rhythm ein hanadlu i rythm arbennig o lyfn. Rydyn ni'n mynd i droi ein sylw at greu rhythm rhwng yr anadl i mewn a'r anadl allan.
>
> Pan fydd ein system fygythiad ar waith, mae ein hanadlu'n gallu mynd yn gyflym ac yn fas. Mae'r ffocws ar yr anadl i mewn, sy'n helpu i baratoi ein corff ar gyfer gweithredu. Ystyriwch beth sy'n digwydd pan ydyn ni newydd oroesi rhyw anhawster; rydyn ni'n aml yn rhoi 'ochenaid o ryddhad'. Yr anadl

hir, araf hon yw'r system gyferbyniol i'r system ymladd neu ffoi; dyma'r 'system gorffwys a threulio' barasympathetig sy'n gysylltiedig â'r system leddfu. Felly mae anadl hir ac araf yn ein tawelu, ein setlo a'n gwneud ni'n gadarnach, a gall ein helpu i aros yn y cyflwr hwnnw drwy sefyllfaoedd anodd.

Dychmygwch lun plentyn o don o ddŵr â'r 'fyny' a'r 'lawr' yr un uchder. Nawr dychmygwch animeiddiad o bêl yn rholio i fyny ac i lawr, gan ddilyn llinell y don. Rydyn ni'n mynd i ddilyn hyn â'n hanadl, felly rydyn ni'n paru ein hanadl i mewn â'n hanadl allan. Rydyn ni'n ceisio cyrraedd rhythm cyfrif rhwng pedwar a phump wrth i ni anadlu i mewn, ac yna'r un fath wrth i ni anadlu allan. Gall fod yn haws dechrau gydag anadlu i mewn ac allan am gyfrif o ddau. Yna, dros amser, cynyddwch hyn i gyfrif o dri, yna pedwar, yna i bump os yw hynny'n gyfforddus i chi.

Mae Stephen Elliott wedi ymchwilio i ffisioleg anadlu ac wedi disgrifio'r hyn y mae wedi'i alw'n 'anadlu cydlynol'. Mae'n egluro hyn ymhellach ar ei wefan, coherence.com. Mae anadlu cydlynol yn digwydd pan fydd y corff yn gweithio ar ei fwyaf effeithlon – pan fyddwn ni'n anadlu ar gyfradd o bum anadl y funud â'r anadl i mewn a'r anadl allan yn gyfartal o ran hyd. Pan fyddwch chi'n gallu dod o hyd i'r rhythm hwn, mae'n bosib y byddwch yn sylwi ar deimlad dwfn o dawelwch a llonyddwch.

Llyfr pwysig sy'n esbonio'r wyddoniaeth y tu ôl i ddod o hyd i'r rhythm anadlu lleddfol gorau posib yw *The Healing Power of the Breath: Simple Techniques to Reduce Stress and Anxiety, Enhance Concentration, and Balance Your Emotions* gan Richard P. Brown a Patricia Gerbarg.[5] Mae hefyd yn cynnwys CD sy'n eich tywys drwy'r broses o ddysgu anadlu cydlynol.

Os ydych chi'n cael anhawster gyda'r cyfrif, canolbwyntiwch ar ymestyn yr anadl am y tro. Ffordd ddefnyddiol o feddwl am hyn yw dychmygu bod gennych wydraid llawn o ysgytlaeth. Eich tasg chi yw creu swigod ynddo drwy chwythu drwy welltyn. Os ydych chi'n chwythu'n rhy gyflym, mae'r hylif yn neidio allan o'r gwydr. Os ydych chi'n chwythu'n rhy ysgafn, does dim swigod yn ymddangos. Y nod, felly, yw dod o hyd i anadl allan ysgafn a hir.

Mae ymestyn ein hanadl allan yn ein tawelu.

Wrth i'ch anadl allan ymestyn, mae'n bosib y byddwch chi'n sylwi bod eich corff yn dechrau teimlo ychydig yn drymach ac yn gadarnach a mwy sefydlog. Ar ôl ychydig, efallai y byddwch hefyd yn sylwi bod eich corff wedi dechrau dod o hyd i'w rythm lleddfol ei hun.

Er bod anadlu fel hyn yn gallu swnio'n hawdd, mae llawer o bobl yn ei chael hi'n anodd ar y dechrau. Gallwn ddod â chryn ymdrech a hunanfeirniadaeth i'r broses, o ran ceisio'i gwneud yn 'iawn', sy'n gyflwr hollol groes i'r cyflwr tawel, cadarn rydyn ni'n anelu ato. Mae ein hanadlu wedyn yn newid i fod yn gyflym eto, a gall hynny wneud i ni deimlo'n chwil neu'n benysgafn. Anadlu tyner ac araf iawn yw'r nod, yn hytrach nag anadliadau dwfn i mewn ac anadliadau sylweddol allan. Mae angen i'r anadl allan fod mor dyner â hyn: dychmygwch fod cannwyll o'ch blaen a'ch nod yw creu'r cryndod ysgafnaf posib yn y fflam gyda phob anadl.

Gallai rhoi eich dwylo ar eich stumog â blaenau'ch bysedd yn cyffwrdd ei gilydd fod o help. Symudwch eich sylw am ychydig o'ch anadl i'ch dwylo'n symud ar wahân ac yna'n agosach gyda phob anadl, gan deimlo rhythm ysgafn pob anadl yn eich corff. Os yw hyn yn dal i deimlo'n anodd, trowch eich sylw at wadnau eich traed yn cyffwrdd â'r llawr, a'ch corff yn cyffwrdd â'r gadair. Canolbwyntiwch ar gadernid y llawr a'r gadair sy'n eich cynnal. Daliwch ati i ddychwelyd at eich anadl pan allwch chi, oherwydd mae meistroli'r gallu i greu'r ymdeimlad mewnol hwn o deimlo'n sefydlog, yn llonydd ac yn ddigynnwrf drwy ddefnyddio'ch anadl yn dechneg rymus iawn i'w chael yn eich meddiant bob amser.

3. Ymwybyddiaeth ofalgar: sylw heb farnu

Dyma'r cyflwr o ymwybyddiaeth rydyn ni wedi'i ymarfer yn gynharach yn y llyfr.

Ymarfer: Ymwybyddiaeth ofalgar i'r anadl

Gan eistedd yn ein safle urddasol, talsyth â'n traed yn gadarn ac yn llonydd ar y llawr, ein llygaid ar gau neu'n lled-ganolbwyntio ar bwynt ychydig droedfeddi o'n blaenau, symudwch i ran arsylwi eich meddwl, fel petaech chi'n cymryd cam yn ôl o weithgaredd eich meddwl ac yn gwylio yn hytrach na chael eich clymu ynddo. Gan ddefnyddio cymhariaeth y meddwl fel yr awyr, rydyn ni'n ceisio symud i'r rhan 'awyr las', lle gallwn edrych ar ein meddyliau a'n teimladau fel pe baen nhw'n gymylau sy'n mynd heibio, yn hytrach na chael ein cario i ffwrdd gyda'r cymylau. Ein nod yw sylwi ar ein hanadl yn symud i mewn ac allan o'n corff â meddwl caredig, addfwyn, anfeirniadol. Fel angor i'n sylw, mae'n bosib y byddwn yn canolbwyntio ar flaen ein trwyn, neu ar ein dwylo ar ein stumog yn codi ac yn gostwng yn ysgafn. Wrth i'n meddwl gael ei glymu gan ein meddyliau, fel y bydd, yn anochel, rydyn ni'n llywio ein meddwl yn dyner yn ôl i sylwi ar ein hanadl.

4. Mynegiant wyneb caredig, cynnes

Yma, rydyn ni'n fwriadol yn ysgogi'r hyn y cyfeirir ati weithiau fel y 'system ymgysylltu cymdeithasol' (gweler uchod). Hon yw ein system hynod esblygedig ar gyfer canfod ac ymateb yn gyflym i ddiogelwch neu fygythiad yn wyneb a llais pobl eraill. Pan fyddwn yn canfod gwir barch neu garedigrwydd mewn eraill, mae hyn yn cael effaith ffisiolegol gyflym ar ein corff drwy dawelu cyfradd curiad ein calon. Fel y gwelwyd gyda'r ymarfer bwyta/ymennydd ym Mhennod 6 (Ffigur 6.2), dydy ein meddwl ni ddim yn gwahaniaethu rhwng rhywbeth sydd y tu allan i ni (er enghraifft, pryd bwyd go iawn) neu'r tu mewn i ni (pryd bwyd rydyn ni'n ei ddychmygu). Felly, pan fyddwn ni'n cyfeirio llais a mynegiant wyneb caredig tuag atom ein hunain, mae'n cael yr un effaith â derbyn yr un math o sylw cadarnhaol gan rywun arall.

Arbrawf: Wyneb niwtral, wyneb caredig

Yn eistedd yn ein safle cadarn, sefydlog â'n traed led clun ar wahân, ysgwyddau i lawr ac yn ôl, cymerwch dri anadl araf hir. Yna rhowch gynnig ar yr arbrawf hwn. Yn gyntaf, cyflwynwch fynegiant niwtral i'ch wyneb. Sylwch sut mae hyn yn teimlo yn eich corff. Yna cyflwynwch fynegiant addfwyn, cynnes a chyfeillgar, efallai drwy feddwl am atgof o adeg, neu efallai ffilm neu raglen deledu, a barodd i chi deimlo cyfeillgarwch cynnes. Sylwch sut mae hyn yn teimlo yn eich corff. Yna dychwelwch i fynegiant wyneb niwtral a sylwi sut mae hyn yn teimlo yn eich corff.

Rydyn ni'n reddfol yn teimlo'n ddiogel ac yn ddigynnwrf pan fyddwn ni'n gweld gwên ddiffuant, yn enwedig un sy'n crebachu corneli'r llygaid, hyd yn oed pan fyddwn yn gwenu arnon ni'n hunain. Mae'n ddigon posib y bydd yn teimlo'n od, ond ceisiwch ymarfer gyda'r wên dyner hon. Mae dod â gwên i'n hwyneb yn ein galluogi i ymdopi â sefyllfaoedd llawn straen yn well, hyd yn oed os nad ydyn ni'n teimlo'n hapus mewn gwirionedd.[6] Unwaith eto, rydyn ni'n ymarfer 'ffugio nes llwyddo'.

Mewn arbrofion, rydyn ni'n aml yn gweld wynebau niwtral fel rhai beirniadol neu elyniaethus. Felly, bydd ein hymateb i'n hwyneb niwtral ein hunain yn ymddangos fel petaen ni'n ymddwyn yn feirniadol tuag atom ein hunain. Fodd bynnag, mae wynebau caredig, cynnes sy'n gwenu yn cael effaith gadarnhaol gyflym a dramatig, p'un ai ein hwyneb ni neu wyneb rhywun arall sy'n gwenu.

Mae'n bosib y byddwn yn cael anhawster â'r ymarfer hwn os ydyn ni wedi cael y profiad o ymddiried yn rhywun a oedd yn ymddangos yn wirioneddol garedig ond eu bod wedyn wedi ein bradychu. Yn yr achos hwnnw, mae ein meddyliau'n gallu dehongli gwên fel rhywbeth bygythiol, boed honno'n wên gan rywun arall neu'n wên gennym ni ein hunain.

Y cam cyntaf i oresgyn hyn yw bod yn ymwybodol o'r cysylltiad rhwng gwên a theimlo'n anghyfforddus, ac yna cyflwyno caredigrwydd a derbyniad i'n hunain, gan gydnabod nad ein bai ni yw hyn. Wedyn, oherwydd ei bod hi mor bwysig gallu derbyn ein caredigrwydd ein hunain ac eraill, yn seicolegol ac yn gorfforol, gallwn fynd ati i ddefnyddio ein hunan tosturiol neu ddelwedd dosturiol (gweler Pennod 15) i'n dadsensiteiddio rhag bod ag ofn gwên. Rydyn ni'n gwneud hyn drwy ddwyn ein sylw yn fwriadol at wên garedig (ein gwên ni neu wên pobl eraill) a chyflwyno ein tosturi i unrhyw ofn sy'n codi. Dros amser, mae hyn wedyn yn creu cysylltiadau newydd o gynhesrwydd a charedigrwydd, yn hytrach nag ofn neu ddicter, pan fyddwn ni'n gweld gwên.

5. Llais caredig, cynnes

Mae'r system ymgysylltu cymdeithasol (rhan o'r system nerfol barasympathetig) yn cysylltu nid yn unig gyhyrau'r wyneb, ond hefyd y glust ganol, â'r galon. Pan fyddwn ni'n canfod cyweiriau uchaf llais dynol cadarnhaol, mae hyn yn arafu curiad ein calon ac rydyn ni'n teimlo'n dawelach. Unwaith eto, fel gyda'r wyneb, mae ein meddyliau'n canfod lleisiau allanol, a'r llais yn ein meddwl ein hunain. Gallwn arbrofi â hyn fel y gwnaethon ni gyda'r wyneb.

> ### Arbrawf: Llais niwtral, llais caredig
>
> Gydag osgo urddasol ac effro, y traed yn gadarn ar y llawr, gan anadlu'n ysgafn ac yn araf, ag ymwybod gofalgar, rydyn ni'n mynd i ddweud 'helô ...', wedi ei ddilyn gan ein henw ni, mewn llais niwtral, a sylwi sut mae hyn yn teimlo yn ein corff. Yna rydyn ni'n mynd i ddweud 'helô ...' a'n henw gyda naws o gynhesrwydd a charedigrwydd go iawn, a sylwi sut mae hynny'n teimlo yn ein corff.

Mewn ymarferion diweddarach, byddwn yn defnyddio ein hunan tosturiol i roi geiriau o ddealltwriaeth ac anogaeth i ni. Gall naws y llais a ddefnyddiwn tuag atom ein hunain wneud y gwahaniaeth rhwng clywed y geiriau fel dim byd ond ystrydebau diystyr sy'n 'golchi droson ni' a'u clywed fel geiriau gwir dwymgalon sy'n gallu creu profiad emosiynol oddi mewn i ni. Y profiad emosiynol hwn sy'n dechrau adeiladu atgofion o gael ein dal yn gadarnhaol a gyda chynhesrwydd, hyd yn oed os mai ein meddwl ein hunain sy'n gwneud hynny. Mae'r atgofion a'r profiadau emosiynol hyn yn creu gwir ymdeimlad o ddiogelwch ynom ni. Y rhain yw'r sylfaen ar gyfer datblygu tosturi tuag aton ni ein hunain ac eraill, ac ar gyfer ei dderbyn hefyd. Mae newid mor fach â 'chynhesu' naws y llais rydyn ni'n ei ddefnyddio tuag aton ni'n hunain yn llawer mwy grymus nag y bydden ni erioed wedi'i ddychmygu.

Bellach, rydyn ni'n gyfarwydd â'r pum ymarfer paratoadol sy'n ein helpu ni i bontio o'n system fygythiad i'n system leddfu/ymgysylltu. Byddwn nawr yn edrych ar ymarferion sydd wir yn adeiladu'r patrwm penodol oddi mewn i ni sy'n sail i'n meddwl tosturiol. Rydyn ni'n anelu at lunio'r hunan tosturiol i fod yn hunaniaeth i ni. Felly, yn hytrach na chael ein cymell i uniaethu â ni ein hunain ac eraill o gyflwr meddwl beirniadol, neu feddwl cystadleuol, rydyn ni'n anelu yn lle hynny at lunio meddwl sy'n ymwneud â ni ein hunain ac eraill â thosturi; gydag awydd i helpu, cefnogi, annog a llawenhau yn ein lles ein hunain ac eraill. Mae'r ymarferion nesaf hyn yn canolbwyntio ar helpu i greu'r hunaniaeth dosturiol hon.

15 Cryfhau'r meddwl tosturiol: Delweddau tosturiol

Yn gynharach yn y llyfr, fe gafwyd cyfle i edrych ar ddwy seicoleg tosturi. Mae agwedd gyntaf tosturi yn ymwneud â'r parodrwydd a'r gallu i droi tuag at ein dioddefaint ni ein hunain ac eraill. Dyma pam mae ymarferion ymwybyddiaeth ofalgar mor bwysig, oherwydd eu bod yn ein helpu i droi tuag at ein dioddefaint a gallu bod yn ymwybodol ohono drwy ei dderbyn yn gynnes. Maen nhw'n sylfaen ar gyfer datblygu tosturi. Fodd bynnag, does dim pwynt llamu i geisio mynd i'r afael â rhywbeth anodd heb y sgiliau i'n helpu i'w oresgyn. Efallai, er enghraifft, ein bod ni'n teimlo cymhelliant i neidio i fôr stormus i achub rhywun, ond dydy hynny ddim yn ddefnyddiol os nad oes gennym ni'r gallu i nofio, neu'r gallu i nofio'n ddigon cryf i achub yr unigolyn. O ganlyniad, mae ail agwedd tosturi yn ymwneud â datblygu'r sgiliau sydd eu hangen arnon ni i helpu ein hunain pan fyddwn ni'n cael trafferth, ac yna gallu defnyddio'r sgiliau hyn i helpu eraill hefyd.

Pan fyddwn ni'n wynebu anhawster sydd efallai'n peri gorbryder neu arswyd, gallwn fod yn fwy dewr os oes gennym rywun i helpu i'n tywys a'n cefnogi. Gallai'r anhawster fod yn rhywbeth y tu allan i ni, er enghraifft delio â sefyllfa anodd, neu'n rhywbeth oddi mewn i ni, fel ceisio helpu ein hunain gyda theimladau, meddyliau, delweddau neu atgofion anodd. Rydyn ni'n ceisio atgyfnerthu'r rhan ohonon ni sy'n meddu ar y nerth, y ddealltwriaeth, y doethineb a'r parodrwydd i ddod gyda ni i'r lleoedd anodd hyn, ac a fydd yn ein tywys, yn ein hannog a'n helpu drwyddyn nhw. Dyma'r hunan tosturiol.

Mae'r hunan tosturiol yn tynnu ar ein systemau emosiwn cadarnhaol o gymell a lleddfu/ymgysylltu. Felly, pan mae ein meddwl bygythiol wedi'n cyffroi ni, gallwn dynnu ar ein system leddfu/ymgysylltu i dawelu, cadarnhau a setlo ein hunain yn ddigonol i'n galluogi i symud i gyflwr o sylw mwy agored, empathi a charedigrwydd tuag atom ein hunain ac eraill. Mae'r system gymell yn ein helpu i gynnal ein cymhelliant a'n penderfyniad i barhau i weithio yn y ffordd fwyaf defnyddiol. Mae'n ein helpu i gadw mewn cof y rhyddhad, y llawenydd a'r pleser a deimlwn pan fyddwn ni'n gallu lliniaru dioddefaint ynom ein hunain ac mewn eraill.

> *Yn union fel y bydden ni'n dysgu unrhyw sgìl newydd, rydyn ni'n adeiladu ein meddwl tosturiol fesul cam, gan symud o ymarferion hawdd i rai mwy heriol.*

Mae rhinweddau ein hunan tosturiol neu ein meddwl tosturiol yn sgiliau y gallwn eu meithrin, yn union fel cynyddu'r cryfder yn ein cyhyrau drwy ffisiotherapi neu ymarfer corff yn y gampfa. Wrth i ni gryfhau ein gallu i dosturio, gallwn wynebu sefyllfaoedd anoddach. Ond fydden ni ddim yn ceisio rhedeg marathon a ninnau ddim ond wedi dechrau rhedeg wythnos ynghynt, ac mae'r un peth yn union yn wir gyda'n meddwl tosturiol; mae angen i ni ei atgyfnerthu bob yn dipyn, fesul cam, a dechrau drwy ei gyflwyno i agweddau ar ein bywydau sy'n weddol hawdd a heb fod yn rhy lethol. Hefyd, yn yr un modd â'n cyhyrau, mae angen i ni barhau i ymarfer ein meddwl tosturiol i gynyddu ei allu i'n helpu, fel ein bod ni'n gallu troi ato fwyfwy drwy ein bywydau. Po fwyaf y gwnawn hyn, mwyaf y mae'n newid o rywbeth y mae'n rhaid i ni ymdrechu i gofio'i ddefnyddio pan fydd ein meddwl bygythiol yn gormesu, i'r ffordd rydyn ni'n debygol o ymateb i fywyd yn y lle cyntaf. Wrth gwrs, fydd y meddwl bygythiol byth yn diflannu. Mae'n rhan ddatblygedig iawn ohonon ni, wedi esblygu i'n hamddiffyn, a dydyn ni ddim eisiau cael gwared arno. Yn hytrach, rydyn ni'n ceisio dysgu treulio cymaint o amser ag sy'n bosib yn ein meddwl tosturiol, i ddefnyddio hwnnw fel ein hawdurdod neu ein tywysydd drwy fywyd, hyd yn oed o ran ein helpu pan fydd ein meddwl bygythiol wedi ymddangos.

Mae'r ymarferion hyn wedi'u trefnu o'r rhai lleiaf heriol i'r rhai anoddaf, er mwyn helpu gyda'r broses o adeiladu ein meddwl tosturiol fesul cam. Fodd bynnag, oherwydd bod meddyliau pawb wedi cael eu llunio mewn gwahanol ffyrdd gan ein genynnau a'n profiadau, efallai y gwelwn fod angen i ni ymgymryd â'r ymarferion mewn trefn wahanol. Rhowch gynnig ar bob ymarfer, ac arhoswch gyda'r rhai sy'n dod hawsaf i chi am ychydig cyn symud ymlaen at rywbeth rydych chi'n ei gael ychydig yn anoddach. Mae'n debygol mai'r rhai anoddaf fydd fwyaf buddiol i chi yn y tymor hir, felly yn hytrach na'u rhoi o'r neilltu, ewch yn ôl atyn nhw'n rheolaidd. Bob tro y gwnewch chi hynny, bydd eich meddwl tosturiol wedi datblygu ychydig mwy yn sgil yr ymarferion eraill, felly byddwch yn mynd yn ôl atyn nhw â mwy o ddoethineb bob tro.

Tri llif tosturi

Gallwn gyfeirio tosturi:

1. Tuag at eraill.

2. Tuag atom ein hunain.

3. Gallwn hefyd fod yn agored i dderbyn a chael ein cynorthwyo gan dosturi oddi wrth eraill.

Gallwn osod y tri llif tosturi hyn ar ffurf 'ysgol' neu hierarchaeth, o'r hawsaf i'r anoddaf. Felly, er enghraifft, mae'n bosib y byddwn yn teimlo'n barod ac yn abl i ymgysylltu â dioddefaint pobl eraill ond yn ei chael hi'n anodd ei dderbyn gan eraill. Neu efallai y byddwn yn ei chael hi'n haws derbyn tosturi gan eraill, ond yn ei chael hi'n anodd iawn i fod yn dosturiol tuag atom ein hunain. Nod yr ymarferion yn y bennod hon yw datblygu ein gallu ar gyfer pob un o'r tri llif tosturi. Felly, unwaith eto, cofiwch drefn yr ymarferion sydd fwyaf defnyddiol i chi, gan sylwi gydag ymwybyddiaeth chwilfrydig pa rai sy'n anoddach i chi. Weithiau, gall ein synnu ni a hyd yn oed herio ein barn ynghylch pwy roedden ni'n meddwl oedden ni. Felly mae angen ein tosturi arnon ni wrth ymgysylltu â'n hymarferion meddwl tosturiol. Dyma pam rydyn ni'n cymryd pethau'n araf, fesul cam, ond gan gadw mewn cof y bwriad i ailedrych yn barhaus ar y rhai rydyn ni'n eu cael anoddaf, oherwydd dyna'r rhai sy'n debygol o fod wedi bod ar goll yn ein bywydau ac sydd felly â'r potensial i wneud y gwahaniaeth mwyaf.

Oes angen dychymyg da arnaf ar gyfer yr ymarferion hyn?

Gan ddilyn y syniad a gafodd ei grybwyll uchod – y gallwn ysgogi ymatebion ffisiolegol penodol drwy eu dychmygu yn unig – mae llawer o'r ymarferion sy'n dilyn yn defnyddio grym ein dychymyg. Dydy llawer o bobl ddim yn gallu creu delweddau neu luniau clir, ac maen nhw'n poeni nad oes ganddyn nhw unrhyw ddychymyg. Fodd bynnag, os ydyn ni'n ceisio dychmygu beic, neu swper neithiwr, mae rhywbeth yn dod i'n meddwl fel arfer. Os ydyn ni'n ceisio dychmygu beic pinc â smotiau melyn, mae'n bosib y bydd delwedd fyrhoedlog neu ddelwedd rannol yn ymddangos. Hyd yn oed os nad ydyn ni'n cael llun, gallwn ganolbwyntio ar y teimladau sy'n codi, oherwydd y teimladau rydyn ni wir yn ceisio'u hysgogi. Felly, er enghraifft, roedd un fenyw yn methu cynhyrchu unrhyw ddelweddau gweledol o gwbl, ac roedd hynny'n peri iddi deimlo'n rhwystredig ar y dechrau. Ond sylweddolodd, os oedd hi'n meddwl am fod yn ymyl tân cynnes ar ddiwrnod oer, wedi'i lapio mewn blanced feddal, ei bod hi'n profi gwir ymdeimlad o gynhesrwydd a thawelwch ynddi ei hun, er nad oedd ganddi luniau yn ei meddwl o gwbl.

Creu lle diogel yn ein meddwl

Byddwn yn dechrau ag ymarfer o'r enw 'lle diogel', sy'n ein helpu i ddechrau creu ymdeimlad o ddiogelwch o fewn ein meddwl ein hunain. Yn union fel plentyn sydd angen man cychwyn diogel i ganiatáu iddo archwilio, mae angen i ni allu creu ymdeimlad o ddiogelwch yn ein meddwl ein hunain fel ein bod ni wedyn yn gallu symud oddi yno ac archwilio gwahanol rannau o'n meddwl, ond yna dychwelyd i'r lle diogel hwn.

Mae sawl enw gwahanol i'r ymarfer, yn cynnwys 'lle llawen', 'lle croesawgar' a 'lle tosturiol'. Byddwn ni'n ei alw wrth ei enw traddodiadol, 'lle diogel', ond mae angen i chi arbrofi gyda defnyddio'r syniad hwn o 'ddiogelwch' oherwydd i rai, mae clywed y gair 'diogel' yn awtomatig yn troi'r ffocws i ystyried p'un a yw sefyllfa'n ddiogel ai peidio, sy'n peri i'r ffocws symud o ddiogelwch i fygythiad. Os bydd hyn yn digwydd, nodwch yr ymyriad a dewch â'ch meddwl yn ôl i ganolbwyntio ar sut *deimlad* ydyw pan *fydd* hi'n ddiogel.

> ### Ymarfer: Lle diogel
>
> - Eisteddwch â'ch osgo cryf, talsyth, a'ch traed yn gadarn ar y ddaear, led clun ar wahân, a'ch ysgwyddau'n isel ac yn agored. Caewch eich llygaid a dechreuwch eich rhythm anadlu lleddfol. Sylwch arno gyda meddwl cynnes a derbyniol. Cyflwynwch fynegiant cynnes a chyfeillgar i'ch wyneb, a dywedwch 'helô' wrthych chi'ch hun gyda chynhesrwydd a chyfeillgarwch go iawn.
>
> - Yna dychmygwch eich bod mewn lleoliad ffantasïol lle rydych chi'n teimlo'n hollol heddychlon. Efallai fod ganddo elfennau o leoedd go iawn, ond mae'n ddelfrydol i chi ym mhob ffordd, felly rhowch rwydd hynt i'ch dychymyg. Mae'n fan lle rydych chi'n rhydd i fod sut bynnag mae angen i chi fod ar yr adeg benodol hon. Mae bod yno'n ddigon i beri i chi allu anadlu allan yn llwyr, a dod yn dawel eich meddwl ac yn gyfforddus.
>
> - Nawr, gan ddefnyddio'ch holl synhwyrau, gwnewch y lle mor fyw ag y gallwch (os ydych chi'n cael trafferth gweld unrhyw beth yn glir, mwynhewch ymdeimlad o heddwch a thawelwch yn eich corff). Canolbwyntiwch yn gyntaf ar yr hyn a welwch chi yn y lle hwn. Sylwch a

ydych chi'r tu mewn neu'r tu allan, pa amser o'r dydd neu'r nos yw hi a pha dymor o'r flwyddyn. Dewch yn ymwybodol o sut mae hyn yn effeithio ar liwiau ac ymdeimlad o oleuni a chysgod.

- Trowch eich sylw at y synau: cân aderyn efallai, dail yn siffrwd yn yr awel, clecian coed yn y tân os ydych chi'r tu mewn ac o flaen lle tân, er enghraifft. Gwrandewch am y synau uchaf neu agosaf, yna hoeliwch eich sylw ar unrhyw synau gwan, fel y dŵr yn llifo dros gerrig mewn nant neu, os ydych chi'n dymuno cael anifail yn bresennol, anadlu ysgafn yr anifail wrth iddo gysgu yn eich ymyl, efallai. Mae beth bynnag rydych chi'n ei weld a'i glywed yn creu gwir ymdeimlad o gysur, heddwch a thawelwch.

- Nawr, gan ganolbwyntio ar gyffyrddiad, symudwch eich sylw at naws yr aer ar eich croen, a ydych chi'n teimlo symudiad aer ai peidio, cynhesrwydd ysgafn yr haul neu dân coed yn cynhesu'ch corff, efallai. Sylwch ar rywbeth allwch chi estyn allan a'i gyffwrdd sy'n gallu rhoi teimlad o feddalwch neu gysur i chi. Efallai y byddwch yn sylwi ar ymdeimlad gwirioneddol o gadernid y ddaear oddi tanoch.

- Sylwch ar arogleuon, y rhai cryfaf a'r rhai mwy cynnil.

- Trowch eich sylw at unrhyw flasau yn eich ceg.

- Dewch yn ymwybodol o sut mae bod yn y lle hwn yn teimlo yn eich corff. Gadewch iddo hidlo i mewn i chi. Efallai fod gennych chi wir ymdeimlad fod y lle hwn yn perthyn i chi yn unig a bod gennych chi gysylltiad dwfn â'r lle, mewn rhyw ffordd. Efallai eich bod yn cael y teimlad bod y lle hwn yn eich croesawu, ei fod yn wirioneddol lawen eich bod chi yno. Sylwch ar sut mae'n teimlo i gael eich cynnal fel hyn yn y lle hwn.

- Sylwch a ydych chi ar eich pen eich hun neu a oes pobl neu anifeiliaid gyda chi. Cofiwch ei fod yn union fel rydych chi angen iddo fod. Efallai eich bod ar eich pen eich hun weithiau, fod pobl yno gyda chi ar adegau eraill, neu fod ymdeimlad o bresenoldeb cynnes yno gyda chi, yn bell neu'n agos. Mae'n bosib y byddwch yn teimlo llawenydd gwirioneddol o fod yn y lle hwn.

- Pan fyddwch chi'n barod, rhowch enw neu ymadrodd i'r lle hwn, neu dychmygwch dynnu llun ohono i'w gadw, fel y gallwch ddod yn ôl ato pryd bynnag y dymunwch; dim ond gair, meddwl, neu ddelwedd i ffwrdd yw'r lle hwn (a does dim angen i chi bacio na bod â phasbort i fynd yno!).

'Lle diogel' gyda'ch babi

Mae'r lle hwn yn cael ei greu gan ddefnyddio'r un broses â'r ymarfer 'lle diogel' uchod, ond yma dychmygwch le ffantasïol lle rydych chi'n mynd gyda'ch babi. Efallai mai'r un lle â'r uchod ydyw, ond mae'n bosib y bydd yn fwy defnyddiol i chi gael un lle ar eich cyfer chi yn unig, a lle gwahanol i chi a'ch babi. Pan fyddwch chi'n dechrau'r ymarferion hyn am y tro cyntaf, mae'n bosib na fyddwch am gynnwys eich babi yn y lle cyntaf. Efallai felly y byddai'n well gennych ddarllen am yr ymarfer hwn am y tro ac yna dychwelyd ato yn y dyfodol.

Ymarfer: 'Lle diogel' gyda'ch babi

Fel o'r blaen, defnyddiwch eich osgo cryf, dechrau anadlu â rhythm lleddfol, ysgogi'ch ymwybyddiaeth 'awyr las', cyflwynwch eich wyneb a'ch llais caredig i'r meddwl, ac yna dychmygwch fan arbennig lle rydych chi a'ch babi yn teimlo'n gyfforddus, yn ddiogel, yn heddychlon ac yn llawen. Defnyddiwch eich holl synhwyrau i adeiladu'r lle hwn – yr hyn rydych chi'n ei weld, yn ei glywed, yn ei deimlo â'ch croen a'ch bysedd, yr hyn y gallwch chi ei arogli a'i flasu.

Efallai fod eich babi yn cysgu yno gyda chi neu efallai ei fod yn chwarae'n hapus neu'n fodlon, naill ai gyda chi neu gyda rhywbeth neu rywun arall wrth i chi edrych arno. Dychmygwch beth bynnag sydd fwyaf defnyddiol i chi.

Os yw bod gyda'ch babi'n peri trafferth i chi, meddyliwch am y lle hwn fel ffordd o'ch helpu chi. Mae'n union fel rydych chi angen iddo fod. Os yw'ch babi yn crio neu'n mynd yn rhwystredig, bydd y lle hwn yn eich helpu i ddelio â hynny, gan gyflwyno synnwyr o dawelwch a diogelwch i chi a'ch babi efallai, neu roi'r lle a'r diogelwch sydd eu hangen arnoch i ddod o hyd i ffordd, yn eich amser eich hun, o helpu'ch babi heb bwysau na barn o du pobl eraill. Mae gwir ymdeimlad fod y lle hwn 'gyda chi', yn cyfleu'r union beth sydd ei angen arnoch chi i ddatrys eich sefyllfa gyda'ch babi. Dychmygwch fod y lle hwn yn wirioneddol hapus o'ch cael chi'ch dau yno, o helpu'r ddau ohonoch chi. Sylwch sut mae'n teimlo i chi fod yn y lle hwn o dderbyniad llwyr, heddwch, diogelwch ac ymrwymiad i chi a'ch babi.

Ar gyfer yr ymarferion canlynol, mae'n bosib yr hoffech chi arbrofi gyda dychmygu bod yn eich lle diogel pan fyddwch chi'n eu cyflawni. Fel arall, gall yr ymarfer lle diogel fod yn lle gwych i ddychwelyd iddo ar ôl gwneud yr ymarferion hyn.

Lliw tosturiol

Yma, rydyn ni'n symud o brofi diogelwch a theimlad o groeso a chysylltiad i ddechrau profi rhinweddau tosturi'n llifo i mewn i ni. Does dim wyneb dynol i'r ddelwedd; o ganlyniad, gall yr ymarfer hwn fod yn ffordd haws o ddechrau profi tosturi yn llifo i mewn i ni, gan fod cysylltiadau ag wyneb dynol yn gallu'i gwneud yn anoddach i rai ohonon ni. Er nad yw'r lliw yn ddynol, rydyn ni'n mynd i ddychmygu ei fod yn meddu ar rinweddau tosturi: doethineb, cryfder, cynhesrwydd a charedigrwydd, a gwir fwriad i'n helpu ni.

Ymarfer: Lliw tosturiol

Dechreuwch gyda'r pum 'carreg gamu' i'ch paratoi, fel arfer: eich osgo urddasol effro, rhythm anadlu lleddfol, ymwybod gofalgar (gall yr ymadrodd 'corff fel mynydd, anadl fel y gwynt, meddwl fel yr awyr' wneud hyn yn haws i'w gofio), llais caredig ac wyneb caredig. Nawr dychmygwch liw rydych chi'n ei gysylltu â charedigrwydd a chynhesrwydd go iawn. Dychmygwch ei fod yn eich amgylchynu fel niwl neu olau. Sylwch sut mae'n teimlo i gael eich amgylchynu, eich dal a'ch cefnogi ganddo fel hyn.

Nawr dychmygwch fod y lliw, y golau neu'r niwl yn llifo i mewn i chi drwy gorun eich pen neu drwy'ch calon, ac yn ymledu drwy'r corff yn araf i flaenau'ch bysedd a bysedd eich traed. Wrth iddo ymledu drwoch chi, mae'n eich llenwi â rhinweddau doethineb, cryfder, caredigrwydd a chynhesrwydd. Sylwch ar ei fwriad i'ch helpu a'ch cefnogi. Os gwelwch chi unrhyw rwystrau neu wrthwynebiad yn ymddangos, sylwch arnyn nhw â gwên garedig a hoelio'ch sylw yn ôl at yr ymdeimlad o'r lliw caredig, cynnes hwn sy'n llenwi'ch corff. Atgoffwch eich hun mai bwriad syml yr ymarfer yw ysgogi rhannau penodol o'r meddwl sy'n ymwneud â rhinweddau tosturi.

Pan fyddwch chi'n barod i orffen, trowch eich sylw at eich anadlu, eich ymwybyddiaeth o'ch traed ar y llawr a'ch dwylo ar eich glin, yna agorwch eich llygaid yn araf. Ceisiwch ddal gafael ar yr ymdeimlad fod eich lliw tosturiol yn dal gyda chi, yn eich cefnogi.

Ymarfer: Lliw tosturiol yn llifo allan

Mae'r ymarfer lliw tosturiol yn gallu bod yn ffordd ddefnyddiol o ddechrau dychmygu tosturi yn llifo allan ohonon ni tuag at eraill. Ailadroddwch yr ymarfer lliw tosturiol uchod, ond unwaith y byddwch chi'n teimlo'n llawn o'r lliw, dychmygwch anfon hwn allan ohonoch chi'ch hun a thuag at bobl eraill.

Dychmygwch gyflenwad diddiwedd o liw tosturiol sy'n llifo i mewn drwy gorun eich pen, neu drwy'ch calon, yn eich llenwi ac yna'n llifo allan o'ch croen, eich dwylo neu'ch calon tuag at bobl eraill. Dychmygwch y lliw, y golau neu'r niwl o'u cwmpas sydd yna'n eu llenwi â charedigrwydd, cynhesrwydd, cryfder, doethineb a bwriad i'w helpu a'u cefnogi. Dechreuwch gyda phobl rydych chi'n ei chael hi'n hawdd gwneud hyn â nhw, neu gydag anifail neu anifail anwes; mae'n bosib y byddech chi'n dychmygu gwneud hyn o bell ar y dechrau cyn dod yn bresenoldeb agosach. Yna gallwch roi cynnig arni gyda phobl niwtral ac yn y pen draw gyda phobl sy'n peri trafferth i chi. Gallwch roi cynnig arni gyda'ch babi hefyd. Os bydd rhwystrau ac ofnau'n codi, gallwch ganolbwyntio o'r newydd ar y bwriad i anfon y lliw atyn nhw.

Yr hunan tosturiol

Rydyn ni wedi edrych yn gynharach ar y syniad mai un fersiwn ohonon ni'n hunain yw'r person ydyn ni nawr. Pe baen ni wedi cael ein herwgipio adeg ein genedigaeth a'n magu mewn teulu ac amgylchedd tra gwahanol, fe fydden ni nawr yn meddwl, yn teimlo ac yn ymddwyn mewn ffordd wahanol. Rydyn ni hefyd yn symud i mewn ac allan o wahanol 'rannau' ohonon ni'n hunain drwy gydol y dydd. Wrth i ni wneud hynny, mae pob 'rhan' yn cael effaith benodol ar lawer o systemau oddi mewn i ni. Felly, pan fyddwn ni yn ein rhan ddig, er enghraifft, rydyn ni'n meddwl, yn teimlo ac yn ymddwyn yn wahanol i'r adegau pan fyddwn ni yn ein rhan bryderus, neu ein rhan gymhellol, neu ein rhan gariadus, neu ein rhan lawen. Gallwn weld fod rhai rhannau'n cymryd yr awenau heb fawr o ymdrech, fel y rhan ddig neu'r rhan orbryderus, ond mae'n teimlo fel bod angen cryn ymdrech i ddod â rhannau eraill i'r brig. Fodd bynnag, fe allwn ni benderfynu pa ran rydyn ni am ei meithrin ychydig mwy (fel yn stori'r ddau flaidd yn gynharach yn y llyfr; pa flaidd ydyn ni eisiau ei fwydo?) oherwydd y rhan rydyn ni'n ei hysgogi yw'r rhan sy'n dod yn reddfol. Mae hyn yn gallu dibynnu ar y gwerthoedd sy'n annwyl i ni. Gyda'r dull meddwl tosturiol, y bwriad yw meithrin y rhan ohonon ni sy'n gallu bod yn gryf, yn ddoeth, yn gefnogol, yn garedig ac yn gynnes yn wyneb anawsterau. Hyd yn oed os nad ydyn ni'n teimlo mai ni yw'r person hwnnw, mae'n bosib i ni benderfynu ein bod am fod ychydig yn debycach i hynny ac yna ymarfer meddwl, teimlo ac ymddwyn *fel pe baen* ni'n dod yn berson mwy tosturiol. Felly, fe allwn ni ystyried *sut brofiad fyddai meddu ar y rhinweddau tosturiol hyn*. Y neges allweddol yma yw ein bod ni'n gallu mynd ati'n fwriadol i dyfu'r rhan ohonon ni rydyn ni'n deisyfu am fod.

Ymarfer: Dychmygu cyflawni'r hunan tosturiol

- Gan symud ar draws y pum 'carreg gamu', dechreuwch â'ch osgo – 'ymgorfforwch' ystum person tosturiol, gan eistedd ag osgo cryf, cadarn, hyderus ac urddasol â'ch traed yn solet ar y llawr, led clun ar wahân, eich pen yn dalsyth a'ch ysgwyddau wedi ymlacio.

- Caewch eich llygaid a dechrau anadlu â rhythm lleddfol. Sylwch ar rythm eich anadl yn symud i mewn i'ch corff, y saib ac yna'r anadl hir ac araf allan. Yn raddol, gadewch i'r anadliadau i mewn ac allan ymestyn. Wrth iddyn nhw wneud hynny, mae'n bosib y byddwch yn sylwi ar ymdeimlad o arafu, sefydlogrwydd a llonyddwch cynyddol yn eich corff.

- Gwyliwch eich anadl o safbwynt eich ymwybyddiaeth 'awyr las', lle rydych chi'n sylwi ar eich anadl ag ymwybyddiaeth anfeirniadol a thyner.

- Canolbwyntiwch ar fynegiant eich wyneb. Gadewch i'ch gên ymlacio, a gadewch i'ch wyneb ffurfio gwên dyner a chyfeillgar. Cymharwch hynny ag wyneb niwtral.

- Gwrandewch ar eich llais caredig, cynnes yn dweud 'helô' wrthych chi'ch hun. Cymharwch hynny â'ch llais niwtral.

- Nawr dechreuwch ddychmygu bod gennych chi rinwedd doethineb. Mae hyn yn cynnwys deall:

  i. Ein bod ni newydd ymddangos yng nghanol llif bywyd ag ymennydd a genynnau na wnaethon ni eu dewis, ac ymdeimlad o'r hunan sydd wedi'i lunio gan ein profiadau cynnar na wnaethon ni eu dewis chwaith. Mae'r rhain yn gallu cyfrannu at ein dioddefaint a'n brwydrau mewn ffordd na wnaethon ni ei dymuno na'i dewis, a dydy hynny ddim yn fai arnon ni. Mae'n ddoethineb nad yw'n beio, dim ond yn deall y sefyllfa â charedigrwydd dwfn ac awydd i fod o gymorth.

  ii. Dewch yn ymwybodol o'r doethineb a ddaeth i'ch rhan yn sgil yr hyn a ddysgoch yng ngwahanol rannau'r llyfr hwn (efallai yr hoffech chi fodio drwyddo'n sydyn i atgoffa'ch hun o'r gwahanol agweddau hyn); er enghraifft, bod gennym ni ymennydd a chorff sydd wedi esblygu i newid pan fyddwn yn beichiogi ac yn cael babi; y gall y newidiadau hyn ryngweithio â'n profiadau cynnar mewn ffyrdd annisgwyl, ac nad ein bai ni yw hynny; bod dulliau modern o roi genedigaeth ynghyd â newidiadau esblygol yn strwythur ein corff weithiau'n helpu, ond weithiau'n rhwystro beichiogrwydd ac esgor; ein bod wedi esblygu i fod angen cefnogaeth er mwyn magu ein babi yn y ffordd orau, ond mewn sawl man mae cymdeithas wedi newid yn y fath fodd fel nad yw'r gefnogaeth ar gael yn hawdd bellach; ac nad ein bai ni yw'r pethau hyn, ond eu bod nhw'n gallu cael cryn effaith ar ein profiadau o fagu babi newydd.

iii. Yn ail, er bod gennym feddwl sy'n ceisio sefydlu ymdeimlad cadarn ynghylch pwy ydyn ni, mae angen i ni fod yn ymwybodol fod ein meddyliau, ein teimladau, ein hymddygiad ac ati yn newid yn gyson. Rydyn ni'n bob amser yn symud i mewn ac allan o wahanol rannau ohonon ni'n hunain, ac mae pob rhan yn creu cyflyrau gwahanol iawn ynom ni. Dyma natur byrhoedledd: y bydd y da a'r drwg, yr annymunol a'r dymunol, yn mynd a dod, yn cryfhau ac yn gwanhau.

iv. Yn drydydd, mae angen i ni gydnabod fod rhannau ohonon ni'n gallu'n gormesu yn gwbl groes i'n dymuniad, ond ein bod ni hefyd yn gallu bwydo a thyfu rhannau penodol ohonon ni'n hunain.

v. Yn bedwerydd, mae angen i ni ddeall y byddwn yn gwneud camgymeriadau, ond yn hytrach na chondemnio ein hunain neu fod â chywilydd ohonyn nhw, sy'n gwneud i ni geisio cuddio'r rhannau hynny, gallwn droi tuag atyn nhw gyda charedigrwydd ac ymwybyddiaeth chwilfrydig, ag awydd gwirioneddol i ddysgu oddi wrthyn nhw, atgyweirio lle bo angen, a throi unwaith eto at dyfu ein hunain.

- Rydyn ni nawr yn dychmygu ein hunain gyda rhinweddau cryfder, awdurdod a hyder mewnol. Mae hyn yn caniatáu i'r rhan hon gymryd yr awenau a rheoli neu ffrwyno rhannau eraill sy'n ceisio codi i'r wyneb. Mae'n rhoi'r gallu i ni droi tuag at yr hyn sy'n ein poeni.

- Bellach, rydyn ni'n canolbwyntio ar ein cymhelliant tosturiol: yr awydd neu'r dymuniad i helpu ein hunain i wir ddeall ein dioddefaint a'i leddfu cymaint ag y gallwn ni. Mae'n bosib i ni ei ddychmygu fel y cyfeiriad rydyn ni'n troi i'w wynebu a'r lle rydyn ni am symud iddo. Felly, er bod ein doethineb yn dangos i ni na wnaethon ni ddewis cael y trafferthion hyn, ein cymhelliant neu ein hymrwymiad yw helpu ein hunain i ddysgu, tyfu a newid fel ei bod yn haws i ni reoli'r anawsterau y mae bywyd yn eu taflu aton ni.

- Mae hyn oll yn cael ei deimlo gyda naws emosiynol o garedigrwydd a chynhesrwydd. Mae'n bosib i ni ei ddychmygu fel golau neu niwl cynnes, diderfyn sy'n ein hamgylchynu ac yna'n ein llenwi a'n hymestyn, yn ein llenwi nes ei fod yn dechrau llifo allan ohonon ni'n dyner, fel rhywbeth di-ben-draw a diderfyn.

- Nawr dychmygwch symud a cherdded fel y person tosturiol hwn. Dychmygwch sut byddech chi'n uniaethu â phobl a welwch chi wrth i chi gerdded. Sylwch ar fynegiant eich wyneb a naws eich llais os siaradwch â nhw, eich doethineb a'ch dealltwriaeth o'r anawsterau sy'n anochel ganddyn nhw, y dymuniad didwyll eu bod yn iach, yn rhydd o ddioddefaint, yn hapus ac yn heddychlon.

Canolbwyntio'r hunan tosturiol

Rydyn ni nawr yn mynd i ymarfer canolbwyntio'r hunan tosturiol, naill ai ar eraill, neu ar y cyfan neu ran ohonon ni ein hunain. Fel gyda dysgu unrhyw sgìl, rydyn ni'n dechrau gweithio gyda'r hawsaf yn hytrach na'r mwyaf heriol. Gallai'r drefn fod yn wahanol i'r un a restrir isod, felly os ydych chi'n gweld un ymarfer yn rhy anodd i ddechrau, chwiliwch am un haws ac yna dychwelyd at yr un anoddach rywbryd eto.

Ymarfer: Cyflwyno tosturi i rywun sy'n annwyl i chi

Meddyliwch am ddelwedd o rywun neu rywbeth sy'n wirioneddol annwyl i chi (gallai fod yn oedolyn, yn blentyn, yn fabi, anifail anwes neu anifail, er enghraifft). Nawr, canolbwyntiwch eich teimladau tosturiol ar y ddelwedd. Dychmygwch ddweud wrtho neu wrthi, 'Boed i ti fod yn iach (dywedwch ei enw). Boed i ti fod yn hapus (dywedwch ei enw). Boed i ti fod yn rhydd o ddioddefaint (dywedwch ei enw). Boed i ti fod yn dawel (dywedwch ei enw).' Peidiwch â phoeni am gofio'r union eiriau; mae'n bosib y dewiswch chi ymadroddion gwahanol. Y teimlad a'r awydd didwyll tu ôl iddyn nhw sy'n bwysig.

Ymarfer: Cyflwyno tosturi i ni'n hunain

Dychmygwch edrych i lawr arnoch chi'ch hun wrth i chi wneud yr ymarfer hwn. Cyflwynwch eich meddwl tosturiol i'ch hunan cyffredin wrth i chi fyw eich bywyd, gyda'ch trafferthion a'ch pryderon arferol. Ond yn hytrach na chael eich clymu yng nghanol y teimladau a'r pryderon a welwch chi, canolbwyntiwch ar wylio a chadw cwmni i'r rhan ohonoch chi sy'n ei chael hi'n anodd o safbwynt cynhesrwydd, caredigrwydd, dealltwriaeth ddoeth, cryfder ac awydd didwyll i helpu'ch hun cystal ag y gallwch chi. Sylwch ar yr hyn y gallai eich dymuniadau twymgalon fod (wedi'i fynegi ar eich anadl allan); efallai eich bod yn iach, eich bod yn rhydd o ddioddefaint, eich bod yn hapus ac mewn heddwch.

Mae profi rhyw fath o wrthwynebiad wrth geisio cyflwyno tosturi i ni ein hunain yn gwbl arferol – teimlo nad ydyn ni'n ei haeddu, efallai, neu y gallai ein gwanychu, neu ein gorlethu â thristwch. Trowch eich meddwl tosturiol tuag at y rhannau hyn os daw gwrthwynebiad o'r fath (gweler isod), gan sicrhau eich bod yn cynnal eich osgo cadarn, urddasol a llonydd, eich rhythm anadlu lleddfol, 'meddwl fel yr awyr' ac wyneb a llais cynnes a charedig wrth wneud hynny. Yna gollyngwch eich gafael ar y rhannau hynny a chanolbwyntio o'r newydd ar y chi cyfan sy'n byw ei fywyd oddi tanoch chi.

Pan fyddwch wedi gorffen, hoeliwch eich sylw yn ôl ar eich corff a'i bwyntiau sefydlog; canolbwyntiwch ar eich anadl ac yna'r cysylltiadau â'r llawr a'r sedd oddi tanoch chi. Yna agorwch eich llygaid yn araf ac ymestyn eich corff ychydig.

Delwedd dosturiol

Yma, mae ein meddwl yn derbyn y profiad o gael gofal, o dosturi yn llifo i mewn i ni, o gael ein cefnogi a'n hamgylchynu gan ddefnyddio dim ond ein dychymyg ein hunain. Yn union fel yr adeg pan wnaethon ni ddychmygu pryd o fwyd neu wyliau braf, gallwn ddychmygu bod ym mhresenoldeb rhyw 'fod arall' tosturiol, a bydd ein meddyliau'n ymateb iddo er nad yw yno mewn gwirionedd. Gallwn ddefnyddio'n dychymyg i greu'r ymdeimlad o fod gyda pherson, neu unrhyw wrthrych sy'n meddu ar feddwl anogol, cefnogol, cryf a derbyniol. Ymhlith yr enghreifftiau a ddefnyddir gan bobl mae hen goeden ddoeth, golau tosturiol, hen anifail doeth ac angel ag adenydd enfawr. Mae'r ddelwedd rydych chi'n ei chreu yn ddelfrydol i chi ym mhob ffordd, ac mae ganddi rinweddau doethineb, cryfder (o ran hyder ac awdurdod), cymhelliant ac ymrwymiad i'ch llesiant, a chynhesrwydd a charedigrwydd go iawn. Gall fod yn wryw neu'n fenyw, yn gymysgedd o'r ddau neu'n ddim un o'r ddau. Dychmygwch pa mor hen yw'r gwrthrych, y profiadau y gallai fod wedi'u cael, sut mae wedi ennill y fath ddoethineb. Os gallwch chi ddychmygu ei wyneb, sylwch ar yr olwg arno. Dychmygwch sut gallai ei lais swnio pe bai'n gallu siarad.

Ymarfer: Delwedd dosturiol

Eisteddwch yn eich osgo cryf a chadarn a dechreuwch anadlu â rhythm lleddfol, fel eich bod yn ymgorffori'r hyn rydych chi'n ceisio'i ddychmygu. Cyflwynwch eich llais a'ch mynegiant wyneb cynnes i'r cof. Yna ffurfiwch ymwybyddiaeth neu ymdeimlad o fod ym mhresenoldeb eich delwedd dosturiol. Gallai ei dychmygu'n ymddangos yn eich lle diogel fod o gymorth. Sylwch sut rydych chi angen iddi gysylltu â chi. Mae'n bosib ei bod yn bresenoldeb cyfforddus gryn bellter oddi wrthych chi, neu fe allai fod yn sefyll neu'n eistedd wrth eich ochr. Sylwch sut mae bod yng nghwmni'r presenoldeb hwn yn teimlo yn eich corff, teimlad eich bod yn hollol ddiogel ac yn derbyn gofal, gan wybod ei fod yno gydag ymrwymiad cadarn i'ch helpu chi. Os ydych chi'n cael trafferth i deimlo'n ddiogel, yna dychmygwch sut deimlad fyddai pe baech chi'n teimlo'n ddiogel.

Os ydych chi'n cael trafferth i dderbyn ei dosturi, neu ddim yn ymddiried ynddo neu'n teimlo nad ydych chi'n ei haeddu, sylwch sut mae'ch delwedd dosturiol yn deall ac yn eich helpu â'r brwydrau hyn. Mae'n bosib y byddwch chi'n teimlo tristwch. Unwaith eto, mae eich delwedd dosturiol yn deall hynny, gan gadw cwmni i chi gyda chynhesrwydd a chydymdeimlad wrth i'ch tristwch basio, waeth pa mor hir fydd hynny'n ei gymryd.

Dychmygwch eich delwedd dosturiol yn ynganu'r ymadroddion canlynol wrthych chi mewn modd cynnes, caredig a didwyll:

Boed i ti fod yn rhydd o ddioddefaint (dywedwch eich enw yn eich meddwl).

Boed i ti ddod o hyd i heddwch (dywedwch eich enw yn eich meddwl).

Boed i ti fod yn hapus (dywedwch eich enw yn eich meddwl).

Er eich bod yn derbyn tosturi o'r ddelwedd hon, fe'i cynhyrchwyd oddi mewn i chi, felly rydych chi i bob pwrpas yn rhoi ac yn derbyn tosturi. Mae'n ffordd o ddatblygu canllaw mewnol y mae modd i chi droi ato pan fyddwch chi'n cael trafferth.

Crynodeb

Pan fyddwn ni'n dymuno symud o feddwl bygythiol i feddwl tosturiol, gallwn helpu'r broses hon mewn sawl ffordd. Rydyn ni wedi edrych ar bump ohonynt yn fanwl: newid ein hosgo, ein hanadlu, ffocws ein sylw, mynegiant ein hwyneb a naws ein llais. Mae'r camau hyn yn helpu i baratoi ein meddwl a'n corff i fod yn y cyflwr mwyaf derbyniol ar gyfer ein hymarferion meddwl tosturiol. Mae'n debyg iawn i 'gynhesu' ein cyhyrau a pharatoi'n feddyliol cyn mynd i ymarfer yn y gampfa neu fynd i redeg.

Mae'r ymarferion meddwl tosturiol yn canolbwyntio ar rinweddau penodol sy'n gallu, o'u cyfuno, ein helpu i feddwl, i deimlo ac i ymddwyn mewn ffordd dosturiol; mae'r rhain yn cynnwys doethineb, cryfder cymeriad a chymhelliant i'n helpu ein hunain ac eraill i fod yn rhydd o ddioddefaint ac i ffynnu. Gallwn ddefnyddio ein dychymyg i ddychmygu ein hunain fel unigolion tosturiol, neu i ddychmygu presenoldeb tosturiol sy'n ein helpu a'n cefnogi.

16 Cryfhau'r meddwl tosturiol: Defnyddio sylw ac ymddygiad tosturiol

Yn gynharach yn y llyfr, fe wnaethon ni ymchwilio i natur sylw drwy ddychmygu ein sylw fel golau fflachlamp neu sbotolau yn disgleirio ar fawd ein troed chwith, yna ar fawd ein troed dde, yna ar ein gwefusau, yna ar fys a bawd. Dangoswyd ein bod ni'n gallu symud ein sylw fel y mynnwn, fod gwrthrych goleuni ein sylw yn llenwi ein hymwybyddiaeth a bod popeth arall fel petai'n diflannu i'r cysgodion. Ar ben hynny, roedd gan beth bynnag fyddai'n llenwi ein sylw'r potensial i'n hysgogi'n ffisiolegol mewn ffyrdd penodol, felly gallwn gael teimladau gwahanol wrth ganolbwyntio ar gân aderyn yn hytrach na sŵn traffig, er enghraifft, neu ar atgofion hapus yn hytrach nag atgofion annymunol.

Wrth i ni fynd drwy'r ymarferion yn y llyfr, byddwn yn sylwi bod y system fygythiad wedi'i chynllunio i ddenu ein sylw, a bod angen ymdrech i symud ein sylw oddi arni. Mae bron fel magnet. Dyma pam mae meithrin y meddwl tosturiol yn galw am hyfforddiant, fel ein bod ni'n dysgu gafael yn sbotolau ein sylw dro ar ôl tro, a'i gyfeirio at yr hyn sy'n ysgogi ein system leddfu ac ymgysylltu. Gallai hyn fod yn atgof o adeg pan oedden ni'n teimlo gofal go iawn tuag at rywun, neu pan wnaethon ni brofi cynhesrwydd a gofal gan rywun arall. Neu gallai fod yn ddim byd mwy na rhoi sylw i wynebau caredig yn yr archfarchnad neu mewn cylchgronau, neu fynd allan a gwrando ar yr adar, neu brofi tawelwch meddwl drwy wylio'r cymylau.

Os ydyn ni'n meddwl am y 'tri chylch', mae'r un egwyddor yn berthnasol; pan fydd pryder, ofn neu ddicter yn gafael ynom ni, maen nhw'n llenwi ein sylw. Mae popeth arall yn diflannu. Os gallwn ni afael yn sbotolau ein sylw, a'i gyfeirio at ein system leddfu yn lle hynny, bydd ein system leddfu yn llenwi ein sylw a bydd ein system fygythiad yn pylu i'r cefndir. Wrth gwrs, bydd beth bynnag rydyn ni'n canolbwyntio arno yn ysgogi ein meddwl a'n corff mewn ffyrdd penodol hefyd. Fel y gwelson ni, os ydyn ni'n canolbwyntio ein sylw ar atgof o wyliau a aeth o chwith, neu rywun sydd wedi ein cynhyrfu, mae ein meddyliau, ein teimladau, yr hormonau yn ein corff, ein hemosiynau, ein delweddau a'n cymhelliant yn cael eu cynhyrfu mewn ffordd benodol. Ond os ydyn ni'n canolbwyntio ein sylw ar atgof o wyliau pleserus, neu berson a fu'n wirioneddol garedig wrthyn ni, yna mae ein meddyliau, ein teimladau, ein hormonau, ein hemosiynau, ein delweddau, ein cymhelliant ac ati yn cael eu cynhyrfu mewn ffordd wahanol iawn. Dyna pam mae ein sylw mor bwysig; mae'r broses o sylwi a symud sylw yn gallu cael effaith ddwys arnon ni ar gymaint o lefelau, ac, yn fwy na hynny, wrth gwrs, mae'n peri i'n hymennydd weithio mewn ffyrdd penodol.

Gallwn brofi effaith gwneud dim mwy na symud ein sylw pan fyddwn, er enghraifft, yn gwthio bygi'r babi yn y glaw. Byddai'n bosib i ni ganolbwyntio ar deimlo'n wlyb ac yn oer, ar feddwl cymaint o boen yw methu cario ymbarél a'n bod ni'n gorfod straffaglu â gorchudd glaw'r bygi, neu fe allen ni symud ein sylw at y ffordd y mae'r glaw yn disgyn ar ddail a changhennau'r coed, sut mae'n glanhau popeth ac yn dod ag arogl ac ymdeimlad o ffresni yn ei sgil, neu'r ffordd y mae'n gwneud i ni deimlo'n fyw ac yn rhan o'r byd o'n cwmpas.

Yn amlwg, os yw'r system fygythiad wedi'i sbarduno, bydd hynny'n cael blaenoriaeth, felly pe bai rhywun ar feic yn canu ei gloch wrth ddod tu ôl i ni, fe fydden ni'n anghofio rhyfeddod diferion glaw mewn amrantiad. Fodd bynnag, mae'r rhan fwyaf o'r amser a dreuliwn yn ein system fygythiad yn cael ei lyncu gan boeni am y gorffennol neu'r dyfodol yn hytrach na chanolbwyntio ar yr ennyd benodol honno. Os gallwn ganolbwyntio ar yr ennyd bresennol, mae popeth yn iawn gan amlaf. Mewn gwirionedd, mae sawl ennyd yn fwy nag adegau rhydd o fygythiad yn unig; maen nhw'n bleserus tu hwnt, fel eistedd yn gyfforddus mewn cadair, neu gael cawod gynnes, neu yfed paned o de. Ond maen nhw'n mynd heibio heb i ni sylwi arnyn nhw oherwydd ein bod ni'n gaeth i'n meddyliau am y gorffennol neu'r dyfodol.

Os gallwn, yn gyntaf, ddysgu oedi am eiliad a dod yn ymwybodol o'n meddwl, ac yna penderfynu beth rydyn ni am ei roi yn yr ennyd bresennol hon, yna mae gennym ni ffordd hynod rymus o newid ein hwyliau a'n hymennydd yn ddramatig. Rydyn ni'n dechrau gweld gyda beth allwn ni lenwi'r presennol. Mae'n bosib y byddwn yn dewis poeni, er enghraifft, ond os ydyn ni'n ceisio tyfu ein meddwl tosturiol, byddwn yn ceisio cyfeirio sbotolau ein sylw at unrhyw beth a fydd yn ei dyfu. Gall hynny fod yn unrhyw beth o gwbl: atgofion am adegau pan wnaethon ni helpu rhywun, efallai, neu wynebau caredig a welwn ar y stryd, delweddau o'n hunan tosturiol, neu synhwyrau – arogleuon, lluniau, synau, blasau ac ati – sy'n ysgogi teimladau o gynhesrwydd ac amddiffyniad ynom ni.

Dyma gyfres o ymarferion ar gyfer canolbwyntio ein sylw ar wahanol agweddau sy'n gallu ysgogi ein meddwl tosturiol. Dim ond cyfran fechan yw'r rhain o'r posibiliadau niferus mae'n bosib i ni ddod ar eu traws bob dydd. Ond wedi i ni ddechrau ymarfer symud ein sylw, yna rydyn ni'n naturiol yn dechrau edrych ar y byd mewn ffordd ychydig yn wahanol. Yn sydyn, dechreuwn 'weld' y posibiliadau ar gyfer ysgogi ein meddwl tosturiol lle nad oedd dim i'w gweld cynt.

Ymarferion: Sylw tosturiol ...

(Gyda'r holl ymarferion hyn, dechreuwch â'r pum carreg gamu sef osgo'r corff, anadlu, ymwybyddiaeth ofalgar, wyneb cynnes a llais cynnes.)

... i atgofion

- Adegau gyda fy mabi pan oedd yn teimlo'n gyfforddus, yn llai anodd, yn well na'r arfer, ymdeimlad bychan o deimlo'n iawn, yn dyner, yn gynnes neu'n heddychlon. Gallai'r rhain fod yn fyrhoedlog, ond canolbwyntiwch arnyn nhw'n fanwl, fel petaech chi'n edrych arnyn nhw o dan ficrosgop: sut roeddech chi'n teimlo yn eich corff? Sut rydych chi'n dychmygu roedd eich babi yn teimlo? Beth oedd y mynegiant ar ei wyneb? Cyflwynwch lawer o fanylion i hyn. Ble roeddech chi'ch dau? Pa amser o'r dydd neu'r nos oedd hi? Sut roedd y tymheredd? Ac yn y blaen. Mae hyn yn ei wneud yn atgof cryf yn hytrach nag atgof byrhoedlog. Rydyn ni'n tueddu i anwybyddu'r atgofion hyn, a hel meddyliau drosodd a throsodd am atgofion gofidus. Fel gyda 'cyd-danio a chydglymu', mae sylw tosturiol yn atgyfnerthu'r atgofion sy'n adeiladu ein system leddfu.

- Adegau pan wnes i ymdopi'n well nag roeddwn i'n meddwl y byddwn i.

- Adegau pan oeddwn i'n teimlo'n ofnus ond fe wnes i fwrw drwyddi beth bynnag.

- Ysbeidiau o heddwch.

- Adegau pan wnes i helpu rhywun.

- Ysbeidiau pan wnes i deimlo caredigrwydd go iawn tuag at rywun.

- Adegau pan wnaeth rhywun wenu arna i gyda charedigrwydd go iawn.

- Adegau pan wnes i helpu rhywun i deimlo'n ddiogel.

- Adegau pan wnes i aros gyda rhywun a oedd yn ei chael hi'n anodd.

... i ddiolchgarwch

Canfuwyd bod dyddiadur diolchgarwch yn ffordd rymus o wella hwyliau drwy symud sylw fel mai 'ni yw'r peth rydyn ni'n meddwl amdano'.¹ Mae'n fwy effeithiol os ydyn ni'n dechrau gyda bwriad clir i dreulio mwy o amser yn canolbwyntio ar yr hyn rydyn ni'n ddiolchgar amdano. Y syniad yw ysgrifennu tri pheth rydyn ni'n ddiolchgar amdanyn nhw bob dydd, heb ailadrodd unrhyw un ohonyn nhw. Ysgrifennwch frawddeg: er enghraifft, 'gallu gwerthfawrogi lliw'r blodau', 'y dyn a adawodd i mi fynd o'i flaen yn y ciw oherwydd bod fy mabi yn crio', 'bod â charthen gynnes'. Mae nodi diolchgarwch i bobl yn arbennig o rymus.

Ceisiwch wneud hyn bob dydd am o leiaf wythnos fel eich bod yn sylwi ar y broses ddiddorol sy'n digwydd yn aml. Ar y dechrau, mae'n gallu teimlo fel tasg arall i'w chyflawni, ond yna byddwch yn dechrau teimlo boddhad wrth sylwi ar rywbeth yn ystod y dydd i'w gofnodi yn eich dyddiadur y noson honno. Maes o law, byddwch yn dechrau edrych yn fwriadol am unrhyw beth rydych chi'n teimlo'n ddiolchgar amdano. Mae eich sylw bellach wedi symud o ganolbwyntio ar fygythiad i ganolbwyntio ar leddfu a phleser. Ac wrth gwrs, mae'r hyn sy'n cyd-danio yn cydglymu, felly rydych yn llythrennol yn cryfhau eich system leddfu.

Os ydych chi'n dymuno dal ati ar ôl hynny, mae unwaith yr wythnos yn ddigon. Mae rhai pobl wedi rhoi eu dyddiadur ar y wal a gofyn i aelodau eraill o'r teulu ychwanegu ato hefyd. Mae'n ymddangos bod plant yn arbennig yn mwynhau hyn yn fawr. A does dim byd tebyg i ddarganfod bod rhywbeth rydych chi wedi'i wneud neu'i ddweud wedi'i nodi yno gan aelod arall o'ch teulu. Mae rhai teuluoedd wedi dweud ei fod wedi cael effaith mor fawr ar eu plant fel eu bod wedi tynnu siartiau gwobrwyo a rhoi dyddiadur diolchgarwch teuluol yn eu lle. Y nod yw ei gadw'n ddiffuant a didwyll yn hytrach na llithro i ymosodiadau cynnil ('Dwi'n ddiolchgar i chi am gadw'ch esgidiau am unwaith!') neu geisio dylanwadu ar ymddygiad. Ddylech chi ddim rhoi amod ynghlwm wrth y nodiadau, dim ond mynegiant o'ch diolch diffuant.

... i rannau o'n babi

Natur bygythiad yw ei fod yn canolbwyntio ein sylw ar y bygythiad ac arnon ni ein hunain fel rhywun sydd dan fygythiad. O reidrwydd, mae'n ffocws cul. Wrth i ni newid o sylw sy'n canolbwyntio ar fygythiad i sylw sy'n canolbwyntio ar dosturi, mae'n bosib y byddwn ni'n gweld bod ein sylw yn ehangu. Os ydyn ni'n cyflwyno'r sylw tosturiol hwn i'n babi, gallwn yn awr ystyried ein babi yn ei gyfanrwydd yn hytrach na chanolbwyntio'n unig ar y rhannau sy'n ein poeni. Efallai y byddwn ni'n sylwi nawr, gydag arlliw o chwilfrydedd, fod gwahanol agweddau ar ein babi yn ennyn emosiynau ac ymatebion corfforol ychydig yn wahanol ynom ni. Does dim angen i ni farnu'r ymatebion hyn, dim ond sylwi arnyn nhw. Gallwn edrych dros ein babi, o'i wallt, i'w glustiau, ei lygaid, trwyn, ceg, gwddf, i'w ddwylo, breichiau, bysedd, bysedd traed, pengliniau ac ati. Gallwn edrych ar sut mae ei groen yn wahanol o ran ansawdd a lliw. Gallwn hefyd droi ein sylw at ei 'hunan' gwahanol, amrywiol gyflyrau ei fodolaeth: yn cysgu, yn gysglyd, yn flin, yn ofnus, yn gyffrous, yn effro, yn flinedig, yn 'siaradus', yn ddiddig ac ati, gan sylwi gydag ymwybyddiaeth chwilfrydig ar y teimladau a'r ysgogiadau corfforol mae'r rhain yn eu hennyn ynom ni.

... i adegau pan mae'n haws

Yn naturiol, bydd ein meddwl bygythiol yn canolbwyntio ar yr adegau arbennig o anodd ond prin y bydd yn rhoi sylw i adegau pan fydd pethau ychydig yn well. Mae'n nodwedd arferol ar feddyliau dynol, ond dydy hynny ddim yn ffafriol iawn i lesiant. Rydyn ni'n dysgu unioni'r cydbwysedd hwn drwy adeiladu'r gallu i roi sylw i adegau pan fydd bywyd ychydig yn fwy cadarnhaol, neu o leiaf ychydig yn llai negyddol. Mae ein meddwl tosturiol yn gallu ystyried y darlun cyfan heb farnu, a gyda charedigrwydd a derbyniad. Gall ganiatáu i ni weld yr adegau pan fydd y dicter, y gorbryder neu'r difaterwch efallai'n teimlo ychydig yn llai llym, neu pan fydd rhyw fymryn o gynhesrwydd neu dynerwch. Mae'n bosib y bydd yr adegau hyn yn digwydd pan fyddwn ni'n gwylio ein babi yn cysgu ac yn gweld yr anadliadau bychain neu'r wên a'r gwg byrhoedlog sy'n mynd a dod ar ei wyneb. Mae'n bosib y byddan nhw'n digwydd pan fyddwn ni'n bwydo'n babi neu wrth afael ynddo a siarad ag ef, neu pan fyddwn ni'n ei wylio yntau'n edrych ar y byd wrth gael ei wthio yn y bygi.

Mae'r meddwl bygythiol wedi'i gynllunio i wneud i ni ganolbwyntio ar anawsterau, neu i dynnu sylw atyn nhw, gan anwybyddu unrhyw beth arall. O ganlyniad, mae ein babi, a'n perthynas ag ef, yn gallu dod yn un profiad cyfyng – 'ingol, hunllefus, anodd'. Ar y llaw arall, mae ein meddwl tosturiol yn caniatáu i ni weld sut mae ein perthynas a'n hamser gyda'n gilydd yn symud ac yn newid yn gyson. Rydyn ni'n gweld nad un profiad yn unig mohono ond amrywiaeth eang o brofiadau, ac ar ben hynny, mae'r rhain yn mynd a dod, yn dod eto ac yn mynd eto. Mae hyn yn golygu bod angen i ni lacio ein gafael ar rai profiadau, eu hamddiffyn yn llai egnïol, gan ddod yn ymwybodol y gallwn ddioddef yr adegau anodd a bod yn ffyddiog y daw'r adegau da heibio eto.

I ddechrau, mae hyn yn gofyn am ymarfer bwriadol oherwydd mae ein meddyliau'n dda iawn am sleifio heibio, neu anwybyddu'n llwyr, unrhyw ysbeidiau sy'n dda neu ddim cynddrwg. Rhywbeth sy'n gallu helpu yw rhoi nodiadau atgoffa ar bapur gludiog neu ar eich ffôn i 'fwynhau'r ennyd dda hon' ac yna ganiatáu i'ch sylw ganolbwyntio ar bopeth sy'n dda yn yr ennyd honno, neu'r hyn nad yw cynddrwg ag arfer. Mae'n bosib y bydd eich meddwl yn naturiol yn mynd tuag at y negyddol, fel mae'n tueddu i'w wneud, ond arweiniwch ef yn ôl yn dyner at yr hyn sy'n dda yn yr ennyd honno. Ceisiwch adael iddo hidlo i mewn i chi am ychydig eiliadau, fel eich bod chi'n troi ennyd fyrhoedlog yn rhywbeth rydych chi'n hollol ymwybodol ohono. Llyfr rhyfeddol sy'n canolbwyntio ar y cysyniad a'r arfer hwn yw *Hardwiring Happiness: The Practical Science of Reshaping your Brain – and your Life*[2] gan Rick Hanson.

... i ddefnyddio pob un o'n synhwyrau gyda'n babi

Bydd ein babi yn cael ei arwain gan ei wahanol synhwyrau a'i deimladau corfforol. Fel oedolion, rydyn ni'n gallu bod ar goll yn ein meddyliau i'r fath raddau fel ein bod ni'n symud oddi ar donfedd ein synhwyrau a'n corff. Yn yr adran hon, rydyn ni'n troi ein sylw at ddychwelyd i'r un donfedd â'n synhwyrau. Gallwn ganolbwyntio ar un synnwyr ar y tro, gan wneud dim ond sylwi ar yr hyn sy'n digwydd â meddwl tosturiol. Mae'n bosib i ni ddechrau gyda'n golwg, gan edrych ar wahanol agweddau ar ein babi heb farnu ond gyda rhyfeddod a derbyniad, yn union fel pe baen ni'n edrych drwy lygaid plentyn ar flodyn. Ceisiwch beidio â labelu na meddwl yn ormodol, dim ond caniatáu i'r hyn a welwch lifo i mewn i chi. Efallai y byddwch chi'n ceisio tynnu llun o'ch babi, neu hyd yn oed wneud llun neu baentiad ohono. Edrychwch arno o bell ac yn agos.

Yna efallai y byddwch chi'n defnyddio'ch synnwyr cyffwrdd: yn mwytho'i law, efallai, a dim ond yn dod yn ymwybodol o deimlad ei fysedd yn gafael yn dynn yn eich bys, teimlo'i groen, yna mwytho'i wallt yn ysgafn. Efallai y byddwch chi'n ceisio tylino'i law ag ychydig o olew tylino babanod, gan roi sylw i deimlad ei groen yn erbyn eich croen chi. Efallai y byddwch chi'n ei ddal wrth iddo gysgu ac yn dod yn ymwybodol o deimlad ei gynhesrwydd a'i bwysau yn erbyn eich corff.

Mae arogl yn agwedd bwysig ar fondio, ond mae'n un sy'n aml yn cael ei hesgeuluso. Mae'n hysbys ei fod yn hanfodol ar gyfer bondio mewn anifeiliaid, ac rydyn ni'n sylweddoli fwyfwy pa mor bwysig ydyw i fodau dynol hefyd. Ond beth os yw arogl ein babi ein hunain yn atgas i ni, fel sy'n gallu digwydd weithiau? Yn gyntaf, fe fydden ni'n sylwi ar hyn, ac yna'n cyflwyno'n tosturi i'r profiad hwn, tosturi droson ni'n hunain a thros ein babi. Yna gallwn fynd ati â'n meddwl tosturiol i ddefnyddio arogl fel ffordd o glosio at ein babi. I ddechrau, efallai y bydd angen i ni ddod o hyd i siampŵ babi a swigod baddon sy'n arogli'n hyfryd i ni. Efallai y byddwn yn sawru'r arogl wrth i ni olchi ein babi. Efallai y byddwn yn ei lapio mewn tywel sydd wedi'i olchi mewn sebon golchi dillad a ddewiswyd yn fwriadol oherwydd ei arogl, a threulio amser yn gafael ynddo a'i arogli tra mae'n glyd ac yn fodlon. Wrth i ni ddechrau cysylltu ei agosrwydd ag arogl pleserus, mae'n bosib y byddwn yn darganfod ein bod yn mwynhau ei arogl naturiol fwyfwy dros amser hefyd.

O ran synau, unwaith eto gallwn ddechrau lle mae hynny hawsaf, efallai drwy eistedd yn ymyl ein babi neu ei ddal pan fydd yn cysgu a gwrando ar ei anadliadau bychain a chyflym, yr anadlu i mewn dwfn, afreolaidd, y saib (sy'n gallu ymddangos yn ddychrynllyd o hir – sylwch ar y meddwl bygythiol yn codi ei ben yma, a defnyddiwch eich tosturi i fynd i'r afael ag ef) rhwng anadliadau. Gwrandewch ar ei 'siarad' pan fydd yn dawel effro, a'i chwerthin dwfn wrth iddo dyfu.

Fel her go iawn, ceisiwch weld a allwch chi gyflwyno'ch meddwl tosturiol i grio'ch babi. Efallai y dewch chi'n ymwybodol bod ei grio'n sbarduno gorbryder neu annifyrrwch ynoch chi. Mae cyflwyno'ch meddwl tosturiol atoch chi'ch hun yn gyntaf yn gallu helpu i'ch tawelu chi cyn i chi ymateb i'ch babi: drwy sylweddoli bod cri babi wedi'i bwriadu i ennyn ymateb cryf ynoch chi; y gallai sbarduno atgofion corfforol o'ch plentyndod ynoch chi, sy'n ei gwneud hi ddwywaith mor anodd ei dioddef, ond nid eich bai chi yw hynny; bod y gofid hwnnw'n anodd ei ddioddef ar y gorau, felly does ryfedd eich bod chi'n cael trafferth. Mae cynnig cefnogaeth a dealltwriaeth i chi'ch hun, anadlu mewn rhythm lleddfol am rai eiliadau, a rhoi eich llaw ar eich calon yn gallu'ch tawelu chi ddigon i chi allu cyflwyno'ch meddwl tosturiol i'ch babi.

Rhywbeth sy'n gallu helpu yw cyferbynnu sut byddech chi'n ymateb i'ch babi yn eich meddwl gorbryderus, o'i gymharu ag ymateb yn eich meddwl dig, ac yna o'i gymharu ag ymateb yn eich meddwl tosturiol.

Efallai y gallwch roi cynnig ar chwarae cerddoriaeth wahanol i chi a'ch babi a sylwi sut mae'r ddau ohonoch yn ymateb ag ymwybyddiaeth chwilfrydig. Rhowch gynnig ar ganu, hwiangerddi a darllen gyda'ch babi. Er y gallen ni deimlo'n hunanymwybodol iawn, neu fod gennym ni atgofion emosiynol negyddol cryf yn deillio o brofiadau blaenorol o wneud hyn, mae ein babi wedi cael ei gyflyru i'n llais cyn iddo gael ei eni hyd yn oed. I'n babi, llais y fam yw'r llais mwyaf rhyfeddol yn y byd. Hyd yn oed os ydych chi wedi gweiddi ar eich babi, neu wedi bod yn grac gyda'ch babi, mae'r cyflyru cadarnhaol i'ch llais yn rymus iawn. Dydy hi byth yn rhy hwyr i barhau i adeiladu ar y cysylltiadau cadarnhaol cynnar hyn, hyd yn oed os ydych yn ofni eich bod wedi 'gwneud llanast' o hynny drwy eich trafferthion blaenorol gyda'ch babi.

Mae blas yn synnwyr anoddach i'w ddefnyddio heb lyfu'ch babi! Fodd bynnag, gallwn ganolbwyntio ar y blas wrth gusanu pen ein babi, neu roi cynnig ar rannu rhai o'r blasau mae'n eu profi: y tegan mae'n ei gnoi, eich bys neu'r llaeth rydych chi'n ei roi iddo. Rhowch gynnig ar flasu'r cyfan, gan ddychmygu'ch bod chi'n meddu ar feddwl chwilfrydig, anfeirniadol eich babi. Pan fydd eich babi yn cyrraedd y cam 'popeth yn y geg', mae'n dysgu llawer iawn am ei fyd drwy ddefnyddio sensitifrwydd ei geg at gyffwrdd a blasu. Rydyn ni'n aml yn esgeuluso blas, gan fwyta bwyd hynod flasus heb sylwi arno hyd yn oed. Yn lle hynny, fe allen ni dreulio peth amser yn profi bwyd a diod yn union fel y mae babi'n ei wneud. (Gweler 'Bwyta fel babi', tudalen 209).

... i'r hyn sy'n ein cysylltu

Mae ein system fygythiad yn peri i ni ganolbwyntio ar ddatgysylltu oddi wrth eraill oherwydd dyma ein hofn mawr, felly bydd yn hoelio sylw ar unrhyw beth sy'n ymwneud â datgysylltu oddi wrth ein babi yn arbennig. Gallai'r ymdeimlad hwn o ddatgysylltu neu wahanu oddi wrth ein babi gael ei sbarduno gan lawer o bethau, fel cael bachgen a chithau ddim ond wedi arfer â merched, cael merch pan nad oeddech erioed yn teimlo'n arbennig o gyfforddus â merched, cael trafferth uniaethu ag anian eich babi, neu deimlo bod eich babi wedi achosi trafferthion yn ystod y beichiogrwydd, yr esgor neu'n ôl-enedigol ac ati.

Mae ein hunan tosturiol yn dilysu pa mor anodd yw cael y teimladau a'r profiadau hyn, ac yn cyflwyno'r doethineb i ni weld pam eu bod yn ein poeni. Mae hefyd yn cyflwyno peidio â barnu a derbyn: na wnaethon ni ddewis teimlo fel hyn, ond dyma sut rydyn ni'n teimlo serch hynny. Mae'r hunan tosturiol wedyn yn gallu ein helpu i symud ein ffocws o'r hyn sy'n ein datgysylltu i'r hyn sy'n ein cysylltu ni â'n babi. Felly gallwn ganolbwyntio, er enghraifft, ar y profiadau rydyn ni wedi'u rhannu eisoes â'n babi, fel esgor a geni anodd, cael ein gwahanu oddi wrth ein gilydd adeg y geni, mwynhau bod allan yng nghefn gwlad, mwynhau gwrando ar gerddoriaeth, neu ddawnsio iddi, cael ein caru gan yr un person (e.e. 'fy mam i, dy nain di'), meddu ar natur swil, mwynhau mwytho'r gath ac ati.

Dydy hyn ddim yn ymwneud â goruniaethu â'n babi, neu geisio gorfodi tebygrwydd nad yw'n bodoli mewn gwirionedd, dim ond bod yn agored i ymwybyddiaeth o unrhyw beth sy'n ein huno ni â'n babi mewn unrhyw ffordd.

Mae hwn wedi bod yn ymarfer grymus i rai menywod. Yn hytrach na bod ar wahân i'w babi, weithiau i'r graddau eu bod bron yn teimlo fel 'gelynion' ar ddwy ochr wahanol, maen nhw'n sylweddoli'n sydyn eu bod wedi bod drwy daith anodd iawn gyda'i gilydd. Yn sydyn, aeth un fenyw o deimlo fel petai ei babi bron â'i lladd yn ystod yr enedigaeth i weld yn sydyn fod y ddau wedi bod drwy rywbeth cwbl ddychrynllyd. Teimlodd symudiad, fel petai ei babi bellach wrth ei hochr, ac roedd y ddau ohonyn nhw'n edrych allan ar y byd gyda'i gilydd. Roedd hi wedi'i chyffroi yn emosiynol, ar ei rhan ei hun ac ar ran ei babi.

Ymarfer: Symud gyda'n gilydd – cydamseriad

Gallwn hefyd greu ysbeidiau newydd o gysylltiad drwy 'gydamseriad', pan fyddwn ni'n dod â'n symudiadau, ein gweithredoedd neu ein bwriadau ynghyd â'n babi. Mae tystiolaeth bod cydamseru ag eraill yn rheoli ac yn tawelu curiadau calon pawb sy'n gysylltiedig â'r broses, a hefyd yn hyrwyddo ymdeimlad o gyswllt ac ymgysylltiad. Mae hyn yn cynnwys pethau fel tapio, drymio neu ganu gyda'n gilydd.[3, 4] Gallwn ddefnyddio'r wybodaeth hon i greu cyswllt gwirioneddol â'n babi, drwy wneud yr un synau ag ef, er enghraifft, neu dapio wrth iddo yntau dapio, dawnsio i rythm ei symudiadau, a cheisio stopio a dechrau yr un pryd ag ef. Wrth i'r babi fynd yn hŷn, bydd yn mwynhau sylwi ar yr effaith mae'n ei chael arnoch chi, fel eich gwylio chi'n newid eich rhythm wrth iddo yntau wneud hynny, gwrando arnoch chi'n copïo ei synau gwirion, a thawelu neu wneud mwy o sŵn wrth iddo yntau dawelu neu wneud mwy o sŵn.

Ymarfer: Drwy lygaid fy mabi

Mae'n bosib y byddwn yn cael cryn drafferth i fod 'yn yr ennyd', ond mae babanod yn feistri ar hyn. Maen nhw'n gallu cael eu hudo'n llwyr gan lif dŵr o dap a cheisio 'gafael' ynddo, neu wrth archwilio'ch llygaid, neu gan dwll bach mewn blanced. Gallwn ddysgu llawer drwy edrych arnyn nhw pan maen nhw mewn cyflwr o 'ymwybyddiaeth effro'.

Os yw'n gallu gwneud hynny, mae'n bosib y byddwch yn sylwi ar fabi'n defnyddio'i holl synhwyrau i archwilio'i fyd. Dyma'r cyflwr sydd hefyd yn hwyluso dysgu, chwarae a llawenydd orau. Rydyn ni'n aml yn colli'r eiliadau hyn yn ein babi oherwydd bod bywyd mor brysur, a bod adegau o'r fath yn gyfle prin i gyflawni tasgau. Os gallwn ni dreulio ychydig o amser yn rhannu'r eiliadau hyn â'n babi, waeth pa mor fyr ydyn nhw, gall fod yn fuddiol iawn i ni a'r babi; fe allan nhw ein tawelu ni'n rhyfeddol, a chreu ymdeimlad o lonyddwch ac eglurder, yn enwedig pan fyddwn ni'n teimlo wedi ein cyffroi.

Sylw tosturiol i'r hyn rydyn ni **wedi'i** wneud drwy'r dydd

Yn gynharach, fe wnaethon ni ystyried sut mae menywod yn aml yn ei chael hi'n anodd dod o hyd i'r geiriau i ddisgrifio'r hyn maen nhw'n ei wneud drwy'r dydd gyda'r babi. Oherwydd na allwn ni wneud hynny, mae'n gallu teimlo fel petaen ni heb gyflawni llawer o gwbl. Wrth gwrs, bydd ein system fygythiad yn canolbwyntio ein sylw ar yr hyn *nad* ydyn ni wedi'i gyflawni yn unig. Rhan o'r broblem yw'r agwedd at y swydd o greu ymdeimlad o 'gartref'. I lawer, mae'r gwaith wedi cael ei ddibrisio a'i ystyried yn ddibwys ac o statws isel. Fodd bynnag, fel rydyn ni wedi'i weld drwy'r llyfr hwn, mae ymdeimlad o 'gartref' a diogelwch yn gwbl sylfaenol i bob un ohonon ni. Mae o bwysigrwydd sylweddol i ymennydd datblygol ein plant ac mae'n hanfodol wrth ddarparu sylfaen gadarn i alluogi ein plant i symud allan i'r byd yn hyderus.

*Ymarfer: Sylw tosturiol i'r hyn rydyn ni **wedi'i** wneud drwy'r dydd*

Gallwn symud ein sylw at ailffocysu ar yr hyn rydyn ni'n ei wneud yn ystod y dydd yn hytrach na'r hyn rydyn ni'n methu ei gyflawni, yn enwedig yr agweddau hynny sy'n cyfrannu at yr ymdeimlad hwn o gartref, man lle mae ein babi (a phobl eraill sy'n byw yn y cartref) yn teimlo'i fod yn cael ei garu, ei dderbyn a'i fod yn ddiogel. Gyda sylw tosturiol, rydyn ni'n ailffocysu ar y pethau hynny a wnawn yn ystod y dydd sy'n rhoi'r ymdeimlad hwn o fan sy'n cynnig gofal a diogelwch. Mae'r rhain yn cynnwys y llu o weithredoedd bach hynny a gyflawnir gan fam sy'n cael eu cymryd yn ganiataol ond sy'n sail i ddiogelwch, y cynsail pwysicaf i alluogi ein plant i wthio yn ei erbyn a hyrddio'u hunain allan i'r byd, fel llawr o dan ein traed nad ydyn ni'n ymwybodol ohono nac yn gwerthfawrogi ei bwysigrwydd.

Mae'r gweithredoedd bach hyn yn cynnwys pob potel neu gwpan rydyn ni'n gwneud yn siŵr eu bod yn lân, pob dilledyn sy'n cael ei olchi, ei sychu, ei blygu a'i gadw, pob pryder am ein plentyn, pob pryd bwyd a weinir, pob tro fyddwn ni'n symud ein babi o lwybr niwed, pob coflaid, pob sylw a roddwn iddo a'n holl sylwadau ar yr hyn sydd fel pe bai ar ei feddwl ...

Anaml y byddwch chi'n gweld diolchgarwch, oherwydd daw diolchgarwch drwy sylwi'n ymwybodol: er enghraifft, profiad uniongyrchol o gyferbynnu bywyd mewn cartref sy'n fudr neu'n flêr, lle mae dillad yn cael eu golchi'n anaml a phrydau bwyd yn brin. Yn lle hynny, mae'r sylwi, y cymryd yn ganiataol, yn dyst i'r ymdeimlad o ddiogelwch cynhenid, lle mae'r diogelwch yn teimlo mor sicr fel nad yw'n croesi'r meddwl y gallai fod yn unrhyw beth arall. (Er bod rhywfaint o werthfawrogiad yn cael ei groesawu bob amser!)

Rydyn ni felly'n troi ein sylw at y posibilrwydd o gymryd pleser ym mhob gweithred o ddiogelwch sy'n cael ei darparu gennym ni, o wneud hynny gyda chynhesrwydd a charedigrwydd, ac o deimlo llawenydd o wybod yn ein calon ein bod newydd roi mymryn o hwb pellach i ddiogelwch ar yr aelwyd.

Ymddygiad tosturiol

Mae'r potensial gennym ni i weithredu mewn pob math o wahanol ffyrdd, yn unol â chymhelliant yr 'hunan' sydd ar waith ar unrhyw adeg benodol. Felly, er enghraifft, gallwn fod yn gystadleuol, yn ddialgar, yn ymostyngol, yn gariadus, yn feirniadol neu'n anogol, yn dibynnu pa hunan rydyn ni'n ei ddefnyddio i'n tywys drwy ein rhyngweithio ag eraill a gyda ni'n hunain. Ym mhob ennyd, pa hunan ydyn ni am roi awdurdod iddo? Pan fyddwn ni'n caniatáu i'n hunan tosturiol ein harwain ni, mae'n ein helpu i weithredu yn unol â'n gwerthoedd dyfnaf ac ymddwyn mewn ffyrdd sy'n cyd-fynd â'r person rydyn ni am fod.

Mae ymddygiad tosturiol yn ymwneud â gweithredu mewn ffyrdd sy'n ein hannog ni ac eraill i wynebu ein brwydrau, i weithio gyda nhw yn hytrach na throi oddi wrthyn nhw, ac i'n helpu ni ac eraill i fod y fersiynau gorau ohonon ni'n hunain.

Felly, er enghraifft, os ydyn ni am fod yn fam sy'n ddigynnwrf tuag at ei phlant, yna rydyn ni'n cymryd camau i helpu ein hunain i ddod yn debycach i hynny. Gallai hyn olygu cymryd amser i ddeall yr anawsterau ynghlwm wrth deimlo'n ddigynnwrf a chyflwyno ymrwymiad i helpu gyda hynny, neu i ddysgu ac ymarfer ymwybyddiaeth ofalgar, neu rythm anadlu lleddfol. Efallai ei fod yn fater o ysgrifennu 'bod yn bwyllog' ar ein llaw neu ar nodiadau o amgylch y tŷ i atgoffa ein hunain o'n bwriad i fod yn bwyllog, neu gymryd amser i ddarllen llyfr a allai fod o gymorth, neu ofyn i'n partner am amser i ni'n hunain neu i fynd allan gydag ef neu hi bob wythnos.

Mae'n golygu gweithredu mewn ffyrdd sy'n gyson â'r person rydyn ni am fod, hyd yn oed os yw hyn yn anodd. Felly, er enghraifft, os mai ein bwriad yw bod yn berson sy'n gallu mynd i'r archfarchnad ar ei ben ei hun, mae'n bosib y byddwn ni'n mynd i'r archfarchnad, derbyn y tebygolrwydd y byddwn yn cael pwl o banig yno, aros drwy'r pwl o banig ac yna ailafael yn y siopa. Rydyn ni'n defnyddio ein meddwl tosturiol i fod yn gwmni i ni yn ystod yr ennyd anodd hon, felly, yn hytrach na bod ar ein pennau ein hunain, mae gennym ni gefnogaeth, doethineb, cryfder a dewrder yn gefn i ni. Y meddwl tosturiol hefyd yw'r rhan ohonon ni fydd yn caniatáu i ni fynd yn ôl i'r archfarchnad drannoeth os na wnaethon ni lwyddo i aros yno'r tro cyntaf.

Gall fod yn ddefnyddiol meddwl pa ymddygiad a allai ein helpu:

1. mewn ennyd anodd;

2. yn y tymor byr (yr ychydig oriau neu'r dyddiau nesaf);

3. yn y tymor hir (yr wythnosau, y misoedd neu'r blynyddoedd nesaf).

Pan fyddwn yn cael trafferth yn yr ennyd honno, gan deimlo'n orbryderus iawn, neu'n ddig, neu'n isel ein hysbryd, gallwn ystyried pa ymddygiad a allai ein helpu fwyaf. Yn gyntaf, mae angen i ni deimlo'n ddiogel. Unwaith y byddwn yn teimlo'n fwy diogel, gall ein lefelau cyffro dawelu ddigon i'n galluogi i ymddwyn yn fwy archwiliol, ac mae hynny'n gallu bod o gymorth mawr yn y tymor hir. Ond gall yr hyn sy'n gwneud i un person deimlo'n ddiogel fod yn wahanol iawn i'r hyn sy'n gwneud i berson arall deimlo'n ddiogel. Mae angen i ni ddod o hyd i'r hyn sy'n gweithio orau i ni. Er enghraifft, mae'n bosib y bydd angen i ni gilio i ddechrau, lleihau ein cyffro, mwynhau ychydig o dawelwch, neu wrando ar gerddoriaeth heddychlon, ond yna, unwaith y byddwn yn teimlo wedi ymdawelu, mae'n bosib y bydd angen i ni wedyn geisio ychydig o gyswllt cymdeithasol diogel.

Rhan bwysig o ymddygiad tosturiol pan fyddwn ni'n teimlo'n ofnus neu'n isel ein hysbryd yw creu rhyw fath o symudiad corfforol tyner, oherwydd rydyn ni'n ymateb i fygythiad mewn ffordd gorfforol iawn. Gallai hynny fod yn rhywbeth mor fach â newid osgo ein corff, o fod yn ein cwman, a'n cyhyrau'n dynn, i'r ymgorfforiad o dosturi sy'n cael ei ddefnyddio drwy'r llyfr: traed yn gadarn ar y llawr, pen yn syth, yr asgwrn cefn wedi ymlacio ond yn unionsyth, ysgwyddau i lawr ac yn agored, dwylo wedi ymlacio. Gallai hefyd gynnwys cerdded, gweithgaredd ysgafn o gwmpas y tŷ, ymarferion ioga neu ddawnsio'n araf o amgylch yr ystafell gyda'r babi. Mae mwy o awgrymiadau isod, ac fe allen nhw esgor ar fwy o syniadau hefyd.

Enghreifftiau o ymddygiad tosturiol 'yn yr ennyd'

Gallai hyn gynnwys:

- Oedi, cymryd hoe am eiliad, a dechrau anadlu mewn rhythm lleddfol.

- Gwneud yn siŵr bod y babi yn ddiogel ac yna cilio am ennyd i ganiatáu rhywfaint o le i ni setlo, efallai drwy gerdded o gwmpas yr ardd neu fynd i ystafell wahanol.

- Gosod eich llaw dde ar eich calon, neu drosti, teimlo eich anadl yn codi ac yn gostwng a chysur y cynhesrwydd o'ch llaw.

- Dod â'ch hunan tosturiol i'r amlwg – newid eich osgo i un sy'n gadarn, yn gryf ac yn agored, cysoni ac arafu'ch anadlu, gan sylwi ar eich anadl ag ymwybyddiaeth ofalgar, cyflwyno doethineb a derbyn sut rydych chi'n teimlo: bod hyn oherwydd y ffordd mae ein meddyliau wedi esblygu, a'r profiadau a gawson ni, a dyna sy'n gwneud yr ennyd hon mor galed, ac mai'r frwydr hon yw'r hyn sy'n ein cysylltu â phobl eraill; dydyn ni ddim ar ein pennau ein hunain yn y frwydr hon. Rydyn ni'n ymwneud â ni ein hunain â charedigrwydd, cryfder, doethineb, cynhesrwydd a charedigrwydd.

Enghreifftiau o ymddygiad tosturiol 'yn y tymor byr'

- Dychmygu'ch delwedd dosturiol yma gyda chi a sylwi sut gallai'ch helpu chi.

- Gwneud paned o de yn ymwybyddol ofalgar – gweld a allwch chi ganolbwyntio ar bob agwedd: llenwi'r tegell, rhoi'r cwdyn te i mewn, gwylio effaith y dŵr ar y cwdyn te, tynnu'r cwdyn te allan, ychwanegu'r llaeth, troi'r te, dal y cwpan, arogli'r te a blasu'r te.

- Mynd allan i chwilio am y lefelau golau uwch sy'n helpu i godi ein hwyliau (hyd yn oed ar ddiwrnod glawog mae'r lefelau golau yn llawer uwch y tu allan na'r tu mewn, hyd yn oed â phob golau ymlaen).

- Cerdded o gwmpas yr ardd gyda'r babi.

- Cerdded o gwmpas y parc neu i fyny'r stryd ac yn ôl gyda'r babi.

- Gwisgo côt ac esgidiau glaw a mynd allan yn y glaw gyda'r babi yn glyd yn ei fygi, o dan y gorchudd glaw.

- Ffonio rhywun – ffrind, perthynas, meddyg teulu, ymwelydd iechyd, llinell gymorth.

- Mynd ar y rhyngrwyd – Mam Cymru, Netmums neu Mumsnet, er enghraifft.

- Rhoi trefn ar rywbeth, hyd yn oed os yw'n dasg syml iawn, e.e. gwneud gorchudd y gwely'n llyfn, plygu llieiniau sychu llestri, brwsio'ch gwallt.

- Chwarae cerddoriaeth. Rhowch gynnig ar wahanol fathau.

- Arogli rhywbeth dymunol, e.e. sebon golchi llestri, powdr golchi neu sebon – caewch eich llygaid a gadewch i'r arogl hidlo i mewn i chi.

- Edrych ar rywbeth o safbwynt gwahanol, e.e. allan o ffenest uchel nad ydych fel arfer yn edrych drwyddi neu (yn ofalus!) sefyll ar ben stôl – dychmygwch edrych i lawr ar eich sefyllfa o'r cymylau.

- Tynnu eich sylw eich hun.

- Gwylio ffilm.

- Ysgrifennu llythyr tosturiol atoch chi'ch hun.

- Mynd i siop goffi.

- Mynd i rywle hollol wahanol nad ydych chi fel arfer yn mynd iddo, e.e. amgueddfa leol, y llyfrgell, canolfan blant, eglwys neu deml.

- Cerdded drwy goed, hyd yn oed os yw'n bwrw glaw neu'n oer (gwisgwch yn gynnes!).

- Eistedd yn agos at ddŵr.

- Bwydo'r hwyaid.

- Mwytho anifail.

- Mynd am dro neu yrru o gwmpas ardal nad ydych chi fel arfer yn mynd iddi. Chwilio am rywbeth newydd na fyddech chi wedi bod yn ymwybodol ohono heb i chi fod wedi ymweld â'r ardal dan sylw.

- Sylwi ar ennyd heb ei barnu – nid yn unig yr hyn rydych chi'n ei deimlo y tu mewn ond yr hyn rydych chi'n ei weld, ei glywed, ei arogli, ei gyffwrdd neu ei flasu.

- Symud o gwmpas, e.e. ymarfer corff ysgafn, ioga, Tai Chi, dawnsio i'r radio, dawnsio gyda'r babi, cerdded, neu ymestyn eich cyhyrau'n dyner.

Enghreifftiau o ymddygiad tosturiol 'yn y tymor hir'

- Neilltuo ychydig o amser rheolaidd bob wythnos ar eich cyfer chi yn unig, hyd yn oed os yw am gyn lleied ag awr i ddechrau: er enghraifft, i fynd am dro tra mae rhywun arall yn gofalu am y babi.

- Trefnu cyfnodau rheolaidd gyda phobl bob wythnos, e.e. grŵp mam a'i phlentyn, cyfarfod â ffrind, mynd i'r archfarchnad neu ddilyn cwrs mewn canolfan blant.

- Sefydlu ymarfer meddwl tosturiol rheolaidd, e.e. penderfynwch ar le, ei wneud yn lle sy'n teimlo'n dda (cliriwch gornel ar gyfer eistedd, gyda golau braf, llun sy'n eich ysbrydoli, rhai geiriau sy'n helpu, cadair gyfforddus, cynhesrwydd – beth bynnag fydd yn eich helpu i edrych ymlaen at fod yno). Penderfynwch ar amser bob dydd. Gwnewch yn siŵr fod hyn yn bwysig i chi a'ch teulu.

- Gofyn i'ch ymwelydd iechyd alw bob wythnos am ychydig, neu fynd i glinig ymwelydd iechyd wythnosol.

- Gwnewch nodyn ysgrifenedig o'r rhan ohonoch rydych am ei thyfu fwyaf; sut gallai eich bywyd fod yn wahanol, a sut gallai fod yr un fath, wrth i chi ddechrau tyfu'r rhan honno? Beth allai ei helpu i dyfu? Pa gamau allwch chi eu cymryd i'w helpu i dyfu? Beth fydd yn eich helpu chi i gymryd y camau hynny?

- Mynd ar gwrs sydd o ddiddordeb i chi ac a allai eich helpu chi, e.e. mewn canolfan blant leol, neu mewn dosbarth nos neu brifysgol leol (weithiau, mae cymorth gyda gofal plant ar gael), neu gwrs ar-lein.

Crynodeb

Er y bydd ein meddyliau yn naturiol yn symud at bethau sy'n ennyn ein gorbryder neu ein dicter, rydyn ni'n gallu symud ein sylw yn ymwybodol at bethau sy'n ysgogi ein meddwl tosturiol. Pan fyddwn ni'n ystyried y cysyniad o bethau sy'n 'cyd-danio yn cydglymu', mae hynny'n bwysig o ran y meddwl rydyn ni'n ceisio'i feithrin. Dydy hyn ddim yn golygu anwybyddu'r pethau y mae angen canolbwyntio arnyn nhw, efallai, nac yn ffordd o 'edrych ar yr ochr olau' yn unig; mae'n datblygu'r gallu i ddefnyddio doethineb i ddewis beth yw ffocws mwyaf buddiol a chefnogol ein sylw ym mhob ennyd.

Mae ymddygiad tosturiol yn aml yn gofyn am ddewrder oherwydd ei fod yn ymwneud ag ymddwyn mewn ffyrdd sy'n gallu golygu wynebu dioddefaint a gweithredu, ac nad yw hynny'n hawdd o bosib.

CAM TRI

Dod â'n meddwl tosturiol i'n brwydrau

Cyflwyniad

Yng Ngham Un, fe fuon ni'n edrych ar sut mae ein hymennydd esblygol a'n profiadau yn gallu cael cymaint o effaith ar ein profiad o gael babi. Wnaethon ni ddim dewis y rhain, ac eto, pan fyddwn ni'n wynebu trafferthion, rydyn ni'n gallu teimlo ein bod ni ar fai rywsut. Pwrpas Cam Un yw ein helpu i symud o gyflwr o gywilydd, bai a hunanfeirniadaeth i un o dderbyn a deall; o gael ymdeimlad dwfn nad 'eich bai chi yw hyn'.

> *Yn aml pan fyddwn ni'n cael trafferth, fe allwn ni deimlo'n unig. Un o amcanion datblygu ein meddwl tosturiol yw rhoi ymdeimlad dwfn i ni o fod 'gyda' ein hunain.*

Fe wnaethon ni edrych yn ogystal ar effaith beio a chywilyddio, sy'n gallu arwain at ganlyniadau trafferthus iawn i ni. Fodd bynnag, rydyn ni hefyd wedi esblygu galluoedd i ymateb i gynhesrwydd, tosturi, cefnogaeth a charedigrwydd mewn ffyrdd sy'n creu ymatebion grymus a chadarnhaol ar lefel fiolegol oddi mewn i ni. Yn bwysig iawn, mae hyn yn digwydd pan fydd y tosturi yn dod oddi wrth rywun arall neu oddi wrthyn ni ein hunain. Yng Ngham Dau, fe fuon ni'n edrych ar y rhinweddau penodol sy'n ffurfio meddwl tosturiol a sut i ddatblygu'r rhain fel ein bod yn datblygu perthynas o ymgysylltiad â ni ein hunain ac eraill; ymdeimlad o gael 'rhywun' yn gwmni ar y daith, sydd yno'n fwriadol i'n helpu, i'n cefnogi a'n hannog, hyd yn oed os mai ni ein hunain yw'r 'rhywun' hwnnw.

Yng Ngham Tri, rydyn ni'n cyflwyno ein meddwl tosturiol i'r trafferthion a nodwyd yng Ngham Un. Nid dileu'r trafferthion yw'r nod, oherwydd maen nhw'n rhan o'r meddwl dynol. Os ydyn ni'n ceisio dileu gorbryder, dicter neu hunanfeirniadaeth, er enghraifft, neu hyd yn oed boen gorfforol, rydyn ni'n cyplysu rhwystredigaeth ac ofn â'r anhawster gwreiddiol, gan ychwanegu'n anfwriadol at ein dioddefaint yn hytrach na'i leddfu. Oherwydd y ffordd mae ein hymennydd yn gweithredu'n gynhenid, os byddwn yn cyflwyno dealltwriaeth, derbyniad ac awydd dwfn i helpu'r rhan ohonon ni sy'n teimlo'n orbryderus neu'n ddig, yna rydyn ni'n teimlo'n fwy diogel, ac felly'n dawelach, ac yn fwy tebygol o allu darganfod ffordd drwy ein trafferthion. I bob pwrpas, rydyn ni'n cysylltu'r broblem â'r teimlad sy'n dod o fod yn gysylltiedig â hi mewn ffordd dosturiol. O wneud hyn dro ar ôl tro, rydyn ni'n dod yn fwyfwy tebygol o fynd i'r afael â brwydrau'r dyfodol gyda thawelwch a phwyll cadarnach, ac ymdeimlad o allu symud ymlaen a chanfod atebion, yn hytrach na theimlo'n sathredig ac wedi ein trechu.

Mae'r adran hon yn cynnig enghreifftiau o gyflwyno gwahanol sgiliau meddwl tosturiol i rai o'r brwydrau a nodwyd yn y llyfr hwn. Beth bynnag yw'r broblem, mae'r egwyddor yr un fath bob tro: dod â'n meddwl tosturiol i'r frwydr, yn hytrach na'n meddwl gorbryderus, blin neu hunanfeirniadol. I weld y gwahaniaeth y mae hyn yn ei wneud, cymharwch ganlyniadau posib dod â meddwl pryderus neu hunanfeirniadol, yn hytrach na meddwl tosturiol, i ba frwydr bynnag sy'n eich poeni ar adeg benodol.

17 Defnyddio meddwl tosturiol, ysgrifennu llythyrau a delweddaeth i helpu gyda'n brwydrau

Meddwl tosturiol

Mae ein cyflwr emosiynol ar unrhyw adeg yn dylanwadu ar ein meddyliau. Os ydyn ni'n teimlo'n ddig, rydyn ni'n cael meddyliau dig; os ydyn ni'n teimlo'n orbryderus, rydyn ni'n cael meddyliau gorbryderus; os ydyn ni'n teimlo'n heddychlon, rydyn ni'n cael meddyliau heddychlon. Fel y gwelson ni, dydy hi ddim yn hawdd symud o gyflwr emosiynol sy'n seiliedig ar fygythiadau i gyflwr tosturiol sy'n galonogol a chefnogol, ond mae'n dod yn haws gydag ymarfer. Yma rydyn ni'n ymarfer cydbwyso meddyliau a ysgogwyd gan ein system fygythiad â meddyliau o'n system dosturiol.

Mae tystiolaeth bod darllen geiriau cadarnhaol fel 'chwerthin' a 'bod yn hapus' yn cynhyrchu'r teimladau hynny drwy sbarduno cyhyrau ein hwynebau i ffurfio gwên wrth i ni eu darllen. Yn yr adran hon, mae cyfle i ni lawn ystyried yr hyn rydyn ni am ei deimlo ac yna ysgrifennu'r geiriau hynny droson ni'n hunain.

Pan fyddwn ni'n cynhyrchu meddyliau sy'n canolbwyntio ar dosturi, mae angen i ni bontio i'n system dosturi yn gyntaf, gan ddefnyddio'r pum cam: osgo, rhythm anadlu lleddfol, ymwybyddiaeth ofalgar, mynegiant wyneb cynnes a charedig, a naws llais cynnes. Rydyn ni wedyn yn ymgysylltu â'n hunan tosturiol, gan ddefnyddio ein cymhelliant a'n hymrwymiad dwfn i'n helpu ein hunain gyda'r frwydr hon, ynghyd â'n doethineb (deall dylanwadau ein hymennydd esblygol a'n profiadau) a'n cryfder. Pan fyddwn ni wedi cynhyrchu'r meddyliau sy'n canolbwyntio ar dosturi, gall fod yn ddefnyddiol eu cofnodi ar bapur ac yna'u darllen gyda'n naws llais cynnes a chaniatáu iddyn nhw hidlo i mewn i ni. Maen nhw wedyn yn cael eu teimlo yn y corff yn hytrach na'u profi ar lefel ddeallusol yn unig. Arbrofwch gyda darllen y geiriau mewn llais niwtral neu feirniadol, ac yna cyferbynnwch hynny â'r profiad sy'n deillio o'u hadrodd wrthych eich hun mewn llais cynnes a charedig.

Ymarfer: Cydbwyso meddyliau sy'n canolbwyntio ar dosturi – enghraifft

Sbardun	Meddyliau di-fudd/ gofidus	Meddyliau buddiol/caredig (ceisio creu naws gynnes)
Gadael fy mabi'n crio a cherdded i ffwrdd.	Dwi'n berson cwbl ofnadwy i allu gwneud hyn i'm babi.	**Empathi:** Mae clywed fy mabi'n crio yn peri gofid mawr i mi, ac mae teimlo fel hyn amdana i fy hun hefyd yn ofidus. Mae hyn yn anodd iawn.
		Ymennydd esblygol: Mae crio fy mabi yn ysgogi llawer o deimladau ynof fi, yn gyntaf oll oherwydd bod gen i ymennydd dynol y mae cri babi'n ei boeni ar lefel gynhenid.
		Profiadau: Ond mae'r crio hefyd yn sbarduno atgofion ynof fi o fod yn ofidus iawn yn y gorffennol. Doedd gen i neb i'm helpu gyda fy ngofid bryd hynny, felly daeth y teimladau'n llethol ac yn arswydus. Dyma pam mae crio fy mabi mor anodd i mi nawr. Dydy hynny ddim yn golygu fy mod yn berson ofnadwy, dim ond wedi cael fy ngorlethu ydw i. Dwi'n cofio nawr y byddwn yn ymdopi bryd hynny drwy adael a chau fy hun yn fy ystafell. Efallai mai dyna pam dwi'n ceisio ymdopi drwy gerdded i ffwrdd eto.
		Ymarferion: Sgiliau tosturiol: dwi'n deall nawr nad yw ymosod arnaf fy hun yn gwneud imi fod y person yr hoffwn fod. A dweud y gwir, mae'n fy nhynnu i lawr ac yn gwneud i mi deimlo'n waeth. Yn lle ymosod, dwi'n mynd i geisio rhoi rhywfaint o garedigrwydd, cefnogaeth a chydymdeimlad i mi fy hun. Fe fydda i'n treulio peth amser gyda fy nelwedd dosturiol ac efallai'n ysgrifennu llythyr tosturiol ataf fy hun. Fe allai hefyd fod o fudd i glywed sut mae eraill yn ymdopi â'u babi sy'n crio, oherwydd dwi'n siŵr nad fi yw'r unig un sy'n ei chael hi'n anodd. Mae'n bosib y bydda i'n mynd i'r grŵp mam a'i phlentyn wedi'r cyfan neu'n mynd ar y rhyngrwyd i wefan Mam Cymru neu i fforwm Netmums (Rhythm Anadlu Lleddfol).
Dydw i ddim yn teimlo unrhyw beth tuag at y babi hwn.	Mae'n rhaid bod rhywbeth o'i le arna i.	**Empathi:** Mae teimlo fy mod wedi troi'n rhywun sydd yn fy meddwl i'n annormal ac annerbyniol yn fy mrawychu. Mae'n deimlad erchyll. Dwi wir yn dioddef yr ennyd hon.
		Ymennydd esblygol: Dwi'n gweld nawr mai ein hofn dyfnaf yw cael ein taflu allan o'r grŵp, felly does ryfedd fod y profiad hwn mor frawychus i mi. Gallaf weld fod gen i ymdeimlad dwfn o ofn a chywilydd am hyn. Dwi'n teimlo'n unig iawn hefyd. Dydy hyn ddim yn rhywbeth dwi wedi dewis ei deimlo'n fwriadol; fy

		ngobaith a'm bwriad oedd teimlo cariad tuag at y babi hwn, ond yn anffodus, dwi'n ei chael hi'n anodd cael gafael ar unrhyw deimladau ar hyn o bryd.
		Profiadau: Mae'n bosib bod sawl rheswm pam nad ydw i'n teimlo unrhyw beth tuag at fy mabi, ond dwi hefyd yn dechrau sylweddoli bod y profiad hwn yn fwy cyffredin nag a feddyliais. Dydw i ddim ar fy mhen fy hun yn hyn o beth; a dweud y gwir, dwi'n siŵr bod pobl eraill yn teimlo'r un fath yr eiliad hon. Wrth ddarllen drwy'r llyfr, dwi'n cofio bod iselder ôl-enedigol, genedigaeth anodd, diffyg cefnogaeth, blinder a lludded, ac ofn ymlynu at rywun mae'n bosib i ni ei golli, ymhlith y rhesymau dros beidio â chael teimladau. Dwi'n gallu uniaethu â phob un o'r rhain i raddau. Beth bynnag yw'r rheswm, dydy e ddim yn rhywbeth dwi wedi'i ddewis, ac er y gall deimlo fel fy mai i, dwi'n dechrau gweld nad yw hynny'n wir go iawn; mae'n drist iawn.
		Ymarferion: Sgiliau tosturiol: mae sawl peth a all helpu (yn cynnwys neilltuo'r amser hwn), felly fe fydda i'n dechrau drwy drafod hyn â'm hymwelydd iechyd, ac efallai â'm chwaer hyd yn oed. Os galla i fod yn dosturiol tuag ataf fy hun, dwi'n deall bellach y gallai hyn helpu gyda fy nheimladau tuag at fy mabi, felly dwi'n mynd i wneud yr ymarferion meddwl tosturiol hyn bob dydd. Dwi'n mawr obeithio y byddaf yn dechrau canfod rhai teimladau tuag ato, ond yn y cyfamser, dwi am geisio bod y fam orau y gallaf iddo yr ennyd hon (Rhythm Anadlu Lleddfol).

Nodyn: Cofiwch ganolbwyntio ar naws emosiynol cynhesrwydd a charedigrwydd, hyd yn oed os na allwch gredu'r hyn rydych chi'n ei ddweud wrthych eich hun. Mae'n bosib na fyddwn yn gallu newid yr hyn sydd wedi digwydd oherwydd mae bywyd yn gallu bod yn anodd iawn, ond y nod yw ceisio dod o hyd i ffordd drwodd gyda thosturi, anogaeth a chefnogaeth.

Gweler Atodiad C am ffurflen wag i chi ei defnyddio.

Dyma enghraifft o ffordd lawer manylach o weithio drwy feddyliau anodd, sy'n crynhoi llawer o'r sgiliau rydyn ni wedi bod yn mynd i'r afael â nhw yn y llyfr hwn:

Ffurflen ar gyfer gwaith mwy cymhleth¹

Sefyllfaoedd, teimladau neu ddelweddau sbarduno	Meddyliau sy'n peri iselder neu ofid	Teimladau	Dewisiadau amgen sy'n canolbwyntio ar dosturi yn hytrach na meddyliau hunanfeirniadol	Deall newidiadau mewn teimladau
Cwestiynau allweddol i'ch helpu i nodi'ch meddyliau. Beth ddigwyddodd mewn gwirionedd? Beth oedd y sbardun?	Beth aeth drwy eich meddwl? Beth ydych chi'n ei feddwl am eraill, a'u meddyliau amdanoch chi? Beth ydych chi'n ei feddwl amdanoch chi'ch hun, a'ch dyfodol?	Beth yw eich prif deimladau ac emosiynau?	Beth fyddech chi'n ei ddweud wrth ffrind? Pa ddewisiadau tosturiol eraill sydd ar gael? Beth yw'r dystiolaeth i gefnogi cael barn newydd? A yw'r rhain yn enghreifftiau o dosturi, gofal a chefnogaeth? Os felly, sut? Allwch chi feddwl am y rhain gyda chynhesrwydd?	Gwnewch gofnod ysgrifenedig o unrhyw newid yn eich teimladau.
Methu mynd allan o'r tŷ oherwydd bod y babi'n dal i grio a dydw i ddim am i bobl weld fy mod i'n fam dda i ddim. Teimlo'n gaeth, yn ddig, ar eich pen eich hun.	**Cywilydd allanol (yr hyn dwi'n meddwl y mae eraill yn ei feddwl amdanaf):** Fe fydd pobl yn meddwl fy mod i'n hunanol – yn methu rhoi fy mabi yn gyntaf. Fe fyddan nhw'n cael sioc o weld pa mor flin ydw i – wrth fy ngwaith, rydw i i fod yn berson gofalgar. Mae'n bosib y byddan nhw'n gweld nad ydw i'n gallu bod yn fam nac yn gallu cyflawni fy swydd.	Yn llawn cywilydd Dig Wedi dychryn Trist Diffyg cymhelliant, anodd meddwl yn glir, anodd ceisio gwneud rhywbeth a allai fod o gymorth.	**Empathi dros eich trallod eich hun:** Mae bod â'r holl deimladau hyn yn ddealladwy oherwydd fy mod i eisiau teimlo fy mod yn cael fy nerbyn gan eraill a theimlo'n hapus gyda fy mabi. Roeddwn i wedi edrych ymlaen yn fawr at fod yn fam ac mae teimlo fel hyn yn siomedig iawn. Rhythm anadlu lleddfol a dim ond sylwi ar y teimladau yn ymwybyddol ofalgar. Cyflwyno gwir gynhesrwydd, derbyniad a chydymdeimlad.	Yn teimlo'n dawelach ac yn gallu ailffocysu fy nheimladau i fod yn gynnes tuag ataf fi fy hun. Yn fy nghalon dwi'n gwybod y gallaf ddygymod â hyn dim ond i mi allu gweithio gyda fy lludded a fy nicter.

Sefyllfaoedd, teimladau neu ddelweddau sbarduno	Meddyliau sy'n peri iselder neu ofid	Teimladau	Dewisiadau amgen sy'n canolbwyntio ar dosturi yn hytrach na meddyliau hunanfeirniadol	Deall newidiadau mewn teimladau
	Canlyniadau allweddol a ofnir: Datgysylltiad. Fydd pobl ddim eisiau i mi ofalu am y babi yma, neu wneud fy swydd. **Cywilydd mewnol (fy marn i amdanaf fy hun):** Person erchyll. Hunanol. Ffug – yn esgus bod yn neis pan nad ydw i'n berson neis go iawn. **Canlyniadau allweddol a ofnir:** Pobl yn dod i adnabod y fi go iawn, a chael fy ngadael ar fy mhen fy hun. **Delwedd ac emosiwn:** Menyw dal, denau, ddirmygus, yn chwifio'i bys arna i, yn edrych i lawr arna i. **Swyddogaeth:** Gwneud yn siŵr fy mod i'n aros yn 'fenyw neis' fel bod pobl yn fy hoffi a ddim yn fy ngwrthod.		**Sylw tosturiol:** Er ei bod yn ddealladwy i ganolbwyntio ar adegau pan fydda i'n cael trafferth, mae sawl adeg pan ydw i wedi bod yn fam iawn hefyd. Meddwl am atgof penodol. Hyd yn oed pan oeddwn i wedi blino go iawn ac yn teimlo dan straen mawr, fe wnes i lwyddo i'w fwydo ac fe wnaeth y ddau ohonon ni setlo. Gallu cofio hefyd am sawl achlysur pan wnes i'n dda yn y gwaith a bod pobl wedi gweld fy mod i'n gallu bod o gymorth iddyn nhw. **Meddwl tosturiol:** **Esblygol** – rydyn ni wedi esblygu i fod angen cael ein derbyn gan eraill er mwyn teimlo'n rhan o'r grŵp, felly dydy hi fawr o syndod fy mod yn poeni am farn pobl eraill. Rydyn ni hefyd wedi esblygu i fod yng nghwmni pobl, felly does ryfedd fy mod yn teimlo'n gaeth pan nad ydw i'n gallu mynd allan i ganol pobl. Dwi hefyd yn sylweddoli bellach ein bod wedi esblygu i fod angen help i fagu plant hyd eithaf ein gallu, felly does ryfedd fy mod yn teimlo fel hyn a minnau'n ceisio gwneud y cyfan ar fy mhen fy hun. Nid fy mai i yw fy mod yn teimlo fel hyn.	

Sefyllfaoedd, teimladau neu ddelweddau sbarduno	Meddyliau sy'n peri iselder neu ofid	Teimladau	Dewisiadau amgen sy'n canolbwyntio ar dosturi yn hytrach na meddyliau hunanfeirniadol	Deall newidiadau mewn teimladau
			Profiadau – mae'r teimlad hwn o fod yn gaeth yn ysgogi atgofion o orfod gofalu am fy mrawd bach pan oedd Mam yn sâl, a finnau eisiau mynd allan i chwarae gyda fy ffrindiau. Dwi bellach yn gallu gweld yn union pam mae hyn wedi gwneud i mi deimlo mor atgas. **Ymddygiad tosturiol:** Dwi'n gweld bellach fod bod ag angen help pan ydych chi'n fam yn gwbl normal, felly dwi'n credu fy mod i'n mynd i ofyn am ychydig o help yn hytrach na cheisio gwneud y cyfan fy hun. Efallai y gall fy mhartner a minnau gytuno ar gyfnod o awr neu ddwy pan fydd y llall yn gofalu am y babi – er mwyn i mi gael paned o goffi a darllen cylchgrawn heb deimlo'r cyfrifoldeb. Mae'n bosib y gwna i geisio ymarfer fy nelweddau tosturiol wrth ei fwydo a gweld sut beth yw hynny. **Delwedd ac emosiwn:** Hen wraig fawr sydd wedi bod o gwmpas ers blynyddoedd lawer (cannoedd o flynyddoedd?). Wedi gofalu am lawer o blant a llawer o famau. Caredig, doeth, ond cryf, 'dim nonsens'. Dim ond yma i mi, i'm helpu ac i'm harwain. Yn deall brwydrau pob mam gan gynnwys fi, yn gwybod bod angen help ac arweiniad arnon ni i gyd ac i wneud hynny mae hi yma. **Swyddogaeth:** Helpu i fy nhywys drwy gyfnodau anodd, meithrin fy hyder a'm helpu i ganfod fy ffordd unigryw i fel mam. Rhoi cefnogaeth ac anogaeth. Cyfleu gwerthfawrogiad a'm helpu innau i werthfawrogi fy hun.	

Ysgrifennu llythyr tosturiol

Mae llawer o bobl wedi gweld bod ysgrifennu yn ddefnyddiol iawn – boed yn ddyddiadur, yn llythyr, yn farddoniaeth neu'n stori – yn enwedig wrth gael trafferth gydag emosiynau anodd. Cynhaliodd seicolegydd o'r enw James Pennebaker ymchwil a ddangosodd pa mor ddefnyddiol mae ysgrifennu'n gallu bod,[2] gan hyd yn oed wella ein hiechyd corfforol a'n system imiwnedd. Ysbrydolwyd ysgrifennu llythyrau tosturiol gan ei waith. Y cam cyntaf yw symud i'n hunan tosturiol neu ddwyn ein delwedd dosturiol i'r cof. Rydyn ni'n treulio ychydig funudau'n gwneud hyn, gan ddefnyddio ein hosgo, rhythm anadlu lleddfol, ymwybyddiaeth ofalgar, a llais a mynegiant wyneb cynnes, a gan atgoffa ein hunain o'n cymhelliant tosturiol, ein bwriad neu ein dymuniad mewn perthynas â ni'n hunain, ac yna rydyn ni'n ysgrifennu fel ein hunan tosturiol, yn y person cyntaf, neu o'n delwedd gyfansawdd, e.e. 'Annwyl Siwan ...'

> *Ysgrifennwch o'ch meddwl tosturiol gyda chynhesrwydd a charedigrwydd. Ysgrifennwch o'r 'galon' yn hytrach nag o'ch 'pen'.*
>
> *Mewn geiriau eraill, gadewch i'ch beiro lifo yn hytrach na meddwl gormod am yr hyn sy'n mynd i lawr ar bapur.*

Os nad ydyn ni'n ysgrifennu fel arfer, mae'r weithred o ysgrifennu ynddi'i hun yn gallu ysgogi atgofion emosiynol o'r adegau pan gawson ni ein barnu am ein hysgrifennu, gan ein rhieni, efallai, neu pan oedden ni yn yr ysgol. Mae angen i ni fod yn ymwybodol o'r posibilrwydd hwn, fel ein bod ni'n gallu sylwi arno gyda chwilfrydedd cynnes a heb farnu, camu y tu allan iddo, yna symud yn ôl i'n meddwl tosturiol a gadael i'r rhan honno afael yn ein beiro neu bensil ac ysgrifennu ar ein rhan ni. Does dim cywir ac anghywir; dydy gramadeg na sillafu gwael ddim o bwys yma. Does neb yma'n barnu, heblaw am ein meddwl beirniadol ni ein hunain os ydyn ni'n gadael i hynny ddigwydd. Os yw'n ymddangos, gallwn sylwi ar ei bresenoldeb ag amnaid barchus, ac yna dychwelyd i ganolbwyntio ar ysgrifennu o'n meddwl tosturiol.

Mae arweiniad bras isod, ond dechreuwch drwy adael i'ch hunan tosturiol neu'ch delwedd dosturiol ysgrifennu heb feddwl gormod. Os dymunwch, fe allwch chi edrych ar y canllawiau wedyn i weld a ydynt yn gallu ychwanegu unrhyw beth at eich llythyr.

Ysgrifennwch am rywbeth sy'n bwysig ac yn bersonol iawn i chi. Ar y pwynt yma, peidiwch ag ysgrifennu am ddim mwy na'r hyn allwch chi ymdopi ag ef.

Mae Pennebaker yn awgrymu ysgrifennu'n ddi-dor am o leiaf ugain munud os gallwch chi, ac ysgrifennu bob dydd am bedwar diwrnod yn olynol os yw'n bosib.

Yn ddiddorol, canfu Pennebaker mai'r bobl a elwodd fwyaf o ysgrifennu llythyrau oedd y rhai oedd wedi gweithio leiaf drwy eu hanawsterau. Roedd yn ymddangos bod y broses ysgrifennu wedi datrys eu trafferthion a'u hamlygu mewn ffordd rymus iawn.

Felly ysgrifennwch mewn ffordd ddidwyll, gan ganolbwyntio ar naws llais a mynegiant wyneb cynnes yn hytrach nag ar ffurfiau technegol llythyr nodweddiadol.

Ar ôl i chi ysgrifennu'r llythyr, edrychwch ar y canllaw hwn. Mae'n bosib bod eich llythyr wedi dilyn dwy seicoleg tosturi a drafodwyd eisoes, sef ymgysylltu a lliniaru. Felly efallai ei fod wedi dechrau gyda chi'n troi tuag at eich brwydr, gan sylwi ar y gofid a'i ddilysu, dangos empathi tuag ato a deall yn iawn sut mae ein meddwl esblygol a'n meddwl 'bywyd wedi'i fyw' â'i holl brofiadau yn cyfrannu at y strwythur. Rydyn ni'n dod yn ymwybodol o hyn i gyd, ond yn ymatal rhag barnu. Wedyn, mae'n bosib y byddwn yn symud ymlaen at liniaru: yr hyn sy'n ein helpu i fod yn rhydd o'r dioddefaint.

Efallai y byddwn yn sylwi a ydyn ni wedi cynnwys rhywbeth ynghylch y sgiliau a'r priodoleddau canlynol; os ydyn ni wedi colli rhai, mae'n bosib y gallwn weld sut mae'n teimlo pan fyddwn yn eu hychwanegu.

Ymgysylltu â dioddefaint

1. Gofalu am lesiant (cymhelliant, bwriad, eich dymuniad tuag atoch eich hun): *'Dwi'n ysgrifennu atat oherwydd fy mod i eisiau dy helpu gyda hyn.'*

2. Sensitifrwydd: *'Dwi'n ymwybodol dy fod di'n cael trafferth arbennig ar hyn o bryd gyda dy berthynas â dy fabi. Fe alla i weld bod hyn yn dy lenwi â phob math o emosiynau poenus fel euogrwydd, cywilydd, dicter, ofn a thristwch. Weithiau daw'r rhain i gyd ar unwaith, gan dy orlethu di. Dwi'n gallu gweld ei fod yn dechrau sigo dy hwyliau.'*

3. Cydymdeimlad: *'Mae'n wir ddrwg gen i dy fod di'n cael y fath drafferth. Dwi'n gallu teimlo mor wirioneddol siomedig wyt ti.'*

4. Cynefino â gofid: *'Mae'r teimladau hyn yn ein cynhyrfu'n arw, a dwi'n gwybod dy fod di'n dymuno iddyn nhw fynd. Ond fel gyda phob teimlad, fe fyddan nhw'n pasio.'*

5. Empathi: *'Fe fyddai hon yn sefyllfa anodd i unrhyw un: darganfod nad ydyn ni'n teimlo fel roedden ni wedi gobeithio teimlo tuag at ein babi. Rwyt ti'n ofni bod rhywbeth yn bod arnat ti, neu dy fod di'n berson drwg y tu mewn. Ond wrth i ni ddechrau edrych ar hyn, rydyn ni'n gweld fod y teimladau hyn yn ddealladwy a heb fod yn fai arnat ti o gwbl; fel plentyn, fe gefaist dy siomi'n aml gan y bobl roeddet ti'n dibynnu arnyn nhw i dy gadw'n fyw. Fe wnest ti ddysgu ymdopi â hyn drwy ddefnyddio pob math o strategaethau diogelu, fel cadw pobl hyd braich, a mygu teimladau o obaith a hapusrwydd gan i ti gael dy siomi mor aml. Dydy hi fawr o syndod felly, pan mae gen ti fabi sydd mor bwysig i ti, dy fod di'n ceisio ei gadw hyd braich er mwyn dy amddiffyn di ac yntau rhag poen bosib caru ac yna gael dy frifo. Ar ben hyn i gyd, roedd yr esgor yn anodd, ac rwyt ti'n cael trafferth siarad â'r bobl o dy gwmpas a allai dy helpu di. Does ryfedd fod hyn mor anodd i ti, ond nawr ein bod ni'n ymwybodol o hynny, fe wnawn ni ddod o hyd i ffordd o ddatrys y problemau.'*

6. Ymatal rhag barnu: *'Mae hyn yn anodd iawn i ti, ond nid dy fai di yw hynny; dwyt ti ddim yn ddrwg, nac yn anghywir, nac yn wallgof, dim ond yn cael trafferth gydag amgylchiadau anodd iawn, a dwyt ti ddim wedi dewis yr un ohonyn nhw.'*

Lliniaru dioddefaint

1. Delweddau tosturiol: *'Canolbwyntia am ennyd ar ddelwedd y person tosturiol, neu'r rhan dosturiol ohonot ti sy'n ysgrifennu'r llythyr hwn atat ti. Llunia ddelwedd o'i gynhesrwydd, ei garedigrwydd, ei ddoethineb, ei gryfder a'i ddymuniadau didwyll tuag atat. Clyw ei lais a sylwi ar y mynegiant caredig, cynnes ar ei wyneb. Amsugna'r teimlad ei fod wir eisiau dy helpu di. Clyw'r geiriau mae'n eu cynnig i ti.'*

2. Meddwl tosturiol: *'Efallai dy fod yn teimlo mai ti yw'r unig un sy'n teimlo fel hyn, ond mae hyn yn fwy cyffredin nag y byddet yn ei feddwl, efallai. Drwy gydol hanes, mae anifeiliaid a bodau dynol wedi cael trafferth i fondio â'u babanod, a bydd yn digwydd i lawer mwy yn y dyfodol. Mae yna fenywod ledled y byd sy'n cael trafferth gyda'r hyn rwyt ti'n ei deimlo ar yr union adeg hon. Dwyt ti ddim ar dy ben dy hun yn hyn.*

   'Gan feddwl am y menywod eraill hyn am ychydig, beth fyddet ti'n ei ddweud wrthyn nhw o'th feddwl tosturiol? Sut byddet ti'n uniaethu â nhw? Sut byddet ti'n teimlo tuag atyn nhw? Beth fyddai dy ddymuniad mwyaf didwyll iddyn nhw? Beth allen nhw ei ddweud wrthot ti? Sut bydden nhw'n teimlo tuag atat ti? Pe bai'r person mwyaf caredig yma heddiw, beth fyddai'n ei ddweud wrthot ti? Sut fyddai'n dy helpu di?'

3. Sylw tosturiol: *'Rwyt ti wedi dod drwy lawer o adegau caled yn dy fywyd, ond pan fyddwn ni'n teimlo fel hyn, mae ein meddyliau wedi'u trefnu'n naturiol i ganolbwyntio ar y drwg yn hytrach na'r da. Gallwn anghofio'r hyn wnaeth ein tywys ni drwy'r adegau anodd hyn. Cofia, er dy fod eisiau rhedeg i ffwrdd oddi wrth bob dim, fe wnest ti ddal ati. Er dy fod di mor bryderus am gael dy frifo, fe wnest ti feithrin y dewrder i chwilio am gymorth eto.'*

4. Ymddygiad tosturiol: *'Yr adegau arbennig o galed i ti yw pan fydd dy fabi'n crio. Rydyn ni wedi ein cynllunio i gael ein cyffroi gan hyn, ond mae ddwywaith mor anodd i ti gan fod hynny'n ysgogi atgofion o grio a chael dy adael ar dy ben dy hun yn blentyn. Yn yr ennyd honno, cymer saib, rho ychydig o amser a lle i ti dy hun arafu a chyflwyno tosturi tuag atat dy hun cyn i ti ymateb i dy fabi.*

   'Fel plentyn, roeddet ti'n aml yn teimlo ar ben dy hun gyda'th drafferthion. Gall hyn godi o hyd mewn atgofion emosiynol: y teimlad dwys o fod ar dy ben dy hun a neb yn dod. Ond mae'r sefyllfa nawr yn wahanol i'r hyn oedd hi bryd hynny. Ar ôl i ni sylweddoli hyn, gall fod yn haws (er yn anodd iawn o hyd) ceisio troi at eraill y tro hwn a gweld a all rhywun helpu. Mae byd cyfan o bobl allan yna, felly cofia droi at eraill dro ar ôl tro. Ffonia dy ymwelydd iechyd neu dy feddyg teulu; cer i wefannau fel Mam Cymru, Netmums neu Mumsnet, sydd â fforymau trafod ar gyfer dy drafferthion penodol di. Tro at dy deulu a'th ffrindiau a rho gyfle iddyn nhw dy helpu os gallan nhw. Gofynna iddyn nhw o waelod calon. Os nad ydyn nhw'n gallu helpu, mae hynny'n gallu bod yn boenus ac yn siomedig a bydd angen i ti gyflwyno dy feddwl tosturiol i'th siom. Ond dal ati i estyn allan. Os cei dy daro i lawr gant o weithiau, dwi yma i dy helpu i godi'n ôl ar dy draed 101 o weithiau.'

Darllen eich llythyr yn ôl

Pan fyddwch yn darllen eich llythyr yn ôl i chi'ch hun, sylwch ar y gwahaniaeth wrth ei ddarllen mewn ffordd ddiemosiwn neu oeraidd, o'i gymharu â'i ddarllen â naws llais a mynegiant wyneb cynnes a charedig. Uwcholeuwch neu tanlinellwch unrhyw rannau sy'n teimlo ychydig yn llym neu'n feirniadol. Fe fyddwn ni'n ymwybodol iawn o'r rhannau hyn, felly gallwn ddychwelyd atyn nhw a'u hailysgrifennu o'n meddwl tosturiol.

Fel yr awgryma James Pennebaker, ceisiwch ymestyn y llythyr hwn, neu ysgrifennu llythyr newydd bob dydd dros y pedwar diwrnod nesaf a sylwi sut mae hynny'n teimlo.

Ysgrifennu at eich babi

Mae nifer o fenywod wedi cael budd o ysgrifennu at eu babi o'u meddwl tosturiol. Wrth egluro'u trafferthion a'u hamcanion i'w babi, maen nhw wedi darganfod fod y broses wedi eu hegluro iddyn nhw hefyd. Fe wnaethon nhw sylwi ar hwb i'w haddfwynder a'u tynerwch tuag atyn nhw'u hunain a'u babi, awydd i ddweud 'Mae'n wir ddrwg gen i' yn ddidwyll, a chymhelliant gwirioneddol i geisio gwneud pethau'n well.

Yma, mae'n bosib y bydd angen i ni roi sylw manwl i'r hunan sy'n ysgrifennu'r llythyr. Wrth wynebu rhywun rydyn ni'n teimlo ein bod ni wedi'i frifo mewn rhyw ffordd, mae'n hawdd i'r rhan ofnus, ddig neu'r rhan ohonom sy'n teimlo cywilydd lithro i mewn, gan ysgogi llythyr sydd â naws ymosodol, yn ceisio cyfiawnhau pethau neu'n gyffredinol amddiffynnol. Gallwn wirio hyn pan fyddwn yn darllen y llythyr i ni ein hunain. Mae ein system fygythiad yn arbennig o sensitif i ganfod yr awgrym lleiaf o feirniadaeth, felly bydd yn ein hysbysu o hyn drwy wneud i ni deimlo'n ddig neu'n orbryderus wrth ymateb i eiriau neu ymadroddion penodol. Gallwn wedyn newid y rhain nes ein bod yn synhwyro ymdeimlad o ddiogelwch ac anogaeth wrth ei ddarllen. Efallai y byddwn yn teimlo ein bod yn cael ein cyffwrdd i'r byw gan y geiriau fyddwn ni'n eu clywed.

Oherwydd bod y meddwl tosturiol hefyd yn ein galluogi i gamu i esgidiau ein babi, mae'n ddigon posib y bydd yn sbarduno teimladau o euogrwydd hefyd. Fel y nodwyd eisoes, mae euogrwydd yn trigo yn y system leddfol neu dosturiol, ond daw cywilydd o'r system fygythiad. Mae euogrwydd yn codi pan fyddwn ni'n cysylltu o ddifrif â phoen neu ofid mewn rhywun arall y mae hi'n bosib ein bod ni wedi cyfrannu iddo. Dydy hyn ddim yn golygu mai ein bai ni yw hynny (mae ein meddwl doeth yn ein helpu i wir ddeall hyn) ond os gallwn ni ddefnyddio ein meddwl tosturiol i aros gyda ni a'n helpu i ddioddef y teimladau hyn, yna gallwn weld ein ffordd yn glir i ymddiheuro, ac atgyweirio, a cheisio gwneud pethau'n well i'r ddau ohonon ni yn y dyfodol.

Os gallwn ni ysgrifennu o'n meddwl tosturiol, yna does dim bai, dim ond dealltwriaeth o'r hyn sydd wedi creu sefyllfa mor anodd. Mae'n bosib y bydd tristwch a galar, ond hefyd ymdeimlad o heddwch, a rhyddhad a llawenydd yn aml. Gallwn ddefnyddio ein meddwl tosturiol i ganiatáu i ni eistedd gyda'r emosiynau â charedigrwydd a chynhesrwydd nes byddan nhw'n mynd heibio, fel y maen nhw'n siŵr o wneud. Mae'n bosib y bydd derbyniad, ond hefyd awydd i helpu ein hunain a'n babi, felly mae symud ymlaen yn digwydd ochr yn ochr â'r derbyn.

Ysgrifennu atoch chi a'ch babi

Mae ysgrifennu un llythyr o'n meddwl tosturiol aton ni ein hunain a'n babi ('Annwyl ... a ...') yn help mawr i grynhoi gwerthfawrogiad a dealltwriaeth o'n natur gydgysylltiedig ni ein hunain a'n babi.

Defnyddio delweddaeth dosturiol gyda 'rhannau' trafferthus yr hunan

Pan fyddwn ni'n gweithio gyda rhannau o'r hunan, fel ein rhan ddig, orbryderus neu hunanfeirniadol, mae'n union fel cyfarfod unigolyn o'r fath yn ein bywyd go iawn. Gall hyn ein cynhyrfu, wrth gwrs, gan ein gadael yn teimlo'n orbryderus, yn ddiymadferth, yn rhwystredig neu'n ddigymhelliant. O ganlyniad, mae'n arbennig o bwysig treulio ychydig o amser yn paratoi ein hunain drwy symud i'n meddwl tosturiol yn gyntaf:

- Mae angen i ni angori ein hunain yn ein cymhelliant: beth fydd wir yn helpu'r rhan honno sy'n ei chael hi'n anodd? Beth yw ein dymuniad didwyll ar gyfer y rhan honno? Beth ydyn ni wir eisiau i'r rhan honno ei deimlo pan fydd yn edrych arnon ni?

- Mae angen i ni hefyd angori ein hunain yn ein meddwl doeth – ein dealltwriaeth o'r meddwl dynol anodd sydd gennym ni, ond heb ei ddylunio na'i ddewis gennym ni; y meddwl sydd wedi'i drefnu'n gynhenid ar gyfer cariad, cydymdeimlad a derbyniad, beth sydd wrth wraidd y rhan hon ohonon ni, ac yn hynod bwysig, y swyddogaeth a dyfodd i'w gwasanaethu. Mae'r ystyriaeth olaf yma'n ein helpu i weld mai swyddogaeth amddiffynnol oedd iddi'n wreiddiol: ffrwyno emosiynau a fyddai ar y pryd yn ddi-fudd, ein denu oddi wrth sefyllfaoedd anodd neu gadw draw unrhyw un a allai ein niweidio neu ein gwawdio mewn rhyw ffordd. Unwaith y gwelwn ni hyn, rydyn ni'n datblygu dealltwriaeth a gwerthfawrogiad cadarnach o ran ohonon ni y bydden ni o bosib wedi dymuno'i dileu ar un adeg. Gallwn hefyd weld nad yw o gymorth i ni mwyach. Felly, yn lle hynny, gallwn helpu i fynd i'r afael â'i hofnau o'n hunan tosturiol, yn hytrach na chaniatáu iddi aros 'wrth y llyw'.

- Mae angen i ni wedyn ymgorffori ein cryfder a'n hawdurdod, ein penderfyniad i roi ein hunan tosturiol 'wrth y llyw', drwy symud i'n hosgo corff cadarn, solet ac agored.

- Yna rydyn ni'n cyflwyno ein rhythm anadlu lleddfol, ein hymwybod gofalgar, a'n llais a'n hwyneb caredig.

Defnyddio'r ddelwedd dosturiol ochr yn ochr â'r hunan tosturiol

Pan ddechreuwn ni ddefnyddio ein hunan tosturiol i ymwneud â'r rhannau anodd ohonon ni ein hunain, gall fod yn anodd ar y dechrau, yn enwedig pan nad yw ein hunan tosturiol yn teimlo'n ddigon cryf eto.

Oherwydd bod cael ymdeimlad o ymgysylltiad mor rymus, fe allwn ni reoli sefyllfaoedd anodd yn llawer gwell os ydyn ni'n teimlo nad ydyn ni'n mynd i'w canol nhw ar ein pen ein hunain. O ganlyniad, mae'n gallu bod yn ddefnyddiol iawn dychmygu cael cwmni'ch delwedd dosturiol fel canllaw a chefnogaeth y tro cyntaf y bydd eich hunan tosturiol yn cyfarfod â'r 'hunain' sy'n profi trafferthion.

Ymarfer: Cyflwyno tosturi i'n 'hunan gorbryderus'

Dychmygwch gyflwyno tosturi i'ch hunan gorbryderus, o bosib drwy ddychmygu dod ar ei draws wrth i chi gerdded neu drwy edrych i lawr arno. I ddechrau, mae'n bwysig i chi angori'ch hun yn eich osgo corff cryf a'ch anadlu lleddfol. Gadewch i'ch hun gysylltu â'r teimladau sy'n dod o'r rhan orbryderus, ond yr un pryd wedi'ch angori yn eich ymdeimlad eich hun o gryfder, doethineb, caredigrwydd a'ch bwriad i ddeall ac i helpu. Dychmygwch y teimladau hyn yn llifo allan ohonoch i amgylchynu a llenwi'r rhan orbryderus. Sylwch ar sut mae'r rhan orbryderus yn teimlo o gael ei dal, ei ddeall ac o ymwneud â hi gyda thosturi. Ceisio meddalu'r gorbryder ydyn ni yn hytrach na'i ddileu, a'i ddilysu, ei ddeall a cheisio'i helpu. Dychmygwch beth hoffech chi ei ddymuno ar gyfer y rhan orbryderus, fel: 'Boed i ti fod yn rhydd o gynnwrf a gorbryder. Boed i ti ddod o hyd i sefydlogrwydd a heddwch.'

Ymarfer: Cyflwyno tosturi i'n 'hunan dig'

Gall hyn fod yn anodd oherwydd mae'n bosib i ni deimlo'n ofnus wrth wynebu rhywun sy'n ddig, ac mae ein meddwl yn gallu ymateb i'r rhan ddig ohonon ni ein hunain yn union fel pe baem yn wynebu unigolyn blin. Mae'n bosib y bydd hefyd yn procio atgofion emosiynol yn y corff sy'n gysylltiedig â bod ym mhresenoldeb pobl ddig, gan beri i ni deimlo'n fach ac yn ymostyngol. Dyma pam mae osgo'r corff a'r rhythm anadlu lleddfol yn bwysig yma; yn hytrach na'r osgo ymostyngol (neu'r osgo rhy ymosodol) a'r anadlu cyflym sy'n gallu codi'n awtomatig wrth wynebu rhywun dig, rydyn ni'n newid osgo'r corff a'r anadlu yn fwriadol, fel ein bod yn meithrin sefydlogrwydd, hyder a ffordd dawelach a mwy agored o edrych ar y sefyllfa.

Mae dicter yn emosiwn gwarcheidiol, felly gallwn ddefnyddio'r rhan ddoeth ohonon ni ein hunain i fod yn chwilfrydig ynglŷn â beth sbardunodd y rhan ddig. Gallai fod yn ymateb i niwed, cywilydd, tristwch, galar neu ofn, sydd o bosib yn celu o dan y dicter. Gallwn hefyd ddechrau deall o ddifrif beth yn union fyddai'n helpu i ddod â heddwch i'r rhan ddig. Efallai ein bod wedi profi dicter fel rhywbeth sy'n gywilyddus neu'n niweidiol, ac o ganlyniad yn cael trafferth i dderbyn bod dicter yn rhan ohonon ni, fel y mae'n rhan o bawb arall. Gallwn gyflwyno tosturi i'r frwydr hon. Bwriad yr ymarfer hwn yw canfod y gallu i ganiatáu i'n hunain fod gyda'r rhan ddig ac aros yno gyda charedigrwydd, cydymdeimlad, derbyniad a gwir awydd i helpu, wrth iddi chwyddo, gostwng a phylu'n ddim, fel sy'n digwydd gyda phob emosiwn.

Os yw hyn yn teimlo'n anodd ei wneud, yna dechreuwch gyda delwedd haws, er enghraifft, dod ar draws rhan anfoddog neu flin ohonoch chi'ch hun yn hytrach na rhan sy'n stampio'i thraed ac yn gweiddi nerth ei phen. Dychmygwch weld eich hunan dig, neu edrych i lawr arno, o rywle lle rydych chi'n ddiogel rhagddo. Yma, mae eich osgo cryf yn bwysig. Os oes angen, dychmygwch eich hun yn mynd yn fwy ac yn fwy nes eich bod chi'n teimlo'n hyderus wrth agosáu at eich rhan ddig. Gan mai defnyddio ein dychymyg yr ydyn ni, mae'n hollol bosib i ni feddwl amdanon ni'n hunain yn enfawr, o'i gymharu â delwedd fechan o'n hunan dig. Serch hynny, nid bygwth y rhan ddig yw'r nod, ond cyrraedd cyflwr lle rydyn ni'n teimlo'n ddigon diogel i allu uniaethu â hi gyda doethineb, cydymdeimlad, derbyniad, cryfder a charedigrwydd.

Cysylltwch â'r hunan dig gyda'ch cymhelliant tosturiol i ddod i'w ddeall, i droi tuag ato ag ymwybyddiaeth chwilfrydig a dymuniad i'w helpu, ac i edrych ar y teimladau a allai fod yn ei gymell, fel gorbryder, galar, tristwch neu unigrwydd. Defnyddiwch eich cryfder a'ch hyder i'ch helpu chi i aros gydag ef. Ei ddeall a gweld beth sydd ei angen arno yw'r bwriad, yn hytrach na'i gondemnio, dadlau ag ef, ceisio sathru arno neu gael gwared arno.

Mae'n bosib y gall ofn godi y bydd tosturi yn ein gwaredu o'r amddiffyniad neu'r egni y mae'r hunan dig yn ei gynnig i ni. A dweud y gwir, mae tosturi yn gwneud y gwrthwyneb. Mae'n gallu trawsnewid dicter yn bendant trwydd penderfynol gyda ffocws.

Hyd yn oed os ydyn ni'n cael trafferth i deimlo tosturi, oherwydd bod hynny'n gallu bod yn anodd yn wyneb dicter, gallwn angori ein hunain i'n bwriad o fod eisiau canfod heddwch a hapusrwydd. Gallwn ddychmygu anfon ein dymuniad didwyll ato, gydag ymadroddion fel:

'Boed i ti ddod o hyd i heddwch. Boed i ti ddod o hyd i sefydlogrwydd. Boed i ti fod yn rhydd o ddioddefaint.'

Ymarfer: Cyflwyno tosturi i'r rhan sy'n cael trafferth gyda'ch babi

Dechreuwch fel arfer gyda'ch osgo cryf, cadarn ac 'urddasol', a mynegiant wyneb a llais cynnes a chyfeillgar. Yna canolbwyntiwch ar eich anadl. Gadewch i'r anadl allan ymestyn yn araf fel bod yr anadl i mewn ac allan yn hir ac yn dyner. Dychmygwch gerdded fel eich hunan tosturiol, gan sylwi sut rydych chi'n uniaethu ag unrhyw un rydych chi'n ei weld, wrth i chi fynd heibio iddyn nhw ac yn y pellter. Sylwch yn arbennig ar eich mynegiant wyneb a sut gallai'ch llais swnio pe byddech chi'n siarad. Dewch yn ymwybodol o'ch bwriad tosturiol tuag at bawb a welwch chi. Byddwch yn ymwybodol o'ch meddwl doeth, sut maen nhw o bosib yn dioddef yn eu bywydau (yn union fel chi) a'ch dymuniad iddyn nhw fod yn rhydd o ddioddefaint, canfod heddwch a hapusrwydd, a bod yn dawel eu meddwl.

Wrth i chi barhau â'ch taith, dychmygwch eich bod chi'n cyfarfod y rhan ohonoch sy'n ei chael hi'n anodd mewn perthynas â'ch babi. Sylwch ar ei siâp, ei hosgo, ei mynegiant wyneb a naws ei llais pe bai'n siarad. Dewch yn ymwybodol o'i hemosiynau.

Ewch mor agos ag y mae angen i chi fod, gan ymwneud â hi gyda thosturi yn unig, gyda'r bwriad o wir ofalu am ei lles, gyda dealltwriaeth ddoeth o'r hyn y mae meddwl dynol anodd a phrofiadau bywyd wedi'u cyfrannu i'r trwydr hon, a sut mae wedi ceisio amddiffyn ei hun rhag ei hofnau. Ceisiwch weld a allwch chi ddod yn ymwybodol o'r hyn sydd wedi cyfrannu at y trafferthion y mae'n eu cael gyda'r babi.

Rydych chi'n aros gyda hi, â'ch presenoldeb cryf, doeth, derbyniol, a sylwi sut mae'n dechrau ymateb i hyn, i gael ei derbyn a'i deall fel hyn. Rhowch amser iddi ddechrau dygymod a gwir brofi'ch tosturi. Arhoswch gyda'ch dealltwriaeth o unrhyw banig neu wrthwynebiad a allai fod ganddi. Os oes angen, symudwch yn ôl ychydig, angorwch eich hun yn ôl yn eich meddwl tosturiol a dynesu'n addfwyn ati eto.

Wrth i chi ganiatáu i'ch meddwl tosturiol fod gyda'r rhan drafferthus ohonoch chi'ch hun, sylwch fod ymdeimlad o le ac amser. Does dim brys i wneud rhywbeth ynghylch hynny. Yn aml, yr angen i ddod o hyd i ateb yw'r hunan bygythiol yn ceisio llithro i mewn. Os digwydd hyn, angorwch eich hun yn ôl yn eich hunan tosturiol, a defnyddiwch eich anadl allan i ailgyflwyno synnwyr o heddwch a lle. Os arhoswch chi gyda'r ymgais i ddeall yn dawel y dioddefaint a'r angen y tu ôl iddo, mae'n bosib y daw strategaeth i'r meddwl heb fawr o ymdrech.

Cyflwyno tosturi i'n babi

Bydd yna rai adegau pan fyddwn ni'n ei chael hi'n haws nag adegau eraill i deimlo tosturi tuag at ein babi. I rai ohonom, mae'n bosib y byddwn yn teimlo na allwn brofi unrhyw dosturi o gwbl. Pan fyddwn yn profi dicter, rhwystredigaeth, casineb neu orbryder tuag at ein babi, gallwn deimlo euogrwydd, neu gywilydd. Pan fydd hyn yn teimlo'n annioddefol, gallwn ymbellhau o'n profiad a throi'n oeraidd neu ymddangos yn ddifater. Fodd bynnag, fel arfer rydyn ni mewn cyflwr o gyffro sylweddol hyd yn oed pan fyddwn ni'n dychmygu nad ydyn ni'n poeni. Mae'r rhain yn emosiynau anodd iawn i'w dioddef, ac maen nhw'n aml yn sbarduno teimladau ynom o siom ddwys neu hunanfeirniadaeth.

Ond pan fyddwn ni'n teimlo fel hyn, beth yw ein dymuniad mwyaf o safbwynt ein perthynas â'n babi? Rydyn ni wedi'n cynllunio i garu a chael ein caru, ac mae hynny'n wir yn feddyliol ac yn fiolegol. Fodd bynnag, mae amgylchiadau bywyd yn gallu gwneud hynny'n anodd. Dydy hyn ddim yn fai arnon ni, ac mae'n beth trist iawn. Os gallwn ni sylweddoli bod ein perthynas â'n babi yn aml yn ein cynhyrfu yn syml oherwydd ein bod yn dymuno iddi fod yn berthynas dda, fe allwn wedyn fynd i'r afael â'n bwriad, sef dod o hyd i ffordd i'w gwella.

Mae angen i ni hefyd gofio'r potensial i boeni am deimlo tosturi tuag at ein babi. Efallai mai dyma lle rydyn ni'n ofni ymgolli yn y teimladau sy'n dod gan ein babi, neu lle rydyn ni o bosib yn poeni, os gwnawn ni adael i'n hunain greu cyswllt â'n babi, y bydd rywsut yn ein gwrthod neu'n cael ei gymryd oddi arnon ni.

Beth bynnag rydyn ni'n ei deimlo, y cam cyntaf yw caniatáu rhywfaint o le i'n hunain o amgylch ein teimladau, fel y gallwn adael iddyn nhw ymddangos ac edrych arnyn nhw ag ymwybyddiaeth chwilfrydig a bwriad i gael trefn arnyn nhw a'u gwella. Yn lle hynny, mae cywilydd yn celu ein teimladau mewn lle sy'n anhygyrch i ni allu gweithio gyda nhw. Mae euogrwydd, fodd bynnag, yn deillio o ymwybyddiaeth o deimlo'n flin ein bod wedi ymddwyn neu deimlo mewn ffordd benodol ac yn arwain at awydd i adfer y sefyllfa. Felly, er bod euogrwydd yn gallu teimlo'n anghyfforddus, mae'n emosiwn pwysig wrth symud tuag at y person rydyn ni'n dymuno bod.

'Ysgol' o dosturi: 'dadsensiteiddio tosturiol'

Gallwn ymarfer cyflwyno ein hunan tosturiol i adegau pan fydd hynny'n digwydd yn haws mewn perthynas â'n babi. Mae'n bosib y bydd gwneud cofnod ysgrifenedig o 'ysgol' yn helpu, â'r amseroedd hawsaf ar y gris isaf, a'r rhai anoddaf ar y gris uchaf. Os yw cam yn teimlo'n rhy uchel, gallwn gymryd camau llai. Er enghraifft, ar y gris isaf, efallai y byddai 'adegau pan fydd fy mabi yn cysgu' neu 'adegau pan nad yw fy mabi gyda mi'. Ar ar y gris nesaf, 'adegau pan fydd fy mabi yn hapus', efallai, neu 'adegau pan fydd fy mabi ym mreichiau rhywun arall'. Yn uwch i fyny, bydd emosiynau yn ein babi sy'n peri trafferth i ni, er enghraifft pan fydd ein babi yn orbryderus, yn crio, yn ddig neu hyd yn oed yn hapus.

Mae angen i ni gofio hefyd y gall ein cyflwr meddwl ein hunain ei gwneud hi'n anoddach neu'n haws i ni deimlo tosturi, felly gallwn gynnwys hyn ar ein hysgol. Mae ofn a gorbryder, straen a lludded i gyd yn gwanychu ein system leddfu, gan ei gwneud hi'n anoddach teimlo cynhesrwydd, cariad a charedigrwydd tuag at ein babi a thuag atom ein hunain. O ganlyniad, mae'n werth ystyried ar ba ris i osod 'adegau pan fyddaf yn teimlo'n flinedig', 'adegau pan fyddaf yn teimlo'n unig' neu 'adegau pan fyddaf yn teimlo yn wrthodedig/ yn ddig/yn ofnus/wedi fy mrifo'.

Ar ôl hynny, gallwn ymarfer cyflwyno tosturi i'n babi, gan ddechrau â gris isaf yr ysgol a gweithio ein ffordd i fyny'n araf a gofalus dros amser. Pan fyddwn yn cael anhawster, mae gwir angen ein meddwl tosturiol arnom i gefnogi, dilysu, deall ac annog ein hunain i ddechrau dringo eto, i barhau â'n hymdrech i ddatblygu'r berthynas â'n babi rydyn ni'n ei dymuno, ar gyfer y babi a ni ein hunain. Os ydyn ni'n cael trafferth ag un gris penodol, gallwn symud i'r gris oddi tano neu roi cynnig arall arni dro ar ôl tro, ond gan gofio ymdrin â'r frwydr gyda charedigrwydd a chydymdeimlad, ac anogaeth i roi cynnig arall arni pan fyddwn yn teimlo'n barod i wneud hynny.

Cyfagosrwydd at ein babi

Mae'n bosib y byddwn hefyd am ystyried pryd y mae'n haws teimlo tosturi tuag at ein babi o ran y pellter corfforol rhyngon ni. Unwaith eto, gallwn ddefnyddio'r syniad o'r ysgol. Felly, er enghraifft, efallai y bydd hi'n haws i deimladau o garedigrwydd a chynhesrwydd lifo pan fyddwn ni'n dal ein babi, a gallwn ganolbwyntio ar gynhesrwydd a phwysau'r babi, a dychmygu'r caredigrwydd a'r cynhesrwydd sy'n llifo'n uniongyrchol o'n corff ni i'w gorff yntau. Efallai y byddwn yn ei chael yn haws neu'n anoddach wrth fwydo o botel neu fwydo ein babi o'r fron, neu pan fydd yn ei fygi neu ei grud, pan fydd ar ochr arall yr ystafell, mewn ystafell wahanol, neu mewn tŷ gwahanol i ni. Lluniwch risiau'r ysgol heb farnu na chondemnio ond gyda didwylledd a chynhesrwydd.

Ymarfer: Cyflwyno'r hunan tosturiol i'ch babi

Fel gyda'r holl ymarferion, dechreuwch ag osgo corff cadarn a chryf. Caewch eich llygaid, symudwch i'ch rhythm anadlu lleddfol a gadewch i'ch corff a'ch meddwl setlo ('corff fel mynydd, anadl fel y gwynt, meddwl fel yr awyr'). Dewch â'ch llais a'ch mynegiant wyneb cynnes i'r meddwl. Dychmygwch gerdded fel eich hunan tosturiol, gyda chryfder, doethineb, derbyniad, ac awydd gwirioneddol i helpu a lliniaru dioddefaint. Dychmygwch, er enghraifft, weld eich babi yn y lle a'r cyflwr sydd orau i chi ar hyn o bryd (gweler eich 'ysgol o dosturi'). Unwaith eto, fel gyda'r ymarferion eraill, does dim angen i chi wneud dim ond ymwneud â'ch babi gyda'ch bwriad tosturiol, cryfder, doethineb, caredigrwydd a chynhesrwydd. Felly mae'n bosib y byddech yn dychmygu gweld eich babi yn y cyflwr sy'n creu'r lleiaf o drafferth i chi; er enghraifft, yn cysgu mewn ystafell arall, yn cysgu yn eich breichiau neu'n effro ac yn hapus. Dim ond dychmygu mynd yn gyfforddus agos at eich babi, gyda'ch bwriad tosturiol, eich dealltwriaeth ddoeth, eich cryfder a'ch derbyniad. Dychmygwch aros gyda'ch babi ac anfon cynhesrwydd, a charedigrwydd fel goleuni, lliw neu niwl, sy'n lapio o gwmpas ac yn llenwi'ch babi. Dewch yn ymwybodol o'ch dymuniadau mwyaf didwyll ar gyfer eich babi; er enghraifft, 'Boed i ti fod yn iach, boed i ti fod yn hapus, boed i ti gael bywyd didrafferth'.

Sylwch sut mae eich babi yn ymateb i dderbyn triniaeth fel hyn. Sut mae eich babi yn ymateb i'ch dymuniadau didwyll, i gynhesrwydd eich wyneb, ac i gynhesrwydd eich llais os ydych chi'n siarad? Sylwch hefyd sut rydych chi'n teimlo o allu uniaethu â'ch babi yn y modd hwn.

Os gwelwch fod eich hunan gorbryderus, blin, trist neu hunanfeirniadol yn taro heibio, does dim ond angen i chi sylwi bod hynny wedi digwydd. Cyflwynwch eich hunan tosturiol i'w drafferthion am ennyd, ac yna canolbwyntiwch ar eich hunan tosturiol unwaith eto. Efallai y bydd angen i chi hoelio'ch sylw o'r newydd ar osgo eich corff, eich rhythm anadlu lleddfol, a'ch llais a'ch wyneb cynnes, ac yna ailgyflwyno'ch hunan tosturiol i'ch babi.

Yna hoeliwch eich sylw yn ôl ar eich corff a'i bwyntiau sefydlog; teimlwch eich traed yn cyffwrdd â'r llawr, naws y gadair sy'n eich cynnal, dewch yn ymwybodol o'ch anadl, a phan fyddwch chi'n barod, agorwch eich llygaid yn araf.

Ymarfer: Cyflwyno'r hunan tosturiol i chi a'ch babi

Yn yr ymarfer hwn, rydych chi'n ildio i'ch hunan tosturiol unwaith eto; y tro hwn, byddwch yn gweld yr hunan sy'n ei chael hi'n anodd, a'ch babi hefyd. Rydych chi'n ymwneud â'r ddau â'ch doethineb, eich cryfder, eich gofal dwys amdanyn nhw a'ch derbyniad. Arhoswch gyda'r ddau ohonyn nhw, gan adael iddyn nhw dderbyn eich tosturi. Gyda'ch doethineb, rydych chi'n gallu deall eich brwydr chi a'ch babi a sut rydych chi'ch dau yn gwneud eich gorau o ystyried yr ymennydd dynol anodd sydd gan y ddau ohonoch chi a'r profiadau rydych chi wedi'u cael. Wnaeth yr un ohonoch chi ddewis teimlo ac ymateb fel hyn. Eich bwriad chi'ch dau yw gallu caru a chael eich caru. Rydych chi'n anfon eich dymuniadau dwysaf atyn nhw, er enghraifft 'Boed i'r ddau ohonoch ganfod heddwch, boed i beth bynnag sy'n peri loes i chi gael ei leddfu, boed i chi ffynnu a bod yn hapus.' Sylwch sut mae'r rhan ohonoch chi sy'n ei chael hi'n anodd, a'ch babi, yn ymateb i'ch presenoldeb tosturiol, a'ch bwriad i aros gyda nhw, i'w deall ac i'w helpu.

Crynodeb

Gyda meddwl tosturiol, gallwn sylwi ar effaith ein meddyliau hunanfeirniadol a chynhyrchu dewisiadau tosturiol amgen, gan eu dychmygu yn dod o'n hunan tosturiol, o'n delwedd dosturiol, neu gan ffrind da, er enghraifft. Pan fyddwn ni'n gwneud hyn, gallwn deimlo'n wahanol iawn y tu mewn; ond oherwydd ein bod ni'n gallu bod gryn dipyn yn fwy creadigol pan fyddwn ni'n teimlo'n ddiogel ac wedi'n cysuro, mae'n bosib y byddwn yn canfod atebion nad oedden ni erioed wedi meddwl amdanyn nhw o'r blaen.

Gall ysgrifennu llythyrau tosturiol fod yn arf grymus iawn ar gyfer cysylltu â'n hanawsterau mewn ffordd wahanol. I'r bobl hynny sy'n cael trafferth gyda delweddaeth, mae'n bosib y bydd ysgrifennu llythyrau yn haws. Mae hefyd yn rhoi gwir ymdeimlad bod rhywun arall yn cymryd yr amser i feddwl amdanon ni a'n helpu, ac o'r herwydd, mae'n gallu cael effaith wironeddol. Mae'r broses syml o 'adael i'r beiro lifo' gyda meddwl tosturiol, a heb farnu, yn gallu datrys problemau oedd yn ymddangos yn llawer rhy ddyrys cynt.

Mae'r cysyniad o gyflwyno ein hunan tosturiol neu'n delwedd dosturiol i agweddau sy'n peri trafferth i ni yn ein helpu i sylweddoli nad ydyn ni'n ceisio cael gwared ar y rhannau anodd hyn; yn wir, rydyn ni'n aml yn gweld eu bod nhw wedi tarddu o swyddogaethau pwysig o ran ein cadw'n ddiogel mewn rhyw ffordd. Yn lle hynny, rydyn ni'n dysgu uniaethu â nhw gyda chydymdeimlad, derbyniad, caredigrwydd a thosturi, a pharodrwydd i helpu'r rhan honno ohonon ni ein hunain â beth bynnag sy'n peri iddi ymateb fel y mae. Rydyn ni'n gwneud penderfyniad i awdurdodi ein hunan tosturiol i ddelio â brwydrau bywyd, yn hytrach na'n hunan hunanfeirniadol, blin neu orbryderus, er enghraifft. Dyma pam mae hi mor bwysig i ni ymarfer ymgorffori'r cysyniad o gryfder, dewrder ac awdurdod mewn modd corfforol pan fyddwn ni'n gweithio ag agweddau sy'n arbennig o heriol i ni. Does dim rhaid i ni ddod o hyd i atebion, na chael gwared ar y rhannau hyn, dim ond ymwneud â nhw gyda thosturi.

18 Y daith o hunanfeirniadaeth i dosturi tuag atom ein hunain

Yn gynharach yn y llyfr, fe wnaethon ni edrych ar gywilydd. Yn yr adran hon, byddwn yn canolbwyntio ar strategaeth y mae llawer ohonon ni'n ei mabwysiadu fel ffordd o amddiffyn ein hunain rhag dod yn berson 'llawn cywilydd' – hunanfeirniadaeth. Fodd bynnag, fel y gwelwn, mae ein hunanfeirniad yn gallu achosi llawer mwy o broblemau i ni nag y mae'n ceisio'u datrys. Yma, edrychwn ar sut mae datblygu tosturi tuag atom ein hunain yn hytrach na hunanfeirniadaeth yn gallu bod yn ffordd lawer gwell o fynd i'r afael â chywilydd.

Mae'r gallu i feirniadu ein hunain gan bob un ohonon ni; fodd bynnag, gall yr emosiwn sy'n cymell yr hunanfeirniad amrywio dros amser, a gall fod yn gryfach neu'n wannach mewn gwahanol bobl. Mae ymateb ein hunanfeirniad yn gallu amrywio o dwt-twtian rhwystredig i ymosodiad hollol arswydus arnon ni ein hunain, ac mae'n gallu gweithredu fel llais neu berson gwahanol oddi mewn i ni.

Rydyn ni wedi edrych yn fanwl ar bwysigrwydd adeiladu tosturi tuag atom ein hunain i'n helpu ni drwy'r adegau anodd ac i helpu i dawelu ein system fygythiad. Nawr, rydyn ni am edrych ar hunanfeirniadaeth: pam rydyn ni'n lladd arnom ein hunain, yr effaith gaiff hynny ar ein meddwl, a sut allwn ni help ein hunain i ddatblygu meddwl tosturiol sy'n deall ac o bosib yn tawelu ein hunanfeirniad, ac sy'n gallu cynnig ffordd well o ddod yn berson rydyn ni eisiau bod nag y gall ein hunanfeirniad byth.

Wrth i ni ddod yn fwy tosturiol wrthym ein hunain, mae'n bosib i ni ddychmygu y bydd ein hunanfeirniadaeth yn dechrau pylu. Mae hynny'n gallu digwydd. Fodd bynnag, mae tosturi tuag atom ein hunain a hunanfeirniadaeth yn tarddu o wahanol systemau, y naill o'r system leddfu a'r llall o'r system fygythiad. O ganlyniad, maen nhw'n gallu gweithredu'n annibynnol ar ei gilydd. Ar ben hynny, mae gan hunanfeirniadaeth sawl swyddogaeth wahanol; bydd rhai ohonyn nhw'n diflannu wrth i ni ddatblygu mwy o dosturi tuag atom ein hunain, ond rydyn ni'n dal ein gafael yn dynn mewn eraill. Felly, mae arnon ni angen mwy na'r ymarferion adeiladu meddwl tosturiol a nodwyd eisoes; mae angen i ni hefyd allu cyflwyno ein meddwl tosturiol i ddeall ein hunanfeirniad, ac i'n hymwneud ag ef.

Pam ydyn ni'n beirniadu ein hunain?

Pan fydd rhywbeth wedi digwydd sy'n fygythiad i ni mewn rhyw ffordd (rydyn ni newydd golli llaeth ar y llawr, dyweder), mae ein system fygythiad o fewn ein hymennydd a'n corff yn ymateb i hyn. Efallai y byddwn ni'n cymryd naid fach am yn ôl neu'n gweiddi 'O na!' (neu eiriau i'r perwyl hwnnw). Efallai y byddwn wedyn yn beirniadu ein hunain am yr ymddygiad ('Y ffŵl blêr!'). O'r ymarfer a wnaethon ni'n agos at ddechrau'r llyfr hwn oedd yn edrych ar effaith 'y llais ar ein hysgwydd', rydyn ni'n gwybod fod beirniadu ein hunain yn ysgogi ein system fygythiad ymhellach. Bellach, mae ergyd ddwbl wedi'n taro – y bygythiad gwreiddiol ynghyd â'n hunanfeirniadaeth. Pam felly ydyn ni'n beirniadu ein hunain, gan beri mwy o fygythiad i ni'n hunain a ninnau eisoes dan fygythiad?

> *Mae'n bosib i'n hunanfeirniad ddatblygu fel strategaeth ddiogelu.*
>
> *Un o amcanion yr hunanfeirniad yw ceisio'n hatal ni rhag datblygu i fod y math o berson a allai gael ei wrthod gan eraill.*

Fe gawson ni syniad o hyn yn gynharach yn y llyfr, pan wnaethon ni ddychmygu person 'heb gywilydd'. Dychmygwch am eiliad fod rhywbeth hudolus a phwerus ar dudalennau'r llyfr hwn sy'n dileu ein gallu i feirniadu ein hunain am byth; sut brofiad fyddai hynny? Gallai deimlo fel rhyddhad rhyfeddol i ddechrau, ond beth am yr ofnau bach annifyr fyddai'n dod i ganlyn y rhyddhad?

Dyma rai o'r ofnau a fynegwyd gan bobl ynghylch bod heb hunanfeirniad:

'Fydda i byth yn gwisgo yn y bore ac fe fydda i'n troi'n lwmp diog.'

'Fe fydda i'n dweud pethau wrth bobl sy'n eu cynhyrfu.'

'Fe fydda i'n gwneud gwaith gwael.'

'Fe fydda i'n gadael fy mabi o flaen y teledu a ddim hyd yn oed yn ei fwydo.'

Rywsut, rydyn ni wedi datblygu ymdeimlad bod ein hunanfeirniad yn ein hatal rhag newid i fod y math o berson na fyddai pobl eraill yn hoffi ei adnabod. O ganlyniad, mae ein hunanfeirniad yn dod yn rhan hanfodol o'n hunaniaeth; hebddo, rydyn ni'n ofni y byddwn yn troi'n bobl annymunol, annioddefol sydd mewn perygl o gael eu hanwybyddu, eu hesgymuno, eu diarddel. Unwaith y byddwn yn deall ein bod yn credu bod yr hunanfeirniad yn ein helpu (er bod hynny mewn ffordd sy'n ein bwlio) i aros yn ddiogel, gallwn weld pam y bydden ni'n teimlo mor bryderus ynghylch troi cefn arno. Ond, mewn gwirionedd, pa mor ddefnyddiol yw ein hunanfeirniad? Gadewch i ni edrych ar beth yn union sy'n digwydd pan fyddwn yn disgyn i grafangau ein hunanfeirniad.

Sut olwg sydd ar eich hunanfeirniad?

Dychmygwch sut olwg fyddai ar ein hunanfeirniad pe bydden ni'n ei weld o'n blaenau. Gallwn roi cynnig ar hynny nawr drwy feddwl am rai o'r pethau y mae'n eu dweud wrthyn ni. Dychmygwch ei fod yn sefyll o'n blaenau (os yw hyn yn teimlo'n anodd, dychmygwch ei grebachu neu ei osod ymhellach ac ymhellach i ffwrdd nes ei fod yn teimlo'n fwy hylaw). Pa emosiynau mae'n eu cyfeirio tuag aton ni? Beth yw naws ei lais a'r mynegiant ar ei wyneb? Beth mae'n ei ddweud wrthyn ni? Pa mor fawr neu fach yw ein hunanfeirniad mewn perthynas â ni? Pa siâp? Pa liw?

Nawr, sylwch sut rydych chi'n teimlo yn eich corff pan fydd yn cyfeirio'r emosiynau hyn tuag atoch chi a phan mae'n dweud y pethau hyn wrthych chi.

Ystyriwch a yw eich llesiant chi yn bwysig iddo. A yw am i chi dyfu a ffynnu? A yw am eich helpu a'ch annog? A oes ganddo ddymuniad didwyll i'ch helpu i ddod yn chi ar eich gorau?

Rydyn ni'n aml yn canfod bod ein hunanfeirniad mewn gwirionedd yn gwneud i ni deimlo'n fach, yn fregus, yn ddiysbryd, yn ddigymhelliant ac weithiau'n eithaf gofidus. Yn hytrach na'n helpu ni i ddod y person gorau y gallwn fod, mewn gwirionedd mae'n mynd â ni ymhellach oddi wrth ein nod, ac mae'n gallu gwneud i ni deimlo mor erchyll fel ein bod yn ei chael yn anodd ailgodi ein hunain a rhoi cynnig arall arni. Fe welwn fod yr hunanfeirniad yn tarddu o rywle sy'n llawn bygythiad, panig ac ofn. Mae'n canolbwyntio ar y niwed a allai ddigwydd i ni, ac yn ein hatgoffa o'n holl gamgymeriadau yn y gorffennol a'u canlyniadau. Hynny yw, mae'n edrych yn ôl ac yn canolbwyntio ar ein diffygion yn hytrach nag edrych ymlaen, a chanolbwyntio ar ein priodoleddau cadarnhaol a'r hyn rydyn ni am fod. Mae ei emosiynau i gyd yn tarddu o'r system fygythiad, ac maen nhw'n canolbwyntio ar siom, dirmyg a dicter yn hytrach na chefnogaeth, anogaeth, caredigrwydd, cynhesrwydd a llawenydd. Gallwn ei ddychmygu fel arwydd 'stop' yn hytrach nag arwydd 'ewch', fel rhywbeth sy'n atal yn hytrach nag annog.

Symud o ddefnyddio hunangywirydd beirniadol i un tosturiol

Felly, os nad yw ein hunanfeirniad yn gallu ein helpu o ddifrif, sut mae ffrwyno ein hunain, atal ein hunain rhag bod yn ddiog, neu'n anodd i'n hoffi, a chymell ein hunain tuag at ein nodau? Gallwn fanteisio ar ein doethineb greddfol ein hunain ynglŷn â hyn os gwnawn ni ystyried pa fath o athro fydden ni'n dymuno'i gael ar gyfer plentyn annwyl, ffrind da, neu ni'n hunain pan oedden ni'n brwydro i feistroli pwnc penodol yn yr ysgol: athro beirniadol neu athro tosturiol? Mae gan y rhan fwyaf ohonon ni brofiad personol o'r ddau fath o athrawon; pa rai fyddai'n well gennym ni eu cael i'n helpu i ddod y fersiwn orau ohonon ni'n hunain? Pan ddechreuwn ni ystyried priodoleddau'r athrawon a oedd gennym ni pan oedden ni'n iau, gallwn weld weithiau nad yr athrawon mwyaf tosturiol oedd yr athrawon 'dymunol' o reidrwydd. Weithiau, roedden nhw'n llym ac yn gadarn, mewn gwirionedd, ond roedd synnwyr o awydd gwirioneddol ganddyn nhw i'n helpu, hyd yn oed os oedd hynny weithiau'n golygu eu bod yn ein gwthio'n galed neu'n daer dros ein cadw ni ar y trywydd cywir. Mae athrawon 'dymunol' weithiau'n cael eu cymell gan awydd i gael eu hoffi, yn hytrach na gan anghenion y plentyn. Mae plant yn dda iawn am sylwi ar hyn, ac maen nhw'n gallu teimlo'n rhwystredig ac wedi'u ffrwyno. Mae'r un peth yn wir amdanon ni; dydy tosturi ddim yn ymwneud â bod yn 'ddymunol', ond â'r penderfyniad a'r bwriad i helpu ein hunain i ffynnu, hyd yn oed os yw hyn yn golygu wynebu pethau anodd.

> *Mae ein hunanfeirniad yn sathru arnon ni ac yn ein llesteirio, tra mae tywysydd, hyfforddwr neu hunangywirydd angerddol yn ein helpu i dyfu a ffynnu.*

Felly, yn hytrach na thyfu hunangywirydd beirniadol, beth am dyfu hunangywirydd tosturiol? Gallwn feddwl amdano fel hyfforddwr, tywysydd neu athro. Rhyw fath o hyfforddwr chwaraeon doeth, caredig a phrofiadol iawn sy'n eistedd ar ein hysgwydd neu'n sefyll y tu ôl i ni i'n tywys drwy fywyd. Pan fyddwn ni'n cael trafferth, beth fydden nhw'n ei ddweud wrthyn ni? Sut bydden nhw'n ymwneud â ni? Sut byddai eu llais yn swnio? Beth fyddai'r mynegiant ar eu hwyneb?

Rhiant beirniadol, rhiant dymunol, rhiant tosturiol?

Mae modd i ni feddwl am hyn o safbwynt bod yn fam hefyd. Os ydyn ni'n treulio ychydig amser yn sylwi, gyda chwilfrydedd a heb farnu, sut rydyn ni'n magu ein plant, gallwn sylwi ar yr adegau rydyn ni'n defnyddio ein cywirydd beirniadol gyda nhw, a'r adegau pan fyddwn ni'n defnyddio ein cywirydd tosturiol. (Mae gwir angen ein hunan tosturiol yn hytrach na'n hunan beirniadol gyda ni wrth wneud yr ymarfer hwn. Ein bwriad gyda'r ymarfer hwn yw edrych yn glir ac yn gywir, ond hefyd gyda charedigrwydd a dealltwriaeth, ar sut rydyn ni'n ceisio tywys ein plant wrth iddyn nhw dyfu. Drwy ddefnyddio ymwybyddiaeth ofalgar a thosturi wrth edrych arnom ein hunain, gallwn ddeall y bwriadau tu ôl i'n geiriau a'n gweithredoedd, pam y gallai'r beirniad fod wedi ymddangos, a'r ffordd orau o symud draw at ein tywysydd neu'n cywirydd tosturiol.)

Mae ein panig neu ofn am ein plant weithiau'n peri i ni rianta mewn ffordd feirniadol, yn enwedig os mai dyna sut cawson ninnau ein magu pan oedden ni'n blant.

Gall yr ymarfer isod ('Cyflwyno tosturi i'r hunanfeirniad') fod o gymorth gwirioneddol i weld beth sy'n achosi i'r beirniad daro heibio.

Fel mamau, mae'n bosib i ni dybio mai'r dewis amgen i gywiro plant yn feirniadol yw bod yn 'ddymunol' tuag atyn nhw. Yn yr un modd ag athrawon, dydy 'dymunol' ddim o reidrwydd yn cyfateb i dosturi. Os yw ein plentyn mewn gofid oherwydd ei fod eisiau'r losin sydd wrth ddesg dalu'r archfarchnad, beth fyddai'n ffordd dosturiol o ymateb? Mae'n bosib y bydden ni eisiau cael ein gweld fel mam 'ddymunol', felly rydyn ni'n gadael iddyn nhw eu cael. Ond gallai ymateb tosturiol fod yn wahanol. Yn yr ennyd honno, byddwn yn pwyso a mesur nifer o ymatebion yn gyflym iawn, ond fe ddylen ni adael i'n cymhelliant ymddwyn fel canllaw i ni. Mae cymhelliant tosturiol yn fwriad gwirioneddol i ofalu am yr unigolyn, sylwi ar ei ddioddefaint, a'i helpu i'w leddfu mewn ffordd sy'n helpu'r unigolyn i dyfu a datblygu. Efallai y byddwn felly'n penderfynu nad ydyn ni eisiau iddo fwyta losin, neu ei fod wedi cael digon o losin y diwrnod hwnnw, neu efallai ein bod ni'n teimlo y byddai'n iawn iddo gael un pecyn bach a dim mwy. Mae'n bosib y bydden ni wedyn angen ein doethineb a'n hempathi tuag at ein plentyn i'n helpu ni i ddeall y rhwystredigaeth lwyr o ddioddef cael rhywun arall yn eich rhwystro rhag cael yr hyn rydych chi ei eisiau. Gallwn felly geisio'i helpu gyda hynny, ond gan ddal ati i wneud yn glir nad cael y losin yw'r peth gorau o ran ei les. Efallai y bydd angen i ni ei ddilysu, ei gysuro, rhoi lle i'r plentyn gyda charedigrwydd a chynhesrwydd, tynnu ei sylw ac ati. Rydyn ni felly'n rhoi cymorth iddo drwy ei ofid mewn ffordd dosturiol.

Pan mae'n anodd dweud 'na': bod yn ddymunol fel strategaeth ddiogelu

Os ydyn ni'n dod yn ymwybodol o angen mawr i gael ein hystyried yn famau 'dymunol', yna beth sy'n cymell hyn? Mae'n bosib ei fod yn tarddu o brofiad o ddysgu bod yn rhaid i ni fod yn 'ddymunol' er mwyn cael ein caru, neu er mwyn atal beirniadaeth neu ymddygiad ymosodol. Yna daeth bod yn 'ddymunol' yn strategaeth ddiogelu i'n gwarchod. Os ydyn ni'n bod yn 'ddymunol' drwy ofn, mae hyn yn arwydd bod angen tosturi tuag atom ein hunain yn gyntaf yn yr ennyd honno er mwyn deall a thawelu'r ofn hwnnw. Unwaith y byddwn yn teimlo'n llai ofnus, rydyn ni'n ei chael yn haws rhoi ymateb tosturiol i'r person arall (dyma'r egwyddor y 'mwgwd ocsigen' – gweler isod).

Egwyddor y Mwgwd Ocsigen

Yn ystod y cyhoeddiadau diogelwch ar awyren, mae criw'r awyren yn pwysleisio'r angen i wisgo mwgwd ocsigen amdanoch chi'ch hun yn gyntaf, cyn helpu eraill, gan gynnwys eich plant eich hun. Mae hyn, wrth gwrs, oherwydd na fyddwch chi'n gallu helpu neb os ydych chi'n anymwybodol eich hun. Mae'r un egwyddor yn wir gyda thosturi; mewn argyfwng, mae angen i chi ei roi i chi'ch hun yn gyntaf cyn ceisio'i roi i eraill.

Waeth beth fyddwn ni'n ei wneud, gallwn ddefnyddio ein cymhellwr, ein tywysydd neu ein hunangywirydd tosturiol i'n helpu. Gallwn gyferbynnu hynny â'n profiad pe bydden ni'n defnyddio ein tywysydd, ein cymhellwr neu ein hunangywirydd beirniadol. Byddwn yn rhoi'r rhan hon ohonon ni ar waith nifer ryfeddol o weithiau bob dydd: wrth godi o'r gwely pan ydyn ni wedi blino, ceisio bod yn fwy digynnwrf fel rhiant, delio â gofynion cystadleuol, colli ychydig o bwysau, ymarfer mwy, dysgu sgìl newydd, dal ati pan fyddwn ni wedi blino, rhoi'r gorau i wneud rhywbeth pan fyddwn ni wedi blino ac ati. Os meddyliwn ni am hyn o ran ein system gymell, mae'n ymwneud â chyflwyno tosturi yn hytrach na bygythiad fel ysgogydd y system hon.

Felly, pan fyddwn ni'n teimlo bod yn rhaid inni fod yn 'ddymunol', fe ddylen ni sylwi ar gyflwr ein corff. Ym mha system ydyn ni? Os ydyn ni'n teimlo'n llawn tyndra, yn orbryderus neu'n ddig, mae'n debygol bod ein system fygythiad ar waith a'n bod yn ddymunol oherwydd ein bod ni'n ofni y bydd rhywbeth anodd yn digwydd os na fyddwn ni felly. Dydy hyn ddim yn fai arnon ni. Dydyn ni ddim yn dewis cael yr ymateb hwn. Ond ar ôl i ni sylwi arno, yna gallwn ddewis a ydyn ni'n dal am ymateb o'n system fygythiad, neu a ddylen ni roi cynnig ar droi at ein cywirydd tosturiol. Sut byddai'r rhan honno'n ein tywys gyda hyn? Sut byddai o gymorth i ni?

Tosturi tuag at yr hunanfeirniad

Wrth i ni ddatblygu ein hunan tosturiol, gallwn ddechrau ei gyflwyno i bobl eraill ac i wahanol agweddau ohonon ni ein hunain. Mae hwn yn sgìl, ac fel unrhyw sgìl, mae modd ei ddysgu. Fel y gwelson ni gyda Bwdhaeth, mae myfyrdod penodol ar gyfer meithrin tosturi o'r enw 'myfyrdod cariad-caredigrwydd'. Yma, mae'r cyfryngwr yn dechrau drwy anfon dymuniadau sydd mor ddidwyll â phosib, rhai tebyg i: *'Boed i ti fod yn iach. Boed i ti fod yn rhydd o ddioddefaint. Boed i ti fod yn hapus. Boed i ti fod mewn heddwch.'*

Fel gydag unrhyw sgìl newydd, ffordd ddefnyddiol o'i ddysgu yw dechrau ag ymarferion hawdd a symud ymlaen at rai anoddach. Felly, mae'r dymuniadau hyn yn cael eu cyfeirio'n gyntaf at bobl 'hawdd', pobl rydyn ni'n eu caru, neu at anifeiliaid fel anifeiliaid anwes, os yw hynny'n teimlo'n haws. Yna fe'u cyfeirir at bobl 'niwtral' nad ydyn ni'n gwybod llawer amdanyn nhw, fel gweithwyr mewn siop neu bobl sy'n mynd heibio mewn ceir. Yn olaf, fe'u cyfeirir at bobl 'anodd', pobl sydd efallai wedi ein cynhyrfu neu wedi ein gwylltio ar ryw adeg. Gallwn hefyd wneud hyn droson ni ein hunain: cyflwyno tosturi at emosiynau hawdd cyn rhai anodd, problemau hawdd cyn rhai anodd, a rhannau hawdd ohonon ni'n hunain cyn y rhannau anodd. Mae'r hunanfeirniad yn aml iawn yn rhan anodd ohonon ni'n hunain, yn enwedig os yw ei lais yn ymdebygu i lais rhywun a oedd yn ein gormesu neu'n ein dychryn. Mae angen i ni sylweddoli hyn os ydyn ni'n cael trafferth gyda'r ymarfer hwn. Mae'n bosib y bydd angen i ni symud i ymarfer haws, yn enwedig os yw llais yr hunanfeirniad yn llais rhywun gormesol neu arswydus; fe allen ni felly roi cynnig ar rannau haws ohonon ni ein hunain (y rhan sydd wedi'i brifo, neu ein rhan drist) neu bobl haws yn gyntaf. Unwaith y byddwn wedi arfer mwy â'r rhain, efallai y byddwn am ailedrych ar yr adran hon i gyflwyno tosturi i'n hunanfeirniad.

Yn gyntaf, mae angen i ni fod yn glir pam rydyn ni eisiau cyflwyno tosturi i'n hunanfeirniad. Gall ymddangos yn reddfol anghywir i fod yn dosturiol wrth rywbeth sy'n gallu bod mor ddinistriol ac atgas tuag aton ni. Fel gydag unrhyw agwedd ar y prosesau yn y llyfr hwn, does dim rhaid i ni ddewis cyfaddawd; y cyfan rydyn ni'n ei wneud yw rhoi dewisiadau i ni'n hunain ac felly mwy o hyblygrwydd o ran sut gallwn ni ymateb, yn enwedig pan fydd pethau'n mynd yn anodd. Dyma un o'r rhesymau dros droi ein ffocws at yr hunanfeirniad; hyd yn oed wrth i ni adeiladu ein tosturi tuag atom ein hunain, dydy hynny ddim o reidrwydd yn golygu y bydd ein hunanfeirniad yn crebachu. Mae'n gwbl bosib i'n hunanfeirniad ddychwelyd yn llafar ac yn gryf, yn enwedig pan fyddwn mewn hwyliau gwael, yn isel ein hysbryd neu ddim yn teimlo'n dda.

Os ydyn ni'n dychmygu ein hunanfeirniad fel person go iawn, mae'n bosib i ni ddychmygu sut brofiad fyddai ei gael gyda ni nos a dydd heb unrhyw ddihangfa, yn barod i ymosod arnon ni pan fyddwn ar ein hisaf. Yn anffodus, mae hyn yn debyg iawn i realiti i rai. Gallwn wedyn werthfawrogi sut rydyn ni'n symud i bob math o strategaethau i gadw ein hunain yn ddiogel: bod yn dawel, yn dda, yn ostyngedig, cymodi, osgoi, cau allan, bod y cyntaf i ymosod. Anaml y bydd hyn yn datrys y broblem, fodd bynnag. O ganlyniad, mae'n bosib i ni fyw mewn cyflwr gwastadol o orbryder neu ofn dwysach.

> *Rydyn ni'n fwy tebygol o dawelu ein hunanfeirniad drwy geisio deall a lliniaru'r ofn sy'n ei gymell, yn hytrach na cheisio'i drechu.*

Gallai hyn ymddangos yn groes i'n greddf, ac mae'n bosib y byddwn yn brwydro yn ei erbyn i ddechrau, ond beth os byddwn ni, yn lle hynny, yn dysgu dod yn ymwybodol o ofn ac anghenion yr hunanfeirniad sydd heb gael eu diwallu? Dyma lle rydyn ni'n chwilio'n ddwfn i'n meddwl doeth ac yn edrych ar yr anghenion sy'n cysylltu'r holl ddynoliaeth, gan gynnwys ein hunanfeirniad. Rydyn ni'n dod i sylweddoli bod ein hanghenion yn rhai cyffredinol, a dweud y gwir: cael ein clywed, ein deall, bod mewn cysylltiad, ein caru, ein cadw'n ddiogel. Unwaith y byddwn ni'n cysylltu o ddifrif â'n hunanfeirniad ag empathi a thosturi tuag ato, rydyn ni'n ein gweld ein hunain yn symud allan o strategaethau sy'n seiliedig ar fygythiadau yn ôl trefn benodol, pan fyddwn ni naill ai'n ceisio tra-arglwyddiaethu dros y beirniad neu ymostwng iddo er mwyn ein hamddiffyn ein hunain. Yn lle hynny, rydyn ni'n symud i'n system leddfu/ymgysylltu, sy'n ymwneud â chryfder, doethineb ac awydd i roi a derbyn gofal. Yno, rydyn ni'n teimlo ein bod ni'n mewn cysylltiad â'r hunanfeirniad, ac yn gyfartal ag ef. Ein cymhelliant yw gwneud beth allwn ni i helpu ein dioddefaint ein hunain a dioddefaint yr hunanfeirniad.

Yn yr un modd â bwli neu feirniad go iawn, mae angen i ni hefyd angori ein hunan yn ein cryfder, ein hyder a'n pendantrwydd, a dyna pam mae ein hosgo cryf a chadarn mor bwysig. Wrth i ni edrych ar yr hyn sydd wedi dod â'n hunanfeirniad yn fyw yn y lle cyntaf, efallai y byddwn yn dod i wir ddeall yr hyn sy'n gwneud i'r beirniad ymosod. Efallai y gwelwn fod hyn yn dod o rywle llawn poen ac ofn. Fodd bynnag, nid yw hyn yn golygu bod yn rhaid i ni ystyried y feirniadaeth. Yn lle hynny, gall ein hunan tosturiol ddod i mewn a chymryd yr awenau. Efallai y bydd y rhan hon hefyd eisiau helpu'r hunanfeirniad â'i boen lle bo hynny'n bosib.

Mae'n rhaid i ni fod yn glir nad yw hyn yn golygu gadael i'r beirniad neu'r bwli ddianc yn ddi-gosb, a bod yn rhydd i barhau i'n bwlio ni – sydd yn un ofn ymysg pobl wrth symud i safbwynt tosturiol. Yn lle hynny, rydyn ni'n cael gweithredu mewn modd cryf, dewr a thosturiol sy'n cael ei gymell gan ymwybyddiaeth o anghenion y llall a'n hanghenion ni ein hunain. Mewn achos pan fydd rhywun yn byw gyda beirniad eithafol yn ei fywyd go iawn, fel partner sy'n dreisgar neu'n fwli, gall ein hunan tosturiol ein galluogi i ddeall y boen a'r ymdeimlad o fod yn fregus a allai fod yn cymell y fath ymddygiad. Fel y dywed Marshall Rosenberg yn ei waith ar gyfathrebu di-drais: *'Violence is a tragic expression of an unmet need.'*[1] Ond mae ein hunan tosturiol hefyd yn ein helpu i sylweddoli bod arnon ninnau angen ein diogelu a'n caru hefyd, ac y gall hynny ddarparu'r gefnogaeth a'r anogaeth sydd eu hangen arnon ni i adael y berthynas.

Dydy deall hyn ddim yn golygu bod angen i ni ddal ati i wrando ar eiriau'r hunanfeirniad. Fodd bynnag, mae'n bosib bod gwerth gwirioneddol mewn deall yr hunanfeirniad fel rhywun sy'n ein rhybuddio am boen sy'n codi o angen nas diwallwyd ac sydd newydd gael ei sbarduno. Mae fel pe bai gennym ni glwyf. Yr hunanfeirniad yw'r floedd o boen pan gyffyrddir â'r clwyf hwnnw. Mae gweld yr hunanfeirniad fel rhywun sydd mewn poen ac yn dioddef yn llawer mwy tebygol o ysgogi ymateb tosturiol tuag ato na'i weld fel bwli ymosodol. Mae hyn hefyd yn llawer mwy tebygol o ganiatáu i'r hunanfeirniad bylu, yn hytrach na cheisio ymladd yn ei erbyn neu ildio iddo. Ydych chi'n cofio stori'r ddau flaidd? Pa flaidd ydyn ni am ei fwydo? Gallwn ganolbwyntio ein hegni ar fwydo blaidd tosturi tuag atom ein hunain yn hytrach na blaidd hunanfeirniadaeth.

Ymarfer: Cyflwyno tosturi i'r hunanfeirniad

1. Fel arfer, dechreuwch ag osgo cryf, agored a chadarn, anadl allan hir a thyner, ac ymwybod gofalgar ('corff fel mynydd, anadl fel y gwynt, meddwl fel yr awyr'). Yn ogystal, gadewch i'ch wyneb a'ch llais ddod yn garedig, yn dyner ac yn gyfeillgar, neu ddychmygu hyn yn digwydd.

2. Efallai y byddai'n ddefnyddiol dychmygu adeg pan oeddech chi'n teimlo cynhesrwydd go iawn tuag at rywun neu rywbeth, neu gofio profi

cynhesrwydd a charedigrwydd gan rywun arall. Gadewch i'r teimlad dyfu a thyfu tu mewn i chi.

3. Meddyliwch am rywun tosturiol, cymeriad hanesyddol, o ffilm, neu o lyfr, a dychmygwch eich bod chi'n ymarfer ei bortreadu mewn ffilm. Rydych chi'n sylwi sut mae'n deall pobl, ei ddoethineb, sut mae'n gallu ymatal rhag barnu drwy ddeall y meddwl dynol anodd a phrofiadau bywyd pobl.

4. Efallai y byddwch chi'n sylwi ar osgo ei gorff, ei synnwyr o gadernid, cryfder a hyder mewnol, yn tarddu o wybod nad oes dim yn ormod iddo ei ddioddef.

5. Rydych chi'n dod yn ymwybodol o'i fynegiant wyneb a'i naws llais cynnes a charedig.

6. Nawr dychmygwch eich bod chi, fel y person tosturiol hwn, yn cerdded ac yn gweld eich rhan hunanfeirniadol. Rydych chi'n agosáu ati (mor agos neu mor bell ag sy'n teimlo'n gyfforddus) ac yn cysylltu â hi gyda thosturi; yn anfon eich dymuniadau y gellir lleddfu beth bynnag sy'n ei brifo a pheri iddi fod yn ymosodol, y gallai fod mewn heddwch, y gallai fod yn rhydd o ddioddefaint. Angorwch eich hun yn eich cymhelliant neu'ch bwriad yr ennyd hon; mae hyn yn tarddu o'r system leddfu dosturiol yn hytrach na'r system fygythiad: deall, cydymdeimlo â'i dioddefaint, dymuno lleddfu ei dioddefaint.

7. Wrth i ni agosáu at ein hunanfeirniad, gall fod yn anodd credu na fyddwn yn cael ein brifo eto. Os ydyn ni'n cael ein dychryn neu ein gorlethu ganddo, mae angen i ni symud yn ôl nes ein bod yn teimlo'n ddiogel, ac addasu ein hosgo eto i sicrhau ein bod yn teimlo'n gryf ac wedi'n hangori. Unwaith y byddwn yn teimlo'n gryfach, gallwn fynd yn nes at yr hunanfeirniad eto. Sylwch ar unrhyw ofnau neu ragfarnau a allai fod gennych: y dylid cosbi pobl ddrwg, efallai; y bydd yn dianc yn ddi-gosb ac yn ymosod eto; nad yw'n haeddu eich tosturi neu ei fod yn ymddangos mor gorfforol frawychus. Mae'r rhain yn arwyddion ein bod wedi symud allan o'n hunan tosturiol i'n hunan dig neu orbryderus. Os felly, mae angen i ni ddod yn ôl i'n hunan tosturiol drwy wir ddeall beth oedd wrth wraidd yr ymosodiad blin ac yna anfon ein dymuniad mwyaf didwyll y gellir lleddfu hynny, y gall ganfod heddwch, y gall deimlo'i fod yn derbyn gofal ac mewn cysylltiad â phobl eraill. Os daw ymosodiad, y cam cyntaf i ni yw cyflwyno ein cryfder, ein doethineb a'n tosturi i ni'n hunain ac yna chwilio

eto am yr angen neu'r ymdeimlad o fod yn fregus wrth wraidd yr ymosodiad. Felly, rydyn ni'n anfon ein tosturi i'r clwyf hwnnw, hyd yn oed os yw hynny o bellter sy'n teimlo'n ddiogel.

8. Efallai y byddwn yn sylwi sut rydyn ni'n ymddwyn gyda'r hunanfeirniad, a sut mae'n ymateb i'n caredigrwydd, ein hymatal rhag barnu, a'n dealltwriaeth ddoeth o'r hyn ddaeth ag ef i fodolaeth yn y lle cyntaf, a'r hyn sy'n ei sbarduno nawr.

9. Sylwch ar yr ofn a'r anghenion nas diwallwyd sy'n sbarduno'r ymosodiadau arnon ni. Mae'n bosib y byddwn ni'n sylwi p'un a yw'n ceisio ein hamddiffyn, yn ei ffordd gyntefig ac ymwybodol o fygythiadau ei hun. Efallai y gallwn ddeall sut brofiad fyddai bywyd i ni ar ôl cael gwared ohono – beth y mae'n ofni allai ddigwydd i ni, neu sut un fyddwn ni maes o law?

10. Mae'n bosib y gallwn gamu i'w esgidiau am eiliad a gwerthfawrogi'r panig neu'r angen nas diwallwyd sydd wedi ei ysgogi. Efallai y gallwn ddeall sut deimlad oedd ceisio ein hamddiffyn hyd eithaf ei allu am yr holl flynyddoedd, a chael ei gasáu neu ei ofni gennym ni. Sylwch ar unrhyw ofn, unigrwydd a thristwch tu ôl i'r dicter.

11. Unwaith y gallwn gysylltu â dioddefaint ein hunanfeirniad, mae hyn yn fwy tebygol o sbarduno ein hunan tosturiol. Mae'n bosib y byddwn yn cyflwyno gwerthfawrogiad o ba mor galed a pha mor hir y gweithiodd i geisio ein cadw'n ddiogel, ond heb strategaethau soffistigedig i wneud hynny'n dda, yn enwedig os digwyddodd pan oedden ni'n ddim ond plentyn. Gallwn gyflwyno bwriad didwyll i'w helpu i ganfod heddwch, a bod yn rhydd o'i ddioddefaint.

12. Sylwch sut mae'r hunanfeirniad yn ymateb i'n doethineb, ein cryfder, ein hymatal rhag barnu, ein derbyniad, ein caredigrwydd a'n cynhesrwydd; sut mae'n ymateb i fod ym mhresenoldeb rhywun sydd eisiau ei helpu a'i ddeall yn hytrach na'i farnu, ei gondemnio a cheisio ymladd yn ei erbyn neu ei ddileu. Beth sy'n digwydd iddo? Sut rydych chi'n teimlo o allu uniaethu ag ef fel hyn?

13. Pan fydd yn ymddangos yn y dyfodol, sut gallen ni ymwneud ag ef?

Pan ddaw'r beirniad eto, mae'r ymarfer hwn yn gallu ein helpu i ganfod y bygythiad a'r ofn y tu ôl i'w ddicter; felly yn hytrach nag anwybyddu'r beirniad, rydyn ni'n sylweddoli ei fod yn ymateb i sbarduno ein system fygythiad. Fe allwn ni droi tuag at y broblem ond rydyn ni wedyn yn awdurdodi ein hunan tosturiol i ddelio â'r bygythiad yn hytrach na chaniatáu i'r hunanfeirniad ddelio ag ef yn ei ffordd ansoffistigedig ei hun, sy'n seiliedig ar fygythiad.

Hunanfeirniadaeth i ffrwyno emosiynau

Yn ogystal â cheisio ein cadw ar y llwybr cul, mae'n hunanfeirniad hefyd yn gallu bod yn ffordd o ffrwyno emosiynau sy'n eich dychryn. Gallai emosiynau o'r fath gynnwys tristwch, er enghraifft, lle rydyn ni'n ofni ymddangos yn wan, yn agored i gywilydd, neu ein bod ar fin disgyn i grafangau iselder os ydyn ni'n mynd yn drist. Mae hyd yn oed yn bosib iddyn nhw gynnwys 'emosiynau cadarnhaol' fel hapusrwydd a llawenydd, er enghraifft, lle maen nhw wedi cael eu cysylltu neu eu cyflyru â siom sy'n dilyn, chwalu gobeithion neu wawdio am fod yn hapus; rhyw fath o neges 'peidiwch â mynd yn rhy hapus oherwydd fe fyddwch chi'n disgyn yn bellach pan fydd pethau'n mynd o chwith'.

Un ffynhonnell gyffredin o hunanfeirniadaeth yw lle mae wedi datblygu fel strategaeth ddiogelu i ffrwyno ein dicter. Petaen ni'n gwylio rhiant yn gweiddi ar blentyn ac yn ei feirniadu, mae'n bosib y bydden ni'n teimlo dicter go iawn tuag at y rhiant. Fel plant, pan oedd rhiant yn gweiddi arnon ni ac yn ein beirniadu, fe fydden ni wedi teimlo'n fach ac yn ofnus ond mae'n bosib y bydden ni hefyd wedi teimlo dicter tuag atyn nhw hefyd. Ond beth allai fod wedi digwydd pe bydden ni wedi bod yn ddig tuag atyn nhw ar y pryd? Mae rhai plant yn teimlo'n ddigon diogel i fod yn ddig tuag at eu rhieni, ond mae eraill yn gwybod bod eu rhiant yn debygol o ymateb mewn ffordd flin, neu mewn ffordd dreisgar o bosib. Mae plant yn dysgu'n gyflym iawn i feio'u hunain yn lle hynny; maen nhw'n gweld mai'r ffordd orau o gadw'n ddiogel yw ffrwyno'u hymddygiad a'u dicter. Mae hefyd yn gwneud inni deimlo y gallwn reoli ein diogelwch ein hunain i ryw raddau: 'Mae angen i mi fod yn fwy tawel, yn well, wedyn fydda i ddim yn cael fy meirniadu', tra mae cyfaddef nad oes gennym ni unrhyw reolaeth dros fygythiadau i ni'n hunain yn gallu bod yn wirioneddol frawychus.

> ### 'Peidiwch â deffro'r llew sy'n cysgu'
>
> *Dychmygwch blentyn yn ceisio cripian heibio llew sy'n cysgu. Er mwyn bod yn ddiogel, mae angen iddo fod mor dawel â phosib. Os yw'n camu ar ddarn o bren, gallai feio ei hun yn ddig: 'Ti'n ffŵl, bydd dawel! Fe gei di dy fwyta!' Wrth gwrs, er mai bai'r llew fyddai hi pe bai wedi cael ei fwyta, dychmygwch beth fyddai wedi digwydd*

> *pe bai'r plentyn wedi gwylltio gyda'r llew. Dyma sut mae hunanfeirniadaeth a hunanfeio yn gallu dechrau – rydyn ni'n beio ein hunain er mwyn sicrhau nad ydyn ni'n gwylltio gyda rhywun sy'n fwy o ran corff ac yn fwy dychrynllyd na ni. O ganlyniad, mae hunanfeirniadaeth yn gallu dechrau fel strategaeth ddiogelu ar gyfer amddiffyn ein hunain rhag unigolyn pwerus arall.*

Mae modd i ni archwilio'r syniad hwn bod ein hunanfeirniad yn strategaeth ddiogelu drwy nodi pryd yn union mae'n ymddangos. Os ydyn ni'n dychmygu ein hunanfeirniad yn diflannu'n llwyr, pa emosiwn allen ni fod yn rhydd i'w fynegi yn y sefyllfa honno? Beth pe baen ni'n mynegi'r emosiwn hwnnw? Mae hyn yn caniatáu i ni weld a fyddai emosiwn penodol yn gallu codi yr ennyd honno, oni bai am ein hunanfeirniad. Rydyn ni hefyd yn dod yn fwy ymwybodol o unrhyw ofn sy'n gysylltiedig â phrofi'r emosiwn hwnnw. Mae hyn yn ein galluogi i ddeall swyddogaeth ein hunanfeirniad; ein cadw ni'n ddiogel yw ei fwriad, hyd yn oed os ydyn ni'n teimlo dan ymosodiad o'n tu ni ein hunain.

Unwaith y byddwn ni wedi deall ei swyddogaeth, mae modd i ni ddechrau arbrofi gyda defnyddio ein hunan tosturiol i'n helpu yn lle ein hunanfeirniad. Felly, os ydyn ni'n teimlo'n ddig oherwydd bod rhywun yn ein trin yn annheg, er enghraifft, mae'n bosib y byddwn ni'n defnyddio'r cryfder, y dewrder a'r pendantrwydd sy'n dod o'n hunan tosturiol i'n helpu ni i ddiwallu ein hanghenion.

Os nad oes gen i fy hunanfeirniad, dwi'n ofni na fydd gen i neb: ein hangen am ymgysylltiad

Pan fyddwn ni'n cael ein beirniadu fel plant, yn ogystal â phrofi ofn a dicter, yn aml does neb yn dod i'n helpu chwaith. Rydyn ni'n teimlo'n unig. Yn ogystal â theimlo bod rhywbeth o'i le arnom mewn rhyw ffordd neu'i gilydd, mae hyn yn cael ei gysylltu ag unigedd. Wrth i'n hunanfeirniad ddatblygu, gall ddod i deimlo fel cydymaith cyson i ni. Yn eu papur hynod ddiddorol 'Living with the "anorexic voice"',[2] nododd Stephanie Tierney a John Fox fod gan bobl a ddatblygodd anorecsia fath o ymgysylltiad â'u 'llais anorecsig'. Roedden nhw'n teimlo ei fod yn eu helpu a'u hamddiffyn yn ystod y camau cychwynnol. Fodd bynnag, daeth yn fwy gelyniaethus a di-fudd yn nes ymlaen. Yr hyn sydd mor drawiadol yw iddo ddod yn bresenoldeb cyson ym mywydau'r rhai oedd yn teimlo ar eu pennau eu hunain, gan eu cysgodi, eu cymell a'u harwain i ddechrau. Os yw hyn yn wir, gallwn ddeall pa mor anodd yw 'rhoi'r gorau' i'r hunanfeirniad. Dyma pam ei bod yn bwysig canolbwyntio yn lle hynny ar dyfu'r amddiffynnydd tosturiol (neu dywysydd neu hyfforddwr os mynnwch) yn hytrach na chanolbwyntio ar gael gwared ar yr hunanfeirniad. Ar y dechrau, bydd yr hunangywirydd beirniadol a'r hunangywirydd tosturiol yn rhannau gwahanol ohonon ni. Ond wrth i'r rhan dosturiol gryfhau, bydd yr angen am yr hunangywirydd beirniadol yn pylu a bydd yr hunanfeirniad yn dechrau diflannu.

Cael ein hunan tosturiol fel cydymaith amgen i'n hunanfeirniad

Mae'r cymhelliant dros gael synnwyr o beidio â bod ar ein pennau ein hunain wedi esblygu mor gryf fel y byddai'n well gennym ni gadw rhywbeth nad yw'n ein helpu o bosib yn hytrach na chael gwared arno a theimlo'n gyfan gwbl ar ein pennau ein hunain. Gyda llawer o brofiadau anodd bywyd, mae yna synnwyr o unigedd, o fod â neb 'ar ein hochr ni'. Dyma un o'r rhesymau pwysig dros bŵer datblygu rhan dosturiol ohonon ni ein hunain; rydyn ni'n datblygu synnwyr o gael cwmni rhywun doeth, cryf, anogol a chefnogol.

Y daith i dosturi tuag atom ein hunain: llywio heibio'r tyllau a'r ponciau yn y ffordd

Mae'r adran hon yn ystyried rhai o'r anawsterau sy'n gallu codi yn ystod y daith o hunanfeirniadaeth i dosturi tuag atom ein hunain. Wrth i ni ddechrau gwneud yr ymarferion, dydy hi fawr o dro cyn y bydd rhai pobl yn cael trafferth. Maen nhw'n rhan hollol arferol o'r siwrnai, mewn gwirionedd, ond os nad ydyn ni'n ymwybodol ohonyn nhw, mae'n gallu teimlo fel petaen ni'n gwneud rhywbeth o'i le, neu wedi cymryd y llwybr anghywir, neu mai dyma'r llwybr anghywir i ni. Yn eironig, felly, mae ymgymryd ag ymarferion meddwl tosturiol yn gallu ysgogi yn hytrach na thawelu ein system fygythiad a'n hunanfeirniadaeth os nad ydyn ni'n ymwybodol bod y tyllau a'r ponciau yn y ffordd yn bethau i'w disgwyl.

Mewn papur sy'n edrych ar y siwrnai hon o hunanfeirniadaeth i dosturi tuag atynt eu hunain mewn pobl a dderbyniodd therapi sy'n canolbwyntio ar dosturi ar gyfer profiadau trawmatig,[3] nododd Verity Lawrence a Deborah Lee y camau cyffredin a ddisgrifiwyd gan y bobl hyn, sef:

Tabl 18.1: Camau o hunanfeirniadaeth i dosturi tuag at yr hunan

1. Hunanfeirniadaeth/teimladau o anobaith yn flaenaf.
2. Ofn tosturi tuag at yr hunan.
3. Profiad emosiynol o dosturi.
4. Derbyn tosturi tuag at yr hunan.
5. Mwy o dosturi tuag at yr hunan, gan arwain at gynnydd yn yr holl deimladau cadarnhaol.
6. Gallu cynyddol i reoli hunanfeirniadaeth.
7. Newid agwedd tuag at fywyd/mwy o obaith ar gyfer y dyfodol.

Addaswyd o bapur V. Lawrence a D. Lee, *An Exploration of People's Experiences of Compassion-focused Therapy for Trauma, Using Interpretative Phenomenological Analysis. Clinical Psychology and Psychotherapy*, (2013)[3]

Ar y dechrau, mae gobaith mawr fel arfer mai'r dull hwn fydd yr ateb i'n hanawsterau, ond gall dadrithiad ddilyn yn gyflym pan fyddwn yn dod ar draws y frwydr nesaf. Yn eu hymchwil, nododd Lawrence a Lee fod cyfranogwyr yn siarad am ymdeimlad o ymdrech wirioneddol i 'wthio' drwy'r anawsterau ynghyd ag angen i ddal ati i ailgodi a rhoi cynnig arall arni. Fodd bynnag, pan mae iselder yn effeithio ar ein cymhelliant a'r hunanfeirniad yn dal i ormesu a'n sathru ni, mae'n anodd iawn dal ati. Dyma broblem yr iâr a'r wy; er mwyn datblygu tosturi tuag atom ein hunain pan mae pethau'n anodd, rydyn ni angen ein hunan tosturiol i'n hannog a'n cynnal ni – sef yr union beth sydd ddim gennym ni! Y cyfan sydd gennym ni yw'r bwriad a'r cymhelliant i adeiladu tosturi, a'r wybodaeth bod y daith fel arfer yn un anodd ar y dechrau. Fodd bynnag, mae'n union fel symud carreg fawr; unwaith y bydd yn dechrau symud, mae'n cyflymu fwyfwy (gwelcr isod). Felly, wrth i ni adeiladu tosturi tuag atom ein hunain, rydyn ni'n cael ffynhonnell o anogaeth i ni drwy'r adegau anodd, gan ganiatáu i ni adeiladu ein meddwl tosturiol ymhellach.

Cefnogaeth

Un o themâu'r ymchwil oedd pwysigrwydd y therapydd wrth ddarparu gwir dosturi ac anogaeth. Roedd Lawrence a Lee hefyd yn cynnig model neu 'fap' i ben draw taith eu cleientiaid, a phrofiad o sut roedd cael eu hystyried fel hyn yn teimlo. Felly, i bobl sy'n ymgymryd â'r siwrnai hon gyda dim ond y llyfr hwn fel canllaw, mae'n bosib y bydd y siwrnai yn arafach ac yn anoddach heb gefnogaeth pobl eraill; mae hyn i'w ddisgwyl, yn hytrach na bod yn dystiolaeth o ryw fethiant personol. Efallai y bydd angen dod o hyd i therapydd, ond gwelwyd hefyd fod rhannu'r model hwn â phartner, perthnasau, ffrind agos neu ymwelydd iechyd o fudd i bobl sy'n dysgu'r dull meddwl tosturiol.

'Caseg eira teimlad positif'

Wrth i dosturi tuag at yr hunan gynyddu, nododd Lawrence a Lee fod hynny hefyd yn galluogi pobl nid yn unig i brofi teimladau o gynhesrwydd a chefnogaeth gan eu meddwl tosturiol ond cyflyrau o deimladau cadarnhaol eraill yn ogystal, fel hapusrwydd a llawenydd. Byddai hyn yn aml yn synnu pobl, wrth iddyn nhw sylweddoli nad oedden nhw wedi caniatáu i'w hunain gael unrhyw deimladau cadarnhaol o'r blaen – naill ai oherwydd eu bod yn credu nad oedden nhw'n haeddu teimlo felly, neu y bydden nhw'n cael eu siomi wrth i deimlad o'r fath bylu. Wrth i'r teimladau cadarnhaol gynyddu, roedd pobl yn ei chael yn llawer haws dal ati.

Mae ychydig yn debyg i wneud dyn eira. Rydyn ni'n dechrau gydag ychydig o eira wedi'i wasgu i ffurfio pêl, yna'n dechrau ei rolio mewn mwy o eira. Wrth i ni wneud hynny, mae mwy a mwy o eira yn glynu ati, gan ei gwneud yn fwy ac yn fwy. Os ydyn ni'n rholio'r gaseg eira i lawr allt, mae'n cyflymu wrth iddi dyfu, sy'n ei gwneud yn fwy, sy'n peri iddi deithio'n gyflymach ...! Dyma sut mae emosiynau cadarnhaol yn gweithio. Po fwyaf rydyn ni'n eu teimlo, mwyaf rydyn ni'n eu dangos ar goedd, a pho fwyaf wnawn ni hynny, mwyaf cadarnhaol ydyn ni tuag aton ni ein hunain a mwyaf cadarnhaol y mae pobl eraill tuag aton ninnau; mae hynny ein gwneud ni'n fwy cadarnhaol tuag atom ein hunain, sy'n peri i ni ddangos emosiynau mwy cadarnhaol tuag at eraill, ac ati ac ati ... Y neges felly yw ei bod yn anodd dal ati ar y dechrau, ond mae'r dechrau anodd hwn yn rhan anochel o'r broses. Does dim ffordd o gwmpas hynny, dim ond turio drwyddi. Ond os ydyn ni'n dal ati, rydyn ni'n cyrraedd yr ochr draw, ac mae'n dod yn gynyddol haws wrth i'r pentwr o bethau cadarnhaol dyfu.

Dyma rai o'r ofnau a fynegwyd gan bobl, yn ymchwil Lawrence a Lee ac yn fy ngwaith i fy hun wrth ddefnyddio therapi sy'n canolbwyntio ar dosturi. Dydy hon ddim yn rhestr gyflawn, ond mae'n cyflwyno'r syniad bod ofnau a rhwystrau i dosturi tuag at yr hunan i'w disgwyl ac mai gweithio drwyddyn nhw yw rhan fwyaf y daith, fel arfer. Gallwn wedyn baratoi ein hunain i gadw llygad ar agor am y tyllau a'r ponciau.

Ofn colli hunaniaeth: 'Os nad wyf yn hunanfeirniadol, yna pwy ydw i?'

I lawer o bobl, mae eu hunanfeirniad wedi cadw cwmni iddyn nhw ers pan oedden nhw'n cofio. A dweud y gwir, mae'n aml yn cael ei ddisgrifio fel yr unig bresenoldeb cyson yn eu bywydau; gall fod yn eu bwlio ac yn rhywbeth cwbl ddi-fudd, ond o leiaf mae yno drwy'r amser ac yn ymateb bob amser. Mae hyn yn dangos grym yr awydd cynhenid am gyswllt cymdeithasol – ei bod yn gallu teimlo'n well i gael bwli sy'n bwydo'r synnwyr eich bod yn bodoli na theimlo'n anweledig ac yn gyfan gwbl ar eich pen eich hun.

Fel y gwelwyd uchod, mae pobl yn gallu ofni y bydd gwaglc hcb y beirniad, ond mae yna ofn hefyd fod yr hunanfeirniad yn ein hatal rhag troi'n rhywbeth ofnadwy. Gall fod yn anodd iawn lleddfu'r ofn hwn. Ond mae'n helpu i ddeall bod modd cryfhau'r llais tosturiol ochr yn ochr â'r llais beirniadol, yn hytrach na chanolbwyntio ar ddim byd ond cael gwared ar yr hunanfeirniad. Mae fel cael eich hunanfeirniad ar un ysgwydd, a meithrin llais tosturiol ar yr ysgwydd arall. Yn hytrach na cholli'r hunanfeirniad, rydych chi'n ennill llais arall. Mae hyn yn rhoi dewis posib i ni, yn hytrach na chael yr hunanfeirniad fel ein hunig opsiwn. Mae hefyd yn ein galluogi i arbrofi er mwyn gweld pa un sydd o'r budd mwyaf i ni.

Tosturi tuag at yr hunan fel profiad estron

Ymhlith y sylwadau cyffredin cafwyd: 'Dydw i ddim yn gwybod sut bydd yn teimlo.' 'Dydw i ddim yn gwybod sut bydda i'n ymateb os bydda i'n ei deimlo.' 'Mac gcn i ofn y bydda i'n dechrau crio a byth yn stopio.' 'Mae gen i ofn y bydda i'n mynd yn ddig.' 'Mae gen i ofn y bydd yn ysgogi atgofion poenus.'

Er bod hunanfeirniadaeth yn gallu bod yn gyfarwydd, mae'n bosib nad oes map neu dempled sy'n dangos sut mae tosturi tuag at yr hunan yn edrych ar waith, sut deimlad ydyw, a beth allai ddigwydd i ni, yn enwedig os yw profiadau tosturiol neu fodelau rolau yn brin iawn. O ganlyniad, mae'n anodd gwybod beth yn union rydyn ni'n ceisio'i ddatblygu, ac mae'n bosib iddo fod yn frawychus hefyd, gan nad ydyn ni'n gwybod yn iawn beth y bydd yn ei 'wneud' i ni. Ar y dechrau, gall deimlo'n fwy diogel chwilio am dosturi mewn eraill, ar y teledu efallai, neu mewn ffilmiau, ar y newyddion ac mewn llyfrau, er mwyn cael syniad o sut mae'n edrych, sut mae pobl yn gweithredu, yn siarad, sut maen nhw i'w gweld yn teimlo, a sut effaith mae eu tosturi yn ei chael arnyn nhw eu hunain ac eraill. Mae hyn ynddo'i hun yn helpu i ysgogi ein meddwl tosturiol mewn ffordd dyner, gan ein bod ni'n ailffocysu ein sylw o bobl a allai fod yn fygythiol i bobl dosturiol.

Mae tosturi tuag at yr hunan yn brofiad atgas

Weithiau, gallwn deimlo ein bod yn dal ein pennau uwchben y dŵr ag ymdrech fawr ac yn ofni, os bydd rhywun yn holi 'Wyt ti'n iawn?', y byddwn yn colli ein gafael ac yn suddo. Pan ddechreuwn gyffwrdd ag ymylon tosturi, mae'r pryder hwn yn gallu codi i'r wyneb ar raddfa sylweddol, yn enwedig os yw'n teimlo fel petaen ni wedi treulio oes yn dal ein pennau uwchben y dŵr a bod blynyddoedd o alar o dan yr wyneb. Wrth i ni ddatblygu presenoldeb tosturiol ar ein cyfer ein hunain, gall amlygu atgofion o brofiadau ymlynu cynharach â phobl a fu'n dosturiol tuag aton ni ond nad ydyn nhw gyda ni mwyach, neu nad ydyn nhw'n gallu gwneud hynny bellach, neu gall wneud i ni sylweddoli na chawson ni dosturi erioed.

Efallai fod ofn gwirioneddol a yw'n bosib dioddef y galar hwn ai peidio. Wrth i'r hunan tosturiol gael ei ddatblygu, dyma beth sy'n ein helpu drwy'r galar, ond mae'n gallu teimlo fel lle anniogel i fynd iddo ar y dechrau. Fel bob tro gyda'r dull hwn, rydyn ni'n mynd ati'n araf deg gyda chamau bach.

Wrth i ni ddatblygu tosturi, yn ogystal â thristwch, mae'n bosib y byddwn ni'n dod o hyd i deimladau cysylltiedig o ofn, unigedd, dicter a thrawma, er enghraifft. Yn wir, canfu ymchwil fod yr amygdala (rhan o'r system canfod bygythiadau) yn cael ei sbarduno pan fydd pobl hynod hunanfeirniadol yn rhoi cynnig ar ddelweddaeth dosturiol tuag at yr hunan.[4] Gyda'r dull meddwl tosturiol, rydyn ni'n dysgu mynd i'r afael â'r ofnau hyn fel y bydden ni wrth geisio goresgyn unrhyw ofn, fel ofn uchder neu fannau agored. Felly rydyn ni'n agosáu yn hytrach nag osgoi, ac yn cysylltu'r ofn â theimladau o gynhesrwydd ac anogaeth, yn hytrach na'r driniaeth ffobia arferol o gysylltu teimlad o ymlacio â'r targed (e.e. os ydyn ni'n ceisio goresgyn ofn mynd i le agored, mae dadsensiteiddio traddodiadol yn cyplysu pob cam ag ymlacio). Y targedau yma yw tristwch, trawma, unigedd, dicter a phryder, felly rydyn ni'n dysgu, fesul cam bychan bach, i gysylltu cynhesrwydd ac anogaeth â'r ofnau hyn.

Hunanfeirniadaeth ynghylch ymdrechion i fod yn dosturiol tuag at yr hunan

Pan fydd pobl yn cychwyn ar y daith tuag at dosturi, mae pryderon cyffredin yn cynnwys 'Dydw i ddim yn gallu gwneud hyn', 'Dwi'n dda i ddim', 'Mae pawb heblaw fi'n gallu deall hyn', 'Fe fydda i'n methu gwneud hyn.' Wrth gwrs, er mai gweithio ar ein tosturi tuag atom ein hunain yr ydyn ni, dydy hynny ddim yn golygu na fydd gan ein hunanfeirniad ryw sylw i'w wneud. Mae ein hunanfeirniad wedi dod mor llafar am reswm – i'n hamddiffyn rhag rhoi cynnig ar rywbeth a methu, efallai, neu godi'n gobeithion a chael ein siomi – felly dydy hi fawr o syndod os yw'n ymateb i'r ymdrech hon hefyd. Mae'r adran ar weithio gyda'n hunanfeirniad yn ddefnyddiol yn hyn o beth. Yn hytrach nag ymladd â'n hunanfeirniad neu ildio iddo, rydyn ni'n dysgu deall pam y daeth i fodolaeth a pham ei bod mor anodd troi cefn arno.

Yn y pen draw, fe fyddwn ni'n gallu cyflwyno ein hunan tosturiol i'r hunanfeirniad (gweler uchod, tudalen 285).

Dydw i ddim yn ei haeddu

Mae ein profiadau cynnar yn gallu rhoi ymdeimlad cryf i ni ein bod yn ddrwg neu fod rhywbeth o'i le arnon ni mewn rhyw ffordd (gweler Penodau 10 ac 11). Gall ein hunanfeirniad weithredu fel rhywun sy'n parhau i'n cosbi oherwydd ein bod yn teimlo mai dyna'n haeddiant, a gall wasanaethu i gadw'r 'drwg i mewn' neu i'n cadw draw oddi wrth bobl eraill fel nad ydyn nhw'n gallu gweld y 'ni' go iawn. Felly, os ydyn ni'n teimlo nad ydyn ni'n haeddu tosturi, mae'n ddealladwy ein bod ni'n gallu ei chael yn anodd bod yn dosturiol tuag aton ni'n hunain. Mae gwir ddeall ein profiadau cynnar, sut mae'r ymennydd dynol yn ymateb a sut rydyn ni'n dysgu cadw ein hunain yn ddiogel, yn gallu helpu gyda'r ymdeimlad hwn o ddiffyg haeddiant, ac yn gallu caniatáu i ni ddechrau agor ein hunain i dosturi.

Cadw'r ffocws ar ble rydyn ni'n mynd

Ar y cyfan felly, dydy hi ddim yn syndod ei bod yn gallu bod mor hawdd rhoi'r gorau i'r siwrnai tuag at dosturi pan fydd ofnau'n ymddangos yn fawr, teimladau'n annymunol a'r gwobrau'n isel eu gwerth, yn enwedig ar ddechrau'r siwrnai. Felly mae'n bwysig dal gafael ar y rheswm pam ein bod yn mynd ar y siwrnai hon: er mwyn datblygu ffyrdd o helpu ein hunain ac eraill i liniaru ac atal dioddefaint ac i ddatblygu rhan ohonon ni ein hunain sy'n ein helpu i dyfu a ffynnu, ac – er y gall ymddangos yn amhosib ar y dechrau – i'n helpu i ddeall bod yr anawsterau hyn yn rhan o'r siwrnai, yn hytrach na phethau sy'n amharu arni.

Fel y dywedodd un fenyw, roedd hi'n dychmygu mai ei delwedd dosturiol oedd y 'gyrrwr sedd gefn' yn ei char; roedd yn ei thywys yn ôl i'r trywydd iawn pan fyddai hi'n mynd oddi ar y ffordd, yn ei hannog pan fyddai'n dechrau mynd yn ofnus ar ei thaith ac yn ei helpu i aildanio'r car pan oedd hi'n diffodd yr injan ar ddamwain, waeth faint o weithiau fyddai hynny'n digwydd.

Dymunaf bob llwyddiant i chi ar eich taith.

Crynodeb

1. Gallwn ddatblygu rhan ohonon ni'n hunain sy'n ein ffrwyno er mwyn sicrhau nad ydyn ni'n gwneud dim a allai gael ei ystyried yn gywilyddus gan ein grŵp cymdeithasol. Hwn yw ein hunanfeirniad.

2. Os ydyn ni'n dychmygu y gallai ein hunanfeirniad gael ei ddileu yn sydyn, rydyn ni'n dechrau gweld ei swyddogaeth. Mae'n bosib y byddwn yn ofni na fyddwn yn gwneud ymdrech mwyach, y bydden ni'n gallu gwneud camgymeriadau a pheidio â phoeni am hynny, ac y gallen ni droi'n bobl anghwrtais neu ofidus. Rydyn ni'n gweld fod ein hunanfeirniad yn aml yn strategaeth ddiogelu.

3. Gall ein hunanfeirniad hefyd fygu emosiynau os yw'r emosiynau hynny wedi ennyn ymateb o feirniadaeth, dicter neu wrthod yn y gorffennol. Er enghraifft, mae'n bosib y byddwn yn dysgu o oedran ifanc iawn ei bod yn fwy diogel beio'ch hun na gwylltio gyda rhiant sy'n gallu bod yn fwy dig fyth tuag atoch chi.

4. Os edrychwn ar sut mae'r hunanfeirniad yn ymwneud â ni, rydyn ni'n dechrau gweld ei fod yn gallu bod yn eithaf gelyniaethus a di-fudd, ac yn hytrach na'n helpu ni i dyfu a bod y fersiwn orau ohonon ni'n hunain, y gwir amdani yw bod ganddo'r effaith o wneud i ni deimlo'n sathredig, yn orbryderus ac yn ddigymhelliant.

5. Mae hunangywirydd tosturiol yn fwy effeithiol nag un beirniadol. Fel athro neu hyfforddwr chwaraeon tosturiol, mae'n helpu i'n hannog, i'n hysgogi

pan fyddwn yn teimlo'n isel, i edrych i'r dyfodol, a'n tywys, yn hytrach na'n beirniadu a'n tanseilio.

6. Fel yn stori'r ddau flaidd, does dim angen i ni frwydro yn erbyn ein hunanfeirniad; yn hytrach, fe ddylen ni droi ein sylw at dyfu ein hunangywirydd tosturiol yn lle hynny.

7. Gallwn gyflwyno ein hunan tosturiol i'n hunanfeirniad er mwyn deall yr ofn y tu ôl iddo, i'w helpu ac i afael yn yr awenau fel bod y beirniad yn teimlo'n ddigon diogel i 'gamu'n ôl'. Mae'r doethineb gan yr hunan tosturiol i glywed yr angen y tu ôl i ymosodiad blin yr hunanfeirniad, ac mae'n cael ei ysgogi i helpu sut bynnag y gall i ddiwallu'r angen hwnnw a lliniaru dioddefaint yr hunanfeirniad. Fodd bynnag, nid yw'n fodlon ystyried geiriau'r hunanfeirniad.

8. I lawer o bobl, mae'r daith o hunanfeirniadaeth i dosturi tuag at yr hunan yn dilyn llwybr tebyg. Wrth i ni ddechrau'r siwrnai, mae gennym ni hunanfeirniad cryf sy'n gallu ein tanseilio ar unrhyw adeg. Os ydyn ni'n gallu deall bod yr ofnau, y rhwystrau a'r llyffetheiriau hyn rhag datblygu'r hunan tosturiol yn normal, yn ddisgwyliedig, ac yn ddim byd mwy na rhan o'r siwrnai, yna rydyn ni'n llawer llai tebygol o gael ein taflu oddi ar ein hechel ganddyn nhw.

Atodiad A: Rhaglen ymarfer ddeuddeg wythnos ar gyfer datblygu ein meddwl tosturiol

Mae wynebu llyfr cyfan yn gallu bod yn frawychus, yn enwedig pan ydyn ni'n cael trafferthion. Mae'n anoddach fyth pan fydd gennym ni fabi newydd. Mae'r hyn sy'n dilyn yn enghraifft o daith fesul cam i'ch tywys drwy gamau allweddol datblygu a chryfhau eich meddwl tosturiol.

Nodiadau ar y 'rhaglen ymarfer'

- Mae'n bwysig nad ydych chi'n dechrau ar y rhaglen fel dewis amgen i ddarllen Cam Un o'r llyfr. Heb y ddealltwriaeth, y doethineb a'r derbyniad sylfaenol sy'n datblygu yn ystod Cam Un, ni fydd gan yr ymarferion mo'r un grym na'r un effaith. Os yw hynny'n bosib o gwbl, byddwn yn argymell eich bod yn cyfuno'r rhaglen ymarfer ddyddiol gyda darllen ychydig o Gam Un bob dydd.

- Er bod y 'rhaglen' wedi'i rhannu'n ddeuddeg sesiwn, mae'n debyg mai dyma leiafswm yr amser y gallai rhywun weithio drwyddi. Mae wedi cael ei rhannu fel hyn er mwyn rhoi rhywfaint o eglurder a strwythur. Does dim brys na therfyn amser i gwblhau'r rhaglen. Ni yw testun gwaith ein bywyd. Unwaith y dewch chi i ddiwedd y rhaglen, byddwn yn awgrymu eich bod yn rhoi cynnig ar ymarferion ychwanegol yng Ngham Dau a Cham Tri o'r llyfr nad ydyn nhw wedi'u cynnwys yn y rhaglen, ac yna'n gweithio'ch ffordd drwy'r rhaglen eto gynifer o weithiau ag y dymunwch. Bydd y daith ychydig yn wahanol bob tro.

- Cyn i chi ddechrau ar y rhaglen, darllenwch neu ailddarllenwch yr adran 'Y daith i dosturi tuag atom ein hunain: llywio heibio'r tyllau a'r ponciau yn y ffordd' (gweler tudalen 290). Mae'r adran hon yn helpu i'n hatgoffa bod yr ofnau, y rhwystrau a'r llyffetheiriau y byddwn ni'n dod ar eu traws yn rhan anochel a phwysig o'r daith, yn hytrach nag yn arwydd ein bod ni'n 'gwneud rhywbeth yn anghywir'.

- Canllaw yn unig yw hwn. Mae pawb yn wahanol, ac mae'n bosib y bydd yn well gennych chi wneud hyn mewn ffordd wahanol. Arbrofwch â'r drefn er mwyn gweld beth sy'n gweithio orau i chi. Defnyddiwch y rhaglen fel canllaw hyblyg yn hytrach na llwybr caeth.

- Gofynnwch am gymorth ychwanegol os oes angen. Mae troi at bobl eraill yn rhan bwysig o ddatblygu ein meddwl tosturiol.

- Os yw rhai rhannau'n teimlo'n rhy anodd, ewch yn ôl at ymarferion sy'n teimlo'n fwy cyfforddus i chi. Daliwch ati i roi cynnig ar ymarferion sy'n fwy heriol, fodd bynnag, gan mai'r rhain sy'n debygol o fod yn fwyaf gwerthfawr i chi yn y tymor hir.

Wythnos 1

1. Arbrawf untro: 'Ymwybyddiaeth o'r meddwl aflonydd' (Pennod 13)

2. Arbrawf untro: 'Sbotolau sylw' (Pennod 13)

3. 'Y pum carreg gamu' (Pennod 14)

   - Treuliwch tua deg munud ar (1) a (2) dim ond er mwyn gweld beth fyddwch chi'n sylwi arno. Treuliwch ychydig funudau ar bob cam o (3), yn ddigon hir i ganiatáu i'ch corff setlo. Mae'n bosib y byddwch chi'n mwynhau cymryd eich amser dros hyn wrth i chi ymgyfarwyddo â'r ymarfer.

   - Neilltuwch beth amser pan nad ydych chi ar ganol profi emosiynau cryf (h.y. ymarfer 'dysgu nofio' ym mhen bas y pwll yn hytrach na phlymio i foroedd stormus).

   - Rhowch gynnig arni pan fyddwch chi'n teimlo'n gymharol effro wrth ddechrau, yn hytrach nag ychydig cyn mynd i gysgu, gan anelu at gyflwr o lonyddwch a thawelwch yn hytrach nag ymlacio a chysgu (er, mae'n bosib y byddwch chi'n teimlo'n gysglyd dim ond oherwydd eich bod wedi rhoi'r gorau i 'weithredu').

   - Ceisiwch ymarfer bob dydd, hyd yn oed os nad ydych chi'n teimlo fel gwneud hynny; mae'r rhain yn arferion craidd sy'n cael eu defnyddio ar ddechrau pob ymarfer. Gydag ymarfer, maen nhw'n dod yn fwy awtomatig.

   - Byddwch yn ymwybodol o'ch llais beirniadol yn tarfu ar eich ymarfer. Sylwch arno, ei osod i'r naill ochr, ac ymarfer beth bynnag.

4. Rhythm anadlu lleddfol (Pennod 14)

- Yn syth ar ôl y 'pum carreg gamu', treuliwch bump i ddeg munud bob dydd (neu'n hirach os dymunwch) yn gwneud dim ond eistedd gyda rhythm anadlu lleddfol.

- Os nad yw pum munud yn bosib, anelwch am ddim ond un i dri munud y dydd. Mae rhythm anadlu lleddfol yn greiddiol i'r holl ymarferion, ac yn ymarfer grymus ar ei ben ei hun. Weithiau mae'n hawdd, weithiau mae'n anodd, ond mae ymarfer dro ar ôl tro yn allweddol. Neilltuwch fwy o amser ar ei gyfer os gallwch chi.

- Defnyddiwch nodiadau atgoffa i'ch procio i ymarfer yn ddyddiol (gweler Pennod 13).

Wythnos 2

1. Ymwybyddiaeth ofalgar i'r anadl, i synau ac i'r corff (Pennod 13)

- Tair sesiwn deg munud ar wahân y dydd (un ar gyfer yr anadl, un ar gyfer synau, un ar gyfer y corff), neu un ar ôl y llall mewn un sesiwn hirach.

2. Ymwybyddiaeth ofalgar 'wrth fynd a dod'

- Ceisiwch gyflawni gweithgareddau bob dydd mewn ffordd ymwybyddol ofalgar, e.e. glanhau'ch dannedd, golchi llestri, gwthio'r bygi, yfed coffi neu fwydo'ch babi.

- Dewiswch un gweithgaredd penodol bob dydd am wythnos neu rhowch gynnig ar wahanol weithgareddau dro ar ôl tro drwy'r dydd.

- Defnyddiwch nodiadau atgoffa, e.e. sticeri, nodyn atgoffa ar ffôn symudol, nodiadau i chi'ch hun neu wisgo breichled neu fand arddwrn penodol.

Wythnos 3

1. Lle diogel (Pennod 15)

- Gadewch ychydig o amser i hyn ddatblygu, a chwaraewch ac arbrofwch â newid gwahanol agweddau. Mae'n bosib y byddwch am ganiatáu ugain munud da i ddechrau.

- Ymarferwch bob dydd am tua deg i bymtheg munud.

- Daliwch y delweddau yn 'llac', gan ganiatáu iddyn nhw newid os oes angen. Yn y pen draw, gall ddod yn fwy cadarn a sefydlog, neu mae'n bosib y byddwch yn datblygu sawl 'lle diogel' y gallwch wedyn ddewis ohonyn nhw.

2. Ymwybyddiaeth ofalgar i feddyliau (Pennod 13)

- Caniatewch bymtheg munud i ddechrau dod i arfer ag adnabod meddyliau, gan sylwi ein bod yn cael ein clymu yn ein meddyliau dro ar ôl tro, a bod angen i ni ddychwelyd dro ar ôl tro i wneud dim ond arsylwi arnyn nhw.

- Yna ceisiwch ymarfer bob dydd am ddeg munud.

3. Ymwybyddiaeth ofalgar i feddyliau 'wrth fynd a dod'

- Ewch ati i ymarfer gwneud dim ond sylwi ar feddyliau drwy gydol y dydd, efallai gan eu labelu fel 'meddwl', 'poeni' ac ati.

- Sefydlwch drefn nodiadau atgoffa i'ch procio chi.

Wythnos 4

1. Lliw tosturiol: llifo i mewn/llifo allan (Pennod 15)

- Treuliwch ddeg munud yn ymarfer 'llifo i mewn', yna pum munud yn ymarfer 'llifo allan'.

- Gwnewch yr ymarfer bob dydd.

2. Sylw tosturiol: dyddiadur diolchgarwch (Pennod 16)

- Gwnewch nodyn ysgrifenedig bob dydd o dri pheth rydych chi'n ddiolchgar amdanyn nhw.

- Rhaid i'r rhain fod yn dri pheth newydd nad ydych wedi'u cynnwys ar ddyddiau blaenorol.

Wythnos 5

1. Yr hunan tosturiol (Pennod 15)

- Ugain i ddeg munud ar hugain ar gyfer ymarfer cychwynnol.

- Mae'n bosib y bydd yn anodd cael gafael ar deimladau i ddechrau. Yn hytrach, canolbwyntiwch ar eich bwriad/cymhelliant/awydd didwyll.

- Gwnewch yr ymarfer sy'n canolbwyntio'r hunan tosturiol. Dechreuwch gyda rhywbeth sy'n teimlo'n hawdd i chi. Gall hyn fod yn anifail, anifail anwes, planhigyn neu goeden, rhywun sy'n annwyl i chi, neu'ch babi pan mae'n cysgu, er enghraifft. Dychmygwch anfon eich dymuniadau mwyaf didwyll at wrthrych eich ffocws.

- Gwnewch yr ymarfer bob dydd am ddeg munud.

2. Yr hunan tosturiol 'wrth fynd a dod'

- Ceisiwch ymarfer bob dydd.

- Cyflawnwch eich gweithgareddau beunyddiol tra byddwch 'yn' eich hunan tosturiol, e.e. cerdded o gwmpas y tŷ, gwthio'r babi yn y bygi, taenu hufen wyneb neu eli corff, taro cipolwg ar y babi tra mae'n cysgu neu wneud paned o goffi i chi'ch hun neu i rywun arall. Dechreuwch gyda gweithgareddau sy'n teimlo'n hawdd.

- Os yw hyn yn anodd ei ddychmygu i ddechrau, ceisiwch eu cyflawni 'fel petaech chi' neu fel 'pe gallech chi fod' yn berson tosturiol. Rhowch gynnig ar y 'dull actio method'; dychmygwch eich bod chi'n actor method sy'n portreadu person tosturiol mewn ffilm.

- Sefydlwch drefn nodiadau atgoffa i dynnu'ch sylw at yr ymarfer hwn drwy gydol y dydd.

Wythnos 6

1. Delwedd dosturiol

- Ugain i dri deg munud ar gyfer yr ymarfer cychwynnol.

- Mae'n bosib yr hoffech chi nodi rhinweddau rydych chi am i'r ddelwedd eu cael, e.e. sut gwyddoch eu bod yn ddoeth, yn gryf, gyda chymhelliant i ofalu amdanoch chi a'ch helpu chi, yn gynnes, yn garedig ac yn dderbyniol. A yw'n wrywaidd, neu'n fenywaidd neu heb ryw? Beth yw taldra'r ddelwedd, beth mae'n ei wisgo, sut mae'n edrych? Os yw'n siarad, sut lais sydd gan y ddelwedd? Beth yw'r mynegiant wyneb? Sut mae'n symud? Sut mae'n uniaethu â chi?

- Daliwch y ddelwedd yn llac, gan ganiatáu iddi newid yn ôl yr angen, ac arbrofi â gwahanol agweddau. Yn y pen draw, gall setlo a llunio delwedd benodol. Weithiau, gall newid ar ôl ychydig wythnosau/misoedd/ blynyddoedd o ymarfer yn unol â'ch anghenion.

- Peidiwch â phoeni am gael delwedd glir; mae ymdeimlad ohoni'n ddigon.

- Gwnewch yr ymarfer bob dydd am ddeg munud.

2. Delwedd dosturiol 'wrth fynd a dod'

- Gwnewch yr ymarfer bob dydd.

- Dychmygwch sut gallai'r ddelwedd eich helpu wrth i'ch diwrnod fynd rhagddo. Dechreuwch ymarfer gyda phethau sy'n teimlo'n gymharol hawdd i chi, e.e. mân gyfyng-gyngor, adegau pan mae angen ychydig o anogaeth arnoch chi, pan fyddwch chi'n teimlo ychydig yn ddiflas, neu ychydig yn 'fflat'.

- Sefydlwch drefn nodiadau atgoffa, e.e. lluniau, geiriau neu gardiau post.

Wythnos 7

1. Yr hunan tosturiol (Pennod 15)

- Dechreuwch bob dydd gan dreulio pump i ddeg munud ar yr ymarfer hwn. Dychmygwch anfon dymuniadau didwyll (e.e. 'boed i ti fod yn hapus, boed i ti fod yn iach, boed i ti fod yn rhydd o ddioddefaint') at bobl sy'n 'hawdd', er enghraifft, pobl sy'n annwyl i chi (hyd yn oed anifeiliaid, planhigion, anifeiliaid anwes), yna at bobl niwtral, e.e. cymdogion nad ydych chi'n eu hadnabod yn dda, pobl mewn strydoedd neu drefi eraill, ac yna at y ddelwedd ohonoch chi'ch hun yn eistedd yn cyflawni'r ymarfer hwn.

2. Meddwl tosturiol (Pennod 17)

- Tuag ugain munud ar gyfer ymarfer cychwynnol.

- Dechreuwch ymarfer gyda mater rydych chi eisiau meddwl amdano nad yw'n rhy emosiynol.

- Defnyddiwch y ffurflen fwy cymhleth i ddechrau.

- Yna gwnewch yr ymarfer bob dydd, gan ddefnyddio'r ffurflen symlach ar gydbwyso'r meddwl.

Wythnos 8

1. Yr hunan tosturiol neu'r ddelwedd dosturiol (Pennod 15)

   • Gwnewch yr ymarfer bob dydd, wrth ddeffro os yw'n bosib.

2. Dadansoddiad (Pennod 10)

   • Mae angen cryn dipyn o amser i gwblhau hwn, neu gall gymryd sawl cynnig.

   • Does dim rhaid iddo fod yn 'stori ein bywyd' i gyd; gallwch ganolbwyntio ar rai profiadau allweddol bob tro. Y nod yw dysgu'r *broses* o ddeall ein trafferthion mewn ffordd nad yw'n beio neu'n cywilyddio yn y pen draw; sut rydyn ni wedi ceisio amddiffyn ein hunain orau dros y blynyddoedd. Mae'n bosib bod anfanteision i'r ffyrdd hyn, ond 'nid ein bai ni' oedd hynny.

   • Darllenwch â naws llais a mynegiant wyneb cynnes yr hunan tosturiol neu'r ddelwedd dosturiol.

   • Gadewch i'r hunan neu'r ddelwedd dosturiol eich helpu chi i ystyried sut rydych chi'n symud tuag at y person rydych chi am fod, o ystyried y profiadau rydyn ni wedi'u cael, a'r meddwl dynol anodd sy'n rhan ohonon ni i gyd.

   • Os yw'r ymarfer yn tarfu arnoch chi, defnyddiwch rythm anadlu lleddfol/ lle diogel i greu ymdeimlad o ofod o gwmpas y teimladau sydd ynghlwm â'r 'tarfu'. Treuliwch ychydig o amser ar y 'pum carreg gamu' (Pennod 14) i helpu i lonyddu'ch hun.

3. Ysgrifennu llythyrau tosturiol (Pennod 17)

   • Mae'n gallu bod yn ddefnyddiol i wneud hyn yn fuan ar ôl y dadansoddiad, os oes cyfle.

   • Mae angen tuag ugain munud, neu gyhyd ag y dymunwch.

   • Ysgrifennwch o'r galon yn hytrach nag o'r pen.

   • Ailddarllenwch eich geiriau â naws llais a mynegiant wyneb cynnes.

   • Diwygiwch yn ôl yr angen.

   • Parhewch â'r un llythyr, neu ysgrifennwch un newydd dros gyfnod o bedwar diwrnod os yw'n bosib.

Wythnos 9

1. Yr hunan tosturiol/y ddelwedd dosturiol (Pennod 15)

   - Gwnewch yr ymarfer bob dydd am ddeg munud, wrth ddeffro os yw'n bosib.

2. Cyflwyno'r hunan tosturiol i ran drafferthus o'r hunan (Pennod 17)

   - Dewiswch fater nad yw'n rhy ofidus i ddechrau, e.e. mân bryder, rhwystredigaeth fach, teimlo ychydig yn ddiflas neu'n fflat, neu ddiffyg amynedd tuag at y babi.

   - Gorffennwch gyda rhythm anadlu lleddfol/lle diogel.

   - Gwnewch yr ymarfer bob dydd.

Wythnos 10

1. Yr hunan tosturiol (Pennod 15)

   - Gwnewch yr ymarfer bob dydd, ar ddechrau'r diwrnod os yw'n bosib.

   - Anfonwch ddymuniadau tosturiol at bawb yn y tŷ, yna at bobl hawdd, yna at bobl niwtral, ac yna at bobl anodd.

   - Gorffennwch gyda rhythm anadlu lleddfol/lle diogel.

2. Gweithio gyda'r hunanfeirniad (Pennod 18)

   - Ugain i dri deg munud ar gyfer yr ymarfer untro hwn.

   - Dychmygwch yr hyn rydyn ni'n ofni y gallen ni fod pe na bai gennym ein hunanfeirniad. Gall gwneud cofnod ysgrifenedig o hyn fod o gymorth.

   - Yna dychmygwch yr hunanfeirniad o'ch blaen, gan sylwi sut mae'n edrych, yn siarad, naws ei lais, mynegiant ei wyneb, y teimladau mae'n eu cyfeirio tuag atoch chi, sut mae'n uniaethu â chi a beth mae'n ei ddweud wrthych chi.

   - Sylwch ar sut rydych chi'n teimlo mewn perthynas ag ef.

   - Pa mor ddefnyddiol yw e i chi? A yw'n eich annog, yn eich cefnogi, yn eich helpu i fod yn chi ar eich gorau, yn llawenhau yn eich llesiant?

   - Cymharwch hunangywirydd beirniadol â hunangywirydd tosturiol (neu athro neu hyfforddwr beirniadol ag athro neu hyfforddwr tosturiol). Pa un fyddech chi'n ei argymell i blentyn neu rywun sy'n annwyl i chi? Pa un ydych chi'n teimlo yn reddfol fyddai'n eich helpu chi i dyfu a ffynnu?

- O stori'r 'ddau flaidd', rydyn ni'n canolbwyntio ar dyfu, neu 'fwydo' agweddau arnon ni'n hunain rydyn ni wedi'u dewis, yn hytrach nag ymladd neu geisio cael gwared ar yr agweddau nad ydyn ni eu heisiau. Y cyfan rydyn ni'n ei wneud yw symud sylw a bwriad, a newid ffocws ein hymdrech.

3. Cyflwyno tosturi i hunanfeirniad (Pennod 18)

- Ugain i dri deg munud ar gyfer yr ymarfer cychwynnol.

- Yna, deg munud bob dydd.

- Dechreuwch a gorffen â'r 'pum carreg gamu' a'r hunan tosturiol.

- Trowch at eich delwedd dosturiol am gefnogaeth, os oes ei hangen.

Wythnos 11

1. Dewiswch eich ymarfer dyddiol eich hun.

- Yn aml iawn, cofiwch mai'r ymarferion anoddaf fydd o'r budd mwyaf i chi yn y tymor hir.

- Penderfynwch pa bryd ac am ba hyd i ymarfer.

- Sefydlwch drefn nodiadau atgoffa.

2. Dyddiadur diwrnod ym mywyd eich hunan tosturiol yn y dyfodol.

- Dewiswch gyfnod o amser, e.e. blwyddyn, pum mlynedd, deng mlynedd, deng mlynedd ar hugain o nawr.

- Ysgrifennwch gofnod dyddiadur fel petai wedi'i ysgrifennu gan eich hunan tosturiol wrth i'r diwrnod fynd rhagddo.

- Ystyriwch sut mae'n uniaethu ag eraill, sut mae'n cyflawni gweithgareddau a'r alwedigaeth a ddewiswyd ganddo, sut mae'n uniaethu â'i hunan.

- Ystyriwch pa ymrwymiadau allwch chi eu gwneud nawr i'ch helpu chi i ddod yn agosach at y person yr hoffech chi fod, neu os ydych chi'n teimlo eich bod wedi cyflawni hynny eisoes, beth fydd yn eich helpu chi fwyaf i gynnal hynny? Gall fod yn ddefnyddiol i wneud cofnod ysgrifenedig o'r rhain. Gallai'r rhain fod yn rhywbeth cymharol fach, e.e. 'Defnyddia rythm anadlu lleddfol am bum anadl bob dydd', neu 'Darllena'r llyfr hwn', neu'n rhywbeth mwy, e.e. 'Mynd ati i ddilyn y cwrs hyfforddi hwnnw', 'Gwneud y cwrs tylino babanod', 'Mynd i'r grŵp mam a'i phlentyn' neu 'Siarad â'r ymwelydd iechyd am ...'

- Penderfynwch a fyddech chi'n elwa o wneud rhai o'r ymarferion eraill yn y llyfr. Os felly, mae'n bosib yr hoffech chi gynllunio pryd y byddwch chi'n eu gwneud.

- Penderfynwch a hoffech gael cynnig arall ar fynd drwy'r holl raglen ymarfer, neu ran ohoni. (Bydd pob cynnig yn brofiad gwahanol ac yn rhoi gweledigaeth wahanol i chi.)

- Mae'n bosib yr hoffech roi cynnig ar dreulio peth amser heb wneud unrhyw ymarferion, arbrofi ag effaith ymarfer neu beidio ymarfer, rhoi cynnig ar wythnos heb ymarfer, efallai, ac yna wythnos gydag ymarferion eistedd ffurfiol. Os felly, mae'n bosib yr hoffech chi benderfynu pryd i ailafael yn yr ymarferion a gwneud rhyw fath o ymrwymiad i ddechrau eto ar y dyddiad hwnnw.

Wythnos 12

Dyma'r wythnos gyntaf heb amlinelliad wedi'i ragnodi.

- Mae'n bosib yr hoffech chi ddefnyddio'ch hunan tosturiol neu ddelwedd dosturiol i benderfynu beth fydd fwyaf defnyddiol i chi yn ystod yr wythnos hon.

- Efallai y byddwch chi'n penderfynu rhoi cynnig ar gynllun neu beidio defnyddio unrhyw gynllun.

- Mae'n bosib yr hoffech chi adael y llwybr yn llwyr, a gwneud rhywbeth ymhell tu hwnt i'r awgrymiadau yn y llyfr hwn i helpu i ddatblygu a chynnal eich hunan tosturiol.

- Neu mae'n bosib yr hoffech chi weld sut brofiad yw peidio â meddwl amdano o gwbl!

Erbyn hyn, gobeithio y byddwch chi'n gweld peth mor werthfawr yw datblygu eich meddwl tosturiol.

Atodiad B: Y dadansoddiad pedair rhan

Cefndir	Bygythiad neu ofn	Strategaethau diogelu	Canlyniadau anfwriadol
Enghraifft: Mam feirniadol.	Dydw i ddim yn ddigon da. Mae pobl yn ymosodol.	Trio bod yn berffaith. Bod yn dawel ac yn ddymunol tuag at ein gilydd.	Amhosib gwneud hynny, felly'n teimlo mewn perygl o fethu drwy'r amser. Gorbryder dwys. Fy anghenion i byth yn cael eu cyflawni. Teimlo'n sathredig. Teimlo'n ddig ac yn chwerw.

Atodiad C: Cydbwyso meddyliau sy'n canolbwyntio ar dosturi

Sbardun	Meddyliau di-fudd/ gofidus	Meddyliau buddiol/caredig (ceisio creu naws gynnes)

Nodiadau

Pennod 1: 'Popeth yn mynd yn iawn?': Deall y dylanwadau ar ein profiad o gael babi

1. Rosenberg, K. ac W. Trevathan (2002), 'Birth, obstetrics and human evolution', *BJOG: An International Journal of Obstetrics & Gynaecology*, 109(11): 1199–206.
2. Odent, M. (2004), 'Knitting midwives for drugless childbirth.' *Midwifery Today*, 71: 21–2.
3. Hodnett, E., S. Gates, G. Hofmeyr a C. Sakala (2013), 'Continuous support for women during childbirth', *Cochrane Database of Systematic Reviews*, yn *The Cochrane Library* (9).
4. K. Robson a R. Kumar (1980), 'Delayed onset of maternal affection after childbirth', *The British Journal of Psychiatry*, 136(4): 347–53.
5. Wolke, D., S. Eryigit-Madzwamuse a T. Gutbrod (2013), 'Very preterm/very low birthweight infants' attachment: infant and maternal characteristics', *Archives of Disease in Childhood: Fetal and Neonatal Edition*, (ar-lein, ar gael yn: http://dx.doi.org/10.1136/archdischild-2013-303788).
6. Blaffer Hrdy, S. (1999), *Mother Nature*, argraffiad cyntaf, Efrog Newydd: Pantheon Books.
7. Blaffer Hrdy, S. (2009), *Mothers and Others*, argraffiad cyntaf, Cambridge, Massachusetts: Belknap Press, Harvard University Press.
8. Cant, M. A. a R. A. Johnstone (2008), 'Reproductive conflict and the separation of reproductive generations in humans', *Proceedings of the National Academy of Sciences of the United States of America*, 105(14): 5332–6.

Pennod 2: 'Ble mae'r llawenydd?': Deall sut dwi'n teimlo ar ôl cael babi

1. Beck, C. T. (2001), 'Predictors of postpartum depression: an update', *Nurs Research*, Medi/Hydref, 50(5): 275–85.
2. Dennis, C. L. (2005), 'Psychosocial and psychological interventions for prevention of postnatal depression: systematic review', *British Medical Journal*, 2 Gorffennaf, 331 (7507): 15.
3. Gilbert, P. (2006), 'Evolution and depression: issues and implications', *Psychological Medicine*, 36(3): 287–97.

Pennod 3: 'Dwi'n ei chael yn anodd teimlo cariad tuag at fy mabi': Ein hemosiynau cymysg a'n hymdrechion i'w rheoli

1. Laurent, H. a J. Ablow (2012), 'A cry in the dark: depressed mothers show reduced neural activation to their own infant's cry', *Social Cognitive and Affective Neuroscience*, 7(2): 125–34.

2. Lee, D. a S. James (2012), *The Compassionate Mind Approach to Recovering from Trauma*, argraffiad cyntaf, Llundain: Robinson.
3. Levendosky, A., G. Bogat ac A. Huth-Bocks (2011), 'The influence of domestic violence on the development of the attachment relationship between mother and young child', *Psychoanalytic Psychology*, 28(4): 512–27.
4. Shebloski, B., K. J. Conger a K. Widaman (2005), 'Reciprocal links among differential parenting, perceived partiality, and self-worth: a three-wave longitudinal study', *Journal of Family Psychology; Special Issue: Sibling Relationship Contributions to Individual and Family Well-Being*, 19: 633–42.
5. Parker, R. (1995), *Torn in Two: Maternal Ambivalence*, argraffiad cyntaf, Llundain: Virago Press.
6. Raphael-Leff, J., 'Healthy Maternal Ambivalence', www.mamsie.bbk.ac.uk/documents/raphael-leff.pdf (gwefan yw MaMSIE a grëwyd gan aelodau coleg Birkbeck, Prifysgol Llundain, er mwyn trafod bod yn fam a materion mamol).
7. Raphael-Leff, J. (1986), 'Facilitators and regulators: conscious and unconscious processes in pregnancy and early motherhood', *British Journal of Medical Psychology*, 59: 43–55.

Pennod 4: Deall iselder ôl-enedigol

1. Gotlib, I., V. Whiffen, J. Mount, K. Milne a N. Cordy (1989), 'Prevalence rates and demographic characteristics associated with depression in pregnancy and the postpartum', *Journal of Consulting and Clinical Psychology*, 57(2): 269.
2. Josefsson, A., G. Berg, C. Nordin a G. Sydsjö (2001), 'Prevalence of depressive symptoms in late pregnancy and postpartum', *Acta obstetricia et gynecologica Scandinavica*, 80(3): 251–5.
3. Kendall, R. E., J. C. Chalmers a C. Platz (1987), 'Epidemiology of puerperal psychoses', *British Journal of Psychiatry*, 150: 662–73.
4. Blaffer Hrdy, S. (2009), *Mothers and Others*, argraffiad cyntaf, Cambridge, Massachusetts: Belknap Press, Harvard University Press.

Pennod 5: Sut rydyn ni'n cael ein llunio: Sylfeini'r dull meddwl tosturiol

1. Gilbert, P. (2009), *The Compassionate Mind: A New Approach to Life's Challenges*, Llundain: Constable (y llyfr gwreiddiol am ddull meddwl tosturiol yr Athro Paul Gilbert).

Pennod 6: Ein hymennydd: Cymysgedd o'r hen a'r newydd

1. Wilson, D. (2007), *Evolution for Everyone*, argraffiad cyntaf, Efrog Newydd: Delacorte.
2. Porges, S. (2011), *The Polyvagal Theory*, argraffiad cyntaf, Efrog Newydd: W. W. Norton Press.
3. Doidge, N. (2007), *The Brain that Changes Itself*, argraffiad cyntaf, Efrog Newydd: Viking, tud. 427.
4. Siegel, D. (2014), *Brainstorm: The Power and Purpose of the Teenage Brain*, argraffiad cyntaf, Brunswick: Scribe Publications.
5. Soon, Chun Siong, Marcel Brass, Hans-Jochen Heinze a John-Dylan Haynes (2008), 'Unconscious determinants of free decisions in the human brain', *Nature Neuroscience* 11(5): 543–5.
6. Kabat-Zinn, J. (1994), *Wherever You Go, There You Are*, argraffiad cyntaf, Efrog Newydd: Hyperion, tud. 4.

7. Davidson, R., J. Kabat-Zinn, J. Schumacher, M. Rosenkranz, D. Muller, S. Santorelli, F. Urbanowski, A. Harrington, K. Bonus a J. Sheridan (2003), 'Alterations in brain and immune function produced by mindfulness meditation', *Psychosomatic Medicine*, 65(4): 564–70.
8. Davis, D. a J. Hayes (2011), 'What are the benefits of mindfulness? A practice review of psychotherapy-related research', *Psychotherapy*, 48(2): 198.
9. Gilbert, P. a G. Choden (2013), *Mindful Compassion*, argraffiad cyntaf, Llundain: Robinson.
10. Zilcha-Mano, S. (2014), 'The effects of mindfulness-based interventions during pregnancy on birth outcomes and the mother's physical and mental health: integrating Western and Eastern perspectives', yn A. Le, C. Ngnoumen ac E. Langer (2014), *The Wiley Blackwell Handbook of Mindfulness*, argraffiad cyntaf, Hoboken: Wiley, tud. 881–97.

Pennod 7: Deall ein systemau emosiwn

1. Gilbert, P. (2009), *The Compassionate Mind: A New Approach to Life's Challenges*, Llundain: Constable.
2. Bracha, H. S., T. C. Ralston, J. M. Matsukawa ac A. E. Williams (2004), 'Does "fight or flight" need updating?' *Psychosomatics*, Medi-Hydref, 45(5): 448–9.
3. Lieberman, M., N. Eisenberger, M. Crockett, S. Tom, J. Pfeifer a B. Way (2007), 'Putting feelings into words: affect labeling disrupts amygdala activity in response to affective stimuli', *Psychological Science*, 18(5): 421–8.
4. Depue, R. A. a J. V. Morrone-Strupinsky (2005), 'A neurobehavioral model of affiliative bonding', *Behavioral and Brain Sciences*, 28: 313–95.
5. Porges, S. (2011), *The Polyvagal Theory*, argraffiad cyntaf, Efrog Newydd: W. W. Norton Press.
6. Bowlby, J. (1988), *A Secure Base: Parent–Child Attachment and Healthy Human Development*, argraffiad cyntaf, Efrog Newydd: Basic Books.

Pennod 8: Sut mae'r system fygythiad, y system gymell a'r system leddfu yn newid mewn ymateb i feichiogrwydd a bod yn fam newydd

1. Glynn, L. a C. Sandman (2011), 'Prenatal origins of neurological development: a critical period for fetus and mother', *Current Directions in Psychological Science*, 20(6): 384–9.
2. Pearson, R., S. Lightman a J. Evans (2009), 'Emotional sensitivity for motherhood: late pregnancy is associated with enhanced accuracy to encode emotional faces', *Hormones and Behavior*, 56(5): 557–63.
3. Entringer, S., C. Buss, E. A. Shirtcliff, A. L. Cammack, I. S. Yim, A. Chicz-DeMet, C. A. Sandman a P. D. Wadhwa (2010), 'Attenuation of maternal psychophysiological stress responses and the maternal cortisol awakening response over the course of human pregnancy', *Stress*, 13: 258–68.
4. Matthews, K. A. a J. Rodinn (1992), 'Pregnancy alters blood pressure responses to psychological and physical challenge', *Psychophysiology*, 29: 232–40.
5. Glynn, L. M., C. Dunkel Schetter, P. D. Wadhwa a C. A. Sandman (2004), 'Pregnancy affects appraisal of negative life events', *Journal of Psychosomatic Research*, 56(1), 47–52.
6. Glynn, L. M., P. D. Wadhwa, C. Dunkel-Schetter, A. Chicz-Demet a C. A. Sandman (2001), 'When stress happens matters: effects of earthquake timing on stress

responsivity in pregnancy', *American Journal of Obstetrics and Gynecology*, 184: 637–42.

7. Bublitz, M. H. a L. R. Stroud (2012), 'Childhood sexual abuse is associated with cortisol awakening response over pregnancy: preliminary findings', *Psychoneuroendocrinology*, Medi, 37(9): 1425–30.

8. Kendall-Tackett, K. (2007), 'A new paradigm for depression in new mothers: the central role of inflammation and how breastfeeding and anti-inflammatory treatments protect maternal mental health', *International Breastfeeding Journal*, 2(6): 1746–4358.

9. Fredrickson, B., K. Grewen, K. Coffey, S. Algoe, A. Firestine, J. Arevalo, J. Ma a S. Cole (2013), 'A functional genomic perspective on human well-being', *Proceedings of the National Academy of Sciences*, 110(33): 13684–9.

10. Kim, P., J. F. Leckman, L. C. Mayes, R. Feldman, X. Wang a J. E. Swain (2010), 'The plasticity of human maternal brain: longitudinal changes in brain anatomy during the early postpartum period', *Behavioral Neuroscience*, 124: 695–700.

11. Dipietro, J., R. Irizarry, K. Costigan ac E. Gurewitsch (2004), 'The psychophysiology of the maternal–fetal relationship', *Psychophysiology*, 41(4): 510–20.

12. Kohl, J. V. a R. T. Francoeur (2002), *The Scent of Eros: Mysteries of Odor in Human Sexuality*, iUniverse Press.

13. Blaffer Hrdy, S. (2009), *Mothers and Others*, argraffiad cyntaf, Cambridge, Massachusetts: Belknap Press, Harvard University Press.

14. Feldman R., A. Weller, O. Zagoory-Sharon ac A. Levine (2007), 'Evidence for a neuroendocrinological foundation of human affiliation: plasma oxytocin levels across pregnancy and the postpartum period predict mother–infant bonding', *Psychological Science*, Tachwedd, 18(11): 965–70.

15. L. Strathearn, U. Iyengar, P. Fonagy a S. Kim (2012), 'Maternal oxytocin response during mother–infant interaction: associations with adult temperament', *Hormones and Behavior*, 61(3): 429–35.

16. Shamay-Tsoory, S. G., M. Fischer, J. Dvash, H. Harari, N. Perach-Bloom ac Y. Levkovitz (2009), 'Intranasal administration of oxytocin increases envy and *schadenfreude* (gloating)', *Biological Psychiatry*, 66: 864–70.

17. De Dreu, C., L. Greer, M. Handgraaf, S. Shalvi, G. Van Kleef, M. Baas, F. Ten Velden, E. Van Dijk a S. Feith (2010), 'The neuropeptide oxytocin regulates parochial altruism in intergroup conflict among humans', *Science*, 328(5984): 1408–11.

18. Bartz, J. A., J. Zaki, K. N. Ochsner, N. Bolger, A. Kolevzon, N. Ludwig a J. E. Lydon (2010), 'Effects of oxytocin on recollections of maternal care and closeness', *Proceedings of the National Academy of Sciences*, 107: 21371–5.

19. Bartz, J., D. Simeon, H. Hamilton, S. Kim, S. Crystal, A. Braun, V. Vicens ac E. Hollander (2010), 'Oxytocin can hinder trust and cooperation in borderline personality disorder', *Social Cognitive and Affective Neuroscience*, Hydref, 6(5): 556–63.

20. Rockliff, H., A. Karl, K. McEwan, J. Gilbert, M. Matos a P. Gilbert (2011), 'Effects of intranasal oxytocin on "compassion focused imagery"', *Emotion*, 11(6): 1388–96.

21. Larsen, C. M. a D. R. Grattan (2012), 'Prolactin, neurogenesis, and maternal behaviors', *Brain, Behavior, and Immunity*, 26(2): 201–9.

22. Gerlo, S., J. R. E. Davis, D. L. Mager a R. Kooijman (2006), 'Prolactin in man: a tale of two promoters', *BioEssays*, 28(10): 1051–5.

23. Hsu, D., B. Sanford, K. Meyers, T. Love, K. Hazlett, H. Wang, L. Ni, S. Walker, B. Mickey, S. Korycinski, et al. (2013), 'Response of the μ-opioid system to social rejection and acceptance', *Molecular Psychiatry*, 18(11): 1211–17.

Pennod 9: Deall cywilydd

1. Rochat, P. (2003), 'Five levels of self-awareness as they unfold early in life', *Consciousness and Cognition*, 12(4): 717–31.
2. Trevarthen, C. a V. Reddy (2007), 'Consciousness in infants', tud. 50 yn *The Blackwell Companion to Consciousness*, gol. M. Velmans a S. Schneider, Rhydychen: Blackwell.
3. Gonsalkorale, K. a K. Williams (2007), 'The KKK won't let me play: ostracism even by a despised outgroup hurts', *European Journal of Social Psychology*, 37(6): 1176–86.
4. Wesselmann, E. D., F. D. Cardoso, S. Slater a K. D. Williams (2012), '"To be looked at as though air": civil attention matters', *Psychological Science*, 23: 166–8.
5. Williams, K. D. (2009), 'Ostracism: effects of being excluded and ignored', yn *Advances in Experimental Social Psychology*, gol. M. Zanna, Efrog Newydd, Academic Press, tud. 275–314.
6. Ahmed, S. (2004), *The Cultural Politics of Emotion*, Caeredin: Edinburgh University Press.
7. Stadlen, N. (2004), *What Mothers Do: Especially When it Looks Like Nothing*, Llundain: Grŵp Llyfrau Little, Brown.

Pennod 11: 'Sut ydw i'n teimlo, a sut wyt ti'n teimlo, fabi?': Deall ein meddyliau ein hunain ac eraill

1. Liotti, G. a P. Gilbert (2011), 'Mentalizing, motivation, and social mentalities: theoretical considerations and implications for psychotherapy', *Psychology and Psychotherapy: Theory, Research and Practice*, 84(1): 9–25.
2. Main, M. ac E. Hesse (1990), 'Parents' unresolved traumatic experiences are related to infant disorganized attachment status: is frightened/frightening parental behavior the linking mechanism?', yn M. T. Greenberg, D. Cicchetti ac E. M. Cummings (gol.), *Attachment in the Preschool Years: Theory, Research, and Intervention*, Chicago, Illinois: University of Chicago Press, tud. 161–82.

Pennod 12: Natur tosturi: Beth sy'n ffurfio 'meddwl tosturiol'?

1. Gilbert, P. (1989), *Human Nature and Suffering*, Llundain ac Efrog Newydd: Psychology Press/Guilford Press.
2. Sussman, R. a C. Cloninger (2011), *Origins of Altruism and Cooperation*, argraffiad cyntaf, Efrog Newydd: Springer.
3. Cacioppo, J. ac W. Patrick (2009), *Loneliness: Human Nature and the Need for Social Connection*, argraffiad cyntaf, Efrog Newydd: W. W. Norton & Company.
4. Hamilton, D. R. (2010), *Why Kindness is Good for You*, Llundain: Hay House.

Pennod 13: Paratoi'r meddwl tosturiol: Ymwybod gofalgar

1. John Bowlby, *A Secure Base: Clinical Applications of Attachment Theory*, Llundain: Routledge, 1988, tud. 154.
2. Ericsson, K. A. (2006), 'The influence of experience and deliberate practice on the development of superior expert performance', yn K. A. Ericsson, N. Charness, P. Feltovich a R. R. Hoffman (gol.), *Cambridge Handbook of Expertise and Expert Performance*, Caergrawnt: Cambridge University Press, tud. 685–706.
3. Hölzel, B., J. Carmody, M. Vangel, C. Congleton, S. Yerramsetti, T. Gard a S. Lazar (2011), 'Mindfulness practice leads to increases in regional brain gray matter density', *Psychiatry Research: Neuroimaging*, 30 Ionawr, 191(1): 36–43.

4. Germer, C. (2009), *The Mindful Path to Self-Compassion: Freeing Yourself from Destructive Thoughts and Emotions*, Efrog Newydd: Guilford Press.
5. Williams, M., J. Teasdale, Z. Segal a J. Kabat-Zinn (2007), *The Mindful Way through Depression: Freeing Yourself from Chronic Unhappiness*, argraffiad cyntaf, Efrog Newydd: Guilford Press.
6. Kabat-Zinn, J. (1990), *Full Catastrophe Living: Using the Wisdom of Your Body and Mind to Face Stress, Pain, and Illness*, Efrog Newydd: Delta.
7. Teasdale, J. K., A. V. Segal, J. M. G. Williams, V. Ridgeway, J. Soulsby a M. Lau (2000), 'Prevention of relapse/recurrence in major depression by mindfulness-based cognitive therapy', *Journal of Consulting and Clinical Psychology*, 68: 615–23.
8. Van Aalderen, J., A. Donders, F. Giommi, P. Spinhoven, H. Barendregt ac A. Speckens (2012), 'The efficacy of mindfulness-based cognitive therapy in recurrent depressed patients with and without a current depressive episode: a randomized controlled trial', *Psychological Medicine*, 42(5): 989–1001.
9. Kabat-Zinn, J. (1994), *Wherever You Go, There You Are*, argraffiad cyntaf, Efrog Newydd: Hyperion, tud. 4.
10. Williams, M., J. Teasdale, Z. Segal a J. Kabat-Zinn (2007), *The Mindful Way through Depression: Freeing Yourself from Chronic Unhappiness*, argraffiad cyntaf, Efrog Newydd: Guilford Press.

Pennod 14: Paratoi'r meddwl tosturiol: Ysgogi'r system leddfu

1. Porges, S. (2004), 'The polyvagal theory: phylogenetic substrates of a social nervous system', *International Journal of Psychophysiology*, 42: 123–46.
2. Carney, D., A. Cuddy ac A. Yap (2010), 'Power posing brief nonverbal displays affect neuroendocrine levels and risk tolerance', *Psychological Science*, 21(10): 1363–8.
3. Peper, E. ac I. Lin (2012), 'Increase or decrease depression: how body postures influence your energy level', *Biofeedback*, 40(3): 125–30.
4. Gilbert, P. (2009), *The Compassionate Mind: A New Approach to Life's Challenges*, Llundain: Constable.
5. Brown, R. a P. Gerbarg (2012), *The Healing Power of the Breath: Simple Techniques to Reduce Stress and Anxiety, Enhance Concentration, and Balance Your Emotions*, Boston a Llundain: Shambala.
6. Kraft, T. a S. Pressman (2012), 'Grin and Bear It: The Influence of Manipulated Facial Expression on the Stress Response', *Psychological Science*, 23(11): 1372–8.

Pennod 16: Cryfhau'r meddwl tosturiol: Defnyddio sylw ac ymddygiad tosturiol

1. Emmons, R. (2007), *Thanks! How the New Science of Gratitude Can Make You Happier*, Boston, Massachusetts: Houghton.
2. Hanson, R. (2013), *Hardwiring Happiness: The Practical Science of Reshaping your Brain-and your Life*, Rider.
3. Kirschner S. a M. Tomasello (2010), 'Joint music making promotes prosocial behavior in 4-year-old children', *Evolution and Human Behavior*, 31: 354–64.
4. Anshel, A. a D. A. Kipper (1988), 'The influence of group singing on trust and cooperation', *Journal of Music Therapy*, 25: 145–55.

Pennod 17: Defnyddio meddwl tosturiol, ysgrifennu llythyrau a delweddaeth i helpu gyda'n brwydrau

1. Gilbert, P. (2007), *Counselling and Psychotherapy for Depression*: Llundain: Sage.
2. Pennebaker, J. W. (2004), *Writing to Heal: A Guided Journal for Recovering from Trauma & Emotional Upheaval*, Oakland, California: New Harbinger.

Pennod 18: Y daith o hunanfeirniadaeth i dosturi tuag atom ein hunain

1. Rosenberg, M. (2003), *Nonviolent Communication: A Language of Life*, Encinitas, California: Puddle Dancer Press.
2. Tierney, S. a J. Fox (2010), 'Living with the "anorexic voice": a thematic analysis', *Psychology and Psychotherapy: Theory, Research and Practice*, 83: 243–54.
3. Lawrence, V. a D. Lee (2013), 'An exploration of people's experiences of compassion-focused therapy for trauma, using interpretative phenomenological analysis', *Clinical Psychology and Psychotherapy*; cyhoeddwyd ar-lein yn Llyfrgell Ar-lein Wiley (wileyonlinelibrary.com), DOI: 10.1002/cpp.1854.
4. Longe, O., F. A. Maratos, P. Gilbert, G. Evans, F. Volker, H. Rockliff a G. Rippon (2010), 'Having a word with yourself: neural correlates of self-criticism and self-reassurance', *NeuroImage*, 49: 1849–56.

Adnoddau defnyddiol

Llyfrau

Tosturi

Germer, C.K. (2009), *The Mindful Path to Self-Compassion: Freeing Yourself From Destructive Thoughts and Emotions*, Efrog Newydd a Llundain: Guilford Press.

Gilbert, P. (2010), *The Compassionate Mind*, San Francisco: Constable and Robinson.

Gilbert, P. a G. Choden (2013), *Mindful Compassion*, Llundain: Robinson.

Hanson, R. (2013), *Hardwiring Happiness: The Practical Science of Reshaping your Brain and your Life*, Llundain: Rider.

Iselder

Williams, M., J. Teasdale, Z. Segal a J. Kabat-Zinn (2007), *The Mindful Way Through Depression: Freeing Yourself from Chronic Unhappiness*, Efrog Newydd a Llundain: Guilford Press.

Meddyliau ymwthiol

Kleiman, K. ac A. Wenzel (2011), *Dropping the Baby and Other Scary Thoughts: Breaking the Cycle of Unwanted Thoughts in Motherhood*, Llundain: Routledge.

Lee Baer, L. (2002), *The Imp of the Mind: Exploring the Silent Epidemic of Obsessive Bad Thoughts*, Efrog Newydd: Plume.

Rhianta

Gerhardt, S. (2007), *Why Love Matters: How Affection Shapes a Baby's Brain*, Llundain: Routledge.

Stadlen, N. (2005), *What Mothers Do: Especially When It Looks Like Nothing*, Llundain: Little, Brown.

Sunderland, M. (2007), *What Every Parent Needs to Know: The Incredible Effects of Love, Nurture and Play on Your Child's Development*, Llundain: Dorling Kindersley.

Trawma

Lee, D. (2012), *The Compassionate Mind Approach to Recovering from Trauma: Using Compassion Focused Therapy*, Llundain: Robinson.

Defnyddio'r anadl

Brown, R. P. a P. Gerbarg (2012), *The Healing Power of the Breath: Simple Techniques to Reduce Stress and Anxiety, Enhance Concentration, and Balance Your Emotions*, Llundain a Boston, Massachusetts: Shambala.

Gwefannau

Tosturi

Compassionate Mind Foundation UK
www.compassionatemind.co.uk/
Gwybodaeth a fideos am therapi sy'n canolbwyntio ar dosturi a gwyddoniaeth tosturi; dolenni i wefannau eraill am dosturi.

Compassionate Mind Foundation (USA)
www.mindfulcompassion.com
Gwefan dan ofal Dr Dennis Tirch. Mae'n cynnwys gwybodaeth a deunyddiau amrywiol i'w lawrlwytho ar gyfer ymarfer dan arweiniad a myfyrio.

The Center for Compassion and Altruism Research and Education (CCARE)
www.ccare.stanford.edu
Darlithoedd a fideos ar sawl agwedd ar dosturi.

Mindful Self-Compassion
www.mindfulselfcompassion.org
Gwefan dan ofal Christopher Germer. Mae'n cynnwys deunyddiau amrywiol i'w lawrlwytho ar gyfer myfyrio.

Self-Compassion
www.self-compassion.org
Gwefan dan ofal Dr Kristin Neff. Mae'n cynnwys ymchwil, mesurau a deunyddiau i'w lawrlwytho ar gyfer myfyrio.

Galar

Gofal mewn Galar Cruse
http://www.cruse.org.uk
Llinell gymorth 0808 808 1677
Cefnogaeth pan fydd rhywun yn marw. Mae hefyd yn cynnig cymorth i blant, cymorth wyneb yn wyneb a grwpiau cymorth lleol.

SANDS
https://www.uk-sands.org/
Elusen marw-enedigaeth a marwolaeth newydd-anedig, help i unrhyw un sy'n cael ei effeithio gan farwolaeth babi. Mae'n cynnig gwybodaeth, cymorth dros y ffôn, cymorth drwy e-bost, grwpiau cymorth lleol, fforwm ar-lein.

Afiechyd meddwl ôl-enedigol

Association for Postnatal Illness (APNI)
http://apni.org.uk
Llinell gymorth: rhwng 10.00am a 2.00pm ar 0207 386 0868
Gwybodaeth, cymorth.

Action on Postpartum Psychosis
http://www.app-network.org/
Ffôn 020 3322 9900
Rhwydwaith o bobl sydd wedi eu heffeithio gan Seicosis Ôl-enedigol (neu seicosis ôl-esgor, anhwylder deubegynol ôl-enedigol) yw APP; fforwm cymorth ar-lein (https://healthunlocked. com/app-network), gwybodaeth, cymorth e-bost un-i-un.

Netmums
www.netmums.com
www.netmums.com/parenting-support/drop-in-clinic, Llun i Gwener: 9am–hanner dydd a 7.30pm–9.30pm; Sadwrn a Sul: 7.30pm–9.30pm
Amrywiaeth o bynciau rhianta, 'clinig galw heibio' ar-lein. Dan ofal cefnogwyr o blith rhieni, cymorth ar-lein bob awr o'r dydd a'r nos, gwybodaeth, cwrs iselder ôl-enedigol ar-lein.

PANDAS Pre and Postnatal Depression Advice and Support
http://www.pandasfoundation.org.uk/
Llinell gymorth: 0808 1961 776, 9am tan 8pm, Llun i Sadwrn.
Gwybodaeth, grwpiau cymorth.

Coleg Brenhinol y Seiciatryddion
http://www.rcpsych.ac.uk
Gwybodaeth am iechyd meddwl.

Samariaid Cymru
http://www.samaritans.org/wales/samaritans-cymru/
Ffôn 0808 164 0123
'Mae'r Samariaid yn darparu cefnogaeth emosiynol gyfrinachol ac anfeirniadol, 24 awr y dydd, bob dydd, i bobl sy'n profi teimladau o ofid neu anobaith, gan gynnwys teimladau a allai arwain at hunanladdiad.'

Cefnogaeth i rieni

Cry-sis
www.cry-sis.org.uk
Llinell gymorth 08451 228 669, 9am tan 10pm, saith diwrnod yr wythnos
Mae'n cynnig cymorth i deuluoedd gyda babanod sy'n crio llawer, sydd ddim yn cysgu llawer neu sydd angen sylw cyson.

Cynghrair La Leche
www.laleche.org.uk
Llinell gymorth bwydo ar y fron: 0345 120 2918
Cymorth i fenywod sydd eisiau bwydo'u babi ar y fron. Gwybodaeth, grwpiau cymorth lleol, ceisiadau ar-lein.

Mam Cymru
https://mamcymru.wales/cy/
Gwybodaeth amrywiol yn ymwneud â mamau, teuluoedd a magu plant.

Mumsnet
www.mumsnet.com
Amrywiaeth o bynciau magu plant, gwybodaeth, grwpiau lleol, fforwm cymorth ar-lein.

NCT
www.nct.org.uk
Llinell gymorth: Llinell ôl-enedigol Ymddiriedolaeth Genedlaethol Geni Plant – 0300 330 0700
Cyrsiau cyn-geni ac ôl-enedigol, cymorth lleol, gwybodaeth.

Netmums
www.netmums.com
www.netmums.com/parenting-support/drop-in-clinic, Llun i Gwener: 9am–hanner dydd a 7.30pm–9.30pm; Sadwrn a Sul: 7.30pm–9.30pm
Amrywiaeth o bynciau magu plant, 'clinig galw heibio' ar-lein. Dan ofal cefnogwyr o blith rhieni, cymorth ar-lein bob awr o'r dydd a'r nos, gwybodaeth, cwrs iselder ôl-enedigol ar-lein.

Diolchiadau

Yn gyntaf, hoffwn ddiolch i'r holl gleientiaid y bûm i'n gweithio gyda nhw dros y blynyddoedd sydd wedi rhannu eu profiadau, eu doethineb a rhan o daith eu bywyd â mi. Mae'r llyfr hwn wedi'i greu o'u straeon nhw ac o'r hyn rydyn ni wedi'i ddysgu gyda'n gilydd.

Hoffwn ddiolch i'r Athro Paul Gilbert am y model meddwl tosturiol. Mae'n teimlo fel anrheg go iawn i'r byd. Hefyd, am ei haelioni aruthrol o ran amser a rhannu gwybodaeth wrth iddo fy nysgu, fy ngoruchwylio, a mynd trwy'r llyfr hwn yn ofalus gyda mi. Ac yn olaf, am ei dosturi a'i gefnogaeth ar lefel bersonol.

Hoffwn hefyd ddiolch i'r rheini sy'n gweithio yn y Compassionate Mind Foundation and Community, neu sy'n gysylltiedig â nhw – grŵp o bobl hynod gynnes, cefnogol ac ysgogol i'r meddwl. Yn eu plith mae Mary Welford, Russell Kolts, Chris Irons, Deborah Lee, Jean Gilbert, Hannah Gilbert, Kate Lucre, Fiona Ashworth, Choden, Ken Goss, Ian Lowens, Neil Clapton, Tobyn Bell a Dennis Tirch.

Mae fy ngwybodaeth o'r dull meddwl tosturiol wedi cael ei llunio a'i hehangu gan gynifer o bobl. Yn eu plith mae'r Tîm Iechyd Meddwl Amenedigol yn Derby, yn enwedig Kim Sladen, sydd wedi cydweithio â mi gyda'r fath ddoethineb a thosturi wrth i ni redeg y grwpiau meddwl tosturiol i fenywod a gyfeiriwyd at ein gwasanaeth. Maen nhw hefyd yn cynnwys Wendy Wood, sy'n rhedeg ac yn goruchwylio'r cwrs Tystysgrif Ôl-raddedig mewn Therapi sy'n Canolbwyntio ar Dosturi ym Mhrifysgol Derby, ac Andrew Raynor, sy'n goruchwylio gyda mi ar y cwrs hwnnw.

Rhan bwysig o'r daith fu mynd â'r model hwn y tu hwnt i'r byd therapi. Mae'r broses hon wedi rhoi llawer o foddhad ac mae wedi fy helpu i geisio deall a chyfleu gwir hanfod y model hwn i'r rhai nad ydyn nhw wedi'u hyfforddi fel therapyddion. O safbwynt y dasg hon, hoffwn ddiolch i lawer o bobl, yn cynnwys Liz Andrews pan oedd yn gweithio gyda Paul a minnau i gynnwys modiwl meddwl tosturiol ar wefan cymorth rhianta Netmums, i Gynghrair La

Leche Prydain Fawr, a helpodd i sicrhau bodolaeth y llyfr hwn pan wnaethon nhw ofyn am un tebyg iddo sawl blwyddyn yn ôl, i Jane Elliott, yr Athro Steve Trenchard, a staff Ymddiriedolaeth Sefydliad Gofal Iechyd Swydd Derby am eu cefnogaeth a'u rhan yn y cwrs deuddeg wythnos meddwl tosturiol i staff. Diolch hefyd i nyrsys teulu a staff y Bartneriaeth Nyrsys Teulu, yn enwedig Ann Rowe, Ruth Rothman, Mary Clarke a phawb yn Ripplez, tîm nyrsys teulu Derby. Mae'r rhain yn bobl wironeddol ysbrydoledig a thosturiol sydd wedi gweithio'n ddiflino â'r fath gynhesrwydd ac anogaeth i gyflwyno'r model meddwl tosturiol i gynifer â phosibl o nyrsys teulu a mamau ifanc newydd yn y Deyrnas Unedig.

Hoffwn ddiolch hefyd i'r rhai sydd wedi fy nghefnogi ar lefel bersonol ar y daith hon o gwmpas meddyliau tosturiol, gan gynnwys Mia Scotland, Sam Buckley, a phawb yn fy ngrŵp darllen.

Hoffwn hefyd ddiolch i'm plant, a gollodd eu mam i'r llyfr hwn ar sawl achlysur, ond gobeithio'u bod wedi cael mam ychydig yn well yn ôl yn y pen draw.

Yn olaf, rhaid i mi ddiolch i'm teulu am eu holl anogaeth a'u cefnogaeth, yn enwedig fy ngŵr Neil. Mae wedi rhoi cymaint o feddwl ac amser i'm helpu gyda'r llyfr hwn, wedi gofalu am ein plant pan oeddwn i'n diflannu, a hefyd, yn anad dim, wedi bod yn bresenoldeb mor ddiwyro a chariadus.

Mynegai